D0454411

LES MISÉRABLES

Tome I

VICTOR HUGO

Les Misérables

Tome I

PRÉFACE DE VERCORS

COMMENTAIRES DE NICOLE SAVY
NOTES DE GUY ROSA

LE LIVRE DE POCHE

Nicole Savy — Professeur agrégé de lettres modernes, auteur d'un docto-
rat sur *Les Misérables* effectué sous la direction du professeur Jacques
Seebacher à l'Université Paris 7, coauteur de *Lire « Les Misérables »* (José
Corti, 1985) et de l'édition des *Œuvres* de Hugo (Laffont, 1985), et membre
du Groupe interuniversitaire de travail sur Victor Hugo, est secrétaire
générale du Comité national Victor Hugo pour les manifestations du centenaire.

Guy Rosa — Ancien élève de l'E.N.S., agrégé des lettres, assistant à
l'Université Paris 7. Il a collaboré à l'édition chronologique des *Œuvres
complètes* de V. Hugo dirigée par Jean Massin (Paris, Club français du
livre, 1967) et coordonne aux côtés de J. Seebacher l'édition des *Œuvres*
de Hugo en préparation chez Laffont, « Bouquins ».

HUGO ET LA CONSCIENCE

Un des esprits les plus fins et les plus intelligents de ce siècle — André Gide — n'en a pas moins proféré certain jour une sottise considérable. Comme on lui demandait quel était le plus grand écrivain français, il répondit : « Victor Hugo, hélas ! »

Cet « hélas ! » intempestif a bien entendu été repris par tous les perroquets des lettres, toujours à l'affût de ce qui peut diminuer un grand homme. Et certes on dénombre chez Hugo bien des naïvetés, des gongorismes et d'énormes fautes de goût. Mais s'il fallait désigner la plus grande beauté terrestre, répondrait-on : « L'Océan, hélas ! », à cause de l'écume impure que la mer laisse sur ses bords ? Ou : « La Forêt, hélas ! », à cause de ses mauvaises herbes ? Le génie de Hugo n'est certainement pas un jardin à la française. *Les Misérables* ne rappellent pas le calme d'un joli lac bordé d'élégants saules pleureurs. Ce qu'ils rappellent, c'est un torrent de montagne, c'en est le flot tumultueux et cristallin qui peut bien entraîner avec lui, c'est vrai, racines tordues et autres débris, mais qui n'en forme pas moins la plus pure et la plus grandiose des forces naturelles. Un torrent qui bouillonne, cascade, écume entre les rives sauvages de la misère et de la révolte, pour se jeter dans le fleuve de la souffrance humaine et parvenir, peut-être, peut-être, à l'océan des espérances.

Mais le plus captivant, à mes yeux, c'est de remonter ce torrent jusqu'à sa source. Car d'où jaillirait-il, si ce n'était pas des hauteurs ? Des cimes où dominent les passions de la conscience ? Ou pour mieux dire encore, où la conscience se déchire dans la douleur entre le bien et le mal.

Je me revois à douze ans quand, à plat ventre sur le tapis, je me plongeais dans les volumes trop grands des œuvres complètes de Hugo, qui figuraient, dans leur lourde reliure de chagrin rouge, au cœur de la bibliothèque paternelle. A cet âge, j'étais peu sensible aux débats de conscience et l'étais bien plus, on s'en doute, aux aventures épiques de Gilliatt le marin ou de l'Homme qui rit, à la fumée des combats des « bleus » contre les Chouans. Aussi ne m'attendais-je pas, en approchant des dernières pages de *Quatrevingt-Treize,* au bouleversement mental qu'une simple petite phrase allait provoquer en l'enfant que j'étais. C'est elle qui m'a obligé à me connaître, elle qui m'a fait pressentir de quelle pierre est bâtie l'œuvre de Victor Hugo; et c'est pourquoi l'on m'excusera de m'étendre un peu, pour commencer, sur cette petite phrase de ce roman-là.

Une toute petite phrase en conclusion de ce qui ne m'avait paru d'abord, dans cette histoire pleine de rebondissements, qu'une péripétie parmi d'autres.

Et pourtant !

La Patrie est en danger. La Bretagne s'est soulevée et les « bleus » viennent y mater les Chouans. Le Comité de Salut public y a dépêché Cimourdin, farouche républicain, afin d'y contrôler le commandement, dont est chargé son fils adoptif, le capitaine Gauvain qu'il adore. Il lui faut être impitoyable contre toute faiblesse.

Le chef des Chouans, le marquis de Lantenac, fait prisonnier puis s'étant évadé, s'est réfugié près d'un château. Un partisan y met le feu. Et trois petits enfants vont y être brûlés vifs si l'on ne vient à leur secours.

Or — premier débat de conscience — le seul qui puisse les sauver, c'est Lantenac. Mais s'il quitte son refuge, il sera repris et décapité. Il le quitte néanmoins, arrache les enfants aux flammes, et au pied de l'échelle on lui met la main au collet.

Mais — second débat de conscience — c'est Gauvain à présent qui se trouve devant un choix tragique : fera-t-il tomber la tête de cet homme de cœur, qui s'est offert en sacrifice ? Il ne le peut et, au matin, il lui ouvre les portes de sa prison, sachant qu'il trahit ainsi la République.

Et c'est alors au tour de Cimourdin — troisième débat de conscience — à être déchiré entre son devoir républicain et sa tendresse de père. Car le tribunal qui va juger la trahison de son fils, c'est lui qui doit le présider. Deux voix pour, deux voix contre — la sentence de vie ou de mort dépend donc de lui seul.

J'en étais là — que va-t-il décider? — quand se présenta cette petite phrase : *Cimourdin se leva. Son visage était couleur de terre*. Tellement simple, n'est-ce pas? Mais à ces mots : *couleur de terre*, une vague d'émoi me submergea et, se substituant à ma curiosité de jeune lecteur pressé, me laissa pantelant. Subitement j'avais pris une conscience aiguë du drame abominable qui se passait dans ce cœur de père. Et quand, à la seconde où tombe la tête du généreux et noble Gauvain, Cimourdin se tire une balle dans la tête, c'est toute la grandeur et la fureur et la douleur de la conscience humaine — de la condition humaine — dont la révélation m'envahit de la tête aux pieds.

Chez un jeune garçon, un tel bouleversement ne s'oublie pas. Et peut-être fut ce la raison pour laquelle, lisant ensuite *Les Misérables*, il m'apparut d'évidence que ce qui est au cœur de ce roman, le centre autour de quoi tout le reste s'organise, ce sont les débats successifs dans la conscience de Jean Valjean.

Ou dans celle de Victor Hugo?

Car il est passionnant de retrouver dans *Choses vues*, dès 1841, deux menus incidents, pas même des faits divers, deux petits riens qu'un autre se fût empressé d'oublier, mais qui remuèrent si bien la conscience de Hugo qu'il en conçut d'abord la première version des *Misères*, titre qui se changerait en celui des *Misérables* quand il se remettrait, après avoir porté en lui vingt ans ces souvenirs, à ce roman de deux mille pages...

Un soir, nous conte Hugo — il vient d'être élu à l'Académie française —, il neige à flocons, et il guette le passage d'un fiacre pour rentrer chez lui. Un peu plus loin, au coin du boulevard, une miséreuse lorette y est plantée aussi, en robe décolletée. Il voit alors un jeune dandy en frac qui se baisse, ramasse une grosse poignée de neige et la plaque dans le dos nu de la fille. Elle pousse un cri perçant, se jette sur ce mufle imbécile, et l'empoignade attire avec les badauds deux agents de police.

Ils ne touchent pas à l'homme en frac, mais saisissent la fille et l'entraînent malgré ses pleurs et ses protestations : « Tu en as pour tes six mois », lui disent les policiers. Indigné par cette injustice, Hugo les suit; mais au moment d'entrer au poste derrière eux, afin de témoigner pour la victime, le voilà qui hésite. Il se dit qu'il est un homme connu; que depuis deux jours les journaux ne parlent que de lui, tout frais académicien; et que s'il se mêle d'une semblable affaire on va le tourner en ridicule. Bref, il n'entre pas.

Toutefois il observe par la fenêtre. Il voit la fille qui s'arrache les cheveux, se roule par terre de désespoir. Et alors, à cette vue, sa conscience s'éveille, se débat, et à la fin quand même l'esprit de justice l'emporte. Il entre, se nomme, témoigne et signe sa déposition. Ce qui d'ailleurs le frappe le plus dans cette affaire, c'est la stupéfaction émerveillée de la pauvre lorette : quoi ! un « monsieur » qui se montre juste et généreux envers une putain ?

Mais lui, Hugo, n'oubliera plus sa lâche hésitation.

Deux ou trois ans plus tard, il passe rue de Tournon. Il fait très beau, très froid. Il voit venir un homme que deux soldats emmènent. Un homme dans la trentaine, blond, pâle, maigre, hagard dans son pantalon de toile, les pieds écorchés dans les sabots. Le dos souillé d'une blouse courte indique qu'il ne couche pas dans un lit. Il porte encore sous son bras le pain qu'il a dû dérober pour donner à manger à sa famille. Devant la gendarmerie, l'un des soldats y entre tandis que l'autre garde l'homme à la porte.

Or, une voiture est arrêtée là. C'est une berline qui porte couronne ducale, attelée à deux chevaux avec, derrière, deux laquais en guêtres. A l'intérieur, tapissé d'un damas jaune vif, on distingue une femme en chapeau rose, en robe de velours noir, fraîche, blanche, belle, éblouissante. Elle rit et joue avec un bébé enfoui dans les rubans, les dentelles et les fourrures.

Et cette femme, dit Hugo, ne voit pas l'homme terrible qui la regarde. Mais Hugo les observe l'un et l'autre, et un grand mouvement se fait en lui, un grand mouvement de conscience, une prise de conscience sociale. Il est encore à ce moment, en 1845, un homme d'ordre, royaliste et légitimiste. Mais en considérant cet homme qui voit qu'une telle femme existe, et cette femme qui ne voit même pas que cet homme est là, transparent, aboli, une lumière décisive se fait en lui. Il se dit qu'un état d'injustice aussi insupportable ne peut, ne doit pas être supporté plus longtemps; et que ce qu'il voit là, en plein jour, en plein soleil, c'est l'apparition d'une révolution encore plongée dans les ténèbres, mais qui ne saurait tarder à éclater.

Trois ans plus tard (1848) cette révolte qu'il a prévue explose effectivement. Mais, entre-temps, ces deux incidents fortuits (et sans doute quelques autres) ont fait faire beaucoup de chemin à ses convictions. Il n'est plus pour le roi, il est pour la république. Puis, quand en exil à Guernesey, en 1862, il se décide enfin à écrire *Les Misérables,* il tend déjà vers ce qu'on appellerait, aujourd'hui, l'extrême gauche : il ajoute « socialiste » à « républicain ». Dix ans plus tard, on le retrouvera en ardent défenseur des communards.

On aura compris que dans ce roman, ce qui a donné naissance au forçat Jean Valjean, victime de sa misère, d'une société cruelle et d'une justice injuste, c'est l'homme au pain aperçu rue de Tournon. Relâché après dix-neuf ans de bagne, pourra-t-il se « réinsérer », selon le terme récent de notre vocabulaire ? Tout le roman va conter, de son retour à la tombe, les heurs et malheurs de l'ancien forçat. Et n'est-il pas remarquable qu'à la cime des épisodes les plus marquants, sept fois au moins on le trouvera aux prises avec sa conscience ?

Premier débat : Revenu des galères pour le vol d'un pain, Valjean est rejeté de partout. Sans abri, sans ressources, va-t-il se faire bandit ? C'est le plus facile et, recueilli par un brave ecclésiastique, il lui dérobe son argenterie. Or, loin de le livrer à la police, l'évêque l'innocente, prétendant lui en avoir fait don. Si cette bonté inconcevable le bouleverse, Valjean n'en commet pas moins en route encore un vol sur un enfant. Mais cette fois sa conscience s'éveille, le remords le tenaille, il se harcèle de contradictions : Va-t-il rester paresseusement bandit ? Ou tenter le plus difficile : se racheter par le travail ?

Deuxième débat : A force de labeur et d'intelligence, voici notre bagnard devenu grand honnête homme; et mieux encore un riche industriel, aimé et respecté de toute la ville qui l'a choisi pour maire. Or il est recherché par le policier Javert, qui a connu aux galères ce gaillard d'une force ahurissante. Caché sous un faux nom, Valjean a beaucoup changé et le policier, en le croisant, ne le reconnaît pas; mais voici qu'un charretier va mourir sous leurs yeux si le maire ne fait pas usage de sa force exceptionnelle. Va-t-il la dévoiler et se faire reconnaître par Javert ? Ou se garder d'intervenir et garder pour toujours un mort sur la conscience ?

Troisième débat : Plus tard un autre dilemme va accabler Valjean bien davantage. On a cru reconnaître Jean Valjean en un vagabond voleur de pommes et qui, accusé de récidive, risque le bagne à perpétuité. *Une tempête sous un crâne* : le riche industriel qui fait le bonheur de sa cité va-t-il se livrer et retourner au bagne pour innocenter le vagabond ? Ou bien, en restant muet, le laissera-t-il condamner à sa place ?

Quatrième débat : Fantine — la lorette des *Choses vues* — meurt dans les bras de Jean Valjean et lui confie sa fille. Il va élever celle-ci et l'adorer de tout son cœur. Lorsque surviennent plus tard les « Trois Glorieuses » et les obsèques du général Lamarque, elle est devenue une demoiselle. Or voici qu'il apprend qu'elle aime un beau jeune homme. Quoi ! Ce godelureau va-t-il la lui ravir ? Le vieil homme en mourra ! Par bonheur un mot l'informe que le jeune homme va périr avec les insurgés. Joie, joie, jour de joie, il conserve sa pupille ! — mais laissera-t-il vraiment mourir celui qu'elle aime ?

Cinquième débat : Les insurgés ont reconnu et ligoté le policier Javert à un poteau. Et c'est Jean Valjean qu'on charge de l'exécuter. Il va pouvoir enfin se libérer de son persécuteur ! Mais abat-on un homme dans les liens ?

Sixième débat : Un policier, sauvé par celui qu'il poursuit, l'enverra-t-il néanmoins aux galères par devoir ? Ou l'épargnera-t-il par gratitude ? Pour un homme de sa sorte, le dilemme est insoluble. Alors comment le résoudra-t-il ?

Septième débat : La délicieuse pupille du vieux Valjean épouse son « promis ». Cruel dilemme pour l'ancien forçat : Va-t-il leur mentir à tous les deux, jusqu'à son dernier jour, pour mourir dans leurs bras en homme heureux ? Ou avouer au mari qu'il est en rupture de ban et, pour éviter tout scandale au jeune ménage, vivre à jamais séparé de celle qui se croit sa fille, puis s'éteindre dans le désespoir et la solitude ?

*

L'on voit qu'il n'est guère de péripéties de ce roman immense qui n'aient pour moteur, plus même que dans *Quatrevingt-Treize*, les débats du bien et du mal; d'autant plus affligeants, douloureux, qu'ils ont lieu dans l'esprit d'hommes bons et généreux. Je ne sais à quel point Hugo lui-même en était conscient, puisque certes, avant tout, la trame des *Misérables* c'est la peinture monumentale des pauvres gens, la fresque de leur horrible état au sein d'une société impitoyable — celle de la bourgeoisie louis-philipparde — qui écrase de son égoïsme énorme ces « misérables » qui ne sont devenus tels, dans le sens péjoratif du terme, que parce qu'elle a fait d'eux des humiliés, des offensés. Et néanmoins, je maintiens que la forêt n'est que masquée par les arbres, et que le torrent qui jaillit de la plume de Hugo a pris sa source, même s'il ne le sait pas, dans les inquiétudes morales de l'écrivain; au moins autant de toute façon que dans le spectacle de la misère. C'est à mes yeux une certitude, une évidence.

Et dans ce monde où nous vivons, en ce siècle de bouleversements et d'apocalypses, l'on peut juger si ces débats de conscience personnelle restent à l'ordre du jour ! Sur ce point, loin de vieillir, l'œuvre de Hugo est d'une terrible modernité. Et il n'est guère de jour qu'elle ne se rappelle à nous.

Cela n'empêche point, bien entendu, qu'on ne soit tout autant frappé d'admiration par les autres et innombrables ressources du génie hugolien; par le talent prodigieux qu'il a de tirer, de visages tout juste entr'aperçus, cette myriade de personnages qui vivent, s'aiment, se haïssent, rient, palpitent, souffrent et meurent; de construire la vie entière d'un Jean Valjean sur la brève rencontre de l'homme au pain; celle de Fantine (puis de Cosette) sur la pauvre lorette du boulevard; et celle du plus populaire de tous, ce Gavroche immortel qui a fait le tour du monde, sur ce gamin de sept ans que Hugo a vu passer, chantant un couplet révolutionnaire et faisant, après chaque refrain, sauter sa casquette par-dessous la jambe, pour la rattraper dans un grand rire...

Mais il y a plus surprenant encore que ces portraits individuels : il y a les événements collectifs, historiques, dont pourtant Hugo n'a dû guère discerner plus qu'une ombre — Waterloo, l'Année 1817, la France sous Louis-Philippe, les Barricades des deux faubourgs, l'Épopée de la rue Saint-Denis... et qu'il nous reconstitue, insérés dans l'Intrigue comme autant de truffes dans un pâté, sous forme de « morceaux de bravoure » d'une véracité, d'une étendue, d'une précision et d'une puissance d'évocation proprement stupéfiantes. Interrompant le torrent des péripéties; survolant la forêt des personnages; mais laissant paraître un océan de connaissances et d'expériences vécues, il nous arrache à notre envoûtement romanesque pour nous plonger dans un envoûtement supérieur, celui de la réalité palpitante et de l'Histoire en marche.

Prophète de la conscience, avocat de la misère, pilori de la violence et de l'injustice, peintre de la grande aventure humaine, maître des mots et seigneur du langage, tel apparaît l'auteur des *Misérables*. Vous pouvez ajouter « hélas » si vous voulez.

VERCORS.

LES MISÉRABLES

Tant qu'il existera, par le fait des lois et des mœurs, une damnation sociale créant artificiellement, en pleine civilisation, des enfers, et compliquant d'une fatalité humaine la destinée qui est divine; tant que les trois problèmes du siècle, la dégradation de l'homme par le prolétariat, la déchéance de la femme par la faim, l'atrophie de l'enfant par la nuit, ne seront pas résolus; tant que, dans de certaines régions, l'asphyxie sociale sera possible; en d'autres termes, et à un point de vue plus étendu encore, tant qu'il y aura sur la terre ignorance et misère, des livres de la nature de celui-ci pourront ne pas être inutiles.

Hauteville-House, 1er janvier 1862.

PREMIÈRE PARTIE

FANTINE

LIVRE PREMIER
UN JUSTE[1]

I

M. MYRIEL[2]

En 1815, M. Charles-François-Bienvenu Myriel était évêque de Digne. C'était un vieillard d'environ soixante-quinze ans; il occupait le siège de Digne depuis 1806.

Quoique ce détail ne touche en aucune manière au fond même de ce que nous avons à raconter, il n'est peut-être pas inutile, ne fût-ce que pour être exact en tout, d'indiquer ici les bruits et les propos qui avaient couru sur son compte au moment où il était arrivé dans le diocèse. Vrai ou faux, ce qu'on dit des hommes tient souvent autant de place dans leur vie et surtout dans leur destinée que ce qu'ils font. M. Myriel était fils d'un conseiller au parlement d'Aix; noblesse de robe. On contait de lui que son père, le réservant pour hériter de sa charge, l'avait marié de fort bonne heure, à dix-huit ou vingt ans, suivant un usage assez répandu dans les familles parlementaires. Charles Myriel, nonobstant ce mariage, avait, disait-on, beaucoup fait parler de lui. Il était bien fait de sa personne, quoique d'assez petite taille, élégant, gracieux, spirituel; toute la première partie de sa vie avait été donnée au monde et aux galanteries. La révolution survint, les événements se précipitèrent, les familles parlementaires décimées, chassées, traquées, se dispersèrent. M. Charles Myriel, dès les premiers jours de la révolution, émigra en Italie. Sa femme y mourut d'une maladie de poitrine dont elle était atteinte depuis longtemps. Ils n'avaient point d'enfants. Que se passat-il ensuite dans la destinée de M. Myriel? L'écroulement de l'ancienne société française, la chute de sa propre famille, les tragiques spectacles de 93, plus effrayants encore peut-être pour les émigrés qui les voyaient de loin avec le grossissement de l'épouvante, firent-ils germer en lui des idées de renoncement et de solitude? Fut-il, au milieu d'une de ces distractions et de ces affections qui occupaient sa vie, subitement atteint d'un de ces coups mystérieux et terribles qui viennent quelquefois renverser, en le frappant au cœur, l'homme que les catastrophes publiques n'ébranleraient pas en le frappant dans son existence et dans sa fortune? Nul n'aurait pu le dire; tout ce qu'on savait, c'est que, lorsqu'il revint d'Italie, il était prêtre.

En 1804, M. Myriel était curé de B. (Brignolles). Il était déjà vieux, et vivait dans une retraite profonde.

Vers l'époque du couronnement, une petite affaire de sa cure, on ne sait plus trop quoi, l'amena à Paris. Entre autres personnes puissantes, il alla solliciter pour ses paroissiens M. le cardinal Fesch. Un jour que l'empereur était venu faire visite à son oncle, le digne curé, qui attendait dans l'antichambre, se trouva sur le passage de sa majesté. Napoléon, se voyant regardé avec une certaine curiosité par ce vieillard, se retourna, et dit brusquement :

— Quel est ce bonhomme qui me regarde?

— Sire, dit M. Myriel, vous regardez un bonhomme, et moi je regarde un grand homme. Chacun de nous peut profiter.

L'empereur, le soir même, demanda au cardinal le nom de ce curé, et quelque temps après M. Myriel fut tout surpris d'apprendre qu'il était nommé évêque de Digne.

Qu'y avait-il de vrai, du reste, dans les récits qu'on faisait sur la première partie de la vie de M. Myriel? Personne ne le savait. Peu de familles avaient connu la famille Myriel avant la révolution.

M. Myriel devait subir le sort de tout nouveau venu dans une petite ville où il y avait beaucoup de bouches qui parlent et fort peu de têtes qui pensent. Il devait le subir, quoiqu'il fût évêque et parce qu'il était évêque. Mais, après tout, les propos auxquels on mêlait son nom n'étaient peut-être que des propos; du bruit, des mots, des paroles; moins que des paroles, des *palabres,* comme dit l'énergique langue du midi.

Quoi qu'il en fût, après neuf ans d'épiscopat et de résidence à Digne, tous ces racontages, sujets de conversation qui occupent dans le premier moment les petites villes et les petites gens, étaient tombés dans un oubli profond. Personne n'eût osé en parler, personne n'eût même osé s'en souvenir.

M. Myriel était arrivé à Digne accompagné d'une vieille fille, mademoiselle Baptistine, qui était sa sœur et qui avait dix ans de moins que lui.

Ils avaient pour tout domestique une servante du même âge que mademoiselle Baptistine, et appelée madame Magloire, laquelle, après avoir été *la servante de M. le Curé,* prenait maintenant le double titre de femme de chambre de mademoiselle et femme de charge de monseigneur.

Mademoiselle Baptistine était une personne longue, pâle, mince, douce; elle réalisait l'idéal de ce qu'exprime le mot « respectable »; car il semble qu'il soit nécessaire qu'une femme soit mère pour être vénérable. Elle n'avait jamais été jolie; toute sa vie, qui n'avait été qu'une suite de saintes œuvres, avait fini par mettre sur elle une sorte de blancheur et de clarté; et, en vieillissant, elle avait gagné ce qu'on pourrait appeler la beauté de la bonté. Ce qui avait été de la maigreur dans sa jeunesse était devenu, dans sa maturité, de la transparence; et cette diaphanéité laissait voir l'ange. C'était une âme plus encore que ce n'était une vierge. Sa personne semblait faite d'ombre; à peine assez de corps pour qu'il y eût là un sexe; un peu de matière contenant une lueur; de grands yeux toujours baissés; un prétexte pour qu'une âme reste sur la terre.

Madame Magloire était une petite vieille, blanche, grasse, replète, affairée, toujours haletante, à cause de son activité d'abord, ensuite à cause d'un asthme.

A son arrivée, on installa M. Myriel en son palais épiscopal avec les honneurs voulus par les décrets impériaux qui classent l'évêque immédiatement après le maréchal de camp. Le maire et le président lui firent la première visite, et lui de son côté fit la première visite au général et au préfet.

L'installation terminée, la ville attendit son évêque à l'œuvre.

II

M. MYRIEL DEVIENT MONSEIGNEUR BIENVENU

Le palais épiscopal de Digne était attenant à l'hôpital.

Le palais épiscopal était un vaste et bel hôtel bâti en pierre au commencement du siècle dernier par monseigneur Henri Puget, docteur en théologie de la faculté de Paris, abbé de Simore, lequel était évêque de Digne en 1712. Ce palais était un vrai logis seigneurial. Tout y avait grand air, les appartements de l'évêque, les salons, les chambres, la cour d'honneur, fort large, avec promenoirs à arcades, selon l'ancienne mode florentine, les jardins plantés de magnifiques arbres. Dans la salle à manger, longue et superbe galerie qui était au rez-de-chaussée et s'ouvrait sur les jardins, monseigneur Henri Puget avait donné à manger en cérémonie le 29 juillet 1714 à messeigneurs Charles Brûlart de Genlis, archevêque-prince d'Embrun, Antoine de Mesgrigny, capucin, évêque de Grasse, Philippe de Vendôme, grand prieur de France, abbé de Saint-Honoré de Lérins, François de Berton de Grillon, évêque-baron de Vence, César de Sabran de Forcalquier, évêque-seigneur de Glandève, et Jean Soanen, prêtre de l'oratoire, prédicateur ordinaire du roi, évêque-seigneur de Senez. Les portraits de ces sept révérends personnages décoraient cette salle, et cette date mémorable, *29 juillet 1714,* y était gravée en lettres d'or sur une table de marbre blanc.

L'hôpital était une maison étroite et basse à un seul étage avec un petit jardin.

Trois jours après son arrivée, l'évêque visita l'hôpital. La visite terminée, il fit prier le directeur de vouloir bien venir jusque chez lui.

— Monsieur le directeur de l'hôpital, lui dit-il, combien en ce moment avez-vous de malades?

— Vingt-six, monseigneur.

— C'est ce que j'avais compté, dit l'évêque.

— Les lits, reprit le directeur, sont bien serrés les uns contre les autres.

— C'est ce que j'avais remarqué.

— Les salles ne sont que des chambres, et l'air s'y renouvelle difficilement.

— C'est ce qui me semble.

— Et puis, quand il y a un rayon de soleil, le jardin est bien petit pour les convalescents.

— C'est ce que je me disais.

— Dans les épidémies, nous avons eu cette année le typhus, nous avons eu une suette miliaire il y a deux ans, cent malades quelquefois; nous ne savons que faire.

— C'est la pensée qui m'était venue.

— Que voulez-vous, monseigneur? dit le directeur, il faut se résigner.

Cette conversation avait lieu dans la salle à manger-galerie du rez-de-chaussée.

L'évêque garda un moment le silence, puis il se tourna brusquement vers le directeur de l'hôpital.

— Monsieur, dit-il, combien pensez-vous qu'il tiendrait de lits rien que dans cette salle?

— La salle à manger de monseigneur! s'écria le directeur stupéfait.

L'évêque parcourait la salle du regard et semblait y faire avec les yeux des mesures et des calculs.

— Il y tiendrait bien vingt lits! dit-il, comme se parlant à lui-même; puis élevant la voix : — Tenez, monsieur le directeur de l'hôpital, je vais vous dire. Il y a évidemment une erreur. Vous êtes vingt-six personnes dans cinq ou six petites chambres. Nous sommes trois ici, et nous avons place pour soixante. Il y a erreur, je vous dis. Vous avez mon logis et j'ai le vôtre. Rendez-moi ma maison. C'est ici chez vous.

Le lendemain, les vingt-six pauvres étaient installés dans le palais de l'évêque et l'évêque était à l'hôpital.

M. Myriel n'avait point de bien, sa famille ayant été ruinée par la révolution. Sa sœur touchait une rente viagère de cinq cents francs qui, au presbytère, suffisait à sa dépense personnelle. M. Myriel recevait de l'état comme évêque un traitement de quinze mille francs. Le jour même où il vint se loger dans la maison de l'hôpital, M. Myriel détermina l'emploi de cette somme une fois pour toutes de la manière suivante. Nous transcrivons ici une note écrite de sa main [1].

Note pour régler les dépenses de ma maison.

Pour le petit séminaire	quinze cents livres.
Congrégation de la mission	cent livres.
Pour les lazaristes de Montdidier . .	cent livres.
Séminaire des missions étrangères à Paris	deux cents livres.
Congrégation du Saint-Esprit . . .	cent cinquante livres.
Établissements religieux de la Terre-Sainte	cent livres.
Sociétés de charité maternelle . . .	trois cents livres.
En sus, pour celle d'Arles	cinquante livres.
Œuvre pour l'amélioration des prisons.	quatre cents livres.
Œuvre pour le soulagement et la délivrance des prisonniers	cinq cents livres.
Pour libérer des pères de famille prisonniers pour dettes	mille livres.
Supplément au traitement des pauvres maîtres d'école du diocèse	deux mille livres.
Grenier d'abondance des Hautes-Alpes.	cent livres.
Congrégation des dames de Digne, de Manosque et de Sisteron, pour l'enseignement gratuit des filles indigentes	quinze cents livres.
Pour les pauvres	six mille livres.
Ma dépense personnelle	mille livres.
Total	quinze mille livres.

Pendant tout le temps qu'il occupa le siège de Digne, M. Myriel ne changea presque rien à cet arrangement. Il appelait cela, comme on voit, *avoir réglé les dépenses de sa maison.*

Cet arrangement fut accepté avec une soumission absolue par mademoiselle Baptistine. Pour cette sainte fille, M. de Digne était tout à la fois son frère et son évêque, son ami selon la nature et son supérieur selon l'église. Elle l'aimait et elle le vénérait tout simplement. Quand il parlait, elle s'inclinait; quand il agissait, elle adhérait. La servante seule, madame Magloire, murmura un peu. M. l'évêque, on l'a pu remarquer, ne s'était réservé que mille livres, ce qui, joint à la pension de mademoiselle Baptistine, faisait quinze cents francs par an. Avec ces quinze cents francs, ces deux vieilles femmes et ce vieillard vivaient[1].

Et quand un curé de village venait à Digne, M. l'évêque trouvait encore moyen de le traiter, grâce à la sévère économie de madame Magloire et à l'intelligente administration de mademoiselle Baptistine.

Un jour, — il était à Digne depuis environ trois mois, — l'évêque dit :

— Avec tout cela je suis bien gêné!

— Je le crois bien! s'écria madame Magloire, Monseigneur n'a seulement pas réclamé la rente que le département lui doit pour ses frais de carrosse en ville et de tournées dans le diocèse. Pour les évêques d'autrefois c'était l'usage.

— Tiens! dit l'évêque, vous avez raison, madame Magloire.

Il fit sa réclamation.

Quelque temps après, le conseil général, prenant cette demande en considération, lui vota une somme annuelle de trois mille francs, sous cette rubrique : *Allocation à M. l'évêque pour frais de carrosse, frais de poste et frais de tournées pastorales.*

Cela fit beaucoup crier la bourgeoisie locale, et, à cette occasion, un sénateur de l'empire, ancien membre du conseil des cinq-cents favorable au dix-huit brumaire et pourvu près de la ville de Digne d'une sénatorerie magnifique, écrivit au ministre des cultes, M. Bigot de Préameneu, un petit billet irrité et confidentiel dont nous extrayons ces lignes authentiques :

« — Des frais de carrosse? pour quoi faire dans une ville « de moins de quatre mille habitants? Des frais de poste et « de tournées? à quoi bon ces tournées d'abord? ensuite « comment courir la poste dans un pays de montagnes? Il n'y « a pas de routes. On ne va qu'à cheval. Le pont même de la « Durance à Château-Arnoux peut à peine porter des char- « rettes à bœufs. Ces prêtres sont tous ainsi. Avides et avares. « Celui-ci a fait le bon apôtre en arrivant. Maintenant il fait « comme les autres. Il lui faut carrosse et chaise de poste. Il « lui faut du luxe comme aux anciens évêques. Oh! toute cette « prêtraille! Monsieur le comte, les choses n'iront bien que « lorsque l'empereur nous aura délivrés des calotins. A bas « le pape! (les affaires se brouillaient avec Rome). Quant à « moi, je suis pour César tout seul. Etc., etc. »

La chose, en revanche, réjouit fort madame Magloire.

— Bon, dit-elle à mademoiselle Baptistine, Monseigneur a commencé par les autres, mais il a bien fallu qu'il finît par lui-même. Il a réglé toutes ses charités. Voilà trois mille livres pour nous. Enfin !

Le soir même, l'évêque écrivit et remit à sa sœur une note ainsi conçue :

Frais de carrosse et de tournées.

Pour donner du bouillon de viande aux malades de l'hôpital	quinze cents livres.
Pour la société de charité maternelle d'Aix	deux cent cinquante livres.
Pour la société de charité maternelle de Draguignan	deux cent cinquante livres.
Pour les enfants trouvés	cinq cents livres.
Pour les orphelins	cinq cents livres.
Total	trois mille livres.

Tel était le budget de M. Myriel.

Quant au casuel épiscopal, rachats de bans, dispenses, ondoiements, prédications, bénédictions d'églises ou de chapelles, mariages, etc., l'évêque le percevait sur les riches avec d'autant plus d'âpreté qu'il le donnait aux pauvres.

Au bout de peu de temps, les offrandes d'argent affluèrent. Ceux qui ont et ceux qui manquent frappaient à la porte de M. Myriel, les uns venant chercher l'aumône que les autres venaient y déposer. L'évêque, en moins d'un an, devint le trésorier de tous les bienfaits et le caissier de toutes les détresses. Des sommes considérables passaient par ses mains; mais rien ne put faire qu'il changeât quelque chose à son genre de vie et qu'il ajoutât le moindre superflu à son nécessaire.

Loin de là. Comme il y a toujours encore plus de misère en bas que de fraternité en haut, tout était donné, pour ainsi dire, avant d'être reçu; c'était comme de l'eau sur une terre sèche; il avait beau recevoir de l'argent, il n'en avait jamais. Alors il se dépouillait.

L'usage étant que les évêques énoncent leurs noms de baptême en tête de leurs mandements et de leurs lettres pastorales, les pauvres gens du pays avaient choisi, avec une sorte d'instinct affectueux, dans les noms et prénoms de l'évêque, celui qui leur présentait un sens, et ils ne l'appelaient que monseigneur Bienvenu. Nous ferons comme eux, et nous le nommerons

ainsi dans l'occasion. Du reste, cette appellation lui plaisait.
— J'aime ce nom-là, disait-il. Bienvenu corrige monseigneur[1].
Nous ne prétendons pas que le portrait que nous faisons ici soit vraisemblable; nous nous bornons à dire qu'il est ressemblant.

III

A BON ÉVÊQUE DUR ÉVÊCHÉ

M. L'ÉVÊQUE, pour avoir converti son carrosse en aumônes, n'en faisait pas moins ses tournées. C'est un diocèse fatigant que celui de Digne. Il a fort peu de plaines, beaucoup de montagnes, presque pas de routes, on l'a vu tout à l'heure; trente-deux cures, quarante et un vicariats et deux cent quatre-vingt-cinq succursales. Visiter tout cela, c'est une affaire. M. l'évêque en venait à bout. Il allait à pied quand c'était dans le voisinage, en carriole dans la plaine, en cacolet dans la montagne. Les deux vieilles femmes l'accompagnaient. Quand le trajet était trop pénible pour elles, il allait seul.

Un jour, il arriva à Senez, qui est une ancienne ville épiscopale, monté sur un âne. Sa bourse, fort à sec dans ce moment, ne lui avait pas permis d'autre équipage. Le maire de la ville vint le recevoir à la porte de l'évêché et le regardait descendre de son âne avec des yeux scandalisés. Quelques bourgeois riaient autour de lui. — Monsieur le maire, dit l'évêque, et messieurs les bourgeois, je vois ce qui vous scandalise; vous trouvez que c'est bien de l'orgueil à un pauvre prêtre de monter une monture qui a été celle de Jésus-Christ. Je l'ai fait par nécessité, je vous assure, non par vanité.

Dans ses tournées, il était indulgent et doux, et prêchait moins qu'il ne causait. Il ne mettait aucune vertu sur un plateau inaccessible. Il n'allait jamais chercher bien loin ses raisonnements et ses modèles. Aux habitants d'un pays il citait l'exemple du pays voisin. Dans les cantons où l'on était dur pour les nécessiteux, il disait : — Voyez les gens de Briançon. Ils ont donné aux indigents, aux veuves et aux orphelins le droit de faire faucher leurs prairies trois jours avant tous les autres. Ils leur rebâtissent gratuitement leurs maisons quand elles sont en ruines. Aussi est-ce un pays béni de Dieu. Durant tout un siècle de cent ans, il n'y a pas eu un meurtrier.

Dans les villages âpres au gain et à la moisson, il disait : — Voyez ceux d'Embrun. Si un père de famille, au temps de la récolte, a ses fils au service à l'armée et ses filles en service à la ville, et qu'il soit malade et empêché, le curé le recommande au prône; et le dimanche, après la messe, tous les gens du village, hommes, femmes, enfants, vont dans le champ du pauvre homme lui faire sa moisson, et lui rapportent paille et grain dans son grenier. — Aux familles divisées par des questions d'argent et d'héritage, il disait : — Voyez les montagnards de Devolny, pays si sauvage qu'on n'y entend pas le rossignol une fois en cinquante ans. Eh bien, quand le père meurt dans une famille, les garçons s'en vont chercher fortune, et laissent le bien aux filles, afin qu'elles puissent trouver des maris. — Aux cantons qui ont le goût des procès et où les fermiers se ruinent en papier timbré, il disait : — Voyez ces bons paysans de·la vallée de Queyras. Ils sont là trois mille âmes. Mon Dieu! c'est comme une petite république. On n'y connaît ni le juge, ni l'huissier. Le maire fait tout. Il répartit l'impôt, taxe chacun en conscience, juge les querelles gratis, partage les patrimoines sans honoraires, rend des sentences sans frais; et on lui obéit, parce que c'est un homme juste parmi des hommes simples. — Aux villages où il ne trouvait pas de maître d'école, il citait encore ceux de Queyras : — Savez-vous comment ils font? disait-il. Comme un petit pays de douze ou quinze feux ne peut pas toujours nourrir un magister, ils ont des maîtres d'école payés par toute la vallée, qui parcourent les villages, passant huit jours dans celui-ci, dix dans celui-là, et enseignant. Ces magisters vont aux foires, où je les ai vus. On les reconnaît à des plumes à écrire qu'ils portent dans la ganse de leur chapeau. Ceux qui n'enseignent qu'à lire ont une plume, ceux qui enseignent la lecture et le calcul ont deux plumes; ceux qui enseignent la lecture, le calcul et le latin ont trois plumes. Ceux-là sont de grands savants. Mais quelle honte d'être ignorants! Faites comme les gens de Queyras.

Il parlait ainsi, gravement et paternellement, à défaut d'exemples inventant des paraboles, allant droit au but, avec peu de phrases et beaucoup d'images, ce qui était l'éloquence même de Jésus-Christ, convaincu et persuadant [1].

IV

LES ŒUVRES SEMBLABLES AUX PAROLES

Sa conversation était affable et gaie. Il se mettait à la portée des deux vieilles femmes qui passaient leur vie près de lui; quand il riait, c'était le rire d'un écolier.

Madame Magloire l'appelait volontiers *Votre Grandeur*. Un jour, il se leva de son fauteuil et alla à sa bibliothèque chercher un livre. Ce livre était sur un des rayons d'en haut. Comme l'évêque était d'assez petite taille, il ne put y atteindre. — *Madame Magloire,* dit-il, *apportez-moi une chaise. Ma Grandeur ne va pas jusqu'à cette planche.*

Une de ses parentes éloignées, madame la comtesse de Lô, laissait rarement échapper une occasion d'énumérer en sa présence ce qu'elle appelait « les espérances » de ses trois fils. Elle avait plusieurs ascendants fort vieux et proches de la mort dont ses fils étaient naturellement les héritiers. Le plus jeune des trois avait à recueillir d'une grand'tante cent bonnes mille livres de rentes; le deuxième était substitué au titre de duc de son oncle; l'aîné devait succéder à la pairie de son aïeul. L'évêque écoutait habituellement en silence ces innocents et pardonnables étalages maternels. Une fois pourtant, il paraissait plus rêveur que de coutume, tandis que madame de Lô renouvelait le détail de toutes ces successions et de toutes ces « espérances ». Elle s'interrompit avec quelque impatience : — Mon Dieu, mon cousin! mais à quoi songez-vous donc? — Je songe, dit l'évêque, à quelque chose de singulier qui est, je crois, dans saint Augustin : « Mettez votre espérance dans celui auquel on ne succède point. »

Une autre fois, recevant une lettre de faire part du décès d'un gentilhomme du pays, où s'étalaient en une longue page, outre les dignités du défunt, toutes les qualifications féodales et nobiliaires de tous ses parents : — Quel bon dos a la mort! s'écria-t-il. Quelle admirable charge de titres on lui fait allègrement porter, et comme il faut que les hommes aient de l'esprit pour employer ainsi la tombe à la vanité!

Il avait dans l'occasion une raillerie douce qui contenait presque toujours un sens sérieux. Pendant un carême, un jeune vicaire vint à Digne et prêcha dans la cathédrale. Il fut assez éloquent. Le sujet de son sermon était la charité. Il invita les riches à donner aux indigents, afin d'éviter l'enfer qu'il peignit le plus effroyable qu'il put et de gagner le paradis qu'il fit désirable et charmant. Il y avait dans l'auditoire un riche marchand retiré, un peu usurier, nommé M. Géborand, lequel avait gagné un demi-million à fabriquer de gros draps, des serges, des cadis et des gasquets. De sa vie M. Géborand n'avait fait l'aumône à un malheureux. A partir de ce sermon, on remarqua qu'il donnait tous les dimanches un sou aux vieilles mendiantes du portail de la cathédrale. Elles étaient six à se partager cela. Un jour, l'évêque le vit faisant sa charité et dit à sa sœur avec un sourire : — *Voilà monsieur Géborand qui achète pour un sou de paradis.*

Quand il s'agissait de charité, il ne se rebutait pas, même devant un refus, et il trouvait alors des mots qui faisaient réfléchir. Une fois, il quêtait pour les pauvres dans un salon de la ville. Il y avait là le marquis de Champtercier, vieux, riche, avare, lequel trouvait moyen d'être tout ensemble ultra-royaliste et ultra-voltairien. Cette variété a existé. L'évêque, arrivé à lui, lui toucha le bras : — *Monsieur le marquis, il faut que vous me donniez quelque chose.* Le marquis se retourna et répondit sèchement : — *Monseigneur, j'ai mes pauvres.* — *Donnez-les-moi,* dit l'évêque.

Un jour, dans la cathédrale, il fit ce sermon :

« Mes très chers frères, mes bons amis, il y a en France treize cent vingt mille maisons de paysans qui n'ont que trois ouvertures, dix-huit cent dix-sept mille qui ont deux ouvertures, la porte et une fenêtre, et enfin trois cent quarante-six mille cabanes qui n'ont qu'une ouverture, la porte. Et cela, à cause d'une chose qu'on appelle l'impôt des portes et fenêtres. Mettez-moi de pauvres familles, des vieilles femmes, des petits enfants, dans ces logis-là, et voyez les fièvres et les maladies! Hélas! Dieu donne l'air aux hommes, la loi le leur vend. Je n'accuse pas la loi, mais je bénis Dieu. Dans l'Isère, dans le Var, dans les deux Alpes, les hautes et les basses, les paysans n'ont pas même de brouettes, ils transportent les engrais à dos d'hommes; ils n'ont pas de chandelles, et ils brûlent des bâtons résineux et des bouts de corde trempés dans la poix résine. C'est comme cela dans tout le pays haut du Dauphiné. Ils font le pain pour six mois, ils le font cuire avec de la bouse de vache séchée. L'hiver, ils cassent ce pain à coups de hache et ils le font tremper dans l'eau vingt-quatre heures pour pouvoir le manger. — Mes frères, ayez pitié! voyez comme on souffre autour de vous. »

Né provençal, il s'était facilement familiarisé avec tous les patois du midi. Il disait : — *Eh bé! moussu, sès sagé?* comme dans le bas Languedoc. — *Onté anaras passa?* comme dans les basses Alpes. — *Puerte un bouen moutou embe un bouen froumage grase,* comme dans le haut Dauphiné. Ceci plaisait au peuple, et n'avait pas peu contribué à lui donner accès près de tous les esprits. Il était dans la chaumière et dans la montagne comme chez lui. Il savait dire les choses les plus grandes dans les idiomes les plus vulgaires. Parlant toutes les langues, il entrait dans toutes les âmes [1].

Du reste, il était le même pour les gens du monde et pour les gens du peuple.

Il ne condamnait rien hâtivement, et sans tenir compte des circonstances environnantes. Il disait : Voyons le chemin par où la faute a passé.

Étant, comme il se qualifiait lui-même en souriant, un *ex-pécheur,* il n'avait aucun des escarpements du rigorisme, et il professait assez haut, et sans le froncement de sourcil des vertueux féroces, une doctrine qu'on pourrait résumer à peu près ainsi :

« L'homme a sur lui la chair qui est tout à la fois son fardeau et sa tentation. Il la traîne et lui cède.

« Il doit la surveiller, la contenir, la réprimer, et ne lui obéir qu'à la dernière extrémité. Dans cette obéissance-là, il peut encore y avoir de la faute; mais la faute, ainsi faite, est vénielle. C'est une chute, mais une chute sur les genoux, qui peut s'achever en prière.

« Être un saint, c'est l'exception, être un juste, c'est la règle. Errez, défaillez, péchez, mais soyez des justes.

« Le moins de péché possible, c'est la loi de l'homme. Pas de péché du tout est le rêve de l'ange. Tout ce qui est terrestre est soumis au péché. Le péché est une gravitation. »

Quand il voyait tout le monde crier bien fort et s'indigner bien vite : — Oh! oh! disait-il en souriant, il y a apparence que ceci est un gros crime que tout le monde commet. Voilà les hypocrisies effarées qui se dépêchent de protester et de se mettre à couvert.

Il était indulgent pour les femmes et les pauvres sur qui pèse le poids de la société humaine. Il disait : — Les fautes des femmes, des enfants, des serviteurs, des faibles, des indigents et des ignorants sont la faute des maris, des pères, des maîtres, des forts, des riches et des savants.

Il disait encore : — A ceux qui ignorent, enseignez-leur le plus de choses que vous pourrez; la société est coupable de ne pas donner l'instruction gratis; elle répond de la nuit qu'elle produit. Cette âme est pleine d'ombre, le péché s'y commet. Le coupable n'est pas celui qui y fait le péché, mais celui qui y a fait l'ombre.

Comme on voit, il avait une manière étrange et à lui de juger les choses. Je soupçonne qu'il avait pris cela dans l'évangile.

Il entendit un jour conter dans un salon un procès criminel qu'on instruisait et qu'on allait juger. Un misérable homme, par amour pour une femme et pour l'enfant qu'il avait d'elle, à bout de ressources, avait fait de la fausse monnaie. La fausse monnaie était encore punie de mort à cette époque. La femme avait été arrêtée émettant la première pièce fausse fabriquée par l'homme. On la tenait, mais on n'avait de preuves que contre elle. Elle seule pouvait charger son amant et le perdre en avouant. Elle nia. On insista. Elle s'obstina à nier. Sur ce, le procureur du roi avait eu une idée. Il avait supposé une infidélité de l'amant, et était parvenu, avec des fragments de lettres savamment présentés, à persuader à la malheureuse qu'elle avait une rivale et que cet homme la trompait. Alors, exaspérée de jalousie, elle avait dénoncé son amant, tout avoué, tout prouvé. L'homme était perdu. Il allait être prochainement jugé à Aix avec sa complice. On racontait le fait, et chacun s'extasiait sur l'habileté du magistrat. En mettant la jalousie en jeu, il avait fait jaillir la vérité par la colère, il avait fait sortir la justice de la vengeance. L'évêque écoutait tout cela en silence. Quand ce fut fini, il demanda :

— Où jugera-t-on cet homme et cette femme?

— A la cour d'assises.

Il reprit : — Et où jugera-t-on monsieur le procureur du roi?

Il arriva à Digne une aventure tragique. Un homme fut condamné à mort pour meurtre. C'était un malheureux pas tout à fait lettré, pas tout à fait ignorant, qui avait été bateleur

dans les foires et écrivain public. Le procès occupa beaucoup
la ville. La veille du jour fixé pour l'exécution du condamné,
l'aumônier de la prison tomba malade. Il fallait un prêtre pour
assister le patient à ses derniers moments. On alla chercher
le curé. Il paraît qu'il refusa en disant : Cela ne me regarde
pas. Je n'ai que faire de cette corvée et de ce saltimbanque;
moi aussi, je suis malade; d'ailleurs ce n'est pas là ma place.
On rapporta cette réponse à l'évêque qui dit : — *Monsieur le
curé a raison. Ce n'est pas sa place, c'est la mienne.*

Il alla sur-le-champ à la prison, il descendit au cabanon du
« saltimbanque », il l'appela par son nom, lui prit la main et
lui parla. Il passa toute la journée et toute la nuit près de lui,
oubliant la nourriture et le sommeil, priant Dieu pour l'âme
du condamné et priant le condamné pour la sienne propre. Il
lui dit les meilleures vérités qui sont les plus simples. Il fut
père, frère, ami; évêque pour bénir seulement. Il lui enseigna
tout, en le rassurant et en le consolant. Cet homme allait
mourir désespéré. La mort était pour lui comme un abîme.
Debout en frémissant sur ce seuil lugubre, il reculait avec
horreur. Il n'était pas assez ignorant pour être absolument
indifférent. Sa condamnation, secousse profonde, avait en
quelque sorte rompu çà et là autour de lui cette cloison qui
nous sépare du mystère des choses et que nous appelons la vie[1].
Il regardait sans cesse au dehors de ce monde par ces brèches
fatales, et ne voyait que des ténèbres. L'évêque lui fit voir une
clarté.

Le lendemain, quand on vint chercher le malheureux,
l'évêque était là. Il le suivit. Il se montra aux yeux de la foule
en camail violet et avec sa croix épiscopale au cou, côte à côte
avec ce misérable lié de cordes.

Il monta sur la charrette avec lui, il monta sur l'échafaud
avec lui. Le patient, si morne et si accablé la veille, était
rayonnant. Il sentait que son âme était réconciliée et il
espérait Dieu. L'évêque l'embrassa, et, au moment où le
couteau allait tomber, il lui dit : « — Celui que l'homme
« tue, Dieu le ressuscite; celui que les frères chassent
« retrouve le Père. Priez, croyez, entrez dans la vie! le Père
« est là. » Quand il redescendit de l'échafaud, il avait
quelque chose dans son regard qui fit ranger le peuple.
On ne savait ce qui était le plus admirable de sa pâleur
ou de sa sérénité. En rentrant à cet humble logis qu'il

appelait en souriant *son palais,* il dit à sa sœur : *Je viens d'officier pontificalement.*

Comme les choses les plus sublimes sont souvent aussi les choses les moins comprises, il y eut dans la ville des gens qui dirent, en commentant cette conduite de l'évêque : *C'est de l'affectation.* Ceci ne fut du reste qu'un propos de salons. Le peuple, qui n'entend pas malice aux actions saintes, fut attendri et admira.

Quant à l'évêque, avoir vu la guillotine fut pour lui un choc, et il fut longtemps à s'en remettre.

L'échafaud, en effet, quand il est là, dressé et debout, a quelque chose qui hallucine. On peut avoir une certaine indifférence sur la peine de mort, ne point se prononcer, dire oui et non, tant qu'on n'a pas vu de ses yeux une guillotine; mais si l'on en rencontre une, la secousse est violente, il faut se décider et prendre parti pour ou contre. Les uns admirent, comme de Maistre; les autres exècrent, comme Beccaria [1]. La guillotine est la concrétion de la loi; elle se nomme *vindicte;* elle n'est pas neutre, et ne vous permet pas de rester neutre. Qui l'aperçoit frissonne du plus mystérieux des frissons. Toutes les questions sociales dressent autour de ce couperet leur point d'interrogation. L'échafaud est vision. L'échafaud n'est pas une charpente, l'échafaud n'est pas une machine, l'échafaud n'est pas une mécanique inerte faite de bois, de fer et de cordes. Il semble que ce soit une sorte d'être qui a je ne sais quelle sombre initiative; on dirait que cette charpente voit, que cette machine entend, que cette mécanique comprend, que ce bois, ce fer et ces cordes veulent. Dans la rêverie affreuse où sa présence jette l'âme, l'échafaud apparaît terrible et se mêlant de ce qu'il fait. L'échafaud est le complice du bourreau, il dévore; il mange de la chair, il boit du sang. L'échafaud est une sorte de monstre fabriqué par le juge et par le charpentier, un spectre qui semble vivre d'une espèce de vie épouvantable faite de toute la mort qu'il a donnée.

Aussi l'impression fut-elle horrible et profonde; le lendemain de l'exécution et beaucoup de jours encore après, l'évêque parut accablé. La sérénité presque violente du moment funèbre avait disparu; le fantôme de la justice sociale l'obsédait. Lui qui d'ordinaire revenait de toutes ses actions avec une satisfaction si rayonnante, il semblait qu'il se fît un reproche. Par moments, il se parlait à lui-même, et bégayait à demi-voix des monologues lugubres. En voici un que sa sœur entendit un soir et recueillit : — Je ne croyais pas que cela fût si monstrueux. C'est un tort de s'absorber dans la loi divine au point de ne plus s'apercevoir de la loi humaine. La mort n'appartient qu'à Dieu. De quel droit les hommes touchent-ils à cette chose inconnue[1]?

Avec le temps ces impressions s'atténuèrent, et probablement s'effacèrent. Cependant on remarqua que l'évêque évitait désormais de passer sur la place des exécutions.

On pouvait appeler M. Myriel à toute heure au chevet des malades et des mourants. Il n'ignorait pas que là était son plus grand devoir et son plus grand travail. Les familles veuves ou orphelines n'avaient pas besoin de le demander, il arrivait de lui-même. Il savait s'asseoir et se taire de longues heures auprès de l'homme qui avait perdu la femme qu'il aimait, de la mère qui avait perdu son enfant. Comme il savait le moment de se taire, il savait aussi le moment de parler. O admirable consolateur! il ne cherchait pas à effacer la douleur par l'oubli, mais à l'agrandir et à la dignifier par l'espérance. Il disait : — « Prenez garde à la façon dont vous vous « tournez vers les morts. Ne songez pas à ce qui pourrit. « Regardez fixement. Vous apercevrez la lueur vivante de votre « mort bien-aimé au fond du ciel. » Il savait que la croyance est saine. Il cherchait à conseiller et à calmer l'homme désespéré en lui indiquant du doigt l'homme résigné, et à transformer la douleur qui regarde une fosse en lui montrant la douleur qui regarde une étoile.

v

QUE MONSEIGNEUR BIENVENU FAISAIT DURER TROP LONGTEMPS SES SOUTANES

La vie intérieure de M. Myriel était pleine des mêmes pensées que sa vie publique. Pour qui eût pu la voir de près, c'eût été un spectacle grave et charmant que cette pauvreté volontaire dans laquelle vivait M. l'évêque de Digne.

Comme tous les vieillards et comme la plupart des penseurs, il dormait peu[2]. Ce court sommeil était profond. Le matin il se recueillait pendant une heure, puis il disait sa messe, soit à la cathédrale, soit dans son oratoire. Sa messe dite, il déjeunait d'un pain de seigle trempé dans le lait de ses vaches. Puis il travaillait.

Un évêque est un homme fort occupé; il faut qu'il reçoive tous les jours le secrétaire de l'évêché, qui est d'ordinaire un chanoine, presque tous les jours ses grands vicaires. Il a des congrégations à contrôler, des privilèges à donner, toute une librairie ecclésiastique à examiner, paroissiens, catéchismes diocésains, livres d'heures, etc., des mandements à écrire, des prédications à autoriser, des curés et des maires à mettre d'accord, une correspondance cléricale, une correspondance administrative, d'un côté l'état, de l'autre le saint-siège, mille affaires.

Le temps que lui laissaient ces mille affaires, ses offices et son bréviaire, il le donnait d'abord aux nécessiteux, aux malades et aux affligés; le temps que les affligés, les malades et les nécessiteux lui laissaient, il le donnait au travail. Tantôt il bêchait la terre dans son jardin, tantôt il lisait et il écrivait. Il n'avait qu'un mot pour ces deux sortes de travail; il appelait cela *jardiner*. « L'esprit est un jardin », disait-il.

A midi, il dînait. Le dîner ressemblait au déjeuner.

Vers deux heures, quand le temps était beau, il sortait et se promenait à pied dans la campagne ou dans la ville, entrant souvent dans les masures. On le voyait cheminer seul, tout à ses pensées, l'œil baissé, appuyé sur sa longue canne, vêtu de sa douillette violette ouatée et bien chaude, chaussé de bas violets dans de gros souliers, et coiffé de son chapeau plat qui laissait passer par ses trois cornes trois glands d'or à graine d'épinards.

C'était une fête partout où il paraissait. On eût dit que son passage avait quelque chose de réchauffant et de lumineux. Les enfants et les vieillards venaient sur le seuil des portes pour l'évêque comme pour le soleil. Il bénissait et on le bénissait. On montrait sa maison à quiconque avait besoin de quelque chose.

Çà et là, il s'arrêtait, parlait aux petits garçons et aux petites filles et souriait aux mères. Il visitait les pauvres tant qu'il avait de l'argent; quand il n'en avait plus, il visitait les riches.

Comme il faisait durer ses soutanes beaucoup de temps, et qu'il ne voulait pas qu'on s'en aperçût, il ne sortait jamais dans la ville autrement qu'avec sa douillette violette. Cela le gênait un peu en été.

Le soir à huit heures et demie il soupait avec sa sœur, madame Magloire debout derrière eux et les servant à table. Rien de plus frugal que ce repas. Si pourtant l'évêque avait un de ses curés à souper, madame Magloire en profitait pour servir à Monseigneur quelque excellent poisson des lacs ou quelque fin gibier de la montagne. Tout curé était un prétexte à bon repas; l'évêque se laissait faire. Hors de là, son ordinaire ne se composait guère que de légumes cuits dans l'eau et de soupe à l'huile. Aussi disait-on dans la ville : *Quand l'évêque ne fait pas chère de curé, il fait chère de trappiste.*

Après son souper, il causait pendant une demi-heure avec mademoiselle Baptistine et madame Magloire; puis il rentrait dans sa chambre et se remettait à écrire, tantôt sur des feuilles volantes, tantôt sur la marge de quelque in-folio. Il était lettré et quelque peu savant. Il a laissé cinq ou six manuscrits assez curieux; entre autres une dissertation sur le verset de la Genèse : *Au commencement l'esprit de Dieu flottait sur les eaux.* Il confronte avec ce verset trois textes : la version arabe qui dit : *Les vents de Dieu soufflaient;* Flavius Josèphe qui dit : *Un vent d'en haut se précipitait sur la terre;* et enfin la paraphrase chaldaïque d'Onkelos qui porte : *Un vent venant de Dieu soufflait sur la face des eaux.* Dans une autre dissertation, il examine les œuvres théologiques de Hugo, évêque de Ptolémaïs, arrière-grand-oncle de celui qui écrit ce livre[1], et il établit qu'il faut attribuer à cet évêque les divers opuscules publiés, au siècle dernier, sous le pseudonyme de Barleycourt.

Parfois au milieu d'une lecture, quel que fût le livre qu'il eût entre les mains, il tombait tout à coup dans une méditation profonde, d'où il ne sortait que pour écrire quelques lignes sur les pages mêmes du volume. Ces lignes souvent n'ont aucun rapport avec le livre qui les contient. Nous avons sous les yeux une note écrite par lui sur une des marges d'un In-quarto intitulé : *Correspondance du lord Germain avec les généraux Clinton, Cornwallis et les amiraux de la station de l'Amérique. A Versailles, chez Poinçot, libraire, et à Paris, chez Pissot, libraire, quai des Augustins.*

Voici cette note :

« O vous qui êtes!

« L'Ecclésiaste vous nomme Toute-Puissance, les Macchabées vous nomment Créateur, l'Épître aux éphésiens vous nomme Liberté, Baruch vous nomme Immensité, les Psaumes vous nomment Sagesse et Vérité, Jean vous nomme Lumière, les Rois vous nomment Seigneur, l'Exode vous appelle Providence, le Lévitique Sainteté, Esdras Justice, la création vous nomme Dieu, l'homme vous nomme Père; mais Salomon vous nomme Miséricorde, et c'est là le plus beau de tous vos noms [1]. »

Vers neuf heures du soir, les deux femmes se retiraient et montaient à leurs chambres au premier, le laissant jusqu'au matin seul au rez-de-chaussée.

Ici il est nécessaire que nous donnions une idée exacte du logis de M. l'évêque de Digne.

VI

PAR QUI IL FAISAIT GARDER SA MAISON

La maison qu'il habitait se composait, nous l'avons dit, d'un rez-de-chaussée et d'un seul étage : trois pièces au rez-de-chaussée, trois chambres au premier, au-dessus un grenier. Derrière la maison, un jardin d'un quart d'arpent. Les deux femmes occupaient le premier. L'évêque logeait en bas. La première pièce, qui s'ouvrait sur la rue, lui servait de salle à manger, la deuxième de chambre à coucher, et la troisième d'oratoire. On ne pouvait sortir de cet oratoire sans passer par la chambre à coucher, et sortir de la chambre à coucher sans passer par la salle à manger. Dans l'oratoire, au fond, il y avait une alcôve fermée, avec un lit pour les cas d'hospitalité. M. l'évêque offrait ce lit aux curés de campagne que des affaires ou les besoins de leur paroisse amenaient à Digne.

La pharmacie de l'hôpital, petit bâtiment ajouté à la maison et pris sur le jardin, avait été transformée en cuisine et en cellier.

Il y avait en outre dans le jardin une étable qui était l'ancienne cuisine de l'hospice et où l'évêque entretenait deux vaches. Quelle que fût la quantité de lait qu'elles lui donnassent, il en envoyait invariablement tous les matins la moitié aux malades de l'hôpital. *Je paye ma dîme,* disait-il.

Sa chambre était assez grande et assez difficile à chauffer dans la mauvaise saison. Comme le bois est très cher à Digne, il avait imaginé de faire faire dans l'étable à vaches un compartiment fermé d'une cloison en planches. C'était là qu'il passait ses soirées dans les grands froids. Il appelait cela son *salon d'hiver*.

Il n'y avait dans ce salon d'hiver, comme dans la salle à manger, d'autres meubles qu'une table de bois blanc, carrée, et quatre chaises de paille. La salle à manger était ornée en outre d'un vieux buffet peint en rose à la détrempe. Du buffet pareil, convenablement habillé de napperons blancs et de fausses dentelles, l'évêque avait fait l'autel qui décorait son oratoire.

Ses pénitentes riches et les saintes femmes de Digne s'étaient souvent cotisées pour faire les frais d'un bel autel neuf à l'oratoire de monseigneur; il avait chaque fois pris l'argent et l'avait donné aux pauvres. — Le plus beau des autels, disait-il, c'est l'âme d'un malheureux consolé qui remercie Dieu.

Il avait dans son oratoire deux chaises prie-Dieu en paille, et un fauteuil à bras également en paille dans sa chambre à coucher. Quand par hasard il recevait sept ou huit personnes à la fois, le préfet, ou le général, ou l'état-major du régiment en garnison, ou quelques élèves du petit séminaire, on était obligé d'aller chercher dans l'étable les chaises du salon d'hiver, dans l'oratoire les prie-Dieu, et le fauteuil dans la chambre à coucher; de cette façon, on pouvait réunir jusqu'à onze sièges pour les visiteurs. A chaque nouvelle visite on démeublait une pièce.

Il arrivait parfois qu'on était douze; alors l'évêque dissimulait l'embarras de la situation en se tenant debout devant la cheminée si c'était l'hiver, ou en proposant un tour dans le jardin si c'était l'été.

Il y avait bien encore dans l'alcôve fermée une chaise, mais elle était à demi dépaillée et ne portait que sur trois pieds, ce qui faisait qu'elle ne pouvait servir qu'appuyée contre le mur. Mademoiselle Baptistine avait bien aussi dans sa chambre une très grande bergère en bois jadis doré et revêtue de pékin à fleurs, mais on avait été obligé de monter cette bergère au premier par la fenêtre, l'escalier étant trop étroit; elle ne pouvait donc pas compter parmi les en-cas du mobilier.

L'ambition de mademoiselle Baptistine eût été de pouvoir

acheter un meuble de salon en velours d'Utrecht jaune à rosaces et en acajou à cou de cygne, avec canapé. Mais cela eût coûté au moins cinq cents francs, et, ayant vu qu'elle n'avait réussi à économiser pour cet objet que quarante-deux francs dix sous en cinq ans, elle avait fini par y renoncer. D'ailleurs qui est-ce qui atteint son idéal?

Rien de plus simple à se figurer que la chambre à coucher de l'évêque. Une porte-fenêtre donnant sur le jardin, vis-à-vis le lit; un lit d'hôpital, en fer avec baldaquin de serge verte; dans l'ombre du lit, derrière un rideau, les ustensiles de toilette trahissant encore les anciennes habitudes élégantes de l'homme du monde; deux portes, l'une près de la cheminée, donnant dans l'oratoire; l'autre, près de la bibliothèque, donnant dans la salle à manger; la bibliothèque, grande armoire vitrée pleine de livres; la cheminée, de bois peint en marbre, habituellement sans feu; dans la cheminée, une paire de chenets en fer ornés de deux vases à guirlandes et cannelures jadis argentés à l'argent haché, ce qui était un genre de luxe épiscopal; au-dessus, à l'endroit où d'ordinaire on met la glace, un crucifix de cuivre désargenté fixé sur un velours noir râpé dans un cadre de bois dédoré. Près de la porte-fenêtre, une grande table avec un encrier, chargée de papiers confus et de gros volumes. Devant la table, le fauteuil de paille. Devant le lit, un prie-Dieu, emprunté à l'oratoire.

Deux portraits dans des cadres ovales étaient accrochés au mur des deux côtés du lit. De petites inscriptions dorées sur le fond neutre de la toile à côté des figures indiquaient que les portraits représentaient, l'un, l'abbé de Chaliot, évêque de Saint-Claude, l'autre, l'abbé Tourteau, vicaire-général d'Agde, abbé de Grand-Champ, ordre de Cîteaux, diocèse de Chartres. L'évêque, en succédant dans cette chambre aux malades de l'hôpital, y avait trouvé ces portraits et les y avait laissés. C'étaient des prêtres, probablement des donateurs : deux motifs pour qu'il les respectât. Tout ce qu'il savait de ces deux personnages, c'est qu'ils avaient été nommés par le roi, l'un à son évêché, l'autre à son bénéfice, le même jour, le 27 avril 1785. Madame Magloire ayant décroché les tableaux pour en secouer la poussière, l'évêque avait trouvé cette particularité écrite d'une encre blanchâtre sur un petit carré de papier jauni par le temps, collé avec quatre pains à cacheter derrière le portrait de l'abbé de Grand-Champ.

Il avait à sa fenêtre un antique rideau de grosse étoffe de laine qui finit par devenir tellement vieux que, pour éviter la dépense d'un neuf, madame Magloire fut obligée de faire une grande couture au beau milieu. Cette couture dessinait une croix. L'évêque le faisait souvent remarquer. — Comme cela fait bien! disait-il.

Toutes les chambres de la maison, au rez-de-chaussée ainsi qu'au premier, sans exception, étaient blanchies au lait de chaux, ce qui est une mode de caserne et d'hôpital.

Cependant, dans les dernières années, madame Magloire retrouva, comme on le verra plus loin, sous le papier badigeonné, des peintures qui ornaient l'appartement de mademoiselle Baptistine. Avant d'être l'hôpital, cette maison avait été le parloir aux bourgeois [1]. De là cette décoration. Les chambres étaient pavées de briques rouges qu'on lavait toutes les semaines, avec des nattes de paille tressée devant tous les lits. Du reste, ce logis, tenu par deux femmes, était du haut en bas d'une propreté exquise. C'était le seul luxe que l'évêque permît. Il disait : — *Cela ne prend rien aux pauvres.*

Il faut convenir cependant qu'il lui restait de ce qu'il avait possédé jadis six couverts d'argent et une grande cuiller à soupe que madame Magloire regardait tous les jours avec bonheur reluire splendidement sur la grosse nappe de toile blanche. Et comme nous peignons ici l'évêque de Digne tel qu'il était, nous devons ajouter qu'il lui était arrivé plus d'une fois de dire : — Je renoncerais difficilement à manger dans de l'argenterie.

Il faut ajouter à cette argenterie deux gros flambeaux d'argent massif qui lui venaient de l'héritage d'une grand'tante. Ces flambeaux portaient deux bougies de cire et figuraient habituellement sur la cheminée de l'évêque. Quand il avait quelqu'un à dîner, madame Magloire allumait les deux bougies et mettait les deux flambeaux sur la table.

Il y avait dans la chambre même de l'évêque, à la tête de son lit, un petit placard dans lequel madame Magloire serrait chaque soir les six couverts d'argent et la grande cuiller. Il faut dire qu'on n'en ôtait jamais la clef.

Le jardin, un peu gâté par les constructions assez laides dont nous avons parlé, se composait de quatre allées en croix rayonnant autour d'un puisard; une autre allée faisait tout le tour du jardin et cheminait le long du mur blanc dont il était enclos. Ces allées laissaient entre elles quatre carrés bordés de buis. Dans trois, madame Magloire cultivait des légumes; dans le quatrième, l'évêque avait mis des fleurs. Il y avait çà et là quelques arbres fruitiers.

Une fois madame Magloire lui avait dit avec une sorte de malice douce : — Monseigneur, vous qui tirez parti de tout, voilà pourtant un carré inutile. Il vaudrait mieux avoir là des salades que des bouquets. — Madame Magloire, répondit l'évêque, vous vous trompez. Le beau est aussi utile que l'utile. — Il ajouta après un silence : Plus peut-être.

Ce carré, composé de trois ou quatre plates-bandes, occupait M. l'évêque presque autant que ses livres. Il y passait volontiers une heure ou deux, coupant, sarclant, et piquant çà et là des trous en terre où il mettait des graines. Il n'était pas aussi hostile aux insectes qu'un jardinier l'eût voulu. Du reste, aucune prétention à la botanique; il ignorait les groupes et le solidisme; il ne cherchait pas le moins du monde à décider entre Tournefort et la méthode naturelle; il ne prenait parti ni pour les utricules contre les cotylédons, ni pour Jussieu contre Linné. Il n'étudiait pas les plantes; il aimait les fleurs. Il respectait beaucoup les savants, il respectait encore plus les ignorants, et, sans jamais manquer à ces deux respects, il arrosait ses plates-bandes chaque soir d'été avec un arrosoir de fer-blanc peint en vert.

La maison n'avait pas une porte qui fermât à clef. La porte de la salle à manger qui, nous l'avons dit, donnait de plain-pied sur la place de la cathédrale, était jadis armée de serrures et de verrous comme une porte de prison. L'évêque avait fait ôter toutes ces ferrures, et cette porte, la nuit comme le jour, n'était fermée qu'au loquet. Le premier passant venu, à quelque heure que ce fût, n'avait qu'à la pousser. Dans les commencements, les deux femmes avaient été fort tourmentées de cette porte jamais close; mais M. de Digne leur avait dit : Faites mettre des verrous à vos chambres, si cela vous plaît. Elles avaient fini par partager sa confiance ou du moins par faire comme si elles la partageaient. Madame Magloire seule avait de temps en temps des frayeurs. Pour ce qui est de l'évêque, on peut trouver sa pensée expliquée ou du moins indiquée dans ces trois lignes écrites par lui sur la marge d'une bible : « Voici la nuance : la porte du médecin ne doit jamais être fermée; la porte du prêtre doit toujours être ouverte. »

Sur un autre livre, intitulé *Philosophie de la science médicale,* il avait écrit cette autre note : « Est-ce que je ne suis pas méde- « cin comme eux? Moi aussi j'ai mes malades; d'abord j'ai « les leurs, qu'ils appellent les malades; et puis j'ai les miens, « que j'appelle les malheureux. »

Ailleurs encore il avait écrit : « Ne demandez pas son nom « à qui vous demande un gîte. C'est surtout celui-là que son « nom embarrasse qui a besoin d'asile. »

Il advint qu'un digne curé, je ne sais plus si c'était le curé de Couloubroux ou le curé de Pompierry [1], s'avisa de lui demander un jour, probablement à l'instigation de madame Magloire, si Monseigneur était bien sûr de ne pas commettre jusqu'à un certain point une imprudence en laissant jour et nuit sa porte ouverte à la disposition de qui voulait entrer, et s'il ne craignait pas enfin qu'il n'arrivât quelque malheur dans une maison si peu gardée. L'évêque lui toucha l'épaule avec une gravité douce et lui dit : *Nisi Dominus custodierit domum, in vanum vigilant qui custodiunt eam* [2]. Puis il parla d'autre chose.

Il disait assez volontiers : « Il y a la bravoure du prêtre « comme il y a la bravoure du colonel de dragons. » — « Seule- « ment, ajoutait-il, la nôtre doit être tranquille. »

VII

CRAVATTE

Ici se place naturellement un fait que nous ne devons pas omettre, car il est de ceux qui font le mieux voir quel homme c'était que M. l'évêque de Digne.

Après la destruction de la bande de Gaspard Bès qui avait infesté les gorges d'Ollioules, un de ses lieutenants, Cravatte, se réfugia dans la montagne. Il se cacha quelque temps avec ses bandits, reste de la troupe de Gaspard Bès, dans le comté de Nice, puis gagna le Piémont, et tout à coup reparut en France, du côté de Barcelonnette. On le vit à Jauziers d'abord, puis aux Tuiles. Il se cacha dans les cavernes du Joug-de-l'Aigle, et de là il descendait vers les hameaux et les villages par les ravins de l'Ubaye et de l'Ubayette. Il osa même pousser jusqu'à Embrun, pénétra une nuit dans la cathédrale et dévalisa la sacristie. Ses brigandages désolaient le pays. On mit la gendarmerie à ses trousses, mais en vain. Il échappait toujours; quelquefois il résistait de vive force. C'était un hardi misérable[1]. Au milieu de toute cette terreur, l'évêque arriva. Il faisait sa tournée. Au Chastelar, le maire vint le trouver et l'engagea à rebrousser chemin. Cravatte tenait la montagne jusqu'à l'Arche, et au-delà. Il y avait danger, même avec une escorte. C'était exposer inutilement trois ou quatre malheureux gendarmes.

— Aussi, dit l'évêque, je compte aller sans escorte.

— Y pensez-vous, monseigneur? s'écria le maire.

— J'y pense tellement, que je refuse absolument les gendarmes et que je vais partir dans une heure.

— Partir?

— Partir.

— Seul?

— Seul.

— Monseigneur! vous ne ferez pas cela.

— Il y a là, dans la montagne, reprit l'évêque, une humble petite commune grande comme ça, que je n'ai pas vue depuis trois ans. Ce sont mes bons amis. De doux et honnêtes bergers. Ils possèdent une chèvre sur trente qu'ils gardent. Ils font de fort jolis cordons de laine de diverses couleurs, et ils jouent des airs de montagne sur de petites flûtes à six trous. Ils ont besoin qu'on leur parle de temps en temps du bon Dieu. Que diraient-ils d'un évêque qui a peur? Que diraient-ils si je n'y allais pas?

— Mais, monseigneur, les brigands! Si vous rencontrez les brigands!

— Tiens, dit l'évêque, j'y songe. Vous avez raison. Je puis les rencontrer. Eux aussi doivent avoir besoin qu'on leur parle du bon Dieu.

— Monseigneur! mais c'est une bande! c'est un troupeau de loups!

— Monsieur le maire, c'est peut-être précisément de ce troupeau que Jésus me fait le pasteur. Qui sait les voies de la Providence?

— Monseigneur, ils vous dévaliseront.

— Je n'ai rien.

— Ils vous tueront.

— Un vieux bonhomme de prêtre qui passe en marmottant ses momeries? Bah! à quoi bon?

— Ah! mon Dieu, si vous alliez les rencontrer!

— Je leur demanderai l'aumône pour mes pauvres.

— Monseigneur, n'y allez pas, au nom du ciel! vous exposez votre vie.

— Monsieur le maire, dit l'évêque, n'est-ce décidément que cela? Je ne suis pas en ce monde pour garder ma vie, mais pour garder les âmes.

Il fallut le laisser faire. Il partit, accompagné seulement d'un enfant qui s'offrit à lui servir de guide. Son obstination fit bruit dans le pays, et effraya très fort.

Il ne voulut emmener ni sa sœur ni madame Magloire. Il traversa la montagne à mulet, ne rencontra personne, et arriva sain et sauf chez ses « bons amis » les bergers. Il y resta quinze jours, prêchant, administrant, enseignant, moralisant. Lorsqu'il fut proche de son départ, il résolut de chanter pontificalement un *Te Deum*. Il en parla au curé. Mais comment faire? pas d'ornements épiscopaux. On ne pouvait mettre à sa disposition qu'une chétive sacristie de village avec quelques vieilles chasubles de damas usé ornées de galons faux.

— Bah! dit l'évêque. Monsieur le curé, annonçons toujours au prône notre *Te Deum*. Cela s'arrangera.

On chercha dans les églises d'alentour. Toutes les magnificences de ces humbles paroisses réunies n'auraient pas suffi à vêtir convenablement un chantre de cathédrale.

Comme on était dans cet embarras, une grande caisse fut apportée et déposée au presbytère pour M. l'évêque par deux cavaliers inconnus qui repartirent sur-le-champ. On ouvrit la caisse; elle contenait une chape de drap d'or, une mitre ornée de diamants, une croix archiépiscopale, une crosse magnifique, tous les vêtements pontificaux volés un mois auparavant au trésor de Notre-Dame d'Embrun. Dans la caisse, il y avait un papier sur lequel étaient écrits ces mots : *Cravatte à monseigneur Bienvenu.*

— Quand je disais que cela s'arrangerait! dit l'évêque. Puis il ajouta en souriant : A qui se contente d'un surplis de curé, Dieu envoie une chape d'archevêque.

— Monseigneur, murmura le curé en hochant la tête avec un sourire, Dieu, — ou le diable.

L'évêque regarda fixement le curé et reprit avec autorité :
— Dieu!

Quand il revint au Chastelar, et tout le long de la route, on venait le regarder par curiosité. Il retrouva au presbytère du Chastelar mademoiselle Baptistine et madame Magloire qui l'attendaient, et il dit à sa sœur : — Eh bien, avais-je raison? Le pauvre prêtre est allé chez ces pauvres montagnards les mains vides, il en revient les mains pleines. J'étais parti n'emportant que ma confiance en Dieu, je rapporte le trésor d'une cathédrale.

Le soir, avant de se coucher, il dit encore : — Ne craignons jamais les voleurs ni les meurtriers. Ce sont là les dangers du dehors, les petits dangers. Craignons-nous nous-mêmes. Les préjugés, voilà les voleurs; les vices, voilà les meurtriers. Les grands dangers sont au dedans de nous. Qu'importe ce qui menace notre tête ou notre bourse! Ne songeons qu'à ce qui menace notre âme.

Puis se tournant vers sa sœur : — Ma sœur, de la part du prêtre jamais de précaution contre le prochain. Ce que le prochain fait, Dieu le permet. Bornons-nous à prier Dieu quand nous croyons qu'un danger arrive sur nous. Prions-le, non pour nous, mais pour que notre frère ne tombe pas en faute à notre occasion.

Du reste, les événements étaient rares dans son existence. Nous racontons ceux que nous savons, mais d'ordinaire il passait sa vie à faire toujours les mêmes choses aux mêmes moments. Un mois de son année ressemblait à une heure de sa journée.

Quant à ce que devint « le trésor » de la cathédrale d'Embrun, on nous embarrasserait de nous interroger là-dessus. C'étaient là de bien belles choses, et bien tentantes, et bien bonnes à voler au profit des malheureux. Volées, elles l'étaient déjà d'ailleurs. La moitié de l'aventure était accomplie; il ne restait plus qu'à changer la direction du vol, et qu'à lui faire faire un petit bout de chemin du côté des pauvres [1]. Nous n'affirmons rien du reste à ce sujet. Seulement on a trouvé dans les papiers de l'évêque une note assez obscure qui se rapporte peut-être à cette affaire, et qui est ainsi conçue : *La question est de savoir si cela doit faire retour à la cathédrale ou à l'hôpital.*

VIII

PHILOSOPHIE APRÈS BOIRE

LE sénateur dont il a été parlé plus haut était un homme entendu qui avait fait son chemin avec une rectitude inattentive à toutes ces rencontres qui font obstacle et qu'on nomme conscience, foi jurée, justice, devoir; il avait marché droit à son but et sans broncher une seule fois dans la ligne de son avancement et de son intérêt. C'était un ancien procureur, attendri par le succès, pas méchant homme du tout, rendant tous les petits services qu'il pouvait à ses fils, à ses gendres, à ses parents, même à des amis; ayant sagement pris de la vie les bons côtés, les bonnes occasions, les bonnes aubaines. Le reste lui semblait assez bête. Il était spirituel, et juste assez lettré pour se croire un disciple d'Épicure en n'étant peut-être qu'un produit de Pigault-Lebrun [1]. Il riait volontiers, et agréablement, des choses infinies et éternelles, et des « billevesées du bonhomme évêque ». Il en riait quelquefois, avec une aimable autorité, devant M. Myriel lui-même, qui écoutait.

A je ne sais plus quelle cérémonie demi-officielle, le comte*** (ce sénateur) et M. Myriel durent dîner chez le préfet. Au dessert, le sénateur, un peu égayé, quoique toujours digne, s'écria :

— Parbleu, monsieur l'évêque, causons. Un sénateur et un évêque se regardent difficilement sans cligner de l'œil. Nous sommes deux augures. Je vais vous faire un aveu. J'ai ma philosophie.

— Et vous avez raison, répondit l'évêque. Comme on fait sa philosophie on se couche. Vous êtes sur le lit de pourpre, monsieur le sénateur.

Le sénateur, encouragé, reprit :

— Soyons bons enfants.

— Bons diables même, dit l'évêque.

— Je vous déclare, repartit le sénateur, que le marquis d'Argens, Pyrrhon, Hobbes et M. Naigeon ne sont pas des maroufles. J'ai dans ma bibliothèque tous mes philosophes dorés sur tranche.

— Comme vous-même, monsieur le comte, interrompit l'évêque.

Le sénateur poursuivit :

— Je hais Diderot; c'est un idéologue, un déclamateur et un révolutionnaire, au fond croyant en Dieu, et plus bigot que Voltaire. Voltaire s'est moqué de Needham, et il a eu tort; car les anguilles de Needham prouvent que Dieu est inutile. Une goutte de vinaigre dans une cuillerée de pâte de farine supplée le *fiat lux*. Supposez la goutte plus grosse et la cuillerée plus grande, vous avez le monde. L'homme, c'est l'anguille. Alors à quoi bon le Père éternel? Monsieur l'évêque, l'hypothèse Jéhovah me fatigue. Elle n'est bonne qu'à produire des gens maigres qui songent creux. A bas ce grand Tout qui me tracasse! Vive Zéro qui me laisse tranquille! De vous à moi, et pour vider mon sac, et pour me confesser à mon pasteur comme il convient, je vous avoue que j'ai du bon sens. Je ne suis pas fou de votre Jésus qui prêche à tout bout de champ le renoncement et le sacrifice. Conseil d'avare à des gueux. Renoncement! pourquoi? Sacrifice! à quoi? Je ne vois pas qu'un loup s'immole au bonheur d'un autre loup. Restons donc dans la nature. Nous sommes au sommet; ayons la philosophie supérieure. Que sert d'être en haut, si l'on ne voit pas plus loin que le bout du nez des autres? Vivons gaîment. La vie, c'est tout. Que l'homme ait un autre avenir, ailleurs, là-haut, là-bas, quelque part, je n'en crois pas un traître mot. Ah! l'on me recommande le sacrifice et le renoncement, je dois prendre garde à tout ce que je fais, il faut que je me casse la tête sur le bien et le mal, sur le juste et l'injuste, sur le *fas* et le *nefas*. Pourquoi? parce que j'aurai à rendre compte de mes actions. Quand? après ma mort. Quel bon rêve! Après ma mort, bien fin qui me pincera. Faites donc saisir une poignée de cendre par une main d'ombre. Disons le vrai, nous qui sommes des initiés et qui avons levé la jupe d'Isis : il n'y a ni bien, ni mal; il y a de la végétation. Cherchons le réel. Creusons tout à fait. Allons au fond, que diable! Il faut flairer la vérité, fouiller sous terre, et la saisir. Alors elle vous donne des joies exquises. Alors vous devenez fort, et vous riez. Je suis carré par la base, moi. Monsieur l'évêque, l'immortalité de l'homme est un écoute-s'il-pleut. Oh! la charmante promesse! Fiez-vous-y. Le bon billet qu'a Adam! On est âme, on sera ange, on aura des ailes bleues aux omo-

plates. Aidez-moi donc, n'est-ce pas Tertullien qui dit que les
bienheureux iront d'un astre à l'autre? Soit. On sera les
sauterelles des étoiles. Et puis, on verra Dieu. Ta ta ta. Fadaises
que tous ces paradis. Dieu est une sornette monstre. Je ne
dirais point cela dans le *Moniteur*[1], parbleu! mais je le chuchote
entre amis. *Inter pocula*. Sacrifier la terre au paradis, c'est lâcher
la proie pour l'ombre. Être dupe de l'infini! pas si bête. Je
suis néant. Je m'appelle monsieur le comte Néant, sénateur.
Étais-je avant ma naissance? Non. Serai-je après ma mort?
Non. Que suis-je? un peu de poussière agrégée par un orga-
nisme. Qu'ai-je à faire sur cette terre? J'ai le choix. Souffrir
ou jouir. Où me mènera la souffrance? Au néant. Mais
j'aurai souffert. Où me mènera la jouissance? Au néant. Mais
j'aurai joui. Mon choix est fait. Il faut être mangeant ou mangé.
Je mange. Mieux vaut être la dent que l'herbe. Telle est ma
sagesse. Après quoi, va comme je te pousse, le fossoyeur est là,
le Panthéon pour nous autres, tout tombe dans le grand trou.
Fin. *Finis*. Liquidation totale. Ceci est l'endroit de l'évanouissement. La mort est morte, croyez-moi. Qu'il y ait là quelqu'un qui ait quelque chose à me dire, je ris d'y songer.
Invention de nourrices Croquemitaine pour les enfants, Jéhovah pour les hommes. Non, notre lendemain est de la nuit.
Derrière la tombe, il n'y a plus que des néants égaux. Vous
avez été Sardanapale, vous avez été Vincent de Paul, cela fait
le même rien. Voilà le vrai. Donc vivez, par-dessus tout. Usez
de votre moi pendant que vous le tenez. En vérité, je vous
le dis, monsieur l'évêque, j'ai ma philosophie, et j'ai mes
philosophes. Je ne me laisse pas enguirlander par des bali-
vernes. Après ça, il faut bien quelque chose à ceux qui sont
en bas, aux va-nu-pieds, aux gagne-petit, aux misérables.
On leur donne à gober les légendes, les chimères, l'âme, l'immortalité, le paradis, les étoiles. Ils mâchent cela. Ils le mettent
sur leur pain sec. Qui n'a rien a le bon Dieu. C'est bien le
moins. Je n'y fais point obstacle, mais je garde pour moi
monsieur Naigeon. Le bon Dieu est bon pour le peuple[2].

L'évêque battit des mains.

— Voilà parler! s'écria-t-il. L'excellente chose, et vraiment
merveilleuse, que ce matérialisme-là! Ne l'a pas qui veut. Ah!
quand on l'a, on n'est plus dupe; on ne se laisse pas bêtement
exiler comme Caton, ni lapider comme Étienne, ni brûler vif
comme Jeanne d'Arc. Ceux qui ont réussi à se procurer ce

matérialisme admirable ont la joie de se sentir irresponsables, et de penser qu'ils peuvent dévorer tout, sans inquiétude, les places, les sinécures, les dignités, le pouvoir bien ou mal acquis, les palinodies lucratives, les trahisons utiles, les savoureuses capitulations de conscience, et qu'ils entreront dans la tombe, leur digestion faite. Comme c'est agréable! Je ne dis pas cela pour vous, monsieur le sénateur. Cependant il m'est impossible de ne point vous féliciter. Vous autres grands seigneurs, vous avez, vous le dites, une philosophie à vous et pour vous, exquise, raffinée, accessible aux riches seuls, bonne à toutes les sauces, assaisonnant admirablement les voluptés de la vie. Cette philosophie est prise dans les profondeurs et déterrée par des chercheurs spéciaux. Mais vous êtes bons princes, et vous ne trouvez pas mauvais que la croyance au bon Dieu soit la philosophie du peuple, à peu près comme l'oie aux marrons est la dinde aux truffes du pauvre.

IX

LE FRÈRE RACONTÉ PAR LA SŒUR

POUR donner une idée du ménage intérieur de M. l'évêque de Digne et de la façon dont ces deux saintes filles subordonnaient leurs actions, leurs pensées, même leurs instincts de femmes aisément effrayées, aux habitudes et aux intentions de l'évêque, sans qu'il eût même à prendre la peine de parler pour les exprimer, nous ne pouvons mieux faire que de transcrire ici une lettre de mademoiselle Baptistine à madame la vicomtesse de Boischevron, son amie d'enfance. Cette lettre est entre nos mains [1].

Digne, 16 décembre 18...

« Ma bonne madame, pas un jour ne se passe sans que nous parlions de vous. C'est assez notre habitude, mais il y a une raison de plus. Figurez-vous qu'en lavant et époussetant les plafonds et les murs, madame Magloire a fait des découvertes; maintenant nos deux chambres tapissées de vieux papier blanchi à la chaux ne dépareraient pas un château dans le genre du vôtre. Madame Magloire a déchiré tout le papier. Il y avait

des choses dessous. Mon salon, où il n'y a pas de meubles, et
dont nous nous servons pour étendre le linge après les lessives,
a quinze pieds de haut, dix-huit de large carrés, un plafond
peint anciennement avec dorure, des solives comme chez vous.
C'était recouvert d'une toile, du temps que c'était l'hôpital.
Enfin des boiseries du temps de nos grand'mères. Mais c'est
ma chambre qu'il faut voir. Madame Magloire a découvert,
sous · au moins dix papiers collés dessus, des peintures, sans
être bonnes, qui peuvent se supporter. C'est Télémaque reçu
chevalier par Minerve, c'est lui encore dans les jardins. Le nom
m'échappe. Enfin où les dames romaines se rendaient une seule
nuit. Que vous dirai-je? j'ai des romains, des romaines *(ici un
mot illisible)*, et toute la suite. Madame Magloire a débarbouillé
tout cela, et cet été elle va réparer quelques petites avaries,
revernir le tout, et ma chambre sera un vrai musée. Elle a
aussi trouvé dans un coin du grenier deux consoles en bois,
genre ancien. On demandait deux écus de six livres pour les
redorer, mais il vaut bien mieux donner cela aux pauvres;
d'ailleurs c'est fort laid, et j'aimerais mieux une table ronde
en acajou.

« Je suis toujours bien heureuse. Mon frère est si bon. Il
donne tout ce qu'il a aux indigents et aux malades. Nous
sommes très gênés. Le pays est dur l'hiver, et il faut bien faire
quelque chose pour ceux qui manquent. Nous sommes à peu
près chauffés et éclairés. Vous voyez que ce sont de grandes
douceurs.

« Mon frère a ses habitudes à lui. Quand il cause, il dit
qu'un évêque doit être ainsi. Figurez-vous que la porte de la
maison n'est jamais fermée. Entre qui veut, et l'on est tout de
suite chez mon frère. Il ne craint rien, même la nuit. C'est là
sa bravoure à lui, comme il dit.

« Il ne veut pas que je craigne pour lui, ni que madame
Magloire craigne. Il s'expose à tous les dangers, et il ne veut
même pas que nous ayons l'air de nous en apercevoir. Il faut
savoir le comprendre.

« Il sort par la pluie, il marche dans l'eau, il voyage en
hiver. Il n'a pas peur de la nuit, des routes suspectes ni des
rencontres.

« L'an dernier, il est allé tout seul dans un pays de voleurs.
Il n'a pas voulu nous emmener. Il est resté quinze jours absent.
A son retour, il n'avait rien eu, on le croyait mort, et il se

portait bien, et il a dit : Voilà comme on m'a volé! Et il a ouvert une malle pleine de tous les bijoux de la cathédrale d'Embrun, que les voleurs lui avaient donnés.

« Cette fois-là, en revenant, comme j'étais allée à sa rencontre à deux lieues avec d'autres de ses amis, je n'ai pu m'empêcher de le gronder un peu, en ayant soin de ne parler que pendant que la voiture faisait du bruit, afin que personne autre ne pût entendre.

« Dans les premiers temps, je me disais : il n'y a pas de dangers qui l'arrêtent, il est terrible. A présent j'ai fini par m'y accoutumer. Je fais signe à madame Magloire pour qu'elle ne le contrarie pas. Il se risque comme il veut. Moi j'emmène madame Magloire, je rentre dans ma chambre, je prie pour lui, et je m'endors. Je suis tranquille, parce que je sais bien que s'il lui arrivait malheur, ce serait ma fin. Je m'en irais au bon Dieu avec mon frère et mon évêque. Madame Magloire a eu plus de peine que moi à s'habituer à ce qu'elle appelait ses imprudences. Mais à présent le pli est pris. Nous prions toutes les deux, nous avons peur ensemble, et nous nous endormons. Le diable entrerait dans la maison qu'on le laisserait faire. Après tout, que craignons-nous dans cette maison? Il y a toujours quelqu'un avec nous qui est le plus fort. Le diable peut y passer, mais le bon Dieu l'habite.

« Voilà qui me suffit. Mon frère n'a plus même besoin de me dire un mot maintenant. Je le comprends sans qu'il parle, et nous nous abandonnons à la Providence.

« Voilà comme il faut être avec un homme qui a du grand dans l'esprit.

« J'ai questionné mon frère pour le renseignement que vous me demandez sur la famille de Faux. Vous savez comme il sait tout et comme il a des souvenirs, car il est toujours très bon royaliste. C'est de vrai une très ancienne famille normande de la généralité de Caen. Il y a cinq cents ans d'un Raoul de Faux, d'un Jean de Faux et d'un Thomas de Faux, qui étaient des gentilshommes, dont un seigneur de Rochefort. Le dernier était Guy-Étienne-Alexandre, et était mestre de camp, et quelque chose dans les chevau-légers de Bretagne. Sa fille Marie-Louise a épousé Adrien-Charles de Gramont, fils du duc Louis de Gramont, pair de France, colonel des gardes françaises et lieutenant général des armées. On écrit Faux, Fauq et Faoucq.

« Bonne madame, recommandez-nous aux prières de votre

saint parent, M. le cardinal. Quand à votre chère Sylvanie, elle a bien fait de ne pas prendre les courts instants qu'elle passe près de vous pour m'écrire. Elle se porte bien, travaille selon vos désirs, m'aime toujours. C'est tout ce que je veux. Son souvenir par vous m'est arrivé. Je m'en trouve heureuse. Ma santé n'est pas trop mauvaise, et cependant je maigris tous les jours davantage. Adieu, le papier me manque et me force de vous quitter. Mille bonnes choses.

« BAPTISTINE.

« *P.-S.* — Madame votre belle-sœur est toujours ici avec sa jeune famille. Votre petit-neveu est charmant. Savez-vous qu'il a cinq ans bientôt! Hier il a vu passer un cheval auquel on avait mis des genouillères, et il disait : Qu'est-ce qu'il a donc aux genoux? — Il est si gentil, cet enfant! Son petit frère traîne un vieux balai dans l'appartement comme une voiture, et dit : Hu! »

Comme on le voit par cette lettre, ces deux femmes savaient se plier aux façons d'être de l'évêque avec ce génie particulier de la femme qui comprend l'homme mieux que l'homme ne se comprend. L'évêque de Digne, sous cet air doux et candide qui ne se démentait jamais, faisait parfois des choses grandes, hardies et magnifiques, sans paraître même s'en douter. Elles en tremblaient, mais elles le laissaient faire. Quelquefois madame Magloire essayait une remontrance avant; jamais pendant ni après. Jamais on ne le troublait, ne fût-ce que par un signe, dans une action commencée. A de certains moments, sans qu'il eût besoin de le dire, lorsqu'il n'en avait peut-être pas lui-même conscience, tant sa simplicité était parfaite, elles sentaient vaguement qu'il agissait comme évêque; alors elles n'étaient plus que deux ombres dans la maison. Elles le servaient passivement, et, si c'était obéir que de disparaître, elles disparaissaient. Elles savaient, avec une admirable délicatesse d'instinct, que de certaines sollicitudes peuvent gêner. Aussi, même le croyant en péril, elles comprenaient, je ne dis pas sa pensée, mais sa nature, jusqu'au point de ne plus veiller sur lui. Elles le confiaient à Dieu.

D'ailleurs Baptistine disait, comme on vient de le lire, que la fin de son frère serait la sienne. Madame Magloire ne le disait pas, mais elle le savait.

X

L'ÉVÊQUE EN PRÉSENCE D'UNE LUMIÈRE INCONNUE [1]

A UNE époque un peu postérieure à la date de la lettre citée dans les pages précédentes, il fit une chose, à en croire toute la ville, plus risquée encore que sa promenade à travers les montagnes des bandits.

Il y avait près de Digne, dans la campagne, un homme qui vivait solitaire. Cet homme, disons tout de suite le gros mot, était un ancien conventionnel. Il se nommait G. [2]

On parlait du conventionnel G. dans le petit monde de Digne avec une sorte d'horreur. Un conventionnel, vous figurez-vous cela? Cela existait du temps qu'on se tutoyait et qu'on disait : citoyen. Cet homme était à peu près un monstre. Il n'avait pas voté la mort du roi, mais presque. C'était un quasi-régicide. Il avait été terrible. Comment, au retour des princes légitimes, n'avait-on pas traduit cet homme-là devant une cour prévôtale? On ne lui eût pas coupé la tête, si vous voulez, il faut de la clémence, soit; mais un bon bannissement à vie. Un exemple enfin! etc., etc. C'était un athée d'ailleurs, comme tous ces gens-là. — Commérages des oies sur le vautour.

Était-ce du reste un vautour que G.? Oui, si l'on en jugeait par ce qu'il y avait de farouche dans sa solitude. N'ayant pas voté la mort du roi, il n'avait pas été compris dans les décrets d'exil et avait pu rester en France.

Il habitait, à trois quarts d'heure de la ville, loin de tout hameau, loin de tout chemin, on ne sait quel repli perdu d'un vallon très sauvage. Il avait là, disait-on, une espèce de champ, un trou, un repaire. Pas de voisins; pas même de passants. Depuis qu'il demeurait dans ce vallon, le sentier qui y condui-sait avait disparu sous l'herbe. On parlait de cet endroit-là comme de la maison du bourreau.

Pourtant l'évêque songeait, et de temps en temps regardait l'horizon à l'endroit où un bouquet d'arbres marquait le vallon du vieux conventionnel, et il disait : Il y a là une âme qui est seule.

Et au fond de sa pensée il ajoutait : Je lui dois ma visite.

Mais, avouons-le, cette idée, au premier abord naturelle, lui apparaissait, après un moment de réflexion, comme étrange et impossible, et presque repoussante. Car, au fond, il partageait l'impression générale, et le conventionnel lui inspirait, sans qu'il s'en rendît clairement compte, ce sentiment qui est comme la frontière de la haine et qu'exprime si bien le mot éloignement.

Toutefois, la gale de la brebis doit-elle faire reculer le pasteur? Non. Mais quelle brebis!

Le bon évêque était perplexe. Quelquefois il allait de ce côté-là, puis il revenait.

Un jour enfin le bruit se répandit dans la ville qu'une façon de jeune pâtre qui servait le conventionnel G. dans sa bauge était venu chercher un médecin; que le vieux scélérat se mourait, que la paralysie le gagnait, et qu'il ne passerait pas la nuit. — Dieu merci! ajoutaient quelques-uns.

L'évêque prit son bâton, mit son pardessus à cause de sa soutane un peu trop usée, comme nous l'avons dit, et aussi à cause du vent du soir qui ne devait pas tarder à souffler, et partit.

Le soleil déclinait et touchait presque l'horizon, quand l'évêque arriva à l'endroit excommunié. Il reconnut avec un certain battement de cœur qu'il était près de la tanière. Il enjamba un fossé, franchit une haie, leva un échalier, entra dans un courtil délabré, fit quelques pas assez hardiment, et tout à coup, au fond de la friche, derrière une haute broussaille, il aperçut la caverne.

C'était une cabane toute basse, indigente, petite et propre, avec une treille clouée à la façade.

Devant la porte, dans une vieille chaise à roulettes, fauteuil du paysan, il y avait un homme en cheveux blancs qui souriait au soleil.

Près du vieillard assis se tenait debout un jeune garçon, le petit pâtre. Il tendait au vieillard une jatte de lait.

Pendant que l'évêque regardait, le vieillard éleva la voix:
— Merci, dit-il, je n'ai plus besoin de rien. Et son sourire quitta le soleil pour s'arrêter sur l'enfant.

L'évêque s'avança. Au bruit qu'il fit en marchant, le vieux homme assis tourna la tête, et son visage exprima toute la quantité de surprise qu'on peut avoir après une longue vie.

— Depuis que je suis ici, dit-il, voilà la première fois qu'on entre chez moi. Qui êtes-vous, monsieur?

L'évêque répondit :

— Je me nomme Bienvenu Myriel.

— Bienvenu Myriel! j'ai entendu prononcer ce nom. Est-ce que c'est vous que le peuple appelle monseigneur Bienvenu?

— C'est moi.

Le vieillard reprit avec un demi-sourire :

— En ce cas, vous êtes mon évêque?

— Un peu.

— Entrez, monsieur.

Le conventionnel tendit la main à l'évêque, mais l'évêque ne la prit pas. L'évêque se borna à dire :

— Je suis satisfait de voir qu'on m'avait trompé. Vous ne me semblez, certes, pas malade.

— Monsieur, répondit le vieillard, je vais guérir.

Il fit une pause, et dit :

— Je mourrai dans trois heures.

Puis il reprit :

— Je suis un peu médecin; je sais de quelle façon la dernière heure vient. Hier, je n'avais que les pieds froids; aujourd'hui, le froid a gagné les genoux; maintenant je le sens qui monte jusqu'à la ceinture; quand il sera au cœur, je m'arrêterai. Le soleil est beau, n'est-ce pas? je me suis fait rouler dehors pour jeter un dernier coup d'œil sur les choses. Vous pouvez me parler, cela ne me fatigue point. Vous faites bien de venir regarder un homme qui va mourir. Il est bon que ce moment-là ait des témoins. On a des manies; j'aurais voulu aller jusqu'à l'aube. Mais je sais que j'en ai à peine pour trois heures. Il fera nuit. Au fait, qu'importe! Finir est une affaire simple [1]. On n'a pas besoin du matin pour cela. Soit. Je mourrai à la belle étoile.

Le vieillard se tourna vers le pâtre.

— Toi, va te coucher. Tu as veillé l'autre nuit. Tu es fatigué.

L'enfant rentra dans la cabane.

Le vieillard le suivit des yeux et ajouta comme se parlant à lui-même :

— Pendant qu'il dormira, je mourrai. Les deux sommeils peuvent faire bon voisinage.

L'évêque n'était pas ému comme il semble qu'il aurait pu l'être. Il ne croyait pas sentir Dieu dans cette façon de mourir.

Disons tout, car les petites contradictions des grands cœurs veulent être indiquées comme le reste, lui qui, dans l'occasion, riait si volontiers de Sa Grandeur, il était quelque peu choqué de ne pas être appelé monseigneur, et il était presque tenté de répliquer : citoyen. Il lui vint une velléité de familiarité bourrue, assez ordinaire aux médecins et aux prêtres, mais qui ne lui était pas habituelle, à lui. Cet homme, après tout, ce conventionnel, ce·représentant du peuple, avait été un puissant de la terre; pour la première fois de sa vie peut-être, l'évêque se sentit en humeur de sévérité

Le conventionnel cependant le considérait avec une cordialité modeste, où l'on eût pu démêler peut-être l'humilité qui sied quand on est si près de sa mise en poussière.

L'évêque, de son côté, quoiqu'il se gardât ordinairement de la curiosité, laquelle, selon lui, était contiguë à l'offense, ne pouvait s'empêcher d'examiner le conventionnel avec une attention qui, n'ayant pas sa source dans la sympathie, lui eût été probablement reprochée par sa conscience vis-à-vis de tout autre homme. Un conventionnel lui faisait un peu l'effet d'être hors la loi, même hors la loi de charité.

G., calme, le buste presque droit, la voix vibrante, était un de ces grands octogénaires qui font l'étonnement du physiologiste. La révolution a eu beaucoup de ces hommes proportionnés à l'époque. On sentait dans ce vieillard l'homme à l'épreuve. Si près de sa fin, il avait conservé tous les gestes de la santé. Il y avait dans son coup d'œil clair, dans son accent ferme, dans son robuste mouvement d'épaules, de quoi déconcerter la mort Azraël, l'ange mahométan du sépulcre, eût rebroussé chemin et eût cru se tromper de porte. G. semblait mourir parce qu'il le voulait bien. Il y avait de la liberté dans son agonie. Les jambes seulement étaient immobiles. Les ténèbres le tenaient par là. Les pieds étaient morts et froids, et la tête vivait de toute la puissance de la vie et paraissait en pleine lumière. G., en ce grave moment, ressemblait à ce roi du conte oriental, chair par en haut, marbre par en bas.

Une pierre était là. L'évêque s'y assit. L'exorde fut *ex abrupto*.

— Je vous félicite, dit-il du ton dont on réprimande. Vous n'avez toujours pas voté la mort du roi.

Le conventionnel ne parut pas remarquer le sous-entendu amer caché dans ce mot : toujours. Il répondit. Tout sourire avait disparu de sa face.

— Ne me félicitez pas trop, monsieur; j'ai voté la fin du tyran.

C'était l'accent austère en présence de l'accent sévère.

— Que voulez-vous dire? reprit l'évêque.

— Je veux dire que l'homme a un tyran, l'ignorance. J'ai voté la fin de ce tyran-là. Ce tyran-là a engendré la royauté qui est l'autorité prise dans le faux, tandis que la science est l'autorité prise dans le vrai. L'homme ne doit être gouverné que par la science.

— Et la conscience, ajouta l'évêque.

— C'est la même chose. La conscience, c'est la quantité de science innée que nous avons en nous.

Monseigneur Bienvenu écoutait, un peu étonné, ce langage très nouveau pour lui.

Le conventionnel poursuivit :

— Quant à Louis XVI, j'ai dit non. Je ne me crois pas le droit de tuer un homme; mais je me sens le devoir d'exterminer le mal. J'ai voté la fin du tyran. C'est-à-dire la fin de la prostitution pour la femme, la fin de l'esclavage pour l'homme, la fin de la nuit pour l'enfant[1]. En votant la république, j'ai voté cela. J'ai voté la fraternité, la concorde, l'aurore! J'ai aidé à la chute des préjugés et des erreurs. Les écroulements des erreurs et des préjugés font de la lumière. Nous avons fait tomber le vieux monde, nous autres, et le vieux monde, vase des misères, en se renversant sur le genre humain, est devenu une urne de joie.

— Joie mêlée, dit l'évêque.

— Vous pourriez dire joie troublée, et aujourd'hui, après ce fatal retour du passé qu'on nomme 1814, joie disparue. Hélas, l'œuvre a été incomplète, j'en conviens; nous avons démoli l'ancien régime dans les faits, nous n'avons pu entièrement le supprimer dans les idées. Détruire les abus, cela ne suffit pas; il faut modifier les mœurs. Le moulin n'y est plus, le vent y est encore.

— Vous avez démoli. Démolir peut être utile; mais je me défie d'une démolition compliquée de colère.

— Le droit a sa colère, monsieur l'évêque, et la colère du droit est un élément du progrès. N'importe, et quoi qu'on en dise, la révolution française est le plus puissant pas du genre humain depuis l'avènement du Christ. Incomplète, soit; mais sublime. Elle a dégagé toutes les inconnues sociales. Elle a adouci les esprits; elle a calmé, apaisé, éclairé; elle a fait couler sur la terre des flots de civilisation. Elle a été bonne. La révolution française, c'est le sacre de l'humanité.

L'évêque ne put s'empêcher de murmurer :

— Oui? 93!

Le conventionnel se dressa sur sa chaise avec une solennité presque lugubre, et, autant qu'un mourant peut s'écrier, il s'écria :

— Ah! vous y voilà! 93! J'attendais ce mot-là. Un nuage s'est formé pendant quinze cents ans. Au bout de quinze siècles, il a crevé. Vous faites le procès au coup de tonnerre.

L'évêque sentit, sans se l'avouer peut-être, que quelque chose en lui était atteint. Pourtant il fit bonne contenance. Il répondit :

— Le juge parle au nom de la justice; le prêtre parle au nom de la pitié, qui n'est autre chose qu'une justice plus élevée. Un coup de tonnerre ne doit pas se tromper.

Et il ajouta en regardant fixement le conventionnel :

— Louis XVII?

Le conventionnel étendit la main et saisit le bras de l'évêque :

— Louis XVII! voyons. Sur qui pleurez-vous? Est-ce sur l'enfant innocent? alors, soit. Je pleure avec vous. Est-ce sur l'enfant royal? je demande à réfléchir. Pour moi, le frère de Cartouche, enfant innocent, pendu sous les aisselles en place de Grève jusqu'à ce que mort s'ensuive, pour le seul crime d'avoir été le frère de Cartouche, n'est pas moins douloureux que le petit-fils de Louis XV, enfant innocent, martyrisé dans la tour du Temple pour le seul crime d'avoir été le petit-fils de Louis XV.

— Monsieur, dit l'évêque, je n'aime pas ces rapprochements de noms.

— Cartouche? Louis XV? pour lequel des deux réclamez-vous?

Il y eut un moment de silence. L'évêque regrettait presque d'être venu, et pourtant il se sentait vaguement et étrangement ébranlé.

Le conventionnel reprit :

— Ah! monsieur le prêtre, vous n'aimez pas les crudités du vrai. Christ les aimait, lui. Il prenait une verge et il époussetait le temple. Son fouet plein d'éclairs était un rude diseur de vérités. Quand il s'écriait : _Sinite parvulos,_ il ne distinguait pas entre les petits enfants. Il ne se fût pas gêné pour rapprocher le dauphin de Barabbas du dauphin d'Hérode. Monsieur, l'innocence est sa couronne à elle-même. L'innocence n'a que faire d'être altesse. Elle est aussi auguste déguenillée que fleurdelysée.

— C'est vrai, dit l'évêque à voix basse.

— J'insiste, continua le conventionnel G. Vous m'avez nommé Louis XVII. Entendons-nous. Pleurons-nous sur tous les innocents, sur tous les martyrs, sur tous les enfants, sur ceux d'en bas comme sur ceux d'en haut? J'en suis. Mais alors, je vous l'ai dit, il faut remonter plus haut que 93, et c'est avant Louis XVII qu'il faut commencer nos larmes. Je pleurerai sur les enfants des rois avec vous, pourvu que vous pleuriez avec moi sur les petits du peuple.

— Je pleure sur tous, dit l'évêque.

— Également! s'écria G., et si la balance doit pencher, que ce soit du côté du peuple. Il y a plus longtemps qu'il souffre.

Il y eut encore un silence. Ce fut le conventionnel qui le rompit. Il se souleva sur un coude, prit entre son pouce et son index replié un peu de sa joue, comme on fait machinalement lorsqu'on interroge et qu'on juge, et interpella l'évêque avec un regard plein de toutes les énergies de l'agonie. Ce fut presque une explosion.

— Oui, monsieur, il y a longtemps que le peuple souffre. Et puis, tenez, ce n'est pas tout cela, que venez-vous me questionner et me parler de Louis XVII? Je ne vous connais pas, moi. Depuis que je suis dans ce pays, j'ai vécu dans cet enclos, seul, ne mettant pas les pieds dehors, ne voyant personne que cet enfant qui m'aide. Votre nom est, il est vrai, arrivé confusément jusqu'à moi, et, je dois le dire, pas très mal prononcé; mais cela ne signifie rien; les gens habiles ont tant de manières d'en faire accroire à ce brave bonhomme de peuple. A propos, je n'ai pas entendu le bruit de votre voiture, vous l'aurez sans doute laissée derrière le taillis, là-bas, à l'embranchement de la route. Je ne vous connais pas, vous dis-je. Vous m'avez dit que vous étiez l'évêque, mais cela ne me renseigne point sur votre personne morale. En somme je vous répète ma question. Qui êtes-vous? Vous êtes un évêque, c'est-à-dire un prince de l'église, un de ces hommes dorés, armoriés, rentés, qui ont de grosses prébendes, — l'évêché de Digne, quinze mille francs de fixe, dix mille francs de casuel, total, vingt-cinq mille francs, — qui ont des cuisines, qui ont des livrées, qui font bonne chère, qui mangent des poules d'eau le vendredi, qui se pavanent, laquais devant, laquais derrière, en berline de gala, et qui ont des palais, et qui roulent carrosse au nom de Jésus-Christ qui allait pieds nus! Vous êtes un prélat; rentes, palais, chevaux, valets, bonne table, toutes les sensualités de la vie, vous avez cela comme les autres, et comme les autres vous en jouissez, c'est bien, mais cela en dit trop ou pas assez; cela ne m'éclaire pas sur votre valeur intrinsèque et essentielle, à vous qui venez avec la prétention probable de m'apporter de la sagesse. A qui est-ce que je parle? Qui êtes-vous?

L'évêque baissa la tête et répondit : — *Vermis sum.*

— Un ver de terre en carrosse! grommela le conventionnel.

C'était le tour du conventionnel d'être hautain, et de l'évêque d'être humble.

L'évêque reprit avec douceur :

— Monsieur, soit. Mais expliquez-moi en quoi mon carrosse, qui est là à deux pas derrière les arbres, en quoi ma bonne table et les poules d'eau que je mange le vendredi, en quoi mes vingt-cinq mille livres de rentes, en quoi mon palais et mes laquais prouvent que la pitié n'est pas une vertu, que la clémence n'est pas un devoir, et que 93 n'a pas été inexorable.

Le conventionnel passa la main sur son front comme pour en écarter un nuage.

— Avant de vous répondre, dit-il, je vous prie de me pardonner. Je viens d'avoir un tort, monsieur. Vous êtes chez moi, vous êtes mon hôte. Je vous dois courtoisie. Vous discutez mes idées, il sied que je me borne à combattre vos raisonnements. Vos richesses et vos jouissances sont des avantages que j'ai contre vous dans le débat, mais il est de bon goût de ne pas m'en servir. Je vous promets de ne plus en user.

— Je vous remercie, dit l'évêque.

G. reprit :

— Revenons à l'explication que vous me demandiez. Où en étions-nous? Que me disiez-vous? que 93 a été inexorable?

— Inexorable, oui, dit l'évêque. Que pensez-vous de Marat battant des mains à la guillotine?

— Que pensez-vous de Bossuet chantant le *Te Deum* sur les dragonnades?

La réponse était dure, mais elle allait au but avec la rigidité d'une pointe d'acier. L'évêque en tressaillit; il ne lui vint aucune riposte, mais il était froissé de cette façon de nommer Bossuet. Les meilleurs esprits ont leurs fétiches, et parfois se sentent vaguement meurtris des manques de respect de la logique.

Le conventionnel commençait à haleter; l'asthme de l'agonie, qui se mêle aux derniers souffles, lui entrecoupait la voix; cependant il avait encore une parfaite lucidité d'âme dans les yeux. Il continua :

— Disons encore quelques mots çà et là, je veux bien. En dehors de la révolution qui, prise dans son ensemble, est une immense affirmation humaine, 93, hélas! est une réplique. Vous le trouvez inexorable, mais toute la monarchie, monsieur? Carrier est un bandit; mais quel nom donnez-vous à Montrevel? Fouquier-Tinville est un gueux; mais quel est votre avis sur Lamoignon-Bâville? Maillard est affreux, mais Saulx-Tavannes, s'il vous plaît? Le père Duchêne est féroce, mais quelle épithète m'accorderez-vous pour le père Letellier? Jourdan-Coupe-Tête est un monstre, mais moindre que M. le marquis de Louvois. Monsieur, monsieur, je plains Marie-Antoinette archiduchesse et reine; mais je plains aussi cette pauvre femme huguenote qui, en 1685, sous Louis le Grand, monsieur, allaitant son enfant, fut liée, nue jusqu'à la ceinture, à un poteau, l'enfant tenu à distance; le sein se gonflait de lait et le cœur d'angoisse; le petit, affamé et pâle, voyait ce sein, agonisait et criait; et le bourreau disait à la femme, mère et nourrice : Abjure! lui donnant à choisir entre la mort de son enfant et la mort de sa conscience. Que dites-vous de ce supplice de Tantale accommodé à une mère? Monsieur, retenez bien ceci, la révolution française a eu ses raisons. Sa colère sera absoute par l'avenir. Son résultat, c'est le monde meilleur. De ses coups les plus terribles, il sort une caresse pour le genre humain [1]. J'abrège. Je m'arrête, j'ai trop beau jeu. D'ailleurs je me meurs.

Et, cessant de regarder l'évêque, le conventionnel acheva sa pensée en ces quelques mots tranquilles :

— Oui, les brutalités du progrès s'appellent révolutions. Quand elles sont finies, on reconnaît ceci : que le genre humain a été rudoyé, mais qu'il a marché.

Le conventionnel ne se doutait pas qu'il venait d'emporter

successivement l'un après l'autre tous les retranchements intérieurs de l'évêque. Il en restait un pourtant, et de ce retranchement, suprême ressource de la résistance de monseigneur Bienvenu, sortit cette parole où reparut presque toute la rudesse du commencement :

— Le progrès doit croire en Dieu. Le bien ne peut pas avoir de serviteur impie. C'est un mauvais conducteur du genre humain que celui qui est athée.

Le vieux représentant du peuple ne répondit pas. Il eut un tremblement. Il regarda le ciel, et une larme germa lentement dans ce regard. Quand la paupière fut pleine, la larme coula le long de sa joue livide, et il dit presque en bégayant, bas et se parlant à lui-même, l'œil perdu dans les profondeurs :

— O toi! ô idéal! toi seul existes!

L'évêque eut une sorte d'inexprimable commotion.

Après un silence, le vieillard leva un doigt vers le ciel, et dit :

— L'infini est. Il est là. Si l'infini n'avait pas de moi, le moi serait sa borne; il ne serait pas infini; en d'autres termes, il ne serait pas. Or il est. Donc il a un moi. Ce moi de l'infini, c'est Dieu [1].

Le mourant avait prononcé ces dernières paroles d'une voix haute et avec le frémissement de l'extase, comme s'il voyait quelqu'un. Quand il eut parlé, ses yeux se fermèrent. L'effort l'avait épuisé. Il était évident qu'il venait de vivre en une minute les quelques heures qui lui restaient. Ce qu'il venait de dire l'avait approché de celui qui est dans la mort. L'instant suprême arrivait.

L'évêque le comprit, le moment pressait, c'était comme prêtre qu'il était venu; de l'extrême froideur, il était passé par degrés à l'émotion extrême; il regarda ces yeux fermés, il prit cette vieille main ridée et glacée, et se pencha vers le moribond :

— Cette heure est celle de Dieu. Ne trouvez-vous pas qu'il serait regrettable que nous nous fussions rencontrés en vain?

Le conventionnel rouvrit les yeux. Une gravité où il y avait de l'ombre s'empreignit sur son visage.

— Monsieur l'évêque, dit-il, avec une lenteur qui venait peut-être plus encore de la dignité de l'âme que de la défaillance des forces, j'ai passé ma vie dans la méditation, l'étude et la contemplation. J'avais soixante ans quand mon pays m'a

appelé, et m'a ordonné de me mêler de ses affaires. J'ai obéi.
Il y avait des abus, je les ai combattus; il y avait des tyrannies,
je les ai détruites; il y avait des droits et des principes, je les ai
proclamés et confessés. Le territoire était envahi, je l'ai dé-
fendu; la France était menacée, j'ai offert ma poitrine. Je
n'étais pas riche; je suis pauvre. J'ai été l'un des maîtres de
l'État, les caves du Trésor étaient encombrées d'espèces au
point qu'on était forcé d'étançonner les murs, prêts à se
fendre sous le poids de l'or et de l'argent, je dînais rue de
l'Arbre-Sec à vingt-deux sous par tête. J'ai secouru les oppri-
més, j'ai soulagé les souffrants. J'ai déchiré la nappe de l'autel,
c'est vrai; mais c'était pour panser les blessures de la patrie.
J'ai toujours soutenu la marche en avant du genre humain
vers la lumière, et j'ai résisté quelquefois au progrès sans
pitié. J'ai, dans l'occasion, protégé mes propres adversaires,
vous autres. Et il y a à Peteghem en Flandre, à l'endroit même
où les rois mérovingiens avaient leur palais d'été, un couvent
d'urbanistes, l'abbaye de Sainte-Claire en Beaulieu, que j'ai
sauvé en 1793[1]. J'ai fait mon devoir selon mes forces, et le bien
que j'ai pu. Après quoi j'ai été chassé, traqué, poursuivi, per-
sécuté, noirci, raillé, conspué, maudit, proscrit. Depuis bien des
années déjà, avec mes cheveux blancs, je sens que beaucoup de
gens se croient sur moi le droit de mépris, j'ai pour la pauvre
foule ignorante visage de damné, et j'accepte, ne haïssant personne, l'isolement de la haine. Maintenant, j'ai quatre-vingt-six
ans; je vais mourir. Qu'est-ce que vous venez me demander?

— Votre bénédiction, dit l'évêque.

Et il s'agenouilla[2].

Quand l'évêque releva la tête, la face du conventionnel était
devenue auguste. Il venait d'expirer.

L'évêque rentra chez lui profondément absorbé dans on ne
sait quelles pensées. Il passa toute la nuit en prière. Le lendemain, quelques braves curieux essayèrent de lui parler du
conventionnel G.; il se borna à montrer le ciel. A partir de ce
moment, il redoubla de tendresse et de fraternité pour les
petits et les souffrants.

Toute allusion à ce « vieux scélérat de G. » le faisait tomber
dans une préoccupation singulière. Personne ne pourrait dire
que le passage de cet esprit devant le sien et le reflet de cette
grande conscience sur la sienne ne fût pas pour quelque chose
dans son approche de la perfection.

Cette « visite pastorale » fut naturellement une occasion de bourdonnement pour les petites coteries locales :

« — Était-ce la place d'un évêque que le chevet d'un tel mourant? Il n'y avait évidemment pas de conversion à attendre. Tous ces révolutionnaires sont relaps. Alors pourquoi y aller? Qu'a-t-il été regarder là? Il fallait donc qu'il fût bien curieux d'un emportement d'âme par le diable. »

Un jour, une douairière, de la variété impertinente qui se croit spirituelle, lui adressa cette saillie : — Monseigneur, on demande quand Votre Grandeur aura le bonnet rouge. — Oh! oh! voilà une grosse couleur, répondit l'évêque. Heureusement que ceux qui la méprisent dans un bonnet la vénèrent dans un chapeau.

XI

UNE RESTRICTION

On risquerait fort de se tromper si l'on concluait de là que monseigneur Bienvenu fût « un évêque philosophe » ou « un curé patriote ». Sa rencontre, ce qu'on pourrait presque appeler sa conjonction avec le conventionnel G., lui laissa une sorte d'étonnement qui le rendit plus doux encore. Voilà tout.

Quoique monseigneur Bienvenu n'ait été rien moins qu'un homme politique, c'est peut-être ici le lieu d'indiquer, très brièvement, quelle fut son attitude dans les événements d'alors, en supposant que monseigneur Bienvenu ait jamais songé à avoir une attitude.

Remontons donc en arrière de quelques années.

Quelque temps après l'élévation de M. Myriel à l'épiscopat, l'empereur l'avait fait baron de l'empire, en même temps que plusieurs autres évêques. L'arrestation du pape eut lieu, comme on sait, dans la nuit du 5 au 6 juillet 1809; à cette occasion, M. Myriel fut appelé par Napoléon au synode des évêques de France et d'Italie convoqué à Paris. Ce synode se tint à Notre-Dame et s'assembla pour la première fois le 15 juin 1811 sous la présidence de M. le cardinal Fesch. M. Myriel fut du nombre des quatrevingt-quinze évêques qui s'y ren-

dirent. Mais il n'assista qu'à une séance et à trois ou quatre
conférences particulières. Évêque d'un diocèse montagnard,
vivant si près de la nature, dans la rusticité et le dénûment, il
paraît qu'il apportait parmi ces personnages éminents des
idées qui changeaient la température de l'assemblée. Il revint
bien vite à Digne. On le questionna sur ce prompt retour, il
répondit : — *Je les gênais. L'air du dehors leur venait par moi. Je leur
faisais l'effet d'une porte ouverte.*

Une autre fois il dit : — *Que voulez-vous? ces messeigneurs-là
sont des princes. Moi, je ne suis qu'un pauvre évêque paysan.*

Le fait est qu'il avait déplu. Entre autres choses étranges, il
lui serait échappé de dire, un soir qu'il se trouvait chez
un de ses collègues les plus qualifiés : — Les belles pendules!
les beaux tapis! les belles livrées! Ce doit être bien importun!
Oh! que je ne voudrais pas avoir tout ce superflu-là à me crier
sans cesse aux oreilles : Il y a des gens qui ont faim! il y a des
gens qui ont froid! il y a des pauvres! il y a des pauvres!

Disons-le en passant, ce ne serait pas une haine intelligente
que la haine du luxe. Cette haine impliquerait la haine des
arts. Cependant, chez les gens d'église, en dehors de la représentation et des cérémonies, le luxe est un tort. Il semble
révéler des habitudes peu réellement charitables. Un prêtre opu-
lent est un contre-sens. Le prêtre doit se tenir près des pauvres.
Or peut-on toucher sans cesse, et nuit et jour, à toutes les
détresses, à toutes les infortunes, à toutes les indigences, sans
avoir soi-même sur soi un peu de cette sainte misère, comme la
poussière du travail? Se figure-t-on un homme qui est près
d'un brasier, et qui n'a pas chaud? Se figure-t-on un ouvrier
qui travaille sans cesse à une fournaise, et qui n'a ni un cheveu
brûlé, ni un ongle noirci, ni une goutte de sueur, ni un grain
de cendre au visage? La première preuve de la charité chez le
prêtre, chez l'évêque surtout, c'est la pauvreté.

C'était là sans doute ce que pensait M. l'évêque de Digne.

Il ne faudrait pas croire d'ailleurs qu'il partageât sur certains
points délicats ce que nous appellerions « les idées du siècle ».
Il se mêlait peu aux querelles théologiques du moment et se
taisait sur les questions où sont compromis l'église et l'état;
mais si on l'eût beaucoup pressé, il paraît qu'on l'eût trouvé
plutôt ultramontain que gallican. Comme nous faisons un
portrait et que nous ne voulons rien cacher, nous sommes
forcé d'ajouter qu'il fut glacial pour Napoléon déclinant. A

partir de 1813, il adhéra ou il applaudit à toutes les manifestations hostiles. Il refusa de le voir à son passage au retour de l'île d'Elbe, et s'abstint d'ordonner dans son diocèse les prières publiques pour l'empereur pendant les Cent-Jours.

Outre sa sœur, mademoiselle Baptistine, il avait deux frères : l'un général, l'autre préfet. Il écrivait assez souvent à tous les deux. Il tint quelque temps rigueur au premier, parce qu'ayant un commandement en Provence, à l'époque du débarquement de Cannes, le général s'était mis à la tête de douze cents hommes et avait poursuivi l'empereur comme quelqu'un qui veut le laisser échapper. Sa correspondance resta plus affectueuse pour l'autre frère, l'ancien préfet, brave et digne homme qui vivait retiré à Paris, rue Cassette.

Monseigneur Bienvenu eut donc, aussi lui, son heure d'esprit de parti, son heure d'amertume, son nuage. L'ombre des passions du moment traversa ce doux et grand esprit occupé des choses éternelles. Certes, un pareil homme eût mérité de n'avoir pas d'opinions politiques. Qu'on ne se méprenne pas sur notre pensée, nous ne confondons point ce qu'on appelle « opinions politiques » avec la grande aspiration au progrès, avec la sublime foi patriotique, démocratique et humaine, qui, de nos jours, doit être le fond même de toute intelligence généreuse. Sans approfondir des questions qui ne touchent qu'indirectement au sujet de ce livre, nous disons simplement ceci : Il eût été beau que monseigneur Bienvenu n'eût pas été royaliste et que son regard ne se fût pas détourné un seul instant de cette contemplation sereine où l'on voit rayonner distinctement, au-dessus du va-et-vient orageux des choses humaines, ces trois pures lumières, la Vérité, la Justice, la Charité.

Tout en convenant que ce n'était point pour une fonction politique que Dieu avait créé monseigneur Bienvenu, nous eussions compris et admiré la protestation au nom du droit et de la liberté, l'opposition fière, la résistance périlleuse et juste à Napoléon tout-puissant. Mais ce qui nous plaît vis-à-vis de ceux qui montent nous plaît moins vis-à-vis de ceux qui tombent. Nous n'aimons le combat que tant qu'il y a danger; et, dans tous les cas, les combattants de la première heure ont seuls le droit d'être les exterminateurs de la dernière. Qui n'a pas été accusateur opiniâtre pendant la prospérité doit se taire devant l'écroulement. Le dénonciateur du · succès est le seul légitime justicier de la chute. Quant à nous, lorsque la Providence s'en mêle et frappe, nous la laissons faire. 1812 commence à nous désarmer. En 1813, la lâche rupture de silence de ce corps législatif taciturne enhardi par les catastrophes n'avait que de quoi indigner, et c'était un tort d'applaudir; en 1814, devant ces maréchaux trahissant, devant ce sénat passant d'une fange à l'autre, insultant après avoir divinisé, devant cette idolâtrie lâchant pied et crachant sur l'idole, c'était un devoir de détourner la tête; en 1815, comme les suprêmes désastres étaient dans l'air, comme la France avait le frisson de leur approche sinistre, comme on pouvait vaguement distinguer Waterloo ouvert devant Napoléon, la douloureuse acclamation de l'armée et du peuple au condamné du destin n'avait rien de risible, et, toute réserve faite sur le despote, un cœur comme l'évêque de Digne n'eût peut-être pas dû méconnaître ce qu'avait d'auguste et de touchant, au bord de l'abîme, l'étroit embrassement d'une grande nation et d'un grand homme.

A cela près, il était et il fut, en toute chose, juste, vrai, équitable, intelligent, humble et digne; bienfaisant, et bienveillant, ce qui est une autre bienfaisance. C'était un prêtre, un sage, et un homme. Même, il faut le dire, dans cette opinion politique que nous venons de lui reprocher et que nous sommes disposé à juger presque sévèrement, il était tolérant et facile, peut-être plus que nous qui parlons ici [1]. — Le portier de la maison de ville avait été placé là par l'empereur. C'était un vieux sous-officier de la vieille garde, légionnaire d'Austerlitz, bonapartiste comme l'aigle. Il échappait dans l'occasion à ce pauvre diable de ces paroles peu réfléchies que la loi d'alors qualifiait *propos séditieux*. Depuis que le profil impérial avait disparu de la légion d'honneur, il ne s'habillait jamais *dans l'ordonnance,* comme il disait, afin de ne pas être forcé de porter sa croix. Il avait ôté lui-même dévotement l'effigie impériale de la croix que Napoléon lui avait donnée, cela faisait un trou, et il n'avait rien voulu mettre à la place. *Plutôt mourir,* disait-il, *que de porter sur mon cœur les trois crapauds!* Il raillait volontiers tout haut Louis XVIII. *Vieux goutteux à guêtres d'anglais!* disait-il, *qu'il s'en aille en Prusse avec son salsifis!* Heureux de réunir dans la même imprécation les deux choses qu'il détestait le plus, la Prusse et l'Angleterre. Il en fit tant qu'il perdit sa place. Le voilà sans pain sur le pavé avec femme et enfants. L'évêque le fit venir, le gronda doucement, et le nomma suisse de la cathédrale.

M. Myriel était dans le diocèse le vrai pasteur, l'ami de tous.

En neuf ans, à force de saintes actions et de douces manières, monseigneur Bienvenu avait rempli la ville de Digne d'une sorte de vénération tendre et filiale. Sa conduite même envers Napoléon avait été acceptée et comme tacitement pardonnée par le peuple, bon troupeau faible, qui adorait son empereur, mais qui aimait son évêque.

XII

SOLITUDE DE MONSEIGNEUR BIENVENU

Il y a presque toujours autour d'un évêque une escouade de petits abbés comme autour d'un général une volée de jeunes officiers. C'est là ce que ce charmant saint François de Sales appelle quelque part « les prêtres blancs-becs ». Toute carrière a ses aspirants qui font cortège aux arrivés. Pas une puissance qui n'ait son entourage; pas une fortune qui n'ait sa cour. Les chercheurs d'avenir tourbillonnent autour du présent splendide. Toute métropole a son état-major. Tout évêque un peu influent a près de lui sa patrouille de chérubins séminaristes, qui fait la ronde et maintient le bon ordre dans le palais épiscopal, et qui monte la garde autour du sourire de monseigneur. Agréer à un évêque, c'est le pied à l'étrier pour un sous-diacre. Il faut bien faire son chemin; l'apostolat ne dédaigne pas le canonicat.

De même qu'il y a ailleurs les gros bonnets, il y a dans l'église les grosses mitres. Ce sont les évêques bien en cour, riches, rentés, habiles, acceptés du monde, sachant prier, sans doute, mais sachant aussi solliciter, peu scrupuleux de faire faire antichambre en leur personne à tout un diocèse, traits d'union entre la sacristie et la diplomatie, plutôt abbés que prêtres, plutôt prélats qu'évêques. Heureux qui les approche! Gens en crédit qu'ils sont, ils font pleuvoir autour d'eux, sur les empressés et les favorisés, et sur toute cette jeunesse qui sait plaire, les grasses paroisses, les prébendes, les archidiaconats, les aumôneries et les fonctions cathédrales, en attendant les dignités épiscopales. En avançant eux-mêmes, ils font progresser leurs satellites; c'est tout un système solaire en marche.

Leur rayonnement empourpre leur suite. Leur prospérité
s'émiette sur la cantonade en bonnes petites promotions. Plus
grand diocèse au patron, plus grosse cure au favori. Et puis
Rome est là. Un évêque qui sait devenir archevêque, un archevêque qui sait devenir cardinal, vous emmène comme concla-
viste, vous entrez dans la rote, vous avez le pallium, vous voilà
auditeur, vous voilà camérier, vous voilà monsignor, et de la
Grandeur à l'Éminence il n'y a qu'un pas, et entre l'Éminence
et la Sainteté il n'y a que la fumée d'un scrutin. Toute calotte
peut rêver la tiare. Le prêtre est de nos jours le seul homme
qui puisse régulièrement devenir roi; et quel roi! le roi
suprême. Aussi quelle pépinière d'aspirations qu'un séminaire! Que d'enfants de chœur rougissants, que de jeunes abbés
ont sur la tête le pot de lait de Perrette! Comme l'ambition
s'intitule aisément vocation, qui sait? de bonne foi peut-être
et se trompant elle-même, béate qu'elle est!

Monseigneur Bienvenu, humble, pauvre, particulier, n'était
pas compté parmi les grosses mitres. Cela était visible à l'absence complète de jeunes prêtres autour de lui. On a vu qu'à
Paris « il n'avait pas pris ». Pas un avenir ne songeait à se gref-
fer sur ce vieillard solitaire. Pas une ambition en herbe ne faisait la folie de verdir à son ombre. Ses chanoines et ses grands
vicaires étaient de bons vieux hommes, un peu peuple comme
lui, murés comme lui dans ce diocèse sans issue sur le cardina-
lat, et qui ressemblaient à leur évêque, avec cette différence
qu'eux étaient finis, et que lui était achevé. On sentait si bien
l'impossibilité de croître près de monseigneur Bienvenu qu'à
peine sortis du séminaire, les jeunes gens ordonnés par lui se
faisaient recommander aux archevêques d'Aix ou d'Auch, et
s'en allaient bien vite. Car enfin, nous le répétons, on veut être
poussé. Un saint qui vit dans un excès d'abnégation est un
voisinage dangereux; il pourrait bien vous communiquer par
contagion une pauvreté incurable, l'ankylose des articulations
utiles à l'avancement, et, en somme, plus de renoncement que
vous n'en voulez; et l'on fuit cette vertu galeuse. De là l'isolement de monseigneur Bienvenu. Nous vivons dans une société
sombre. Réussir, voilà l'enseignement qui tombe goutte à
goutte de la corruption en surplomb.

Soit dit en passant, c'est une chose assez hideuse que le
succès. Sa fausse ressemblance avec le mérite trompe les
hommes. Pour la foule, la réussite a presque le même profil

que la suprématie. Le succès, ce ménechme du talent, a une
dupe : l'histoire. Juvénal et Tacite seuls en bougonnent. De
nos jours, une philosophie à peu près officielle est entrée en
domesticité chez lui, porte la livrée du succès, et fait le service
de son antichambre. Réussissez : théorie. Prospérité suppose
Capacité. Gagnez à la loterie, vous voilà un habile homme.
Qui triomphe est vénéré. Naissez coiffé, tout est là. Ayez de
la chance, vous aurez le reste; soyez heureux, on vous croira
grand. En dehors des cinq ou six exceptions immenses qui font
l'éclat d'un siècle [1], l'admiration contemporaine n'est guère que
myopie. Dorure est or. Être le premier venu, cela ne gâte
rien, pourvu qu'on soit le parvenu. Le vulgaire est un vieux
Narcisse qui s'adore lui-même et qui applaudit le vulgaire.
Cette faculté énorme par laquelle on est Moïse, Eschyle, Dante,
Michel-Ange ou Napoléon, la multitude la décerne d'emblée
et par acclamation à quiconque atteint son but dans quoi que
ce soit. Qu'un notaire se transfigure en député, qu'un faux
Corneille fasse *Tiridate,* qu'un eunuque parvienne à posséder
un harem, qu'un Prudhomme militaire gagne par accident la
bataille décisive d'une époque, qu'un apothicaire invente les
semelles de carton pour l'armée de Sambre-et-Meuse et se
construise, avec ce carton vendu pour du cuir, quatre cent
mille livres de rente, qu'un porte-balle épouse l'usure et la
fasse accoucher de sept ou huit millions dont il est le père et
dont elle est la mère, qu'un prédicateur devienne évêque par le
nasillement, qu'un intendant de bonne maison soit si riche en
sortant de service qu'on le fasse ministre des finances, les
hommes appellent cela Génie, de même qu'ils appellent Beauté
la figure de Mousqueton et Majesté l'encolure de Claude. Ils
confondent avec les constellations de l'abîme les étoiles que
font dans la vase molle du bourbier les pattes des canards.

XIII

CE QU'IL CROYAIT

Au point de vue de l'orthodoxie, nous n'avons point à sonder M. l'évêque de Digne. Devant une telle âme, nous ne
nous sentons en humeur que de respect. La conscience du

juste doit être crue sur parole. D'ailleurs, de certaines natures étant données, nous admettons le développement possible de toutes les beautés de la vertu humaine dans une croyance
différente de la nôtre.

Que pensait-il de ce dogme-ci ou de ce mystère-là? Ces
secrets du for intérieur ne sont connus que de la tombe où les
âmes entrent nues. Ce dont nous sommes certain, c'est que
jamais les difficultés de foi ne se résolvaient pour lui en hypocrisie. Aucune pourriture n'est possible au diamant. Il croyait
le plus qu'il pouvait. *Credo in Patrem,* s'écriait-il souvent. Puisant d'ailleurs dans les bonnes œuvres cette quantité de satisfaction qui suffit à la conscience, et qui vous dit tout bas :
Tu es avec Dieu.

Ce que nous croyons devoir noter, c'est que, en dehors, pour
ainsi dire, et au delà de sa foi, l'évêque avait un excès d'amour.
C'est par là, *quia multum amavit*[1], qu'il était jugé vulnérable par
les « hommes sérieux », les « personnes graves » et les « gens
raisonnables »; locutions favorites de notre triste monde où
l'égoïsme reçoit le mot d'ordre du pédantisme. Qu'était-ce
que cet excès d'amour? C'était une bienveillance sereine,
débordant les hommes, comme nous l'avons indiqué déjà, et,
dans l'occasion, s'étendant jusqu'aux choses. Il vivait sans
dédain. Il était indulgent pour la création de Dieu. Tout
homme, même le meilleur, a en lui une dureté irréfléchie qu'il
tient en réserve pour l'animal. L'évêque de Digne n'avait point
cette dureté-là, particulière à beaucoup de prêtres pourtant.
Il n'allait pas jusqu'au bramine, mais il semblait avoir médité
cette parole de l'Écclésiaste : « Sait-on où va l'âme des animaux? » Les laideurs de l'aspect, les difformités de l'instinct,
ne le troublaient pas et ne l'indignaient pas. Il en était ému,
presque attendri. Il semblait que, pensif, il en allât chercher,
au delà de la vie apparente, la cause, l'explication ou l'excuse.
Il semblait par moments demander à Dieu des commutations.
Il examinait sans colère, et avec l'œil du linguiste qui déchiffre
un palimpseste, la quantité de chaos qui est encore là dans la
nature. Cette rêverie faisait parfois sortir de lui des mots étranges. Un matin, il était dans son jardin, il se croyait seul, mais sa
sœur marchait derrière lui sans qu'il la vît; tout à coup, il
s'arrêta, et regarda quelque chose à terre; c'était une grosse
araignée, noire, velue, horrible. Sa sœur l'entendit qui disait :
— Pauvre bête! ce n'est pas sa faute.

Pourquoi ne pas dire ces enfantillages presque divins de la bonté? Puérilités, soit; mais ces puérilités sublimes ont été celles de saint François d'Assise et de Marc-Aurèle. Un jour il se donna une entorse pour n'avoir pas voulu écraser une fourmi.

Ainsi vivait cet homme juste. Quelquefois il s'endormait dans son jardin, et alors il n'était rien de plus vénérable.

Monseigneur Bienvenu avait été jadis, à en croire les récits sur sa jeunesse et même sur sa virilité, un homme passionné, peut-être violent. Sa mansuétude universelle était moins un instinct de nature que le résultat d'une grande conviction filtrée dans son cœur à travers la vie et lentement tombée en lui, pensée à pensée; car, dans un caractère comme dans un rocher, il peut y avoir des trous de gouttes d'eau. Ces creusements-là sont ineffaçables; ces formations-là sont indestructibles.

En 1815, nous croyons l'avoir dit, il atteignait soixante-quinze ans, mais il n'en paraissait pas avoir plus de soixante. Il n'était pas grand; il avait quelque embonpoint, et, pour le combattre, il faisait volontiers de longues marches à pied; il avait le pas ferme et n'était que fort peu courbé, détail d'où nous ne prétendons rien conclure; Grégoire XVI, à quatre-vingts ans, se tenait droit et souriant, ce qui ne l'empêchait pas d'être un mauvais évêque. Monseigneur Bienvenu avait ce que le peuple appelle « une belle tête », mais si aimable qu'on oubliait qu'elle était belle.

Quand il causait avec cette gaîté enfantine qui était une de ses grâces, et dont nous avons déjà parlé, on se sentait à l'aise près de lui, il semblait que de toute sa personne il sortît de la joie. Son teint coloré et frais, toutes ses dents bien blanches qu'il avait conservées et que son rire faisait voir, lui donnaient cet air ouvert et facile qui fait dire d'un homme : C'est un bon enfant, et d'un vieillard : C'est un bonhomme. C'était, on s'en souvient, l'effet qu'il avait fait à Napoléon. Au premier abord et pour qui le voyait pour la première fois, ce n'était guère qu'un bonhomme en effet. Mais si l'on restait quelques heures près de lui, et pour peu qu'on le vît pensif, le bonhomme se transfigurait peu à peu et prenait je ne sais quoi d'imposant; son front large et sérieux, auguste par les cheveux blancs, devenait auguste aussi par la méditation; la majesté se dégageait de cette bonté, sans que la bonté cessât de rayonner; on éprouvait quelque chose de l'émotion qu'on aurait si l'on voyait un ange souriant ouvrir lentement ses ailes sans cesser de sourire. Le respect, un respect inexprimable, vous pénétrait par degrés et vous montait au cœur, et l'on sentait qu'on avait devant soi une de ces âmes fortes, éprouvées et indulgentes, où la pensée est si grande qu'elle ne peut plus être que douce.

Comme on l'a vu, la prière, la célébration des offices religieux, l'aumône, la consolation aux affligés, la culture d'un coin de terre, la fraternité, la frugalité, l'hospitalité, le renoncement, la confiance, l'étude, le travail remplissaient chacune des journées de sa vie. *Remplissaient* est bien le mot, et certes cette journée de l'évêque était bien pleine jusqu'aux bords de bonnes pensées, de bonnes paroles et de bonnes actions. Cependant elle n'était pas complète si le temps froid ou pluvieux l'empêchait d'aller passer, le soir, quand les deux femmes s'étaient retirées, une heure ou deux dans son jardin avant de s'endormir. Il semblait que ce fût une sorte de rite pour lui de se préparer au sommeil par la méditation en présence des grands spectacles du ciel nocturne. Quelquefois, à une heure même assez avancée de la nuit, si les deux vieilles filles ne dormaient pas, elles l'entendaient marcher lentement dans les allées. Il était là seul avec lui-même, recueilli, paisible, adorant, comparant la sérénité de son cœur à la sérénité de l'éther, ému dans les ténèbres par les splendeurs visibles des constellations et les splendeurs invisibles de Dieu, ouvrant son âme aux pensées qui tombent de l'Inconnu. Dans ces moments-là, offrant son cœur à l'heure où les fleurs nocturnes offrent leur parfum, allumé comme une lampe au centre de la nuit étoilée, se répandant en extase au milieu du rayonnement universel de la création, il n'eût pu peut-être dire lui-même ce qui se passait dans son esprit; il sentait quelque chose s'envoler hors de lui et quelque chose descendre en lui. Mystérieux échanges des gouffres de l'âme avec les gouffres de l'univers[1]!

Il songeait à la grandeur et à la présence de Dieu; à l'éternité future, étrange mystère; à l'éternité passée, mystère plus étrange encore; à tous les infinis qui s'enfonçaient sous ses yeux dans tous les sens; et, sans chercher à comprendre l'incompréhensible, il le regardait. Il n'étudiait pas Dieu; il s'en éblouissait. Il considérait ces magnifiques rencontres des atomes qui donnent des aspects à la matière, révèlent les forces en les constatant, créent les individualités dans l'unité, les proportions dans l'étendue, l'innombrable dans l'infini, et par la lumière produisent la beauté. Ces rencontres se nouent et se dénouent sans cesse; de là la vie et la mort.

Il s'asseyait sur un banc de bois adossé à une treille décrépite, et il regardait les astres à travers les silhouettes chétives et rachitiques de ses arbres fruitiers. Ce quart d'arpent, si pauvrement planté, si encombré de masures et de hangars, lui était cher et lui suffisait.

Que fallait-il de plus à ce vieillard qui partageait le loisir de sa vie, où il y avait si peu de loisir, entre le jardinage le jour et la contemplation la nuit? Cet étroit enclos, ayant les cieux pour plafond, n'était-ce pas assez pour pouvoir adorer Dieu tour à tour dans ses œuvres les plus charmantes et dans ses œuvres les plus sublimes? N'est-ce pas là tout, en effet, et que désirer au delà[1]? Un petit jardin pour se promener, et l'immensité pour rêver. A ses pieds ce qu'on peut cultiver et cueillir; sur sa tête ce qu'on peut étudier et méditer; quelques fleurs sur la terre et toutes les étoiles dans le ciel.

XIV

CE QU'IL PENSAIT

UN dernier mot.

Comme cette nature de détails pourrait, particulièrement au moment où nous sommes, et pour nous servir d'une expression actuellement à la mode, donner à l'évêque de Digne une certaine physionomie « panthéiste », et faire croire, soit à son blâme, soit à sa louange, qu'il y avait en lui une de ces philosophies personnelles, propres à notre siècle, qui germent quelquefois dans les esprits solitaires et s'y construisent et y grandissent jusqu'à y remplacer les religions, nous insistons sur ceci que pas un de ceux qui ont connu monseigneur Bienvenu ne se fût cru autorisé à penser rien de pareil. Ce qui éclairait cet homme, c'était le cœur. Sa sagesse était faite de la lumière qui vient de là.

Point de systèmes, beaucoup d'œuvres. Les spéculations abstruses contiennent du vertige; rien n'indique qu'il hasardât son esprit dans les apocalypses. L'apôtre peut être hardi, mais l'évêque doit être timide. Il se fût probablement fait scrupule de sonder trop avant de certains problèmes réservés en quelque sorte aux grands esprits terribles. Il y a de l'horreur sacrée sous les porches de l'énigme; ces ouvertures sombres sont là béantes, mais quelque chose vous dit, à vous passant de la vie, qu'on n'entre pas. Malheur à qui y pénètre! Les génies, dans les profondeurs inouïes de l'abstraction et de la spéculation pure, situés pour ainsi dire au-dessus des dogmes, proposent leurs idées à Dieu. Leur prière offre audacieusement la discussion. Leur adoration interroge. Ceci est la religion directe, pleine d'anxiété et de responsabilité pour qui en tente les escarpements.

La méditation humaine n'a point de limite. A ses risques et périls, elle analyse et creuse son propre éblouissement. On pourrait presque dire que, par une sorte de réaction splendide, elle en éblouit la nature; le mystérieux monde qui nous entoure rend ce qu'il reçoit, il est probable que les contemplateurs sont contemplés. Quoi qu'il en soit, il y a sur la terre des hommes — sont-ce des hommes? — qui aperçoivent distinctement au fond des horizons du rêve les hauteurs de l'absolu, et qui ont la vision terrible de la montagne infinie. Monseigneur Bienvenu n'était point de ces hommes-là, monseigneur Bienvenu n'était pas un génie[1]. Il eût redouté ces sublimités d'où quelques-uns, très grands même, comme Swedenborg et Pascal, ont glissé dans la démence. Certes, ces puissantes rêveries ont leur utilité morale, et par ces routes ardues on s'approche de la perfection idéale. Lui, il prenait le sentier qui abrège : l'évangile.

Il n'essayait point de faire faire à sa chasuble les plis du manteau d'Élie, il ne projetait aucun rayon d'avenir sur le roulis ténébreux des événements, il ne cherchait pas à condenser en flamme la lueur des choses, il n'avait rien du prophète et rien du mage. Cette âme humble aimait, voilà tout.

Qu'il dilatât la prière jusqu'à une aspiration surhumaine, cela est probable; mais on ne peut pas plus prier trop qu'aimer trop; et, si c'était une hérésie de prier au delà des textes, sainte-Thérèse et saint-Jérôme seraient des hérétiques.

Il se penchait sur ce qui gémit et sur ce qui expie. L'univers lui apparaissait comme une immense maladie; il sentait partout de la fièvre, il auscultait partout de la souffrance, et, sans chercher à deviner l'énigme, il tâchait de panser la plaie. Le redoutable spectacle des choses créées développait en lui l'attendrissement; il n'était occupé qu'à trouver pour lui-même et à inspirer aux autres la meilleure manière de plaindre et de soulager. Ce qui existe était pour ce bon et rare prêtre un sujet permanent de tristesse cherchant à consoler.

Il y a des hommes qui travaillent à l'extraction de l'or; lui, il travaillait à l'extraction de la pitié. L'universelle misère était sa mine [1]. La douleur partout n'était qu'une occasion de bonté toujours. *Aimez-vous les uns les autres;* il déclarait cela complet, ne souhaitait rien de plus, et c'était là toute sa doctrine. Un jour, cet homme qui se croyait « philosophe », ce sénateur, déjà nommé, dit à l'évêque : — Mais voyez donc le spectacle du monde; guerre de tous contre tous; le plus fort a le plus d'esprit. Votre *aimez-vous les uns les autres* est une bêtise. — *Eh bien,* répondit monseigneur Bienvenu sans disputer, *si c'est une bêtise, l'âme doit s'y enfermer comme la perle dans l'huître.* Il s'y enfermait donc, il y vivait, il s'en satisfaisait absolument, laissant de côté les questions prodigieuses qui attirent et qui épouvantent, les perspectives insondables de l'abstraction, les précipices de la métaphysique, toutes ces profondeurs convergentes, pour l'apôtre à Dieu, pour l'athée au néant : la destinée, le bien et le mal, la guerre de l'être contre l'être, la conscience de l'homme, le somnambulisme pensif de l'animal, la transformation par la mort, la récapitulation d'existences que contient le tombeau, la greffe incompréhensible des amours successifs sur le moi persistant, l'essence, la substance, le Nil et l'Ens, l'âme, la nature, la liberté, la nécessité; problèmes à pic, épaisseurs sinistres, où se penchent les gigantesques archanges de l'esprit humain; formidables abîmes que Lucrèce, Manou, saint-Paul et Dante contemplent avec cet œil fulgurant qui semble, en regardant fixement l'infini, y faire éclore des étoiles.

Monseigneur Bienvenu était simplement un homme qui constatait du dehors les questions mystérieuses sans les scruter, sans les agiter, et sans en troubler son propre esprit, et qui avait dans l'âme le grave respect de l'ombre.

LIVRE DEUXIÈME

LA CHUTE[1]

I

LE SOIR D'UN JOUR DE MARCHE

Dans les premiers jours du mois d'octobre 1815, une heure environ avant le coucher du soleil, un homme qui voyageait à pied entrait dans la petite ville de Digne. Les rares habitants qui se trouvaient en ce moment à leurs fenêtres ou sur le seuil de leurs maisons regardaient ce voyageur avec une sorte d'inquiétude. Il était difficile de rencontrer un passant d'un aspect plus misérable[2]. C'était un homme de moyenne taille, trapu et robuste, dans la force de l'âge. Il pouvait avoir quarante-six ou quarante-huit ans[3]. Une casquette à visière de cuir rabattue cachait en partie son visage brûlé par le soleil et le hâle et ruisselant de sueur. Sa chemise de grosse toile jaune, rattachée au col par une petite ancre d'argent, laissait voir sa poitrine velue; il avait une cravate tordue en corde, un pantalon de coutil bleu, usé et râpé, blanc à un genou, troué à l'autre, une vieille blouse grise en haillons, rapiécée à l'un des coudes d'un morceau de drap vert cousu avec de la ficelle, sur le dos un sac de soldat fort plein, bien bouclé et tout neuf, à la main un énorme bâton noueux, les pieds sans bas dans des souliers ferrés, la tête tondue et la barbe longue.

La sueur, la chaleur, le voyage à pied, la poussière, ajoutaient je ne sais quoi de sordide à cet ensemble délabré.

Les cheveux étaient ras, et pourtant hérissés, car ils commençaient à pousser un peu, et semblaient n'avoir pas été coupés depuis quelque temps.

Personne ne le connaissait. Ce n'était évidemment qu'un passant. D'où venait-il? Du midi. Des bords de la mer peut-être. Car il faisait son entrée dans Digne par la même rue qui sept mois auparavant avait vu passer l'empereur Napoléon allant de Cannes à Paris. Cet homme avait dû marcher tout le jour. Il paraissait très fatigué. Des femmes de l'ancien bourg qui est au bas de la ville l'avaient vu s'arrêter sous les arbres du boulevard Gassendi et boire à la fontaine qui est à l'extrémité de la promenade. Il fallait qu'il eût bien soif, car des enfants qui le suivaient le virent encore s'arrêter et boire, deux cents pas plus loin, à la fontaine de la place du marché.

Arrivé au coin de la rue Poichevet, il tourna à gauche et se dirigea vers la mairie. Il y entra, puis sortit un quart d'heure après. Un gendarme était assis près de la porte sur le banc de pierre où le général Drouot monta le 4 mars pour lire à la foule effarée des habitants de Digne la proclamation du golfe Juan. L'homme ôta sa casquette et salua humblement le gendarme.

Le gendarme, sans répondre à son salut, le regarda avec attention, le suivit quelque temps des yeux, puis entra dans la maison de ville.

Il y avait alors à Digne une belle auberge à l'enseigne de *la Croix-de-Colbas*. Cette auberge avait pour hôtelier un nommé Jacquin Labarre, homme considéré dans la ville pour sa parenté avec un autre Labarre, qui tenait à Grenoble l'auberge des *Trois-Dauphins* et qui avait servi dans les guides. Lors du débarquement de l'empereur, beaucoup de bruits avaient couru dans le pays sur cette auberge des *Trois Dauphins*. On contait que le général Bertrand, déguisé en charretier, y avait fait de fréquents voyages au mois de janvier, et qu'il y avait distribué des croix d'honneur à des soldats et des poignées de napoléons à des bourgeois. La réalité est que l'empereur, entré dans Grenoble, avait refusé de s'installer à l'hôtel de la préfecture; il avait remercié le maire en disant : *Je vais chez un brave homme que je connais,* et il était allé aux *Trois-Dauphins*. Cette gloire du Labarre des *Trois-Dauphins* se reflétait à vingt-cinq lieues de distance jusque sur le Labarre de *la Croix-de-Colbas*. On disait de lui dans la ville : *C'est le cousin de celui de Grenoble.*

L'homme se dirigea vers cette auberge, qui était la meilleure du pays. Il entra dans la cuisine, laquelle s'ouvrait de plain-pied sur la rue. Tous les fourneaux étaient allumés; un grand feu flambait gaîment dans la cheminée. L'hôte, qui était en même temps le chef, allait de l'âtre aux casseroles, fort occupé et surveillant un excellent dîner destiné à des rouliers qu'on entendait rire et parler à grand bruit dans une salle voisine. Quiconque a voyagé sait que personne ne fait meilleure chère que les rouliers. Une marmotte grasse, flanquée de perdrix blanches et de coqs de bruyère, tournait sur une longue broche devant le feu; sur les fourneaux cuisaient deux grosses carpes du lac de Lauzet et une truite du lac d'Alloz.

L'hôte, entendant la porte s'ouvrir et entrer un nouveau venu, dit sans lever les yeux de ses fourneaux :

— Que veut monsieur?

— Manger et coucher, dit l'homme.

— Rien de plus facile, reprit l'hôte. En ce moment il tourna la tête, embrassa d'un coup d'œil tout l'ensemble du voyageur, et ajouta : ... en payant.

L'homme tira une grosse bourse de cuir de la poche de sa blouse et répondit :

— J'ai de l'argent.

— En ce cas on est à vous, dit l'hôte.

L'homme remit sa bourse en poche, se déchargea de son sac, le posa à terre près de la porte, garda son bâton à la main, et alla s'asseoir sur une escabelle basse près du feu. Digne est dans la montagne. Les soirées d'octobre y sont froides.

Cependant, tout en allant et venant, l'hôte considérait le voyageur.

— Dîne-t-on bientôt? dit l'homme.

— Tout à l'heure, dit l'hôte.

Pendant que le nouveau venu se chauffait, le dos tourné, le digne aubergiste Jacquin Labarre tira un crayon de sa poche, puis il déchira le coin d'un vieux journal qui traînait sur une petite table près de la fenêtre. Sur la marge blanche il écrivit une ligne ou deux, plia sans cacheter et remit ce chiffon de papier à un enfant qui paraissait lui servir tout à la fois de marmiton et de laquais. L'aubergiste dit un mot à l'oreille du marmiton, et l'enfant partit en courant dans la direction de la mairie.

Le voyageur n'avait rien vu de tout cela.

Il demanda encore une fois : — Dîne-t-on bientôt?

— Tout à l'heure, dit l'hôte.

L'enfant revint. Il rapportait le papier. L'hôte le déplia avec empressement, comme quelqu'un qui attend une réponse. Il parut lire attentivement, puis il hocha la tête, et resta un moment pensif. Enfin il fit un pas vers le voyageur qui semblait plongé dans des réflexions peu sereines.

— Monsieur, dit-il, je ne puis vous recevoir.

L'homme se dressa à demi sur son séant.

— Comment! avez-vous peur que je ne paye pas? voulez-vous que je paye d'avance? J'ai de l'argent, vous dis-je.

— Ce n'est pas cela.

— Quoi donc?

— Vous avez de l'argent...

— Oui, dit l'homme.

— Et moi, dit l'hôte, je n'ai pas de chambre.

L'homme reprit tranquillement : — Mettez-moi à l'écurie.

— Je ne puis.

— Pourquoi?

— Les chevaux prennent toute la place.

— Eh bien, repartit l'homme, un coin dans le grenier. Une botte de paille. Nous verrons cela après dîner.

— Je ne puis vous donner à dîner.

Cette déclaration, faite d'un ton mesuré, mais ferme, parut grave à l'étranger. Il se leva.

— Ah bah! mais je meurs de faim, moi. J'ai marché dès le soleil levé. J'ai fait douze lieues. Je paye. Je veux manger.

— Je n'ai rien, dit l'hôte.

L'homme éclata de rire et se tourna vers la cheminée et les fourneaux.

— Rien! et tout cela?

— Tout cela m'est retenu.

— Par qui?

— Par ces messieurs les rouliers.

— Combien sont-ils?

— Douze.

— Il y a là à manger pour vingt.

— Ils ont tout retenu et tout payé d'avance.

L'homme se rassit et dit sans hausser la voix :

— Je suis à l'auberge, j'ai faim et je reste.

L'hôte alors se pencha à son oreille, et lui dit d'un accent qui le fit tressaillir : — Allez-vous-en.

Le voyageur était courbé en cet instant et poussait quelques braises dans le feu avec le bout ferré de son bâton, il se retourna vivement, et, comme il ouvrait la bouche pour répliquer, l'hôte le regarda fixement et ajouta toujours à voix basse : — Tenez, assez de paroles comme cela. Voulez-vous que je vous dise votre nom ? Vous vous appelez Jean Valjean. Maintenant voulez-vous que je vous dise qui vous êtes ? En vous voyant entrer, je me suis douté de quelque chose, j'ai envoyé à la mairie, et voici ce qu'on m'a répondu. Savez-vous lire ?

En parlant ainsi il tendait à l'étranger, tout déplié, le papier qui venait de voyager de l'auberge à la mairie et de la mairie à l'auberge. L'homme y jeta un regard. L'aubergiste reprit après un silence :

— J'ai l'habitude d'être poli avec tout le monde. Allez-vous-en.

L'homme baissa la tête, ramassa le sac qu'il avait déposé à terre, et s'en alla.

Il prit la grande rue. Il marchait devant lui au hasard, rasant de près les maisons, comme un homme humilié et triste. Il ne se retourna pas une seule fois. S'il s'était retourné, il aurait vu l'aubergiste de *la Croix-de-Colbas* sur le seuil de sa porte, entouré de tous les voyageurs de son auberge et de tous les passants de la rue, parlant vivement en le désignant du doigt, et, aux regards de défiance et d'effroi du groupe, il aurait deviné qu'avant peu son arrivée serait l'événement de toute la ville.

Il ne vit rien de tout cela. Les gens accablés ne regardent pas derrière eux. Ils ne savent que trop que le mauvais sort les suit.

Il chemina ainsi quelque temps, marchant toujours, allant à l'aventure par des rues qu'il ne connaissait pas, oubliant la fatigue, comme cela arrive dans la tristesse. Tout à coup il sentit vivement la faim. La nuit approchait. Il regarda autour de lui pour voir s'il ne découvrirait pas quelque gîte.

La belle hôtellerie s'était fermée pour lui; il cherchait quelque cabaret bien humble, quelque bouge bien pauvre.

Précisément une lumière s'allumait au bout de la rue; une branche de pin, pendue à une potence en fer, se dessinait sur le ciel blanc du crépuscule. Il y alla.

C'était en effet un cabaret. Le cabaret qui est dans la rue de Chaffaut.

Le voyageur s'arrêta un moment, et regarda par la vitre l'intérieur de la salle basse du cabaret, éclairée par une petite lampe sur une table et par un grand feu dans la cheminée. Quelques hommes y buvaient. L'hôte se chauffait. La flamme faisait bruire une marmite de fer accrochée à la crémaillère.

On entre dans ce cabaret, qui est aussi une espèce d'auberge, par deux portes. L'une donne sur la rue, l'auvre s'ouvre sur une petite cour pleine de fumier.

Le voyageur n'osa pas entrer par la porte de la rue. Il se glissa dans la cour, s'arrêta encore, puis leva timidement le loquet et poussa la porte.

— Qui va là? dit le maître.

— Quelqu'un qui voudrait souper et coucher.

— C'est bon. Ici on soupe et on couche.

Il entra. Tous les gens qui buvaient se retournèrent. La lampe l'éclairait d'un côté, le feu de l'autre. On l'examina quelque temps pendant qu'il défaisait son sac.

L'hôte lui dit : — Voilà du feu. Le souper cuit dans la marmite. Venez vous chauffer, camarade.

Il alla s'asseoir près de l'âtre. Il allongea devant le feu ses pieds meurtris par la fatigue; une bonne odeur sortait de la marmite. Tout ce qu'on pouvait distinguer de son visage sous sa casquette baissée prit une vague apparence de bien-être mêlée à cet autre aspect si poignant que donne l'habitude de la souffrance.

C'était d'ailleurs un profil ferme, énergique et triste. Cette physionomie était étrangement composée; elle commençait par paraître humble et finissait par sembler sévère. L'œil luisait sous les sourcils comme un feu sous une broussaille.

Cependant un des hommes attablés était un poissonnier qui, avant d'entrer au cabaret de la rue de Chaffaut, était allé mettre son cheval à l'écurie chez Labarre. Le hasard faisait que le matin même il avait rencontré cet étranger de mauvaise mine, cheminant entre Bras d'Asse et... (j'ai oublié le nom. Je crois que c'est Escoublon [1]). Or, en le rencontrant, l'homme, qui paraissait déjà très fatigué, lui avait demandé de le prendre en croupe; à quoi le poissonnier n'avait répondu qu'en doublant le pas. Ce poissonnier faisait partie, une demi-heure auparavant, du groupe qui entourait Jacquin Labarre, et lui-même avait raconté sa désagréable rencontre du matin aux gens de *la Croix-de-Colbas*. Il fit de sa place au cabaretier un signe imperceptible. Le cabaretier vint à lui. Ils échangèrent quelques paroles à voix basse. L'homme était retombé dans ses réflexions.

Le cabaretier revint à la cheminée, posa brusquement sa main sur l'épaule de l'homme, et lui dit :

— Tu vas t'en aller d'ici.

L'étranger se retourna et répondit avec douceur :

— Ah! vous savez?...

— Oui.

— On m'a renvoyé de l'autre auberge.

— Et l'on te chasse de celle-ci.

— Où voulez-vous que j'aille?

— Ailleurs.

L'homme prit son bâton et son sac, et s'en alla.

Comme il sortait, quelques enfants, qui l'avaient suivi depuis *la Croix-de-Colbas* et qui semblaient l'attendre, lui jetèrent des pierres. Il revint sur ses pas avec colère et les menaça de son bâton; les enfants se dispersèrent comme une volée d'oiseaux.

Il passa devant la prison. A la porte pendait une chaîne de fer attachée à une cloche. Il sonna.

Une guichet s'ouvrit.

— Monsieur le guichetier, dit-il en ôtant respectueusement sa casquette, voudriez-vous bien m'ouvrir et me loger pour cette nuit?

Une voix répondit :

— Une prison n'est pas une auberge. Faites-vous arrêter. On vous ouvrira.

Le guichet se referma.

Il entra dans une petite rue où il y a beaucoup de jardins. Quelques-uns ne sont clos que de haies, ce qui égaye la rue. Parmi ces jardins et ces haies, il vit une petite maison d'un seul étage dont la fenêtre était éclairée. Il regarda par cette vitre comme il avait fait pour le cabaret[1]. C'était une grande chambre blanchie à la chaux, avec un lit drapé d'indienne imprimée, et un berceau dans un coin, quelques chaises de bois et un fusil à deux coups accroché au mur. Une table était servie au milieu de la chambre. Une lampe de cuivre éclairait la nappe de grosse toile blanche, le broc d'étain luisant comme l'argent et plein de vin et la soupière brune qui fumait. A cette table était assis un homme d'une quarantaine d'années, à la figure joyeuse et ouverte, qui faisait sauter un petit enfant sur ses genoux. Près de lui, une femme toute jeune allaitait un autre enfant. Le père riait, l'enfant riait, la mère souriait.

L'étranger resta un moment rêveur devant ce spectacle doux et calmant. Que se passait-il en lui? Lui seul eût pu le dire. Il est probable qu'il pensa que cette maison joyeuse serait hospitalière, et que là où il voyait tant de bonheur il trouverait peut-être un peu de pitié.

Il frappa au carreau un petit coup très faible.

On n'entendit pas.

Il frappa un second coup.

Il entendit la femme qui disait : — Mon homme, il me semble qu'on frappe.

— Non, répondit le mari.

Il frappa un troisième coup.

Le mari se leva, prit la lampe, et alla à la porte qu'il ouvrit.

C'était un homme de haute taille, demi-paysan, demi-artisan. Il portait un vaste tablier de cuir qui montait jusqu'à son épaule gauche, et dans lequel faisaient ventre un marteau, un mouchoir rouge, une poire à poudre, toutes sortes d'objets que la ceinture retenait comme dans une poche. Il renversait la tête en arrière; sa chemise largement ouverte et rabattue montrait son cou de taureau, blanc et nu. Il avait d'épais sourcils, d'énormes favoris noirs, les yeux à fleur de tête, le bas du visage en museau, et sur tout cela cet air d'être chez soi qui est une chose inexprimable.

— Monsieur, dit le voyageur, pardon. En payant, pourriez-vous me donner une assiettée de soupe et un coin pour dormir dans ce hangar qui est là dans ce jardin? Dites, pourriez-vous? En payant?

— Qui êtes-vous? demanda le maître du logis.

L'homme répondit : — J'arrive de Puy-Moisson. J'ai marché toute la journée. J'ai fait douze lieues. Pourriez-vous? En payant?

— Je ne refuserais pas, dit le paysan, de loger quelqu'un de bien qui payerait. Mais pourquoi n'allez-vous pas à l'auberge?

— Il n'y a pas de place.

— Bah! pas possible. Ce n'est pas jour de foire ni de marché. Êtes-vous allé chez Labarre?

— Oui.

— Eh bien?

Le voyageur répondit avec embarras : — Je ne sais pas, il ne m'a pas reçu.

— Êtes-vous allé chez chose, de la rue de Chaffaut?

L'embarras de l'étranger croissait. Il balbutia :

— Il ne m'a pas reçu non plus.

Le visage du paysan prit une expression de défiance, il regarda le nouveau venu de la tête aux pieds, et tout à coup il s'écria avec une sorte de frémissement :

— Est-ce que vous seriez l'homme?...

Il jeta un nouveau coup d'œil sur l'étranger, fit trois pas en arrière, posa la lampe sur la table et décrocha son fusil du mur.

Cependant aux paroles du paysan : *Est-ce que vous seriez l'homme?*... la femme s'était levée, avait pris ses deux enfants dans ses bras, et s'était réfugiée précipitamment derrière son mari, regardant l'étranger avec épouvante, la gorge nue, les yeux effarés, en murmurant tout bas : *Tso-maraude*[*].

Tout cela se fit en moins de temps qu'il ne faut pour se le figurer. Après avoir examiné quelques instants *l'homme* comme on examine une vipère, le maître du logis revint à la porte et dit :

— Va-t'en.

— Par grâce, reprit l'homme, un verre d'eau.

— Un coup de fusil! dit le paysan.

Puis il referma la porte violemment, et l'homme l'entendit tirer deux gros verrous. Un moment après, la fenêtre se ferma au volet, et un bruit de barre de fer qu'on posait parvint au dehors.

La nuit continuait de tomber. Le vent froid des Alpes soufflait. A la lueur du jour expirant, l'étranger aperçut dans un des jardins qui bordent la rue une sorte de hutte qui lui parut maçonnée en mottes de gazon. Il franchit résolument une barrière de bois et se trouva dans le jardin. Il s'approcha de la hutte; elle avait pour porte une étroite ouverture très basse et elle ressemblait à ces constructions que les cantonniers se bâtissent au bord des routes. Il pensa sans doute que c'était en effet le logis d'un cantonnier; il souffrait du froid et de la faim; il s'était résigné à la faim, mais c'était du moins là un abri contre le froid. Ces sortes de logis ne sont habituellement pas occupés la nuit. Il se coucha à plat ventre et se glissa dans la hutte. Il y faisait chaud, et il y trouva un assez bon lit de paille. Il resta un moment étendu sur ce lit, sans pouvoir faire

---

[*] Patois des Alpes françaises. *Chat de maraude.*

un mouvement tant il était fatigué. Puis, comme son sac sur son dos le gênait et que c'était d'ailleurs un oreiller tout trouvé, il se mit à déboucler une des courroies. En ce moment un grondement farouche se fit entendre. Il leva les yeux. La tête d'un dogue énorme se dessinait dans l'ombre à l'ouverture de la hutte.

C'était la niche d'un chien.

Il était lui-même vigoureux et redoutable; il s'arma de son bâton, il se fit de son sac un bouclier, et sortit de la niche comme il put, non sans élargir les déchirures de ses haillons.

Il sortit également du jardin, mais à reculons, obligé, pour tenir le dogue en respect, d'avoir recours à cette manœuvre du bâton que les maîtres en ce genre d'escrime appellent *la rose couverte*.

Quand il eut, non sans peine, repassé la barrière et qu'il se retrouva dans la rue, seul, sans gîte, sans toit, sans abri, chassé même de ce lit de paille et de cette niche misérable, il se laissa tomber plutôt qu'il ne s'assit sur une pierre, et il paraît qu'un passant qui traversait l'entendit s'écrier : — Je ne suis pas même un chien!

Bientôt il se releva et se remit à marcher. Il sortit de la ville, espérant trouver quelque arbre ou quelque meule dans les champs, et s'y abriter.

Il chemina ainsi quelque temps, la tête toujours baissée. Quand il se sentit loin de toute habitation humaine, il leva les yeux et chercha autour de lui. Il était dans un champ; il avait devant lui une de ces collines basses couvertes de chaume coupé ras, qui après la moisson ressemblent à des têtes tondues.

L'horizon était tout noir; ce n'était pas seulement le sombre de la nuit; c'étaient des nuages très bas qui semblaient s'appuyer sur la colline même et qui montaient, emplissant tout le ciel. Cependant, comme la lune allait se lever et qu'il flottait encore au zénith un reste de clarté crépusculaire, ces nuages formaient au haut du ciel une sorte de voûte blanchâtre d'où tombait sur la terre une lueur.

La terre était donc plus éclairée que le ciel, ce qui est un effet particulièrement sinistre, et la colline, d'un pauvre et chétif contour, se dessinait vague et blafarde sur l'horizon ténébreux. Tout cet ensemble était hideux, petit, lugubre et borné. Rien dans le champ ni sur la colline qu'un arbre difforme qui se tordait en frissonnant à quelques pas du voyageur.

Cet homme était évidemment très loin d'avoir de ces délicates habitudes d'intelligence et d'esprit qui font qu'on est sensible aux aspects mystérieux des choses; cependant il y avait dans ce ciel, dans cette colline, dans cette plaine et dans cet arbre, quelque chose de si profondément désolé qu'après un moment d'immobilité et de rêverie, il rebroussa chemin brusquement. Il y a des instants où la nature semble hostile.

Il revint sur ses pas. Les portes de Digne étaient fermées. Digne, qui a soutenu des sièges dans les guerres de religion, était encore entourée en 1815 de vieilles murailles flanquées de tours carrées qu'on a démolies depuis. Il passa par une brèche et rentra dans la ville.

Il pouvait être huit heures du soir. Comme il ne connaissait pas les rues, il recommença sa promenade à l'aventure.

Il parvint ainsi à la préfecture, puis au séminaire. En passant sur la place de la cathédrale, il montra le poing à l'église.

Il y a au coin de cette place une imprimerie[1]. C'est là que furent imprimées pour la première fois les proclamations de l'empereur et de la garde impériale à l'armée, apportées de l'île d'Elbe et dictées par Napoléon lui-même.

Épuisé de fatigue et n'espérant plus rien, il se coucha sur le banc de pierre qui est à la porte de cette imprimerie.

Une vieille femme sortait de l'église en ce moment. Elle vit cet homme étendu dans l'ombre. — Que faites-vous là, mon ami? dit-elle.

Il répondit durement et avec colère : — Vous le voyez, bonne femme, je me couche.

La bonne femme, bien digne de ce nom en effet, était madame la marquise de R.

— Sur ce banc? reprit-elle.

— J'ai eu pendant dix-neuf ans un matelas de bois, dit l'homme, j'ai aujourd'hui un matelas de pierre.

— Vous avez été soldat?

— Oui, bonne femme. Soldat.

— Pourquoi n'allez-vous pas à l'auberge?

— Parce que je n'ai pas d'argent.

— Hélas, dit madame de R., je n'ai dans ma bourse que quatre sous.

— Donnez toujours.

L'homme prit les quatre sous. Madame de R. continua : — Vous ne pouvez vous loger avec si peu dans une auberge. Avez-vous essayé pourtant? Il est impossible que vous passiez ainsi la nuit. Vous avez sans doute froid et faim. On aurait pu vous loger par charité.

— J'ai frappé à toutes les portes.

— Eh bien?

— Partout on m'a chassé.

La « bonne femme » toucha le bras de l'homme et lui montra de l'autre côté de la place une petite maison basse à côté de l'évêché.

— Vous avez, reprit-elle, frappé à toutes les portes?

— Oui.

— Avez-vous frappé à celle-là?

— Non.

— Frappez-y.

II

LA PRUDENCE CONSEILLÉE À LA SAGESSE

CE soir-là, M. l'évêque de Digne, après sa promenade en ville, était resté assez tard enfermé dans sa chambre. Il s'occupait d'un grand travail sur les *Devoirs,* lequel est malheureusement demeuré inachevé. Il dépouillait soigneusement tout ce que les Pères et les Docteurs ont dit sur cette grave matière. Son livre était divisé en deux parties; premièrement les devoirs de tous, deuxièmement les devoirs de chacun, selon la classe à laquelle il appartient. Les devoirs de tous sont les grands devoirs. Il y en a quatre. Saint Matthieu les indique : devoirs envers Dieu (*Matth.,* VI), devoirs envers soi-même (*Matth.,* V, 29, 30), devoirs envers le prochain (*Matth.,* VII, 12), devoirs envers les créatures (*Matth.,* VI, 20, 25). Pour les autres devoirs, l'évêque les avait trouvés indiqués et prescrits ailleurs; aux souverains et aux sujets, dans l'Épître aux romains; aux magistrats, aux épouses, aux mères et aux jeunes hommes, par saint Pierre; aux maris, aux pères, aux enfants et aux serviteurs, dans l'Épître aux éphésiens; aux fidèles, dans l'Épître aux hébreux; aux vierges, dans l'Épître aux corinthiens. Il faisait laborieusement de toutes ces prescriptions un ensemble harmonieux qu'il voulait présenter aux âmes [1].

Il travaillait encore à huit heures, écrivant assez incommodément sur de petits carrés de papier avec un gros livre ouvert sur ses genoux, quand madame Magloire entra, selon son habitude, pour prendre l'argenterie dans le placard près du lit. Un moment après, l'évêque, sentant que le couvert était mis et que sa sœur l'attendait peut-être, ferma son livre, se leva de sa table et entra dans la salle à manger.

La salle à manger était une pièce oblongue à cheminée, avec porte sur la rue (nous l'avons dit), et fenêtre sur le jardin.

Madame Magloire achevait en effet de mettre le couvert.

Tout en vaquant au service, elle causait avec mademoiselle Baptistine.

Une lampe était sur la table; la table était près de la cheminée. Un assez bon feu était allumé.

On peut se figurer facilement ces deux femmes qui avaient toutes deux passé soixante ans : madame Magloire petite, grasse, vive; mademoiselle Baptistine douce, mince, frêle, un peu plus grande que son frère, vêtue d'une robe de soie puce, couleur à la mode en 1806, qu'elle avait achetée alors à Paris et qui lui durait encore. Pour emprunter des locutions vulgaires qui ont le mérite de dire avec un seul mot une idée qu'une page suffirait à peine à exprimer, madame Magloire avait l'air d'une *paysanne* et mademoiselle Baptistine d'une *dame*. Madame Magloire avait un bonnet blanc à tuyaux, au cou une jeannette d'or, le seul bijou de femme qu'il y eût dans la maison, un fichu très blanc sortant de la robe de bure noire à manches larges et courtes, un tablier de toile de coton à carreaux rouges et verts, noué à la ceinture d'un ruban vert, avec pièce d'estomac pareille rattachée par deux épingles aux deux coins d'en haut, aux pieds de gros souliers et des bas jaunes comme les femmes de Marseille. La robe de mademoiselle Baptistine était coupée sur les patrons de 1806 [1], taille courte, fourreau étroit, manches à épaulettes, avec pattes et boutons. Elle cachait ses cheveux gris sous une perruque frisée dite *à l'enfant*. Madame Magloire avait l'air intelligent, vif et bon; les deux angles de sa bouche inégalement relevés et la lèvre supérieure plus grosse que la lèvre inférieure lui donnaient quelque chose de bourru et d'impérieux. Tant que monseigneur se taisait, elle lui parlait résolument avec un mélange de respect et de liberté; mais dès que monseigneur parlait, on a vu cela, elle obéissait passivement comme mademoiselle. Mademoiselle Baptistine ne parlait même pas. Elle se bornait à obéir et à complaire. Même quand elle était jeune, elle n'était pas jolie, elle avait de gros yeux bleus à fleur de tête et le nez long et busqué; mais tout son visage, toute sa personne, nous l'avons dit en commençant, respiraient une ineffable bonté [1]. Elle avait toujours été prédestinée à la mansuétude; mais la foi, la charité, l'espérance, ces trois vertus qui chauffent doucement l'âme, avaient élevé peu à peu cette mansuétude jusqu'à la sainteté. La nature n'en avait fait qu'une brebis, la religion en avait fait un ange. Pauvre sainte fille! doux souvenir disparu [2]!

Mademoiselle Baptistine a depuis raconté tant de fois ce qui s'était passé à l'évêché cette soirée-là, que plusieurs personnes qui vivent encore s'en rappellent les moindres détails.

Au moment où M. l'évêque entra, madame Magloire parlait avec quelque vivacité. Elle entretenait *mademoiselle* d'un sujet qui lui était familier et auquel l'évêque était accoutumé. Il s'agissait du loquet de la porte d'entrée.

Il paraît que, tout en allant faire quelques provisions pour le souper, madame Magloire avait entendu dire des choses en divers lieux. On parlait d'un rôdeur de mauvaise mine; qu'un vagabond suspect serait arrivé, qu'il devait être quelque part dans la ville, et qu'il se pourrait qu'il y eût de méchantes rencontres pour ceux qui s'aviseraient de rentrer tard chez eux cette nuit-là. Que la police était bien mal faite du reste, attendu que M. le préfet et M. le maire ne s'aimaient pas, et cherchaient à se nuire en faisant arriver des événements. Que c'était donc aux gens sages à faire la police eux-mêmes et à se bien garder, et qu'il faudrait avoir soin de dûment clore, verrouiller et barricader sa maison, *et de bien fermer ses portes.*

Madame Magloire appuya sur ce dernier mot; mais l'évêque venait de sa chambre où il avait eu assez froid, il s'était assis devant la cheminée et se chauffait, et puis il pensait à autre chose. Il ne releva pas le mot à effet que madame Magloire venait de laisser tomber. Elle le répéta. Alors, mademoiselle Baptistine, voulant satisfaire madame Magloire sans déplaire à son frère, se hasarda à dire timidement :

— Mon frère, entendez-vous ce que dit madame Magloire?

— J'en ai entendu vaguement quelque chose, répondit l'évêque. Puis tournant à demi sa chaise, mettant ses deux mains sur ses genoux, et levant vers la vieille servante son visage cordial et facilement joyeux, que le feu éclairait d'en bas : — Voyons. Qu'y a-t-il? qu'y a-t-il? Nous sommes donc dans quelque gros danger?

Alors madame Magloire recommença toute l'histoire, en l'exagérant quelque peu, sans s'en douter. Il paraîtrait qu'un bohémien, un va-nu-pieds, une espèce de mendiant dangereux serait en ce moment dans la ville. Il s'était présenté pour loger chez Jacquin Labarre qui n'avait pas voulu le recevoir. On l'avait vu arriver par le boulevard Gassendi et rôder dans les rues à la brune. Un homme de sac et de corde avec une figure terrible.

— Vraiment? dit l'évêque.

Ce consentement à l'interroger encouragea madame Magloire; cela lui semblait indiquer que l'évêque n'était pas loin de s'alarmer; elle poursuivit triomphante :

— Oui, monseigneur. C'est comme cela. Il y aura quelque malheur cette nuit dans la ville. Tout le monde le dit. Avec cela que la police est si mal faite (répétition utile). Vivre dans un pays de montagnes, et n'avoir pas même de lanternes la nuit dans les rues! On sort. Des fours, quoi! Et je dis, monseigneur, et mademoiselle que voilà dit comme moi...

— Moi, interrompit la sœur, je ne dis rien. Ce que mon frère fait est bien fait.

Madame Magloire continua comme s'il n'y avait pas eu de protestation :

— Nous disons que cette maison-ci n'est pas sûre du tout; que, si monseigneur le permet, je vais aller dire à Paulin Musebois, le serrurier, qu'il vienne remettre les anciens verrous de la porte; on les a là, c'est une minute; et je dis qu'il faut des verrous, monseigneur, ne serait-ce que pour cette nuit; car je dis qu'une porte qui s'ouvre du dehors avec un loquet, par le premier passant venu, rien n'est plus terrible; avec cela que monseigneur a l'habitude de toujours dire d'entrer, et que d'ailleurs, même au milieu de la nuit, ô mon Dieu! on n'a pas besoin d'en demander la permission...

En ce moment, on frappa à la porte un coup assez violent.

— Entrez, dit l'évêque.

III

HÉROÏSME DE L'OBÉISSANCE PASSIVE[1]

La porte s'ouvrit.

Elle s'ouvrit vivement, toute grande, comme si quelqu'un la poussait avec énergie et résolution.

Un homme entra.

Cet homme, nous le connaissons déjà. C'est le voyageur que nous avons vu tout à l'heure errer cherchant un gîte.

Il entra, fit un pas, s'arrêta, laissant la porte ouverte derrière lui. Il avait son sac sur l'épaule, son bâton à la main, une expression rude, hardie, fatiguée et violente dans les yeux. Le feu de la cheminée l'éclairait. Il était hideux. C'était une sinistre apparition.

Madame Magloire n'eut pas même la force de jeter un cri. Elle tressaillit, et resta béante.

Mademoiselle Baptistine se retourna, aperçut l'homme qui entrait et se dressa à demi d'effarement, puis, ramenant peu à peu sa tête vers la cheminée, elle se mit à regarder son frère et son visage redevint profondément calme et serein.

L'évêque fixait sur l'homme un œil tranquille.

Comme il ouvrait la bouche, sans doute pour demander au nouveau venu ce qu'il désirait, l'homme appuya ses deux mains à la fois sur son bâton, promena ses yeux tour à tour sur le vieillard et les femmes, et, sans attendre que l'évêque parlât, dit d'une voix haute :

— Voici. Je m'appelle Jean Valjean. Je suis un galérien. J'ai passé dix-neuf ans au bagne. Je suis libéré depuis quatre jours et en route pour Pontarlier qui est ma destination. Quatre jours que je marche depuis Toulon. Aujourd'hui, j'ai fait douze lieues à pied. Ce soir, en arrivant dans ce pays, j'ai été dans une auberge, on m'a renvoyé à cause de mon passeport jaune que j'avais montré à la mairie. Il avait fallu. J'ai été à une autre auberge. On m'a dit : Va-t'en! Chez l'un, chez l'autre. Personne n'a voulu de moi. J'ai été à la prison, le guichetier n'a pas ouvert. J'ai été dans la niche d'un chien. Ce chien m'a mordu et m'a chassé, comme s'il avait été un homme. On aurait dit qu'il savait qui j'étais. Je m'en suis allé dans les champs pour cou-

cher à la belle étoile. Il n'y avait pas d'étoile. J'ai pensé qu'il
pleuvrait, et qu'il n'y avait pas de bon Dieu pour empêcher de
pleuvoir, et je suis rentré dans la ville pour y trouver le ren-
foncement d'une porte. Là, dans la place, j'allais me coucher
sur une pierre. Une bonne femme m'a montré votre maison et
m'a dit : Frappe là. J'ai frappé. Qu'est-ce que c'est ici? êtes-
vous une auberge? J'ai de l'argent. Ma masse. Cent neuf francs
quinze sous que j'ai gagnés au bagne pour mon travail en dix-
neuf ans. Je payerai. Qu'est-ce que cela me fait? j'ai de l'argent.
Je suis très fatigué, douze lieues à pied, j'ai bien faim. Voulez-
vous que je reste?

— Madame Magloire, dit l'évêque, vous mettrez un couvert de
plus.

L'homme fit trois pas et s'approcha de la lampe qui était sur
la table. — Tenez, reprit-il, comme s'il n'avait pas bien compris,
ce n'est pas ça. Avez-vous entendu? Je suis un galérien. Un forçat. Je viens des galères. — Il tira de sa poche une grande
feuille de papier jaune qu'il déplia. — Voilà mon passeport.
Jaune, comme vous voyez. Cela sert à me faire chasser de partout où je vais. Voulez-vous lire? Je sais lire, moi. J'ai appris
au bagne. Il y a une école pour ceux qui veulent. Tenez, voilà
ce qu'on a mis sur le passeport : « Jean Valjean, forçat libéré,
« natif de... — cela vous est égal... — Est resté dix-neuf ans au
« bagne. Cinq ans pour vol avec effraction. Quatorze ans pour
« avoir tenté de s'évader quatre fois. Cet homme est très dange-
« reux. » — Voilà! Tout le monde m'a jeté dehors. Voulez-vous
me recevoir, vous? Est-ce une auberge? Voulez-vous me donner
à manger et à coucher? avez-vous une écurie?

— Madame Magloire, dit l'évêque, vous mettrez des draps
blancs au lit de l'alcôve.

Nous avons déjà expliqué de quelle nature était l'obéissance
des deux femmes.

Madame Magloire sortit pour exécuter ces ordres.

L'évêque se tourna vers l'homme.

— Monsieur, asseyez-vous et chauffez-vous. Nous allons
souper dans un instant, et l'on fera votre lit pendant que vous
souperez.

Ici l'homme comprit tout à fait. L'expression de son visage,
jusqu'alors sombre et dure, s'empreignit de stupéfaction, de
doute, de joie, et devint extraordinaire. Il se mit à balbutier
comme un homme fou :

— Vrai? quoi? vous me gardez? vous ne me chassez pas! un forçat! Vous m'appelez *monsieur!* vous ne me tutoyez pas! Va-t'en, chien! qu'on me dit toujours. Je croyais bien que vous me chasseriez. Aussi j'avais dit tout de suite qui je suis. Oh! la brave femme qui m'a enseigné ici! Je vais souper! un lit! Un lit avec des matelas et des draps! comme tout le monde! il y a dix-neuf ans que je n'ai couché dans un lit! Vous voulez bien que je ne m'en aille pas! Vous êtes de dignes gens! D'ailleurs j'ai de l'argent. Je payerai bien. Pardon, monsieur l'aubergiste, comment vous appelez-vous? Je payerai tout ce qu'on voudra. Vous êtes un brave homme. Vous êtes aubergiste, n'est-ce pas?

— Je suis, dit l'évêque, un prêtre qui demeure ici.

— Un prêtre! Oh! un brave homme de prêtre! Alors vous ne me demandez pas d'argent? Le curé, n'est-ce pas? le curé de cette grande église? Tiens! c'est vrai, que je suis bête! je n'avais pas vu votre calotte!

Tout en parlant, il avait déposé son sac et son bâton dans un coin, puis remis son passeport dans sa poche, et il s'était assis. Mademoiselle Baptistine le considérait avec douceur. Il continua :

— Vous êtes humain, monsieur le curé. Vous n'avez pas de mépris. C'est bien bon un bon prêtre. Alors vous n'avez pas besoin que je paye?

— Non, dit l'évêque, gardez votre argent. Combien avez-vous? ne m'avez-vous pas dit cent neuf francs?

— Quinze sous, ajouta l'homme.

— Cent neuf francs quinze sous. Et combien de temps avez-vous mis à gagner cela?

— Dix-neuf ans.

— Dix-neuf ans!

L'évêque soupira profondément.

L'homme poursuivit : — J'ai encore tout mon argent. Depuis quatre jours je n'ai dépensé que vingt-cinq sous que j'ai gagnés en aidant à décharger des voitures à Grasse. Puisque vous êtes abbé, je vais vous dire, nous avions un aumônier au bagne. Et puis un jour j'ai vu un évêque. Monseigneur, qu'on appelle. C'était l'évêque de la Majore, à Marseille. C'est le curé qui est sur les curés. Vous savez, pardon, je dis mal cela, mais pour moi, c'est si loin! — Vous comprenez, nous autres! — Il a dit la messe au milieu du bagne, sur un autel, il avait une chose pointue, en or, sur la tête. Au grand jour de midi, cela bril-

lait. Nous étions en rang. Des trois côtés. Avec les canons, mèche
allumée, en face de nous. Nous ne voyions pas bien. Il a parlé,
mais il était trop au fond, nous n'entendions pas. Voilà ce que
c'est qu'un évêque.

Pendant qu'il parlait, l'évêque était allé pousser la porte qui
était restée toute grande ouverte.

Madame Magloire rentra. Elle apportait un couvert qu'elle
mit sur la table.

— Madame Magloire, dit l'évêque, mettez ce couvert le plus
près possible du feu. — Et se tournant vers son hôte : — Le vent
de nuit est dur dans les Alpes. Vous devez avoir froid, monsieur?

Chaque fois qu'il disait ce mot *monsieur,* avec sa voix doucement grave et de si bonne compagnie, le visage de l'homme
s'illuminait. *Monsieur* à un forçat, c'est un verre d'eau à un
naufragé de la *Méduse.* L'ignominie a soif de considération.

— Voici, reprit l'évêque, une lampe qui éclaire bien mal.

Madame Magloire comprit, et elle alla chercher sur la cheminée de la chambre à coucher de monseigneur les deux chandeliers d'argent qu'elle posa sur la table tout allumés.

— Monsieur le curé, dit l'homme, vous êtes bon. Vous ne me
méprisez pas. Vous me recevez chez vous. Vous allumez vos
cierges pour moi. Je ne vous ai pourtant pas caché d'où je viens
et que je suis un homme malheureux.

L'évêque, assis près de lui, lui toucha doucement la main.
— Vous pouviez ne pas me dire qui vous étiez. Ce n'est pas ici
ma maison, c'est la maison de Jésus-Christ. Cette porte ne
demande pas à celui qui entre s'il a un nom, mais s'il a une
douleur. Vous souffrez; vous avez faim et soif; soyez le bienvenu. Et ne me remerciez pas, ne me dites pas que je vous
reçois chez moi. Personne n'est ici chez soi, excepté celui qui
a besoin d'un asile. Je vous le dis à vous qui passez, vous êtes
ici chez vous plus que moi-même. Tout ce qui est ici est à
vous. Qu'ai-je besoin de savoir votre nom? D'ailleurs, avant
que vous me le dissiez, vous en avez un que je savais.

L'homme ouvrit des yeux étonnés.
— Vrai? Vous saviez comment je m'appelle?
— Oui, répondit l'évêque, vous vous appelez mon frère.
— Tenez, monsieur le curé! s'écria l'homme, j'avais bien faim
en entrant ici; mais vous êtes si bon qu'à présent je ne sais plus
ce que j'ai; cela m'a passé.

L'évêque le regarda et lui dit :

— Vous avez bien souffert?

— Oh! la casaque rouge, le boulet au pied, une planche pour dormir, le chaud, le froid, le travail, la chiourme, les coups de bâton! La double chaîne pour rien. Le cachot pour un mot. Même malade au lit, la chaîne. Les chiens, les chiens sont plus heureux! Dix-neuf ans! J'en ai quarante-six. A présent le passeport jaune! Voilà.

— Oui, reprit l'évêque, vous sortez d'un lieu de tristesse. Écoutez. Il y aura plus de joie au ciel pour le visage en larmes d'un pécheur repentant que pour la robe blanche de cent justes. Si vous sortez de ce lieu douloureux avec des pensées de haine et de colère contre les hommes, vous êtes digne de pitié; si vous en sortez avec des pensées de bienveillance, de douceur et de paix, vous valez mieux qu'aucun de nous [1].

Cependant madame Magloire avait servi le souper. Une soupe faite avec de l'eau, de l'huile, du pain et du sel, un peu de lard, un morceau de viande de mouton, des figues, un fromage frais, et un gros pain de seigle. Elle avait d'elle-même ajouté à l'ordinaire de M. l'évêque une bouteille de vieux vin de Mauves.

Le visage de l'évêque prit tout à coup cette expression de gaîté propre aux natures hospitalières : — A table! dit-il vivement. — Comme il en avait coutume lorsque quelque étranger soupait avec lui, il fit asseoir l'homme à sa droite. Mademoiselle Baptistine, parfaitement paisible et naturelle, prit place à sa gauche.

L'évêque dit le bénédicité, puis servit lui-même la soupe, selon son habitude. L'homme se mit à manger avidement.

Tout à coup l'évêque dit : — Mais il me semble qu'il manque quelque chose sur cette table.

Madame Magloire en effet n'avait mis que les trois couverts absolument nécessaires. Or c'était l'usage de la maison, quand l'évêque avait quelqu'un à souper, de disposer sur la nappe les six couverts d'argent, étalage innocent. Ce gracieux semblant de luxe était une sorte d'enfantillage plein de charme dans cette maison douce et sévère qui élevait la pauvreté jusqu'à la dignité.

Madame Magloire comprit l'observation, sortit sans dire un mot, et un moment après les trois couverts réclamés par l'évêque brillaient sur la nappe, symétriquement arrangés devant chacun des trois convives.

IV

DÉTAILS SUR LES FROMAGERIES DE PONTARLIER

MAINTENANT, pour donner une idée de ce qui se passa à cette table, nous ne saurions mieux faire que de transcrire ici un passage d'une lettre[1] de mademoiselle Baptistine à madame de Boischevron, où la conversation du forçat et de l'évêque est racontée avec une minutie naïve :

. . . .

« ... Cet homme ne faisait aucune attention à personne. Il
« mangeait avec une voracité d'affamé. Cependant, après la
« soupe, il a dit :

« — Monsieur le curé du bon Dieu, tout ceci est encore bien
« trop bon pour moi, mais je dois dire que les rouliers qui n'ont
« pas voulu me laisser manger avec eux font meilleure chère
« que vous.

« Entre nous, l'observation m'a un peu choquée. Mon frère
« a répondu :

« — Ils ont plus de fatigue que moi.

« — Non, a repris cet homme, ils ont plus d'argent. Vous
« êtes pauvre. Je vois bien. Vous n'êtes peut-être pas même
« curé. Êtes-vous curé seulement? Ah! par exemple, si le bon
« Dieu était juste, vous devriez bien être curé.

« — Le bon Dieu est plus que juste, a dit mon frère.

« Un moment après il a ajouté :

« — Monsieur Jean Valjean, c'est à Pontarlier que vous
« allez?

« — Avec itinéraire obligé.

« Je crois bien que c'est comme cela que l'homme a dit.
« Puis il a continué :

« — Il faut que je sois en route demain à la pointe du jour.
« Il fait dur voyager. Si les nuits sont froides, les journées sont
« chaudes.

« — Vous allez là, a repris mon frère, dans un bon pays. A la
« révolution, ma famille a été ruinée, je me suis réfugié en
« Franche-Comté d'abord, et j'y ai vécu quelque temps du travail

« de mes bras. J'avais de la bonne volonté. J'ai trouvé à m'y
« occuper. On n'a qu'à choisir. Il y a des papeteries, des tan-
« neries, des distilleries, des huileries, des fabriques d'horlo-
« gerie en grand, des fabriques d'acier, des fabriques de cuivre,
« au moins vingt usines de fer, dont quatre à Lods, à Châtillon,
« à Audincourt et à Beure qui sont très considérables...

« Je crois ne pas me tromper et que ce sont bien là les noms
« que mon frère a cités, puis il s'est interrompu et m'a adressé
« la parole :

« — Chère sœur, n'avons-nous pas de parents dans ce
« pays-là?

« J'ai répondu :

« — Nous en avions, entre autres M. de Lucenet qui était
« capitaine des portes à Pontarlier dans l'ancien régime.

« — Oui, a repris mon frère, mais en 93 on n'avait plus de
« parents, on n'avait que ses bras. J'ai travaillé. Ils ont
« dans le pays de Pontarlier, où vous allez, monsieur Valjean,
« une industrie toute patriarcale et toute charmante¹, ma sœur.
« Ce sont leurs fromageries qu'ils appellent fruitières.

« Alors mon frère, tout en faisant manger cet homme, lui
« a expliqué très en détail ce que c'était que les fruitières de
« Pontarlier; — qu'on en distinguait deux sortes : — les *grosses*
« *granges,* qui sont aux riches, et où il y a quarante ou cinquante
« vaches, lesquelles produisent sept à huit milliers de fromages
« par été; les *fruitières d'association,* qui sont aux pauvres; ce sont
« les paysans de la moyenne montagne qui mettent leurs vaches
« en commun et partagent les produits. — Ils prennent à leurs
« gages un fromager qu'ils appellent le *grurin;* — le grurin reçoit
« le lait des associés trois fois par jour et marque les quantités
« sur une taille double; — c'est vers la fin d'avril que le travail
« des fromageries commence; c'est vers la mi-juin que les fro-
« magers conduisent leurs vaches dans la montagne.

« L'homme se ranimait tout en mangeant. Mon frère lui fai-
« sait boire de ce bon vin de Mauves dont il ne boit pas lui-
« même parce qu'il dit que c'est du vin cher. Mon frère lui
« disait tous ces détails avec cette gaîté aisée que vous lui
« connaissez, entremêlant ses paroles de façons gracieuses pour
« moi. Il est beaucoup revenu sur ce bon état de grurin, comme
« s'il eût souhaité que cet homme comprît, sans le lui conseiller
« directement et durement, que ce serait un asile pour lui. Une
« chose m'a frappée. Cet homme était ce que je vous ai dit. Eh

« bien! mon frère, pendant tout le souper, ni de toute la soirée,
« à l'exception de quelques paroles sur Jésus quand il est entré,
« n'a pas dit un mot qui pût rappeler à cet homme qui il était
« ni apprendre à cet homme qui était mon frère. C'était bien une
« occasion en apparence de faire un peu de sermon et d'appuyer
« l'évêque sur le galérien pour laisser la marque du passage. Il
« eût paru peut-être à un autre que c'était le cas, ayant ce mal-
« heureux sous la main, de lui nourrir l'âme en même temps
« que le corps et de lui faire quelque reproche assaisonné de
« morale et de conseil, ou bien un peu de commisération avec
« exhortation de se mieux conduire à l'avenir. Mon frère ne lui
« a même pas demandé de quel pays il était, ni son histoire.
« Car dans son histoire il y a sa faute, et mon frère semblait
« éviter tout ce qui pouvait l'en faire souvenir. C'est au point
« qu'à un certain moment, comme mon frère parlait des mon-
« tagnards de Pontarlier qui ont *un doux travail près du ciel et qui,*
« ajoutait-il, *sont heureux parce qu'ils sont innocents,* il s'est arrêté
« court, craignant qu'il n'y eût dans ce mot qui lui échappait
« quelque chose qui pût froisser l'homme. A force d'y réfléchir,
« je crois avoir compris ce qui se passait dans le cœur de mon
« frère. Il pensait sans doute que cet homme, qui s'appelle Jean
« Valjean, n'avait que trop sa misère présente à l'esprit, que le
« mieux était de l'en distraire, et de lui faire croire, ne fût-ce
« qu'un moment, qu'il était une personne comme une autre, en
« étant pour lui tout ordinaire. N'est-ce pas là en effet bien
« entendre la charité? N'y a-t-il pas, bonne madame, quelque
« chose de vraiment évangélique dans cette délicatesse qui s'abs-
« tient de sermon, de morale et d'allusion, et la meilleure pitié,
« quand un homme a un point douloureux, n'est-ce pas de n'y
« point toucher du tout? Il m'a semblé que ce pouvait être là la
« pensée de mon frère. Dans tous les cas, ce que je puis dire,
« c'est que, s'il a eu toutes ces idées, il n'en a rien marqué,
« même pour moi; il a été d'un bout à l'autre le même homme
« que tous les soirs, et il a soupé avec ce Jean Valjean du même
« air et de la même façon qu'il aurait soupé avec M. Gédéon Le
« Prévost ou avec M. le curé de la paroisse.

   « Vers la fin, comme nous étions aux figues, on a cogné à la
« porte. C'était la mère Gerbaud avec son petit dans ses bras.
« Mon frère a baisé l'enfant au front, et m'a emprunté quinze
« sous que j'avais sur moi pour les donner à la mère Gerbaud.
« L'homme pendant ce temps-là ne faisait pas grande attention.

« Il ne parlait plus et paraissait très fatigué. La pauvre vieille
« Gerbaud partie, mon frère a dit les grâces, puis il s'est tourné
« vers cet homme, et il lui a dit : Vous devez avoir bien besoin
« de votre lit. Madame Magloire a enlevé le couvert bien vite.
« J'ai compris qu'il fallait nous retirer pour laisser dormir ce
« voyageur, et nous sommes montées toutes les deux. J'ai cepen-
« dant envoyé madame Magloire un instant après porter sur le
« lit de cet homme une peau de chevreuil de la Forêt-Noire qui
« est dans ma chambre. Les nuits sont glaciales, et cela tient
« chaud. C'est dommage que cette peau soit vieille; tout le poil
« s'en va. Mon frère l'a achetée du temps qu'il était en Alle-
« magne, à Tottlingen, près des sources du Danube, ainsi que
« le petit couteau à manche d'ivoire dont je me sers à table.

  « Madame Magloire est remontée presque tout de suite, nous
« nous sommes mises à prier Dieu dans le salon où l'on étend le
« linge, et puis nous sommes rentrées chacune dans notre
« chambre sans rien nous dire. »

V

TRANQUILLITÉ

Après avoir donné le bonsoir à sa sœur, monseigneur Bienvenu
prit sur la table un des deux flambeaux d'argent, remit l'autre à
son hôte, et lui dit :

— Monsieur, je vais vous conduire à votre chambre.

L'homme le suivit.

Comme on a pu le remarquer dans ce qui a été dit plus haut,
le logis était distribué de telle sorte que, pour passer dans
l'oratoire où était l'alcôve ou pour en sortir, il fallait traverser
la chambre à coucher de l'évêque.

Au moment où ils traversaient cette chambre, madame Magloire serrait l'argenterie dans le placard qui était au chevet du
lit. C'était le dernier soin qu'elle prenait chaque soir avant de
s'aller coucher.

L'évêque installa son hôte dans l'alcôve. Un lit blanc et frais
y était dressé. L'homme posa le flambeau sur une petite table.

— Allons, dit l'évêque, faites une bonne nuit. Demain matin, avant de partir, vous boirez une tasse de lait de nos vaches, tout chaud.

— Merci, monsieur l'abbé, dit l'homme.

A peine eut-il prononcé ces paroles pleines de paix que, tout à coup et sans transition, il eut un mouvement étrange et qui eût glacé d'épouvante les deux saintes filles si elles en eussent été témoins. Aujourd'hui même il nous est difficile de nous rendre compte de ce qui le poussait en ce moment. Voulait-il donner un avertissement ou jeter une menace? Obéissait-il simplement à une sorte d'impulsion instinctive et obscure pour lui-même? Il se tourna brusquement vers le vieillard, croisa les bras, et, fixant sur son hôte un regard sauvage, il s'écria d'une voix rauque :

— Ah çà! décidément! vous me logez chez vous près de vous comme cela!

Il s'interrompit et ajouta avec un rire où il y avait quelque chose de monstrueux :

— Avez-vous bien fait toutes vos réflexions? Qui est-ce qui vous dit que je n'ai pas assassiné?

L'évêque leva les yeux vers le plafond et répondit :

— Cela regarde le bon Dieu.

Puis, gravement et remuant les lèvres comme quelqu'un qui prie ou qui se parle à lui-même, il dressa les deux doigts de sa main droite et bénit l'homme qui ne se courba pas, et, sans tourner la tête et sans regarder derrière lui, il rentra dans sa chambre.

Quand l'alcôve était habitée, un grand rideau de serge tiré de part en part dans l'oratoire cachait l'autel. L'évêque s'agenouilla en passant devant ce rideau et fit une courte prière.

Un moment après, il était dans son jardin, marchant, rêvant, contemplant, l'âme et la pensée tout entières à ces grandes choses mystérieuses que Dieu montre la nuit aux yeux qui restent ouverts.

Quant à l'homme, il était vraiment si fatigué qu'il n'avait même pas profité de ces bons draps blancs. Il avait soufflé sa bougie avec sa narine à la manière des forçats et s'était laissé tomber tout habillé sur le lit, où il s'était tout de suite profondément endormi.

Minuit sonnait comme l'évêque rentrait de son jardin dans son appartement.

Quelques minutes après, tout dormait dans la petite maison.

VI

JEAN VALJEAN

VERS le milieu de la nuit, Jean Valjean se réveilla[1].

Jean Valjean était d'une famille de paysans de la Brie. Dans son enfance, il n'avait pas appris à lire. Quand il eut l'âge d'homme, il était émondeur à Faverolles. Sa mère s'appelait Jeanne Mathieu; son père s'appelait Jean Valjean ou Vlajean, sobriquet probablement, et contraction de *Voilà Jean*[2].

Jean Valjean était d'un caractère pensif sans être triste, ce qui est le propre des natures affectueuses. Somme toute, pourtant, c'était quelque chose[3] d'assez endormi et d'assez insignifiant, en apparence du moins, que Jean Valjean. Il avait perdu en très bas âge son père et sa mère[4]. Sa mère était morte d'une fièvre de lait mal soignée. Son père, émondeur comme lui[5], s'était tué en tombant d'un arbre. Il n'était resté à Jean Valjean qu'une sœur plus âgée que lui, veuve, avec sept enfants, filles et garçons. Cette sœur avait élevé Jean Valjean, et tant qu'elle eut son mari elle logea et nourrit son jeune frère. Le mari mourut. L'aîné des sept enfants avait huit ans, le dernier un an. Jean Valjean venait d'atteindre, lui, sa vingt-cinquième année. Il remplaça le père, et soutint à son tour sa sœur qui l'avait élevé. Cela se fit simplement, comme un devoir, même avec quelque chose de bourru de la part de Jean Valjean. Sa jeunesse se dépensait ainsi dans un travail rude et mal payé. On ne lui avait jamais connu de « bonne amie » dans le pays. Il n'avait pas eu le temps d'être amoureux[6].

Le soir il rentrait fatigué et mangeait sa soupe sans dire un mot. Sa sœur, mère Jeanne, pendant qu'il mangeait, lui prenait souvent dans son écuelle le meilleur de son repas, le morceau de viande, la tranche de lard, le cœur de chou, pour le donner à quelqu'un de ses enfants; lui, mangeant toujours, penché sur la table, presque la tête dans sa soupe, ses longs cheveux tombant autour de son écuelle et cachant ses yeux, avait l'air de de rien voir et laissait faire. Il y avait à Faverolles, pas loin de la chaumière Valjean, de l'autre côté de la ruette, une fermière appelée Marie-Claude; les enfants Valjean, habituellement affamés, allaient quelquefois emprunter au nom de leur mère une pinte de lait à Marie-Claude, qu'ils buvaient derrière une haie ou dans quelque coin d'allée, s'arrachant le pot, et si hâtivement que les petites filles s'en répandaient sur leur tablier et dans leur goulotte. La mère, si elle eût su cette maraude, eût sévèrement corrigé les délinquants[1]. Jean Valjean, brusque et bougon, payait en arrière de la mère la pinte de lait à Marie-Claude, et les enfants n'étaient pas punis.

Il gagnait dans la saison de l'émondage vingt-quatre sous par jour[2], puis il se louait comme moissonneur, comme manœuvre, comme garçon de ferme bouvier, comme homme de peine. Il faisait ce qu'il pouvait. Sa sœur travaillait de son côté, mais que faire avec sept enfants? C'était un triste groupe que la misère enveloppa et étreignit peu à peu. Il arriva qu'un hiver fut rude. Jean n'eut pas d'ouvrage. La famille n'eut pas de pain. Pas de pain. A la lettre. Sept enfants.

Un dimanche soir, Maubert Isabeau, boulanger sur la place de l'église, à Faverolles, se disposait à se coucher, lorsqu'il entendit un coup violent dans la devanture grillée et vitrée de sa boutique. Il arriva à temps pour voir un bras passé à travers un trou fait d'un coup de poing dans la grille et dans la vitre. Le bras saisit un pain et l'emporta. Isabeau sortit en hâte; le voleur s'enfuyait à toutes jambes; Isabeau courut après lui et l'arrêta. Le voleur avait jeté le pain, mais il avait encore le bras ensanglanté. C'était Jean Valjean[3].

Ceci se passait en 1795. Jean Valjean fut traduit devant les tribunaux du temps « pour vol avec effraction la nuit dans une maison habitée ». Il avait un fusil dont il se servait mieux que tireur au monde, il était quelque peu braconnier; ce qui lui nuisit. Il y a contre les braconniers un préjugé légitime. Le braconnier, de même que le contrebandier, côtoie de fort près le brigand. Pourtant, disons-le en passant, il y a encore un abîme entre ces races d'hommes et le hideux assassin des villes. Le braconnier vit dans la forêt; le contrebandier vit dans la montagne ou sur la mer. Les villes font des hommes féroces, parce qu'elles font des hommes corrompus. La montagne, la mer, la forêt, font des hommes sauvages. Elles développent le côté farouche, mais souvent sans détruire le côté humain.

Jean Valjean fut déclaré coupable. Les termes du code étaient formels. Il y a dans notre civilisation des heures redoutables; ce sont les moments où la pénalité prononce un naufrage.

Quelle minute funèbre que celle où la société s'éloigne et consomme l'irréparable abandon d'un être pensant! Jean Valjean fut condamné à cinq ans de galères [1].

Le 22 avril 1796, on cria dans Paris la victoire de Montenotte remportée par le général en chef de l'armée d'Italie, que le message du Directoire aux Cinq-Cents, du 2 floréal an IV, appelle Buona-Parte; ce même jour une grande chaîne fut ferrée à Bicêtre. Jean Valjean fit partie de cette chaîne [2]. Un ancien guichetier de la prison, qui a près de quatre-vingt-dix ans aujourd'hui, se souvient encore parfaitement [3] de ce malheureux qui fut ferré à l'extrémité du quatrième cordon dans l'angle nord de la cour. Il était assis à terre comme tous les autres. Il paraissait ne rien comprendre à sa position, sinon qu'elle était horrible. Il est probable qu'il y démêlait aussi, à travers les vagues idées d'un pauvre homme ignorant de tout, quelque chose d'excessif. Pendant qu'on rivait à grands coups de marteau derrière sa tête le boulon de son carcan, il pleurait, les larmes l'étouffaient, elles l'empêchaient de parler, il parvenait seulement à dire de temps en temps : *J'étais émondeur à Faverolles.* Puis, tout en sanglotant, il élevait sa main droite et l'abaissait graduellement sept fois comme s'il touchait successivement sept têtes inégales, et par ce geste on devinait que la chose quelconque qu'il avait faite, il l'avait faite pour vêtir et nourrir sept petits enfants [4].

Il partit pour Toulon. Il y arriva après un voyage de vingt-sept jours, sur une charrette, la chaîne au cou. A Toulon, il fut revêtu de la casaque rouge. Tout s'effaça de ce qui avait été sa vie, jusqu'à son nom; il ne fut même plus Jean Valjean; il fut le numéro 24 601. Que devint la sœur? que devinrent les sept enfants? Qui est-ce qui s'occupe de cela? Que devient la poignée de feuilles du jeune arbre scié par le pied?

C'est toujours la même histoire [5]. Ces pauvres êtres vivants, ces créatures de Dieu, sans appui désormais, sans guide, sans asile, s'en allèrent au hasard, qui sait même? chacun de leur côté peut-être, et s'enfoncèrent peu à peu dans cette froide brume où s'engloutissent les destinées solitaires, mornes ténèbres où disparaissent successivement tant de têtes infortunées dans la sombre marche du genre humain. Ils quittèrent le pays. Le clocher de ce qui avait été leur village les oublia; la borne de ce qui avait été leur champ les oublia; après quelques années de séjour au bagne, Jean Valjean lui-même les oublia.

Dans ce cœur où il y avait eu une plaie, il y eut une cicatrice.
Voilà tout. A peine, pendant tout le temps qu'il passa à Toulon,
entendit-il parler une seule fois de sa sœur. C'était, je crois, vers
la fin de la quatrième année de sa captivité. Je ne sais plus par
quelle voie ce renseignement lui parvint. Quelqu'un, qui les
avait connus au pays, avait vu sa sœur. Elle était à Paris. Elle
habitait une pauvre rue près Saint-Sulpice, la rue du Geindre [1].
Elle n'avait plus avec elle qu'un enfant, un petit garçon, le dernier. Où étaient les six autres? Elle ne le savait peut-être pas
elle-même. Tous les matins elle allait à une imprimerie rue du
Sabot, n° 3, où elle était plieuse et brocheuse. Il fallait être là à
six heures du matin, bien avant le jour l'hiver. Dans la maison de
l'imprimerie il y avait une école, elle menait à cette école son
petit garçon qui avait sept ans. Seulement, comme elle entrait
à l'imprimerie à six heures et que l'école n'ouvrait qu'à sept,
il fallait que l'enfant attendît dans la cour que l'école ouvrît, une
heure; l'hiver, une heure de nuit, en plein air [2]. On ne voulait
pas que l'enfant entrât dans l'imprimerie, parce qu'il gênait,
disait-on. Les ouvriers voyaient le matin en passant ce pauvre
petit être assis sur le pavé, tombant de sommeil, et souvent
endormi dans l'ombre, accroupi et plié sur son panier. Quand
il pleuvait, une vieille femme, la portière, en avait pitié; elle
le recueillait dans son bouge où il n'y avait qu'un grabat, un
rouet et deux chaises de bois, et le petit dormait là dans un
coin, se serrant contre le chat pour avoir moins froid. A sept
heures, l'école ouvrait et il y entrait. Voilà ce qu'on dit à Jean
Valjean. On l'en entretint un jour, ce fut un moment, un éclair,
comme une fenêtre brusquement ouverte sur la destinée de ces
êtres qu'il avait aimés, puis tout se referma; il n'en entendit
plus parler, et ce fut pour jamais. Plus rien n'arriva d'eux à lui;
jamais il ne les rencontra, et, dans la suite de cette douloureuse
histoire, on ne les retrouvera plus [3].

Vers la fin de cette quatrième année, le tour d'évasion de
Jean Valjean arriva. Ses camarades l'aidèrent comme cela se fait
dans ce triste lieu. Il s'évada. Il erra deux jours en liberté
dans les champs; si c'est être libre que d'être traqué; de tourner la tête à chaque instant; de tressaillir au moindre bruit;
d'avoir peur de tout, du toit qui fume, de l'homme qui passe,
du chien qui aboie, du cheval qui galope, de l'heure qui sonne,
du jour parce qu'on voit, de la nuit parce qu'on ne voit pas,
de la route, du sentier, du buisson, du sommeil. Le soir du

second jour, il fut repris. Il n'avait ni mangé ni dormi depuis
trente-six heures. Le tribunal maritime le condamna pour ce
délit à une prolongation de trois ans, ce qui lui fit huit ans.
La sixième année, ce fut encore son tour de s'évader; il en usa,
mais il ne put consommer sa fuite. Il avait manqué à l'appel.
On tira le coup de canon, et à la nuit les gens de ronde le
trouvèrent caché sous la quille d'un vaisseau en construction;
il résista aux gardes-chiourme qui le saisirent. Évasion et rébellion. Ce fait prévu par le code spécial fut puni d'une aggravation
de cinq ans, dont deux ans de double chaîne. Treize ans. La
dixième année, son tour revint, il en profita encore. Il ne réussit
pas mieux. Tois ans pour cette nouvelle tentative. Seize ans.
Enfin, ce fut, je crois, pendant la treizième année qu'il essaya
une dernière fois et ne réussit qu'à se faire reprendre après
quatre heures d'absence. Trois ans pour ces quatre heures.
Dix-neuf ans. En octobre 1815 il fut libéré; il était entré là en
1796 pour avoir cassé un carreau et pris un pain.

Place pour une courte parenthèse. C'est la seconde fois que,
dans ses études sur la question pénale et sur la damnation par
la loi, l'auteur de ce livre rencontre le vol d'un pain, comme
point de départ du désastre d'une destinée. Claude Gueux avait
volé un pain; Jean Valjean avait volé un pain. Une statistique
anglaise constate qu'à Londres quatre vols sur cinq ont pour
cause immédiate la faim.

Jean Valjean était entré au bagne sanglotant et frémissant;
il en sortit impassible. Il y était entré désespéré; il en sortit
sombre.

Que s'était-il passé dans cette âme[1]?

VII

LE DEDANS DU DÉSESPOIR

Essayons de le dire.

Il faut bien que la société regarde ces choses puisque c'est
elle qui les fait.

C'était, nous l'avons dit, un ignorant; mais ce n'était pas un
imbécile. La lumière naturelle était allumée en lui. Le malheur,
qui a aussi sa clarté, augmenta le peu de jour qu'il y avait

dans cet esprit. Sous le bâton, sous la chaîne, au cachot, à la fatigue, sous l'ardent soleil du bagne, sur le lit de planches des forçats, il se replia en sa conscience et réfléchit.

Il se constitua tribunal.

Il commença par se juger lui-même.

Il reconnut qu'il n'était pas un innocent injustement puni. Il s'avoua qu'il avait commis une action extrême et blâmable; qu'on ne lui eût peut-être pas refusé ce pain s'il l'avait demandé; que·dans tous les cas il eût mieux valu l'attendre, soit de la pitié, soit du travail; que ce n'est pas tout à fait une raison sans réplique de dire : peut-on attendre quand on a faim? que d'abord il est très rare qu'on meure littéralement de faim; ensuite que, malheureusement ou heureusement, l'homme est ainsi fait qu'il peut souffrir longtemps et beaucoup, moralement et physiquement, sans mourir; qu'il fallait donc de la patience; que cela eût mieux valu même pour ces pauvres petits enfants; que c'était un acte de folie, à lui, malheureux homme chétif, de prendre violemment au collet la société tout entière et de se figurer qu'on sort de la misère par·le vol; que c'était, dans tous les cas, une mauvaise porte pour sortir de la misère que celle par où l'on entre dans l'infamie; enfin qu'il avait eu tort.

Puis il se demanda :

S'il était le seul qui avait eu tort dans sa fatale histoire? Si d'abord ce n'était pas une chose grave qu'il eût, lui travailleur, manqué de travail, lui laborieux, manqué de pain. Si, ensuite, la faute commise et avouée, le châtiment n'avait pas été féroce et outré. S'il n'y avait pas plus d'abus de la part de la loi dans la peine qu'il n'y avait eu d'abus de la part du coupable dans la faute. S'il n'y avait pas excès de poids dans un des plateaux de la balance, celui où est l'expiation. Si la surcharge de la peine n'était point l'effacement du délit, et n'arrivait pas à ce résultat : de retourner la situation, de remplacer la faute du délinquant par la faute de la répression, de faire du coupable la victime et du débiteur le créancier, et de mettre définitivement le droit du côté de celui-là même qui l'avait violé. Si cette peine, compliquée des aggravations successives pour les tentatives d'évasion, ne finissait pas par être une sorte d'attentat du plus fort sur le plus faible, un crime de la société sur l'individu, un crime qui recommençait tous les jours, un crime qui durait dix-neuf ans.

Il se demanda si la société humaine pouvait avoir le droit de faire également subir à ses membres, dans un cas son imprévoyance déraisonnable, et dans l'autre cas sa prévoyance impitoyable, et de saisir à jamais un pauvre homme entre un défaut et un excès, défaut de travail, excès de châtiment. S'il n'était pas exorbitant que la société traitât ainsi précisément ses membres les plus mal dotés dans la répartition de biens que fait le hasard, et par conséquent les plus dignes de ménagements.

Ces questions faites et résolues, il jugea la société et la condamna.

Il la condamna à sa haine.

Il la fit responsable du sort qu'il subissait, et se dit qu'il n'hésiterait peut-être pas à lui en demander compte un jour. Il se déclara à lui-même qu'il n'y avait pas équilibre entre le dommage qu'il avait causé et le dommage qu'on lui causait; il conclut enfin que son châtiment n'était pas, à la vérité, une injustice, mais qu'à coup sûr c'était une iniquité.

La colère peut être folle et absurde; on peut être irrité à tort; on n'est indigné que lorsqu'on a raison au fond par quelque côté. Jean Valjean se sentait indigné.

Et puis, la société humaine ne lui avait fait que du mal. Jamais il n'avait vu d'elle que ce visage courroucé qu'elle appelle sa justice et qu'elle montre à ceux qu'elle frappe. Les hommes ne l'avaient touché que pour le meurtrir. Tout contact avec eux lui avait été un coup. Jamais, depuis son enfance, depuis sa mère, depuis sa sœur, jamais il n'avait rencontré une parole amie et un regard bienveillant. De souffrance en souffrance il arriva peu à peu à cette conviction que la vie était une guerre; et que dans cette guerre il était le vaincu. Il n'avait d'autre arme que sa haine. Il résolut de l'aiguiser au bagne et de l'emporter en s'en allant.

Il y avait à Toulon une école pour la chiourme tenue par des frères ignorantins où l'on enseignait le plus nécessaire à ceux de ces malheureux qui avaient de la bonne volonté. Il fut du nombre des hommes de bonne volonté. Il alla à l'école à quarante ans, et apprit à lire, à écrire, à compter. Il sentit que fortifier son intelligence, c'était fortifier sa haine. Dans de certains cas, l'instruction et la lumière peuvent servir de rallonge au mal.

Cela est triste à dire, après avoir jugé la société qui avait fait son malheur, il jugea· la providence qui avait fait la société.

Il la condamna aussi.

Ainsi, pendant ces dix-neuf ans de torture et d'esclavage, cette âme monta et tomba en même temps. Il y entra de la lumière d'un côté et des ténèbres de l'autre.

Jean Valjean n'était pas, on l'a vu, d'une nature mauvaise. Il était encore bon lorsqu'il arriva au bagne. Il y condamna la société et sentit qu'il devenait méchant; il y condamna la providence et sentit qu'il devenait impie[1].

Ici il est difficile de ne pas méditer un instant.

La nature humaine se transforme-t-elle ainsi de fond en comble et tout à fait? L'homme créé bon par Dieu peut-il être fait méchant par l'homme? L'âme peut-elle être refaite tout d'une pièce par la destinée, et devenir mauvaise, la destinée étant mauvaise? Le cœur peut-il devenir difforme et contracter des laideurs et des infirmités incurables sous la pression d'un malheur disproportionné, comme la colonne vertébrale sous une voûte trop basse? N'y a-t-il pas dans toute âme humaine, n'y avait-il pas dans l'âme de Jean Valjean en particulier, une première étincelle, un élément divin, incorruptible dans ce monde, immortel dans l'autre, que le bien peut développer, attiser, allumer, enflammer et faire rayonner splendidement, et que le mal ne peut jamais entièrement éteindre[2]?

Questions graves et obscures, à la dernière desquelles tout physiologiste eût probablement répondu *non,* et sans hésiter, s'il eût vu à Toulon, aux heures de repos qui étaient pour Jean Valjean des heures de rêverie, assis, les bras croisés, sur la barre de quelque cabestan, le bout de sa chaîne enfoncé dans sa poche pour l'empêcher de traîner, ce galérien morne, sérieux, silencieux et pensif, paria des lois qui regardait l'homme avec colère, damné de la civilisation qui regardait le ciel avec sévérité.

Certes, et nous ne voulons pas le dissimuler, le physiologiste observateur eût vu là une misère irrémédiable, il eût plaint peut-être ce malade du fait de la loi, mais il n'eût pas même essayé de traitement; il eût détourné le regard des cavernes qu'il aurait entrevues dans cette âme; et, comme Dante de la porte de l'enfer, il eût effacé de cette existence le mot que le doigt de Dieu écrit pourtant sur le front de tout homme : *Espérance!*

Cet état de son âme que nous avons tenté d'analyser était-il aussi parfaitement clair pour Jean Valjean que nous avons essayé de le rendre pour ceux qui nous lisent? Jean Valjean voyait-il distinctement, après leur formation, et avait-il vu distinctement, à mesure qu'ils se formaient, tous les éléments dont se composait sa misère morale? Cet homme rude et illettré s'était-il bien nettement rendu compte de la succession d'idées par laquelle il était, degré à degré, monté et descendu[1] jusqu'aux lugubres aspects qui étaient depuis tant d'années déjà l'horizon intérieur de son esprit? Avait-il bien conscience de tout ce qui s'était passé en lui et de tout ce qui s'y remuait? C'est ce que nous n'oserions dire; c'est même ce que nous ne croyons pas[2]. Il y avait trop d'ignorance dans Jean Valjean pour que, même après tant de malheur, il n'y restât pas beaucoup de vague. Par moments il ne savait pas même bien au juste ce qu'il éprouvait. Jean Valjean était dans les ténèbres; il souffrait dans les ténèbres; il haïssait dans les ténèbres; on eût pu dire qu'il haïssait devant lui. Il vivait habituellement dans cette ombre, tâtonnant comme un aveugle et comme un rêveur. Seulement, par intervalles, il lui venait tout à coup, de lui-même ou du dehors, une secousse de colère, un surcroît de souffrance, un pâle et rapide éclair qui illuminait toute son âme, et faisait brusquement apparaître partout autour de lui, en avant et en arrière, aux lueurs d'une lumière affreuse, les hideux précipices et les sombres perspectives de sa destinée.

L'éclair passé, la nuit retombait, et où était-il? il ne le savait plus.

Le propre des peines de cette nature, dans lesquelles domine ce qui est impitoyable, c'est à dire ce qui est abrutissant, c'est de transformer peu à peu, par une sorte de transfiguration stupide, un homme en une bête fauve. Quelquefois en une bête féroce. Les tentatives d'évasion de Jean Valjean, successives et obstinées, suffiraient à prouver cet étrange travail fait par la loi sur l'âme humaine[3]. Jean Valjean eût renouvelé ces tentatives, si parfaitement inutiles et folles, autant de fois que l'occasion s'en fût présentée, sans songer un instant au résultat, ni aux expériences déjà faites. Il s'échappait impétueusement comme le loup qui trouve la cage ouverte. L'instinct lui disait : sauve-toi! Le raisonnement lui eût dit : reste! Mais, devant une tentation si violente, le raisonnement avait disparu; il n'y avait plus que l'instinct. La bête seule agissait. Quand il était repris, les nouvelles sévérités qu'on lui infligeait ne servaient qu'à l'effarer davantage.

Un détail que nous ne devons pas omettre, c'est qu'il était d'une force physique dont n'approchait pas un des habitants du bagne. A la fatigue, pour filer un câble, pour virer un cabestan, Jean Valjean valait quatre hommes. Il soulevait et soutenait parfois d'énormes poids sur son dos, et remplaçait dans l'occasion cet instrument qu'on appelle cric et qu'on appelait jadis orgueil, d'où a pris nom, soit dit en passant, la rue Montorgueil près des halles de Paris. Ses camarades l'avaient surnommé Jean-le-Cric. Une fois, comme on réparait le balcon de l'hôtel de ville de Toulon, une des admirables cariatides de Puget qui soutiennent ce balcon se descella et faillit tomber. Jean Valjean, qui se trouvait là, soutint de l'épaule la cariatide et donna le temps aux ouvriers d'arriver.

Sa souplesse dépassait encore sa vigueur. Certains forçats, rêveurs perpétuels d'évasions, finissent par faire de la force et de l'adresse combinées une véritable science. C'est la science des muscles. Toute une statique mystérieuse est quotidiennement pratiquée par les prisonniers, ces éternels envieux des mouches et des oiseaux. Gravir une verticale, et trouver des points d'appui là où l'on voit à peine une saillie, était un jeu pour Jean Valjean. Étant donné un angle de mur, avec la tension de son dos et de ses jarrets, avec ses coudes et ses talons emboîtés dans les aspérités de la pierre, il se hissait comme magiquement à un troisième étage. Quelquefois il montait ainsi jusqu'au toit du bagne.

Il parlait peu. Il ne riait pas. Il fallait quelque émotion extrême pour lui arracher, une ou deux fois l'an, ce lugubre rire du forçat qui est comme un écho du rire du démon. A le voir, il semblait occupé à regarder continuellement quelque chose de terrible.

Il était absorbé en effet.

A travers les perceptions maladives d'une nature incomplète et d'une intelligence accablée, il sentait confusément qu'une chose monstrueuse était sur lui. Dans cette pénombre obscure et blafarde où il rampait, chaque fois qu'il tournait le cou et qu'il essayait d'élever son regard, il voyait, avec une terreur mêlée de rage, s'échafauder, s'étager et monter à perte de vue au-dessus de lui, avec des escarpements horribles, une sorte d'entassement effrayant de choses, de lois, de préjugés, d'hommes et de faits, dont les contours lui échappaient, dont la masse l'épouvantait, et qui n'était autre chose que cette prodigieuse pyramide que nous appelons la civilisation. Il distinguait çà et là dans cet ensemble fourmillant et difforme, tantôt près de lui, tantôt loin et sur des plateaux inaccessibles, quelque groupe, quelque détail vivement éclairé, ici l'argousin et son bâton, ici le gendarme et son sabre, là-bas l'archevêque mitré, tout en haut, dans une sorte de soleil, l'empereur couronné et éblouissant. Il lui semblait que ces splendeurs lointaines, loin de dissiper sa nuit, la rendaient plus funèbre et plus noire. Tout cela, lois, préjugés, faits, hommes, choses, allait et venait au-dessus de lui, selon le mouvement compliqué et mystérieux que Dieu imprime à la civilisation, marchant sur lui et l'écrasant avec je ne sais quoi de paisible dans la cruauté et d'inexorable dans l'indifférence. Âmes tombées au fond de l'infortune possible, malheureux hommes perdus au plus bas de ces limbes où l'on ne regarde plus, les réprouvés de la loi sentent peser de tout son poids sur leur tête cette société humaine, si formidable pour qui est dehors, si effroyable pour qui est dessous [1].

Dans cette situation, Jean Valjean songeait, et quelle pouvait être la nature de sa rêverie?

Si le grain de mil sous la meule avait des pensées, il penserait sans doute ce que pensait Jean Valjean.

Toutes ces choses, réalités pleines de spectres, fantasmagories pleines de réalités, avaient fini par lui créer une sorte d'état intérieur presque inexprimable.

Par moments, au milieu de son travail du bagne, il s'arrêtait. Il se mettait à penser. Sa raison, à la fois plus mûre et plus troublée qu'autrefois, se révoltait. Tout ce qui lui était arrivé lui paraissait absurde; tout ce qui l'entourait lui paraissait impossible. Il se disait : c'est un rêve. Il regardait l'argousin debout à quelques pas de lui; l'argousin lui semblait un fantôme; tout à coup le fantôme lui donnait un coup de bâton.

La nature visible existait à peine pour lui. Il serait presque vrai de dire qu'il n'y avait point pour Jean Valjean de soleil, ni de beaux jours d'été, ni de ciel rayonnant, ni de fraîches aubes d'avril. Je ne sais quel jour de soupirail éclairait habituellement son âme.

Pour résumer, en terminant, ce qui peut être résumé et traduit en résultats positifs dans tout ce que nous venons d'indiquer, nous nous bornerons à constater qu'en dix-neuf ans,

Jean Valjean, l'inoffensif émondeur de Faverolles, le redoutable galérien de Toulon, était devenu capable, grâce à la manière dont le bagne l'avait façonné, de deux espèces de mauvaises actions : premièrement, d'une mauvaise action rapide, irréfléchie, pleine d'étourdissement, toute d'instinct, sorte de représaille pour le mal souffert; deuxièmement, d'une mauvaise action grave, sérieuse, débattue en conscience et méditée avec les idées fausses que peut donner un pareil malheur. Ses préméditations passaient par les trois phases successives que les natures d'une certaine trempe peuvent seules parcourir, raisonnement, volonté, obstination. Il avait pour mobiles l'indignation habituelle, l'amertume de l'âme, le profond sentiment des iniquités subies, la réaction, même contre les bons, les innocents et les justes, s'il y en a. Le point de départ comme le point d'arrivée de toutes ses pensées était la haine de la loi humaine; cette haine qui, si elle n'est arrêtée dans son développement par quelque incident providentiel, devient, dans un temps donné, la haine de la société, puis la haine du genre humain, puis la haine de la création, et se traduit par un vague et incessant et brutal désir de nuire, n'importe à qui, à un être vivant quelconque. — Comme on voit, ce n'était pas sans raison que le passeport qualifiait Jean Valjean d'*homme très dangereux.*

D'année en année, cette âme s'était desséchée de plus en plus, lentement, mais fatalement. A cœur sec, œil sec. A sa sortie du bagne, il y avait dix-neuf ans qu'il n'avait versé une larme.

VIII

L'ONDE ET L'OMBRE[1]

Un homme à la mer!

Qu'importe! le navire ne s'arrête pas. Le vent souffle, ce sombre navire-là a une route qu'il est forcé de continuer. Il passe.

L'homme disparaît, puis reparaît, il plonge et remonte à la surface, il appelle, il tend les bras, on ne l'entend pas; le navire, frissonnant sous l'ouragan, est tout à sa manœuvre, les matelots et les passagers ne voient même plus l'homme submergé; sa misérable tête n'est qu'un point dans l'énormité des vagues.

Il jette des cris désespérés dans les profondeurs. Quel spectre que cette voile qui s'en va! Il la regarde, il la regarde frénétiquement. Elle s'éloigne, elle blêmit, elle décroît. Il était là tout à l'heure, il était de l'équipage, il allait et venait sur le pont avec les autres, il avait sa part de respiration et de soleil, il était vivant. Maintenant, que s'est-il donc passé? Il a glissé, il est tombé, c'est fini.

Il est dans l'eau monstrueuse. Il n'a plus sous les pieds que de la fuite et de l'écroulement. Les flots déchirés et déchiquetés par le vent l'environnent hideusement, les roulis de l'abîme l'emportent, tous les haillons de l'eau s'agitent autour de sa tête, une populace de vagues crache sur lui, de confuses ouvertures le dévorent à demi; chaque fois qu'il enfonce, il entrevoit des précipices pleins de nuit; d'affreuses végétations inconnues le saisissent, lui nouent les pieds, le tirent à elles; il sent qu'il devient abîme, il fait partie de l'écume, les flots se le jettent de l'un à l'autre, il boit l'amertume, l'océan lâche s'acharne à le noyer, l'énormité joue avec son agonie. Il semble que toute cette eau soit de la haine.

Il lutte pourtant, il essaie de se défendre, il essaie de se soutenir, il fait effort, il nage. Lui, cette pauvre force tout de suite épuisée, il combat l'inépuisable.

Où donc est le navire? Là-bas. À peine visible dans les pâles ténèbres de l'horizon.

Les rafales soufflent; toutes les écumes l'accablent. Il lève les yeux et ne voit que les lividités des nuages. Il assiste, agonisant, à l'immense démence de la mer. Il est supplicié par cette folie. Il entend des bruits étrangers à l'homme qui semblent venir d'au delà de la terre et d'on ne sait quel dehors effrayant.

Il y a des oiseaux dans les nuées, de même qu'il y a des anges au-dessus des détresses humaines, mais que peuvent-ils pour lui? Cela vole, chante et plane, et lui, il râle.

Il se sent enseveli à la fois par ces deux infinis, l'océan et le ciel; l'un est une tombe, l'autre est un linceul.

La nuit descend, voilà des heures qu'il nage, ses forces sont à bout; ce navire, cette chose lointaine où il y avait des hommes, s'est effacé; il est seul dans le formidable gouffre crépusculaire, il enfonce, il se roidit, il se tord, il sent au-dessous de lui les vagues monstres de l'invisible; il appelle.

Il n'y a plus d'hommes. Où est Dieu?

Il appelle. Quelqu'un! quelqu'un! Il appelle toujours.

Rien à l'horizon. Rien au ciel.

Il implore l'étendue, la vague, l'algue, l'écueil; cela est sourd. Il supplie la tempête; la tempête imperturbable n'obéit qu'à l'infini.

Autour de lui l'obscurité, la brume, la solitude, le tumulte orageux et inconscient, le plissement indéfini des eaux farouches. En lui l'horreur et la fatigue. Sous lui la chute. Pas de point d'appui. Il songe aux aventures ténébreuses du cadavre dans l'ombre illimitée. Le froid sans fond le paralyse. Ses mains se crispent et se ferment, et prennent du néant. Vents, nuées, tourbillons, souffles, étoiles inutiles! Que faire? Le désespéré s'abandonne, qui est las prend le parti de mourir, il se laisse faire, il se laisse aller, il lâche prise, et le voilà qui roule à jamais dans les profondeurs lugubres de l'engloutissement.

O marche implacable des sociétés humaines! Pertes d'hommes et d'âmes chemin faisant! Océan où tombe tout ce que laisse tomber la loi! Disparition sinistre du secours! O mort morale!

La mer, c'est l'inexorable nuit sociale où la pénalité jette ses damnés. La mer, c'est l'immense misère.

L'âme, à vau-l'eau dans ce gouffre, peut devenir un cadavre. Qui la ressuscitera?

IX

NOUVEAUX GRIEFS

QUAND vint l'heure de la sortie du bagne, quand Jean Valjean entendit à son oreille ce mot étrange : *tu es libre!* le moment fut invraisemblable et inouï, un rayon de vive lumière, un rayon de la vraie lumière des vivants pénétra subitement en lui. Mais ce rayon ne tarda point à pâlir. Jean Valjean avait été ébloui de l'idée de la liberté. Il avait cru à une vie nouvelle.

Il vit bien vite ce que c'était qu'une liberté à laquelle on donne un passeport jaune.

Et autour de cela bien des amertumes. Il avait calculé que sa masse, pendant son séjour au bagne, aurait dû s'élever à cent soixante et onze francs. Il est juste d'ajouter qu'il avait oublié de faire entrer dans ses calculs le repos forcé des dimanches et fêtes qui, pour dix-neuf ans, entraînait une diminution de vingt-quatre francs environ. Quoi qu'il en fût, cette masse avait été réduite, par diverses retenues locales, à la somme de cent neuf francs quinze sous, qui lui avait été comptée à sa sortie.

Il n'y avait rien compris, et se croyait lésé. Disons le mot, volé [1].

Le lendemain de sa libération, à Grasse, il vit devant la porte d'une distillerie de fleurs d'oranger des hommes qui déchargeaient des ballots. Il offrit ses services. La besogne pressait, on les accepta. Il se mit à l'ouvrage. Il était intelligent, robuste et adroit; il faisait de son mieux; le maître paraissait content. Pendant qu'il travaillait, un gendarme passa, le remarqua, et lui demanda ses papiers. Il fallut montrer le passeport jaune. Cela fait, Jean Valjean reprit son travail. Un peu auparavant, il avait questionné l'un des ouvriers sur ce qu'ils gagnaient à cette besogne par jour; on lui avait répondu : *trente sous*. Le soir venu, comme il était forcé de repartir le lendemain matin, il se présenta devant le maître de la distillerie et le pria de le payer. Le maître ne proféra pas une parole, et lui remit vingt-cinq sous. Il réclama. On lui répondit : *cela est assez bon pour toi*. Il insista. Le maître le regarda entre les deux yeux et lui dit : *Gare le bloc* [*]!

Là encore il se considéra comme volé.

La société, l'état, en lui diminuant sa masse, l'avait volé en grand. Maintenant c'était le tour de l'individu qui le volait en petit.

Libération n'est pas délivrance. On sort du bagne, mais non de la condamnation.

Voilà ce qui lui était arrivé à Grasse. On a vu de quelle façon il avait été accueilli à Digne.

---

[*] La prison.

X

L'HOMME RÉVEILLÉ

Donc, comme deux heures du matin sonnaient à l'horloge de la cathédrale, Jean Valjean se réveilla.

Ce qui le réveilla, c'est que le lit était trop bon. Il y avait vingt ans bientôt qu'il n'avait couché dans un lit, et quoiqu'il ne se fût pas déshabillé, la sensation était trop nouvelle pour ne pas troubler son sommeil.

Il avait dormi plus de quatre heures. Sa fatigue était passée. Il était accoutumé à ne pas donner beaucoup d'heures au repos.

Il ouvrit les yeux, et regarda un moment dans l'obscurité autour de lui, puis il les referma pour se rendormir.

Quand beaucoup de sensations diverses ont agité la journée, quand des choses préoccupent l'esprit, on s'endort, mais on ne se rendort pas. Le sommeil vient plus aisément qu'il ne revient. C'est ce qui arriva à Jean Valjean. Il ne put se rendormir, et il se mit à penser.

Il était dans un de ces moments où les idées qu'on a dans l'esprit sont troubles. Il avait une sorte de va-et-vient obscur dans le cerveau. Ses souvenirs anciens et ses souvenirs immédiats y flottaient pêle-mêle et s'y croisaient confusément, perdant leurs formes, se grossissant démesurément, puis disparaissant tout à coup comme dans une eau fangeuse et agitée. Beaucoup de pensées lui venaient, mais il y en avait une qui se représentait continuellement et qui chassait toutes les autres. Cette pensée, nous allons la dire tout de suite : — il avait remarqué les six couverts d'argent et la grande cuiller que madame Magloire avait posés sur la table.

Ces six couverts d'argent l'obsédaient. — Ils étaient là. — A quelques pas. — A l'instant où il avait traversé la chambre d'à côté pour venir dans celle où il était, la vieille servante les mettait dans un petit placard à la tête du lit. — Il avait bien remarqué ce placard. — A droite, en entrant par la salle à manger. — Ils étaient massifs. — Et de vieille argenterie. — Avec la grande cuiller, on en tirerait au moins deux cents francs. — Le double de ce qu'il avait gagné en dix-neuf ans. — Il est vrai qu'il eût gagné davantage si l'*administration* ne l'avait pas *volé*.

Son esprit oscilla toute une grande heure dans des fluctuations auxquelles se mêlait bien quelque lutte. Trois heures sonnèrent. Il rouvrit les yeux, se dressa brusquement sur son séant, étendit le bras et tâta son havresac qu'il avait jeté dans le coin de l'alcôve, puis il laissa pendre ses jambes et poser ses pieds à terre, et se trouva, presque sans savoir comment, assis sur son lit.

Il resta un certain temps rêveur dans cette attitude qui eût eu quelque chose de sinistre pour quelqu'un qui l'eût aperçu ainsi dans cette ombre, seul éveillé dans la maison endormie. Tout à coup il se baissa, ôta ses souliers et les posa doucement sur la natte près du lit, puis il reprit sa posture de rêverie et redevint immobile.

Au milieu de cette méditation hideuse, les idées que nous venons d'indiquer remuaient sans relâche son cerveau, entraient, sortaient, rentraient, faisaient sur lui une sorte de pesée; et puis il songeait aussi, sans savoir pourquoi, et avec cette obstination machinale de la rêverie, à un forçat nommé Brevet qu'il avait connu au bagne, et dont le pantalon n'était retenu que par une seule bretelle de coton tricoté. Le dessin en damier de cette bretelle lui revenait sans cesse à l'esprit[1].

Il demeurait dans cette situation, et y fût peut-être resté indéfiniment jusqu'au lever du jour, si l'horloge n'eût sonné un coup, — le quart ou la demie. Il sembla que ce coup lui eût dit : allons!

Il se leva debout, hésita encore un moment, et écouta; tout se taisait dans la maison; alors il marcha droit et à petits pas vers la fenêtre qu'il entrevoyait. La nuit n'était pas très obscure; c'était une pleine lune sur laquelle couraient de larges nuées chassées par le vent. Cela faisait au dehors des alternatives d'ombre et de clarté, des éclipses, puis des éclaircies, et au dedans une sorte de crépuscule. Ce crépuscule, suffisant pour qu'on pût se guider, intermittent à cause des nuages, ressemblait à l'espèce de lividité qui tombe d'un soupirail de cave devant lequel vont et viennent des passants[2]. Arrivé à la fenêtre, Jean Valjean l'examina. Elle était sans barreaux, donnait sur le jardin et n'était fermée, selon la mode du pays, que d'une petite clavette. Il l'ouvrit, mais, comme un air froid et vif entra brusquement dans la chambre, il la referma tout de suite. Il regarda le jardin de ce regard attentif qui étudie plus encore qu'il ne regarde. Le jardin était enclos d'un mur blanc assez bas, facile à escalader. Au fond, au delà, il distingua des têtes d'arbres également espacées, ce qui indiquait que ce mur séparait le jardin d'une avenue ou d'une ruelle plantée.

Ce coup d'œil jeté, il fit le mouvement d'un homme déterminé, marcha à son alcôve, prit son havresac, l'ouvrit, le fouilla, en tira quelque chose qu'il posa sur le lit, mit ses souliers dans une des poches, referma le tout, chargea le sac sur ses épaules, se couvrit de sa casquette dont il baissa la visière sur ses yeux, chercha son bâton en tâtonnant, et l'alla poser dans l'angle de la fenêtre, puis revint au lit et saisit résolument l'objet qu'il y avait déposé. Cela ressemblait à une barre de fer courte, aiguisée comme un épieu à l'une de ses extrémités.

Il eût été difficile de distinguer dans les ténèbres pour quel emploi avait pu être façonné ce morceau de fer. C'était peut-être un levier? C'était peut-être une massue?

Au jour on eût pu reconnaître que ce n'était autre chose qu'un chandelier de mineur. On employait alors quelquefois les forçats à extraire de la roche des hautes collines qui environnent Toulon, et il n'était pas rare qu'ils eussent à leur disposition des outils de mineur. Les chandeliers des mineurs sont en fer massif, terminés à leur extrémité inférieure par une pointe au moyen de laquelle on les enfonce dans le rocher[1].

Il prit ce chandelier dans sa main droite, et retenant son haleine, assourdissant son pas, il se dirigea vers la porte de la chambre voisine, celle de l'évêque, comme on sait. Arrivé à cette porte, il la trouva entre-bâillée. L'évêque ne l'avait point fermée.

XI

CE QU'IL FAIT

Jean Valjean écouta. Aucun bruit.

Il poussa la porte.

Il la poussa du bout du doigt, légèrement, avec cette douceur furtive et inquiète d'un chat qui veut entrer.

La porte céda à la pression et fit un mouvement imperceptible et silencieux qui élargit un peu l'ouverture.

Il attendit un moment, puis poussa la porte une seconde fois, plus hardiment.

Elle continua de céder en silence. L'ouverture était assez grande maintenant pour qu'il pût passer. Mais il y avait près de la porte une petite table qui faisait avec elle un angle gênant et qui barrait l'entrée.

Jean Valjean reconnut la difficulté. Il fallait à toute force que l'ouverture fût encore élargie.

Il prit son parti, et poussa une troisième fois la porte, plus énergiquement que les deux premières. Cette fois il y eut un gond mal huilé qui jeta tout à coup dans cette obscurité un cri rauque et prolongé.

Jean Valjean tressaillit. Le bruit de ce gond sonna dans son oreille avec quelque chose d'éclatant et de formidable comme le clairon du jugement dernier.

Dans les grossissements fantastiques de la première minute, il se figura presque que ce gond venait de s'animer et de prendre tout à coup une vie terrible, et qu'il aboyait comme un chien pour avertir tout le monde et réveiller les gens endormis.

Il s'arrêta, frissonnant, éperdu, et retomba de la pointe du pied sur le talon. Il entendait ses artères battre dans ses tempes comme deux marteaux de forge, et il lui semblait que son souffle sortait de sa poitrine avec le bruit du vent qui sort d'une caverne. Il lui paraissait impossible que l'horrible clameur de ce gond irrité n'eût pas ébranlé toute la maison comme une secousse de tremblement de terre; la porte, poussée par lui, avait pris l'alarme et avait appelé; le vieillard allait se lever, les deux vieilles femmes allaient crier, on viendrait à l'aide; avant un quart d'heure, la ville serait en rumeur et la gendarmerie sur pied. Un moment il se crut perdu.

Il demeura où il était, pétrifié comme la statue de sel, n'osant faire un mouvement.

Quelques minutes s'écoulèrent. La porte s'était ouverte toute grande. Il se hasarda à regarder dans la chambre. Rien n'y avait bougé. Il prêta l'oreille. Rien ne remuait dans la maison. Le bruit du gond rouillé n'avait éveillé personne.

Ce premier danger était passé, mais il y avait encore en lui un affreux tumulte. Il ne recula pas pourtant. Même quand il s'était cru perdu, il n'avait pas reculé. Il ne songea plus qu'à finir vite. Il fit un pas et entra dans la chambre.

Cette chambre était dans un calme parfait. On y distinguait çà et là des formes confuses et vagues qui, au jour, étaient des papiers épars sur une table, des in-folio ouverts, des volumes empilés sur un tabouret, un fauteuil chargé de vêtements, un prie-Dieu, et qui à cette heure n'étaient plus que des coins ténébreux et des places blanchâtres. Jean Valjean avança avec précaution en évitant de se heurter aux meubles. Il entendait au fond de la chambre la respiration égale et tranquille de l'évêque endormi.

Il s'arrêta tout à coup. Il était près du lit. Il y était arrivé plus tôt qu'il n'aurait cru.

La nature mêle quelquefois ses effets et ses spectacles à nos actions avec une espèce d'à-propos sombre et intelligent, comme si elle voulait nous faire réfléchir. Depuis près d'une demi-heure un grand nuage couvrait le ciel. Au moment où Jean Valjean s'arrêta en face du lit, ce nuage se déchira, comme s'il l'eût fait exprès, et un rayon de lune, traversant la longue fenêtre, vint éclairer subitement le visage pâle de l'évêque. Il dormait paisiblement. Il était presque vêtu dans son lit, à cause des nuits froides des Basses-Alpes, d'un vêtement de laine brune qui lui couvrait les bras jusqu'aux poignets. Sa tête était renversée sur l'oreiller dans l'attitude abandonnée du repos; il laissait pendre hors du lit sa main ornée de l'anneau pastoral et d'où étaient tombées tant de bonnes œuvres et de saintes actions. Toute sa face s'illuminait d'une vague expression de satisfaction, d'espérance et de béatitude. C'était plus qu'un sourire et presque un rayonnement. Il y avait sur son front l'inexprimable réverbération d'une lumière qu'on ne voyait pas [1]. L'âme des justes pendant le sommeil contemple un ciel mystérieux.

Un reflet de ce ciel était sur l'évêque.

C'était en même temps une transparence lumineuse, car ce ciel était au dedans de lui. Ce ciel, c'était sa conscience.

Au moment où le rayon de lune vint se superposer, pour ainsi dire, à cette clarté intérieure, l'évêque endormi apparut comme dans une gloire. Cela pourtant resta doux et voilé d'un demi-jour ineffable. Cette lune dans le ciel, cette nature assoupie, ce jardin sans un frisson, cette maison si calme, l'heure, le moment, le silence, ajoutaient je ne sais quoi de solennel et d'indicible au vénérable repos de ce sage, et enveloppaient d'une sorte d'auréole majestueuse et sereine ces cheveux blancs et ces yeux fermés, cette figure où tout était espérance et où tout était confiance, cette tête de vieillard et ce sommeil d'enfant.

Il y avait presque de la divinité dans cet homme ainsi auguste à son insu.

Jean Valjean, lui, était dans l'ombre, son chandelier de fer à la main, debout, immobile, effaré de ce vieillard lumineux. Jamais il n'avait rien vu de pareil. Cette confiance l'épouvantait. Le monde moral n'a pas de plus grand spectacle que celui-là : une conscience troublée et inquiète, parvenue au bord d'une mauvaise action, et contemplant le sommeil d'un juste[1].

Ce sommeil, dans cet isolement, et avec un voisin tel que lui, avait quelque chose de sublime qu'il sentait vaguement, mais impérieusement.

Nul n'eût pu dire ce qui se passait en lui, pas même lui. Pour essayer de s'en rendre compte, il faut rêver ce qu'il y a de plus violent en présence de ce qu'il y a de plus doux. Sur son visage même on n'eût rien pu distinguer avec certitude. C'était une sorte d'étonnement hagard. Il regardait cela. Voilà tout. Mais quelle était sa pensée? il eût été impossible de le deviner. Ce qui était évident, c'est qu'il était ému et bouleversé. Mais de quelle nature était cette émotion?[2]

Son œil ne se détachait pas du vieillard. La seule chose qui se dégageât clairement de son attitude et de sa physionomie, c'était une étrange indécision. On eût dit qu'il hésitait entre les deux abîmes, celui où l'on se perd et celui où l'on se sauve. Il semblait prêt à briser ce crâne ou à baiser cette main.

Au bout de quelques instants, son bras gauche se leva lentement vers son front, et il ôta sa casquette, puis son bras retomba avec la même lenteur, et Jean Valjean rentra dans sa contemplation, sa casquette dans la main gauche, sa massue dans la main droite, ses cheveux hérissés sur sa tête farouche.

L'évêque continuait de dormir dans une paix profonde sous ce regard effrayant.

Un reflet de lune faisait confusément visible au-dessus de la cheminée le crucifix qui semblait leur ouvrir les bras à tous les deux, avec une bénédiction pour l'un et un pardon pour l'autre.[3]

Tout à coup Jean Valjean remit sa casquette sur son front,

puis marcha rapidement, le long du lit, sans regarder l'évêque, droit au placard qu'il entrevoyait près du chevet; il leva
le chandelier de fer comme pour forcer la serrure; la clef y était;
il l'ouvrit; la première chose qui lui apparut fut le panier d'argenterie; il le prit, traversa la chambre à grands pas sans précaution et sans s'occuper du bruit, gagna la porte, rentra
dans l'oratoire, ouvrit la fenêtre, saisit son bâton, enjamba
l'appui du rez-de-chaussée, mit l'argenterie dans son sac, jeta
le panier, franchit le jardin, sauta par-dessus le mur comme
un tigre, et s'enfuit.

XII

L'ÉVÊQUE TRAVAILLE

Le lendemain, au soleil levant, monseigneur Bienvenu se
promenait dans son jardin. Madame Magloire accourut vers
lui toute bouleversée.

— Monseigneur, monseigneur, cria-t-elle, votre grandeur
sait-elle où est le panier d'argenterie?

— Oui, dit l'évêque.

— Jésus-Dieu soit béni! reprit-elle. Je ne savais ce qu'il
était devenu.

L'évêque venait de ramasser le panier dans une plate-
bande. Il le présenta à madame Magloire.

— Le voilà.

— Eh bien? dit-elle. Rien dedans! et l'argenterie?

— Ah! repartit l'évêque. C'est donc l'argenterie qui vous occupe? Je ne sais où elle est.

— Grand bon Dieu! elle est volée! C'est l'homme d'hier
soir qu'il l'a volée!

En un clin d'œil, avec toute sa vivacité de vieille alerte,
madame Magloire courut à l'oratoire, entra dans l'alcôve et
revint vers l'évêque. L'évêque venait de se baisser et considérait en soupirant un plant de cochléaria des Guillons que
le panier avait brisé en tombant à travers la plate-bande.
Il se redressa au cri de madame Magloire.

— Monseigneur, l'homme est parti! l'argenterie est volée!

Tout en poussant cette exclamation, ses yeux tombaient sur

un angle du jardin où l'on voyait des traces d'escalade. Le chevron du mur avait été arraché.

— Tenez! c'est par là qu'il s'en est allé. Il a sauté dans la ruelle Cochefilet! Ah! l'abomination! Il nous a volé notre argenterie!

L'évêque resta un moment silencieux, puis leva son œil sérieux, et dit à madame Magloire avec douceur :

— Et d'abord, cette argenterie était-elle à nous?

Madame Magloire resta interdite. Il y eut encore un silence, puis l'évêque continua :

— Madame Magloire, je détenais à tort et depuis longtemps cette argenterie. Elle était aux pauvres. Qu'était-ce que cet homme? Un pauvre évidemment.

— Hélas Jésus! repartit madame Magloire. Ce n'est pas pour moi ni pour mademoiselle. Cela nous est bien égal. Mais c'est pour monseigneur. Dans quoi monseigneur va-t-il manger maintenant?

L'évêque la regarda d'un air étonné.

— Ah çà mais! est-ce qu'il n'y a pas des couverts d'étain?

Madame Magloire haussa les épaules.

— L'étain a une odeur.

— Alors, des couverts de fer.

Madame Magloire fit une grimace significative.

— Le fer a un goût.

— Eh bien, dit l'évêque, des couverts de bois.

Quelques instants après, il déjeunait à cette même table où Jean Valjean s'était assis la veille. Tout en déjeunant, monseigneur Bienvenu faisait gaîment remarquer à sa sœur qui ne disait rien et à madame Magloire qui grommelait sourdement qu'il n'est nullement besoin d'une cuiller ni d'une fourchette, même en bois, pour tremper un morceau de pain dans une tasse de lait.

— Aussi a-t-on idée! disait madame Magloire toute seule en allant et venant, recevoir un homme comme cela! et le loger à côté de soi! et quel bonheur encore qu'il n'ait fait que voler! Ah mon Dieu! cela fait frémir quand on songe!

Comme le frère et la sœur allaient se lever de table, on frappa à la porte.

— Entrez, dit l'évêque.

La porte s'ouvrit. Un groupe étrange et violent apparut sur le seuil. Trois hommes en tenaient un quatrième au collet. Les trois hommes étaient des gendarmes; l'autre était Jean Valjean.

Un brigadier de gendarmerie, qui semblait conduire le groupe, était près de la porte. Il entra et s'avança vers l'évêque en faisant le salut militaire.

— Monseigneur... dit-il.

A ce mot, Jean Valjean, qui était morne et semblait abattu, releva la tête d'un air stupéfait.

— Monseigneur! murmura-t-il. Ce n'est donc pas le curé...

— Silence! dit un gendarme. C'est monseigneur l'évêque.

Cependant monseigneur Bienvenu s'était approché aussi vivement que son grand âge le lui permettait.

— Ah! vous voilà! s'écria-t-il en regardant Jean Valjean. Je suis aise de vous voir. Eh bien mais! je vous avais donné les chandeliers aussi, qui sont en argent comme le reste et dont vous pourrez bien avoir deux cents francs. Pourquoi ne les avez-vous pas emportés avec vos couverts?

Jean Valjean ouvrit les yeux et regarda le vénérable évêque avec une expression qu'aucune langue humaine ne pourrait rendre.

— Monseigneur, dit le brigadier de gendarmerie, ce que cet homme disait était donc vrai? Nous l'avons rencontré. Il allait comme quelqu'un qui s'en va. Nous l'avons arrêté pour voir. Il avait cette argenterie...

— Et il vous a dit, interrompit l'évêque en souriant, qu'elle lui avait été donnée par un vieux bonhomme de prêtre chez lequel il avait passé la nuit? Je vois la chose. Et vous l'avez ramené ici? C'est une méprise.

— Comme cela, reprit le brigadier, nous pouvons le laisser aller?

— Sans doute, répondit l'évêque.

Les gendarmes lâchèrent Jean Valjean qui recula.

— Est-ce que c'est vrai qu'on me laisse? dit-il d'une voix presque inarticulée et comme s'il parlait dans le sommeil.

— Oui, on te laisse, tu n'entends donc pas? dit un gendarme.

— Mon ami, reprit l'évêque, avant de vous en aller, voici vos chandeliers. Prenez-les.

Il alla à la cheminée, prit les deux flambeaux d'argent et les apporta à Jean Valjean. Les deux femmes le regardaient faire sans un mot, sans un geste, sans un regard qui pût déranger l'évêque.

Jean Valjean tremblait de tous ses membres. Il prit les deux chandeliers machinalement et d'un air égaré.

— Maintenant, dit l'évêque, allez en paix. — A propos, quand vous reviendrez, mon ami, il est inutile de passer par le jardin. Vous pourrez toujours entrer et sortir par la porte de la rue. Elle n'est fermée qu'au loquet jour et nuit.

Puis se tournant vers la gendarmerie :

— Messieurs, vous pouvez vous retirer.

Les gendarmes s'éloignèrent.

Jean Valjean était comme un homme qui va s'évanouir.

L'évêque s'approcha de lui, et lui dit à voix basse :

— N'oubliez pas, n'oubliez jamais que vous m'avez promis d'employer cet argent à devenir honnête homme.

Jean Valjean, qui n'avait aucun souvenir d'avoir rien promis, resta interdit. L'évêque avait appuyé sur ces paroles en les prononçant. Il reprit avec une sorte de solennité :

— Jean Valjean, mon frère, vous n'appartenez plus au mal, mais au bien. C'est votre âme que je vous achète; je la retire aux pensées noires et à l'esprit de perdition, et je la donne à Dieu [1].

XIII

PETIT-GERVAIS [2]

JEAN VALJEAN sortit de la ville comme s'il s'échappait. Il se mit à marcher en toute hâte dans les champs, prenant les chemins et les sentiers qui se présentaient sans s'apercevoir qu'il revenait à chaque instant sur ses pas. Il erra ainsi toute la matinée, n'ayant pas mangé et n'ayant pas faim. Il était en proie à une foule de sensations nouvelles. Il se sentait une sorte de colère; il ne savait contre qui. Il n'eût pu dire s'il était touché ou humilié. Il lui venait par moments un attendrissement étrange qu'il combattait et auquel il opposait l'endurcissement de ses vingt dernières années. Cet état le fatiguait. Il voyait avec inquiétude s'ébranler au dedans de lui l'espèce de calme affreux que l'injustice de son malheur lui avait donné.

Il se demandait qu'est-ce qui remplacerait cela. Parfois il eût vraiment mieux aimé être en prison avec les gendarmes, et que les choses ne se fussent point passées ainsi; cela l'eût moins agité. Bien que la saison fût assez avancée, il y avait encore çà et là dans les haies quelques fleurs tardives dont l'odeur, qu'il traversait en marchant, lui rappelait des souvenirs d'enfance. Ces souvenirs lui étaient presque insupportables, tant il y avait longtemps qu'ils ne lui étaient apparus.

Des pensées inexprimables s'amoncelèrent ainsi en lui toute la journée.

Comme le soleil déclinait au couchant, allongeant sur le sol l'ombre du moindre caillou, Jean Valjean était assis derrière un buisson dans une grande plaine rousse absolument déserte. Il n'y avait à l'horizon que les Alpes[1]. Pas même le clocher d'un village lointain. Jean Valjean pouvait être à trois lieues de Digne. Un sentier qui coupait la plaine passait à quelques pas du buisson.

Au milieu de cette méditation qui n'eût pas peu contribué à rendre ses haillons effrayants pour quelqu'un qui l'eût rencontré, il entendit un bruit joyeux.

Il tourna la tête, et vit venir par le sentier un petit savoyard d'une dizaine d'années qui chantait, sa vielle au flanc et sa boîte à marmotte sur le dos; un de ces doux et gais enfants qui vont de pays en pays, laissant voir leurs genoux par les trous de leur pantalon.

Tout en chantant l'enfant interrompait de temps en temps sa marche et jouait aux osselets avec quelques pièces de monnaie qu'il avait dans sa main, toute sa fortune probablement. Parmi cette monnaie il y avait une pièce de quarante sous.

L'enfant s'arrêta à côté du buisson sans voir Jean Valjean et fit sauter sa poignée de sous que jusque-là il avait reçue avec assez d'adresse tout entière sur le dos de sa main.

Cette fois la pièce de quarante sous lui échappa, et vint rouler vers la broussaille jusqu'à Jean Valjean.

Jean Valjean posa le pied dessus.

Cependant l'enfant avait suivi sa pièce du regard, et l'avait vu.

Il ne s'étonna point et marcha droit sur l'homme.

C'était un lieu absolument solitaire. Aussi loin que le regard pouvait s'étendre, il n'y avait personne dans la plaine ni dans le sentier. On n'entendait que les petits cris faibles d'une nuée d'oiseaux de passage qui traversaient le ciel à une hauteur immense. L'enfant tournait le dos au soleil qui lui mettait des fils d'or dans les cheveux et qui empourprait d'une lueur sanglante la face sauvage de Jean Valjean.

— Monsieur, dit le petit savoyard, avec cette confiance de l'enfance qui se compose d'ignorance et d'innocence, — ma pièce?

— Comment t'appelles-tu? dit Jean Valjean.

— Petit-Gervais, monsieur.

— Va-t'en, dit Jean Valjean.

— Monsieur, reprit l'enfant, rendez-moi ma pièce.

Jean Valjean baissa la tête et ne répondit pas.

L'enfant recommença :

— Ma pièce, monsieur!

L'œil de Jean Valjean resta fixé à terre.

— Ma pièce! cria l'enfant, ma pièce blanche! mon argent!

Il semblait que Jean Valjean n'entendît point. L'enfant le prit au collet de sa blouse et le secoua. Et en même temps il faisait effort pour déranger le gros soulier ferré posé sur son trésor.

— Je veux ma pièce! ma pièce de quarante sous!

L'enfant pleurait. La tête de Jean Valjean se releva. Il était toujours assis. Ses yeux étaient troubles. Il considéra l'enfant avec une sorte d'étonnement, puis il étendit la main vers son bâton et cria d'une voix terrible :

— Qui est là?

— Moi, monsieur, répondit l'enfant. Petit-Gervais! moi! moi! Rendez-moi mes quarante sous, s'il vous plaît! Ôtez votre pied, monsieur, s'il vous plaît!

Puis irrité, quoique tout petit, et devenant presque menaçant :

— Ah çà, ôterez-vous votre pied? Ôtez donc votre pied, voyons.

— Ah! c'est encore toi! dit Jean Valjean, et se dressant brusquement tout debout, le pied toujours sur la pièce d'argent, il ajouta : — Veux-tu bien te sauver!

L'enfant effaré le regarda, puis commença à trembler de la tête aux pieds, et, après quelques secondes de stupeur, se mit à s'enfuir en courant de toutes ses forces sans oser tourner le cou ni jeter un cri.

Cependant à une certaine distance l'essoufflement le força de s'arrêter, et Jean Valjean, à travers sa rêverie, l'entendit qui sanglotait.

Au bout de quelques instants l'enfant avait disparu.

Le soleil s'était couché.

L'ombre se faisait autour de Jean Valjean. Il n'avait pas mangé de la journée; il est probable qu'il avait la fièvre.

Il était resté debout, et n'avait pas changé d'attitude depuis que l'enfant s'était enfui. Son souffle soulevait sa poitrine à des intervalles longs et inégaux. Son regard, arrêté à dix ou douze pas devant lui, semblait étudier avec une attention profonde la forme d'un vieux tesson de faïence bleue tombé dans l'herbe [1]. Tout à coup il tressaillit; il venait de sentir le froid du soir.

Il raffermit sa casquette sur son front, chercha machinalement à croiser et à boutonner sa blouse, fit un pas, et se baissa pour reprendre à terre son bâton.

En ce moment il aperçut la pièce de quarante sous que son pied avait à demi enfoncée dans la terre et qui brillait parmi les cailloux.

Ce fut comme une commotion galvanique. — Qu'est-ce que c'est que. ça? dit-il entre ses dents. Il recula de trois pas, puis s'arrêta, sans pouvoir détacher son regard de ce point que son pied avait foulé l'instant d'auparavant, comme si cette chose qui luisait là dans l'obscurité eût été un œil ouvert fixé sur lui.

Au bout de quelques minutes, il s'élança convulsivement vers la pièce d'argent, la saisit, et, se redressant, se mit à regarder au loin dans la plaine, jetant à la fois ses yeux vers tous les points de l'horizon, debout et frissonnant comme une bête fauve effarée qui cherche un asile.

Il ne vit rien. La nuit tombait, la plaine était froide et vague, de grandes brumes violettes montaient dans la clarté crépusculaire.

Il dit : Ah! et se mit à marcher rapidement dans une certaine direction, du côté où l'enfant avait disparu. Après une centaine de pas, il s'arrêta, regarda, et ne vit rien.

Alors il cria de toute sa force : Petit-Gervais! Petit-Gervais!

Il se tut, et attendit.

Rien ne répondit.

La campagne était déserte et morne. Il était environné de l'étendue. Il n'y avait rien autour de lui qu'une ombre où se perdait son regard et un silence où sa voix se perdait.

Une bise glaciale soufflait, et donnait aux choses autour de lui une sorte de vie lugubre. Des arbrisseaux secouaient leurs petits bras maigres avec une furie incroyable. On eût dit qu'ils menaçaient et poursuivaient quelqu'un[1].

Il recommença à marcher, puis il se mit à courir, et de temps en temps il s'arrêtait, et criait dans cette solitude, avec une voix qui était ce qu'on pouvait entendre de plus formidable et de plus désolé : Petit-Gervais! Petit-Gervais!

Certes, si l'enfant l'eût entendu, il eût eu peur et se fût bien gardé de se montrer. Mais l'enfant était sans doute déjà bien loin.

Il rencontra un prêtre qui était à cheval. Il alla à lui et lui dit :

— Monsieur le curé, avez-vous vu passer un enfant?

— Non, dit le prêtre.

— Un nommé Petit-Gervais?

— Je n'ai vu personne.

Il tira deux pièces de cinq francs de sa sacoche et les remit au prêtre.

— Monsieur le curé, voici pour vos pauvres. — Monsieur le curé, c'est un petit d'environ dix ans qui a une marmotte, je crois, et une vielle. Il allait. Un de ces savoyards, vous savez?

— Je ne l'ai point vu.

— Petit-Gervais? il n'est point des villages d'ici? pouvez-vous me dire?

— Si c'est comme vous dites, mon ami, c'est un petit enfant étranger. Cela passe dans le pays. On ne les connaît pas.

Jean Valjean prit violemment deux autres écus de cinq francs qu'il donna au prêtre.

— Pour vos pauvres, dit-il.

Puis il ajouta avec égarement :

— Monsieur l'abbé, faites-moi arrêter. Je suis un voleur.

Le prêtre piqua des deux et s'enfuit très effrayé.

Jean Valjean se remit à courir dans la direction qu'il avait d'abord prise.

Il fit de la sorte un assez long chemin, regardant, appelant, criant, mais il ne rencontra plus personne. Deux ou trois fois il courut dans la plaine vers quelque chose qui lui faisait l'effet d'un être couché ou accroupi; ce n'était que des broussailles ou des roches à fleur de terre. Enfin, à un endroit où trois sentiers se croisaient, il s'arrêta. La lune s'était levée. Il promena sa vue au loin et appela une dernière fois : Petit-Gervais! Petit-Gervais! Petit-Gervais! Son cri s'éteignit dans la brume, sans même éveiller un écho. Il murmura encore : Petit-Gervais! mais d'une voix faible et presque inarticulée. Ce fut là son dernier effort; ses jarrets fléchirent brusquement sous lui comme si une puissance invisible l'accablait tout à coup du poids de sa mauvaise conscience; il tomba épuisé sur une grosse pierre, les poings dans ses cheveux et le visage dans ses genoux, et il cria : Je suis un misérable!

Alors son cœur creva et il se mit à pleurer. C'était la première fois qu'il pleurait depuis dix-neuf ans.

Quand Jean Valjean était sorti de chez l'évêque, on l'a vu, il était hors de tout ce qui avait été sa pensée jusque-là. Il ne pouvait se rendre compte de ce qui se passait en lui. Il se roidissait contre l'action angélique et contre les douces paroles du vieillard. « Vous m'avez promis de devenir honnête homme. « Je vous achète votre âme. Je la retire à l'esprit de perversité « et je la donne au bon Dieu. » Cela lui revenait sans cesse. Il opposait à cette indulgence céleste l'orgueil, qui est en nous comme la forteresse du mal. Il sentait indistinctement que le pardon de ce prêtre était le plus grand assaut et la plus formidable attaque dont il eût encore été ébranlé; que son endurcissement serait définitif s'il résistait à cette clémence; que, s'il cédait, il faudrait renoncer à cette haine dont les actions des autres hommes avaient rempli son âme pendant tant d'années, et qui lui plaisait; que cette fois il fallait vaincre ou être vaincu, et que la lutte, une lutte colossale et décisive, était engagée entre sa méchanceté à lui et la bonté de cet homme.

En présence de toutes ces lueurs, il allait comme un homme ivre. Pendant qu'il marchait ainsi, les yeux hagards, avait-il une perception distincte de ce qui pourrait résulter pour lui de son aventure à Digne? Entendait-il tous ces bourdonnements mystérieux qui avertissent ou importunent l'esprit à de certains moments de la vie? Une voix lui disait-elle à l'oreille qu'il venait de traverser l'heure solennelle de sa destinée, qu'il n'y avait plus de milieu pour lui, que si désormais il n'était pas le meilleur des hommes il en serait le pire, qu'il fallait pour ainsi dire que maintenant il montât plus haut que l'évêque ou retombât plus bas que le galérien, que s'il voulait devenir bon il fallait qu'il devînt ange, que s'il voulait rester méchant il fallait qu'il devînt monstre?[1]

Ici encore il faut se faire ces questions que nous nous sommes déjà faites ailleurs, recueillait-il confusément quelque ombre de tout ceci dans sa pensée?[1] Certes, le malheur, nous l'avons dit, fait l'éducation de l'intelligence; cependant il est douteux que Jean Valjean fût en état de démêler tout ce que nous indiquons ici. Si ces idées lui arrivaient, il les entrevoyait plutôt qu'il ne les voyait, et elles ne réussissaient qu'à le jeter dans un trouble insupportable et presque douloureux. Au sortir de cette chose difforme et noire qu'on appelle le bagne, l'évêque lui avait fait mal à l'âme comme une clarté trop vive lui eût fait mal aux yeux en sortant des ténèbres. La vie future, la vie possible qui s'offrait désormais à lui toute pure et toute rayonnante le remplissait de frémissements et d'anxiété. Il ne savait vraiment plus où il en était. Comme une chouette qui verrait brusquement se lever le soleil, le forçat avait été ébloui et comme aveuglé par la vertu.

Ce qui était certain, ce dont il ne se doutait pas, c'est qu'il n'était déjà plus le même homme, c'est que tout était changé en lui, c'est qu'il n'était plus en son pouvoir de faire que l'évêque ne lui eût pas parlé et ne l'eût pas touché.

Dans cette situation d'esprit, il avait rencontré Petit-Gervais et lui avait volé ses quarante sous. Pourquoi? Il n'eût assurément pu l'expliquer, était-ce un dernier effet et comme un suprême effort des mauvaises pensées qu'il avait apportées du bagne, un reste d'impulsion, un résultat de ce qu'on appelle en statique *la force acquise?* C'était cela, et c'était aussi peut-être moins encore que cela. Disons-le simplement, ce n'était pas lui qui avait volé, ce n'était pas l'homme, c'était la bête qui, par habitude et par instinct, avait stupidement posé le pied sur cet argent, pendant que l'intelligence se débattait au milieu de tant d'obsessions inouïes et nouvelles. Quand l'intelligence se réveilla et vit cette action de la brute, Jean Valjean recula avec angoisse et poussa un cri d'épouvante.

C'est que, phénomène étrange et qui n'était possible que dans la situation où il était, en volant cet argent à cet enfant, il avait fait une chose dont il n'était déjà plus capable[2].

Quoi qu'il en soit, cette dernière mauvaise action eut sur lui un effet décisif; elle traversa brusquement ce chaos qu'il avait dans l'intelligence et le dissipa, mit d'un côté les épaisseurs obscures et de l'autre la lumière, et agit sur son âme, dans l'état où elle se trouvait, comme de certains réactifs chimiques agissent sur un mélange trouble en précipitant un élément et en clarifiant l'autre.

Tout d'abord avant même de s'examiner et de réfléchir, éperdu, comme quelqu'un qui cherche à se sauver, il tâcha de retrouver l'enfant pour lui rendre son argent, puis, quand il reconnut que cela était inutile et impossible, il s'arrêta désespéré. Au moment où il s'écria : je suis un misérable! il venait de s'apercevoir tel qu'il était, et il était déjà à ce point séparé de lui-même qu'il lui semblait qu'il n'était plus qu'un fantôme, et qu'il avait là devant lui, en chair et en os, le bâton à la main, la blouse sur les reins, son sac rempli d'objets volés sur le dos, avec son visage résolu et morne, avec sa pensée pleine de projets abominables, le hideux galérien Jean Valjean.

L'excès du malheur, nous l'avons remarqué, l'avait fait en quelque sorte visionnaire. Ceci fut donc comme une vision. Il vit véritablement ce Jean Valjean, cette face sinistre, devant lui. Il fut presque au moment de se demander qui était cet homme, et il en eut horreur.

Son cerveau était dans un de ces moments violents et pourtant affreusement calmes où la rêverie est si profonde qu'elle absorbe la réalité. On ne voit plus les objets qu'on a autour de soi, et l'on voit comme en dehors de soi les figures qu'on a dans l'esprit.

Il se contempla donc, pour ainsi dire, face à face, et en même temps, à travers cette hallucination, il voyait dans une profondeur mystérieuse une sorte de lumière qu'il prit d'abord pour un flambeau. En regardant avec plus d'attention cette lumière qui apparaissait à sa conscience, il reconnut qu'elle avait la forme humaine, et que ce flambeau était l'évêque.

Sa conscience considéra tour à tour ces deux hommes ainsi placés devant elle, l'évêque et Jean Valjean. Il n'avait pas fallu moins que le premier pour détremper le second. Par un de ces effets singuliers qui sont propres à ces sortes d'extases, à mesure que sa rêverie se prolongeait, l'évêque grandissait et resplendissait à ses yeux, Jean Valjean s'amoindrissait et s'effaçait. A un certain moment il ne fut plus qu'une ombre. Tout à coup il disparut. L'évêque seul était resté.

Il remplissait toute l'âme de ce misérable d'un rayonnement magnifique [1].

Jean Valjean pleura longtemps. Il pleura à chaudes larmes, il pleura à sanglots, avec plus de faiblesse qu'une femme, avec plus d'effroi qu'un enfant [2].

Pendant qu'il pleurait, le jour se faisait de plus en plus dans son cerveau, un jour extraordinaire, un jour ravissant et terrible à la fois. Sa vie passée, sa première faute, sa longue expiation, son abrutissement extérieur, son endurcissement intérieur, sa mise en liberté réjouie par tant de plans de vengeance, ce qui lui était arrivé chez l'évêque, la dernière chose qu'il avait faite, ce vol de quarante sous à un enfant, crime d'autant plus lâche et d'autant plus monstrueux qu'il venait après le pardon de l'évêque, tout cela lui revint et lui apparut, clairement, mais dans une clarté qu'il n'avait jamais vue jusquelà. Il regarda sa vie, et elle lui parut horrible; son âme, et elle lui parut affreuse. Cependant un jour doux était sur cette vie et sur cette âme. Il lui semblait qu'il voyait Satan à la lumière du paradis.

Combien d'heures pleura-t-il ainsi? que fit-il après avoir pleuré? où alla-t-il? on ne l'a jamais su[1]. Il paraît seulement avéré que, dans cette même nuit, le voiturier qui faisait à cette époque le service de Grenoble et qui arrivait à Digne vers trois heures du matin, vit en traversant la rue de l'évêché un homme dans l'attitude de la prière, à genoux sur le pavé, dans l'ombre, devant la porte de monseigneur Bienvenu.

LIVRE TROISIÈME

EN L'ANNÉE 1817

I

L'ANNÉE 1817[1]

1817 est l'année que Louis XVIII, avec un certain aplomb royal qui ne manquait pas de fierté, qualifiait la vingt-deuxième de son règne. C'est l'année où M. Bruguière de Sorsum était célèbre. Toutes les boutiques des perruquiers, espérant la poudre et le retour de l'oiseau royal, étaient badigeonnées d'azur et fleudelysées. C'était le temps candide où le comte Lynch siégeait tous les dimanches comme marguillier au ban d'œuvre de Saint-Germain-des-Prés en habit de pair de France, avec son cordon rouge et son long nez, et cette majesté de profil particulière à un homme qui a fait une action d'éclat. L'action d'éclat commise par M. Lynch était ceci : avoir, étant maire de Bordeaux, le 12 mars 1814, donné la ville un peu trop tôt à M. le duc d'Angoulême. De là sa pairie. En 1817, la mode engloutissait les petits garçons de quatre à six ans sous de vastes casquettes en cuir maroquiné à oreillons assez ressemblantes à des mitres d'esquimaux. L'armée française était vêtue de blanc, à l'autrichienne; les régiments s'appelaient légions; au lieu de chiffres ils portaient les noms des départements. Napoléon était à Sainte-Hélène, et, comme l'Angleterre lui refusait du drap vert, il faisait retourner ses vieux habits. En 1817, Pellegrini chantait, mademoiselle Bigottini dansait; Potier régnait; Odry n'existait pas encore. Madame Saqui succédait à Forioso. Il y avait encore des prussiens en France. M. Delalot était un personnage. La légitimité venait de s'affirmer en coupant le poing, puis la tête, à Pleignier, à Carbonneau et à Tolleron. Le prince de Talleyrand, grand chambellan, et l'abbé Louis, ministre désigné des finances, se regardaient en riant du rire de deux augures; tous deux avaient célébré, le 14 juillet 1790, la messe de la Fédération au Champ de Mars; Talleyrand l'avait dite comme évêque, Louis l'avait servie comme diacre. En 1817, dans les contre-allées de ce même Champ de Mars, on apercevait de gros cylindres de bois, gisant sous la pluie, pourrissant dans l'herbe, peints en bleu avec des traces d'aigles et d'abeilles dédorées. C'étaient les colonnes qui, deux ans auparavant, avaient soutenu l'estrade de l'empereur au Champ de Mai. Elles étaient noircies çà et là de la brûlure du bivouac des autrichiens baraqués près du Gros-Caillou. Deux ou trois de ces colonnes avaient disparu dans les feux de ces bivouacs et avaient chauffé les larges mains des kaiserlicks. Le Champ de Mai avait eu cela de remarquable qu'il avait été tenu au mois de juin et au Champ de Mars. En cette année 1817, deux choses étaient populaires : le Voltaire-Touquet et la tabatière à la Charte. L'émotion parisienne la plus récente était le crime de Dautun qui avait jeté la tête de son frère dans le bassin du Marché-aux-Fleurs [1]. On commençait à faire au ministère de la marine une enquête sur cette fatale frégate de *la Méduse* qui devait couvrir de honte Chaumareix et de gloire Géricault. Le colonel Selves allait en Égypte pour y devenir Soliman pacha. Le palais des Thermes, rue de la Harpe, servait de boutique à un tonnelier. On voyait encore sur la plate-forme de la tour octogonale de l'hôtel de Cluny la petite logette en planches qui avait servi d'observatoire à Messier, astronome de la marine sous Louis XVI. La duchesse de Duras lisait à trois ou quatre amis, dans son boudoir meublé d'X en satin bleu ciel, *Ourika* inédite. On grattait les N au Louvre. Le pont d'Austerlitz abdiquait et s'intitulait pont du Jardin du Roi, double énigme qui déguisait à la fois le pont d'Austerlitz et le jardin des Plantes. Louis XVIII, préoccupé, tout en annotant du coin de l'ongle Horace, des héros qui se font empereurs et des sabotiers qui se font dauphins, avait deux soucis : Napoléon et Mathurin Bruneau. L'académie française

donnait pour sujet de prix : *Le bonheur que procure l'étude*[1].
M. Bellart était officiellement éloquent. On voyait germer
à son ombre ce futur avocat général de Broë, promis aux
sarcasmes de Paul-Louis Courier. Il y avait un faux Chateaubriand appelé Marchangy, en attendant qu'il y eût un faux
Marchangy appelé d'Arlincourt. *Claire d'Albe* et *Malek-Adel*
étaient des chefs-d'œuvre; madame Cottin était déclarée le
premier écrivain de l'époque. L'Institut laissait rayer de
sa liste l'académicien Napoléon Bonaparte. Une ordonnance
royale érigeait Angoulême en école de marine, car, le duc
d'Angoulême étant grand amiral, il était évident que la ville
d'Angoulême avait de droit toutes les qualités d'un port de
mer, sans quoi le principe monarchique eût été entamé. On
agitait en conseil des ministres la question de savoir si l'on
devait tolérer les vignettes représentant des voltiges qui
assaisonnaient les affiches de Franconi et qui attroupaient les
polissons des rues. M. Paër, auteur de *l'Agnese,* bonhomme
à la face carrée qui avait une verrue sur la joue, dirigeait les
petits concerts intimes de la marquise de Sassenaye, rue de la
Ville-l'Évêque. Toutes les jeunes filles chantaient *l'Ermite de
Saint-Avelle,* paroles d'Edmond Géraud. *Le Nain jaune* se trans-
formait en *Miroir*. Le café Lemblin tenait pour l'empereur
contre le café Valois qui tenait pour les Bourbons. On venait
de marier à une princesse de Sicile M. le duc de Berry, déjà
regardé du fond de l'ombre par Louvel. Il y avait un an que
madame de Staël était morte. Les gardes du corps sifflaient
mademoiselle Mars. Les grands journaux étaient tout petits.
Le format était restreint, mais la liberté était grande. *Le
Constitutionnel* était constitutionnel. *La Minerve* appelait Chateaubriand *Chateaubriant*. Ce *t* faisait beaucoup rire les bourgeois aux dépens du grand écrivain. Dans des journaux
vendus, des journalistes prostitués insultaient les proscrits de
1815; David n'avait plus de talent, Arnault n'avait plus
d'esprit, Carnot n'avait plus de probité; Soult n'avait gagné
aucune bataille; il est vrai que Napoléon n'avait plus de
génie. Personne n'ignore qu'il est assez rare que les lettres
adressées par la poste à un exilé lui parviennent, les polices se
faisant un religieux devoir de les intercepter. Le fait n'est
point nouveau; Descartes banni s'en plaignait. Or, David ayant,
dans un journal belge, montré quelque humeur de ne pas recevoir les lettres qu'on lui écrivait, ceci paraissait plaisant aux

feuilles royalistes qui bafouaient à cette occasion le proscrit.
Dire : *les régicides,* ou dire : *les votants,* dire : *les ennemis,* ou
dire : *les alliés,* dire *Napoléon,* ou dire : *Buonaparte,* cela séparait
deux hommes plus qu'un abîme. Tous les gens de bon sens
convenaient que l'ère des révolutions était à jamais fermée
par le roi Louis XVIII, surnommé « l'immortel auteur de la
charte ». Au terre-plein du Pont-Neuf, on sculptait le mot
Redivivus, sur le piédestal qui attendait la statue de Henri IV.
M. Piet ébauchait, rue Thérèse, n° 4, son conciliabule pour
consolider la monarchie. Les chefs de la droite disaient dans
les conjonctures graves : « Il faut écrire à Bacot ». MM. Canuel,
O'Mahony et de Chappedelaine esquissaient, un peu approuvés
de Monsieur, ce qui devait être plus tard « la conspiration du
« bord de l'eau ». L'Épingle Noire complotait de son côté.
Delaverderie s'abouchait avec Trogoff. M. Decazes, esprit dans
une certaine mesure libéral, dominait. Chateaubriand, debout
tous les matins devant sa fenêtre du n° 27 de la rue Saint-
Dominique, en pantalon à pieds et en pantoufles, ses cheveux
gris coiffés d'un madras, les yeux fixés sur un miroir, une
trousse complète de chirurgien dentiste ouverte devant lui,
se curait les dents, qu'il avait charmantes, tout en dictant des
variantes de *la Monarchie selon la Charte* à M. Pilorge, son
secrétaire [1]. La critique faisant autorité préférait Lafon à Talma.
M. de Féletz signait A.; M. Hoffmann signait Z. Charles Nodier
écrivait *Thérèse Aubert.* Le divorce était aboli. Les lycées s'appelaient collèges. Les collégiens, ornés au collet d'une fleur de
lys d'or, s'y gourmaient à propos du roi de Rome. La contre-
police du château dénonçait à son altesse royale Madame le
portrait, partout exposé, de M. le duc d'Orléans, lequel avait
meilleure mine en uniforme de colonel général des houzards
que M. le duc de Berry en uniforme de colonel général des
dragons; grave inconvénient. La ville de Paris faisait redorer
à ses frais le dôme des Invalides. Les hommes sérieux se
demandaient ce que ferait, dans telle ou telle occasion, M. de
Trinquelague; M. Clausel de Montals se séparait, sur divers
points, de M. Clausel de Coussergues; M. de Salaberry n'était
pas content. Le comédien Picard, qui était de l'Académie dont
le comédien Molière n'avait pu être, faisait jouer *les deux
Philibert* à l'Odéon, sur le fronton duquel l'arrachement des
lettres laissait encore lire distinctement : THÉÂTRE DE L'IMPÉ-
RATRICE. On prenait parti pour ou contre Cugnet de Montarlot.

Fabvier était factieux; Bavoux était révolutionnaire. Le libraire
Pélicier publiait une édition de Voltaire, sous ce titre : *Œuvres
de Voltaire,* de l'Académie française. « Cela fait venir les ache-
teurs », disait cet éditeur naïf. L'opinion générale était que
M. Charles Loyson serait le génie du siècle [1]; l'envie commençait à le mordre, signe de gloire; et l'on faisait sur lui ce
vers :

> Même quand Loyson vole, on sent qu'il a des pattes.

— Le cardinal Fesch refusant de se démettre, M. de Pins, archevêque d'Amasie, administrait le diocèse de Lyon. La querelle
de la vallée des Dappes commençait entre la Suisse et la France
par un mémoire du capitaine Dufour, depuis général. Saint-
Simon, ignoré, échafaudait son rêve sublime. Il y avait à
l'académie des sciences un Fourier célèbre que la postérité a
oublié et dans je ne sais quel grenier un Fourier obscur dont
l'avenir se souviendra [2]. Lord Byron commençait à poindre; une
note d'un poëme de Millevoye l'annonçait à la France en ces
termes : *un certain lord Baron.* David d'Angers s'essayait à pétrir
le marbre. L'abbé Caron parlait avec éloge, en petit comité de
séminaristes, dans le cul-de-sac des Feuillantines, d'un prêtre
inconnu nommé Félicité Robert qui a été plus tard Lamennais [3].
Une chose qui fumait et clapotait sur la Seine avec le bruit d'un
chien qui nage allait et venait sous les fenêtres des Tuileries,
du pont Royal au pont Louis XV; c'était une mécanique bonne
à pas grand'chose, une espèce de joujou, une rêverie d'inventeur songe-creux, une utopie : un bateau à vapeur. Les parisiens regardaient cette inutilité avec indifférence. M. de Vau-
blanc, réformateur de l'Institut par coup d'état, ordonnance et
fournée, auteur distingué de plusieurs académiciens, après en
avoir fait, ne pouvait parvenir à l'être. Le faubourg Saint-
Germain et le pavillon Marsan souhaitaient pour préfet de
police M. Delaveau, à cause de sa dévotion. Dupuytren et Réca-
mier se prenaient de querelle à l'amphithéâtre de l'École de
médecine et se menaçaient du poing à propos de la divinité de
Jésus-Christ. Cuvier, un œil sur la Genèse et l'autre sur la
nature, s'efforçait de plaire à la réaction bigote en mettant les
fossiles d'accord avec les textes et en faisant flatter Moïse par
les mastodontes. M. François de Neufchâteau, louable cultivateur de la mémoire de Parmentier, faisait mille efforts pour
que *pomme de terre* fût prononcée *parmentière,* et n'y réussissait

point. L'abbé Grégoire, ancien évêque, ancien conventionnel, ancien sénateur, était passé dans la polémique royaliste à l'état « d'infâme Grégoire ». Cette locution que nous venons d'employer : *passer à l'état de,* était dénoncée comme néologisme par M. Royer-Collard. On pouvait distinguer encore à sa blancheur, sous la troisième arche du pont d'Iéna, la pierre neuve avec laquelle, deux ans auparavant, on avait bouché le trou de mine pratiqué par Blücher pour faire sauter le pont. La justice appelait à sa barre un homme qui, en voyant entrer le comte d'Artois à Notre-Dame, avait dit tout haut : *Sapristi ! je regrette le temps où je voyais Bonaparte et Talma entrer bras dessus bras dessous au Bal-Sauvage.* Propos séditieux. Six mois de prison. Des traîtres se montraient déboutonnés ; des hommes qui avaient passé à l'ennemi la veille d'une bataille ne cachaient rien de la récompense et marchaient impudiquement en plein soleil dans le cynisme des richesses et des dignités ; des déserteurs de Ligny et des Quatre-Bras, dans le débraillé de leur turpitude payée, étalaient leur dévouement monarchique tout nu ; oubliant ce qui est écrit en Angleterre sur la muraille intérieure des water-closets publics : *Please adjust your dress before leaving*[1].

Voilà, pêle-mêle, ce qui surnage confusément de l'année 1817, oubliée aujourd'hui. L'histoire néglige presque toutes ces particularités, et ne peut faire autrement ; l'infini l'envahirait. Pourtant ces détails, qu'on appelle à tort petits, — il n'y a ni petits faits dans l'humanité, ni petites feuilles dans la végétation, — sont utiles. C'est de la physionomie des années que se compose la figure des siècles.

En cette année 1817, quatre jeunes parisiens firent « une bonne farce ».

II

DOUBLE QUATUOR

CES parisiens étaient l'un de Toulouse, l'autre de Limoges, le troisième de Cahors et le quatrième de Montauban ; mais ils étaient étudiants, et qui dit étudiant dit parisien ; étudier à Paris, c'est naître à Paris.

Ces jeunes gens étaient insignifiants; tout le monde a vu ces figures-là; quatre échantillons du premier venu; ni bons ni mauvais, ni savants ni ignorants, ni des génies ni des imbéciles; beaux de ce charmant avril qu'on appelle vingt ans. C'étaient quatre Oscars quelconques, car à cette époque les Arthurs n'existaient pas encore. *Brûlez pour lui les parfums d'Arabie*, s'écriait la romance, *Oscar s'avance, Oscar, je vais le voir!* On sortait d'Ossian, l'élégance était scandinave et calédonienne, le genre anglais pur ne devait prévaloir que plus tard, et le premier des Arthurs, Wellington, venait à peine de gagner la bataille de Waterloo.

Ces Oscars s'appelaient l'un Félix Tholomyès, de Toulouse; l'autre Listolier, de Cahors; l'autre Fameuil, de Limoges; le dernier Blachevelle, de Montauban. Naturellement chacun avait sa maîtresse. Blachevelle aimait Favourite, ainsi nommée parce qu'elle était allée en Angleterre; Listolier adorait Dahlia, qui avait pris pour nom de guerre un nom de fleur; Fameuil idolâtrait Zéphine, abrégé de Joséphine; Tholomyès avait Fantine, dite la Blonde à cause de ses beaux cheveux couleur de soleil.

Favourite, Dahlia, Zéphine et Fantine étaient quatre ravissantes filles, parfumées et radieuses, encore un peu ouvrières, n'ayant pas tout à fait quitté leur aiguille, dérangées par les amourettes, mais ayant sur le visage un reste de la sérénité du travail et dans l'âme cette fleur d'honnêteté qui dans la femme survit à la première chute. Il y avait une des quatre qu'on appelait la jeune, parce qu'elle était la cadette; et une qu'on appelait la vieille. La vieille avait vingt-trois ans. Pour ne rien celer, les trois premières étaient plus expérimentées, plus insouciantes et plus envolées dans le bruit de la vie que Fantine la Blonde, qui en était à sa première illusion.

Dahlia, Zéphine, et surtout Favourite, n'en auraient pu dire autant. Il y avait déjà plus d'un épisode à leur roman à peine commencé, et l'amoureux, qui s'appelait Adolphe au premier chapitre, se trouvait être Alphonse au second, et Gustave au troisième. Pauvreté et coquetterie sont deux conseillères fatales; l'une gronde, l'autre flatte; et les belles filles du peuple les ont toutes les deux qui leur parlent bas à l'oreille, chacune de son côté. Ces âmes mal gardées écoutent. De là les chutes qu'elles font et les pierres qu'on leur jette. On les accable avec la splendeur de tout ce qui est immaculé et inaccessible. Hélas! si la Yungfrau avait faim?

Favourite, ayant été en Angleterre, avait pour admiratrices Zéphine et Dahlia. Elle avait eu de très bonne heure un chez-soi. Son père était un vieux professeur de mathématiques brutal et qui gasconnait; point marié, courant le cachet malgré l'âge. Ce professeur, étant jeune, avait vu un jour la robe d'une femme de chambre s'accrocher à un garde-cendre; il était tombé amoureux de cet accident. Il en était résulté Favourite. Elle rencontrait de temps en temps son père, qui la saluait. Un matin, une vieille femme à l'air béguin était entrée chez elle et lui avait dit : — Vous ne me connaissez pas, mademoiselle? — Non. — Je suis ta mère. — Puis la vieille avait ouvert le buffet, bu et mangé, fait apporter un matelas qu'elle avait, et s'était installée. Cette mère, grognon et dévote, ne parlait jamais à Favourite, restait des heures sans souffler mot, déjeunait, dînait et soupait comme quatre, et descendait faire salon chez le portier, où elle disait du mal de sa fille.

Ce qui avait entraîné Dahlia vers Listolier, vers d'autres peut-être, vers l'oisiveté, c'était d'avoir de trop jolis ongles roses. Comment faire travailler ces ongles-là? Qui veut rester vertueuse ne doit pas avoir pitié de ses mains. Quant à Zéphine, elle avait conquis Fameuil par sa petite manière mutine et caressante de dire : Oui, monsieur.

Les jeunes gens étant camarades, les jeunes filles étaient amies. Ces amours-là sont toujours doublés de ces amitiés-là.

Sage et philosophe, c'est deux; et ce qui le prouve, c'est que, toutes réserves faites sur ces petits ménages irréguliers, Favourite, Zéphine et Dahlia étaient des filles philosophes, et Fantine une fille sage.

Sage, dira-t-on? et Tholomyès? Salomon répondrait que l'amour fait partie de la sagesse. Nous nous bornons à dire que l'amour de Fantine était un premier amour, un amour unique, un amour fidèle.

Elle était la seule des quatre qui ne fût tutoyée que par un seul.

Fantine était un de ces êtres comme il en éclôt, pour ainsi dire, au fond du peuple. Sortie des plus insondables épaisseurs de l'ombre sociale, elle avait au front le signe de l'anonyme et de l'inconnu. Elle était née à Montreuil-sur-mer. De quels parents? Qui pourrait le dire? On ne lui avait jamais connu ni père ni mère. Elle se nommait Fantine. Pourquoi Fantine? On ne lui avait jamais connu d'autre nom. A l'époque de sa naissance, le Directoire existait encore. Point de nom de famille, elle n'avait pas de famille; point de nom de baptême, l'église n'était plus là. Elle s'appela comme il plut au premier passant qui la rencontra toute petite, allant pieds nus dans la rue. Elle reçut un nom comme elle recevait l'eau des nuées sur son front quand il pleuvait. On l'appela la petite Fantine. Personne n'en savait davantage[1]. Cette créature humaine était venue dans la vie comme cela. A dix ans, Fantine quitta la ville et s'alla mettre en service chez des fermiers des environs. A quinze ans, elle vint à Paris « chercher fortune ». Fantine était belle et resta pure le plus longtemps qu'elle put. C'était une jolie blonde avec de belles dents. Elle avait de l'or et des perles pour dot, mais son or était sur sa tête et ses perles étaient dans sa bouche[2].

Elle travailla pour vivre; puis, toujours pour vivre, car le cœur a sa faim aussi, elle aima.

Elle aima Tholomyès.

Amourette pour lui, passion pour elle. Les rues du quartier latin, qu'emplit le fourmillement des étudiants et des grisettes, virent le commencement de ce songe. Fantine, dans ces dédales de la colline du Panthéon, où tant d'aventures se nouent et se dénouent, avait fui longtemps Tholomyès, mais de façon à le rencontrer toujours. Il y a une manière d'éviter qui ressemble à chercher. Bref, l'églogue eut lieu.

Blachevelle, Listolier et Fameuil formaient une sorte de groupe dont Tholomyès était la tête. C'était lui qui avait l'esprit.

Tholomyès était l'antique étudiant vieux; il était riche; il avait quatre mille francs de rente; quatre mille francs de rente, splendide scandale sur la montagne Sainte-Geneviève. Tholomyès était un viveur de trente ans, mal conservé. Il était ridé et édenté; et il ébauchait une calvitie dont il disait lui-même sans tristesse : *crâne à trente ans, genou à quarante*. Il digérait médiocrement, et il lui était venu un larmoiement à un œil. Mais à mesure que sa jeunesse s'éteignait, il allumait sa gaîté; il remplaçait ses dents par des lazzis, ses cheveux par la joie, sa santé par l'ironie, et son œil qui pleurait riait sans cesse. Il était délabré, mais tout en fleurs. Sa jeunesse, pliant bagage bien avant l'âge, battait en retraite en bon ordre, éclatait de rire, et l'on n'y voyait que du feu. Il avait eu une pièce refusée au Vaudeville. Il faisait çà et là des vers quelconques[3]. En outre, il doutait supérieurement de toute chose, grande force aux yeux des faibles. Donc, étant ironique et chauve, il était le chef. *Iron* est un mot anglais qui veut dire fer. Serait-ce de là que viendrait ironie?

Un jour Tholomyès prit à part les trois autres, fit un geste d'oracle, et leur dit :

— Il y a bientôt un an que Fantine, Dahlia, Zéphine et Favourite nous demandent de leur faire une surprise. Nous la leur avons promise solennellement. Elles nous en parlent toujours, à moi surtout. De même qu'à Naples les vieilles femmes crient à saint-Janvier : *Faccia gialluta, fa o miracolo*. Face jaune, fais ton miracle! nos belles me disent sans cesse : Tholomyès, quand accoucheras-tu de ta surprise? En même temps nos parents nous écrivent. Scie des deux côtés. Le moment me semble venu. Causons.

Sur ce, Tholomyès baissa la voix, et articula mystérieusement quelque chose de si gai qu'un vaste et enthousiasté ricanement sortit des quatre bouches à la fois et que Blachevelle s'écria :
— Ça, c'est une idée!

Un estaminet plein de fumée se présenta, ils y entrèrent, et le reste de leur conférence se perdit dans l'ombre.

Le résultat de ces ténèbres fut une éblouissante partie de plaisir qui eut lieu le dimanche suivant, les quatre jeunes gens invitant les quatre jeunes filles.

III

QUATRE A QUATRE

CE qu'était une partie de campagne d'étudiants et de grisettes, il y a quarante-cinq ans, on se le représente malaisément aujourd'hui. Paris n'a plus les mêmes environs; la figure de ce qu'on pourrait appeler la vie circumparisienne a complètement changé depuis un demi-siècle; où il y avait le coucou, il y a le wagon; où il y avait la patache, il y a le bateau à vapeur; on dit aujourd'hui Fécamp comme on disait Saint-Cloud. Le Paris de 1862 est une ville qui a la France pour banlieue.

Les quatre couples accomplirent consciencieusement toutes

les folies champêtres possibles alors. On entrait dans les vacances, et c'était une chaude et claire journée d'été. La veille, Favourite, la seule qui sût écrire, avait écrit ceci à Tholomyès au nom des quatre : « C'est un bonne heure de sortir de bonheur. » C'est pourquoi ils se levèrent à cinq heures du matin. Puis ils allèrent à Saint-Cloud par le coche, regardèrent la cascade à sec, et s'écrièrent : Cela doit être bien beau quand il y a de l'eau! déjeunèrent à la *Tête-Noire,* où Castaing n'avait pas encore passé[1], se payèrent une partie de bagues au quinconce du grand bassin, montèrent à la lanterne de Diogène, jouèrent des macarons à la roulette du pont de Sèvres, cueillirent des bouquets à Puteaux, achetèrent des mirlitons à Neuilly, mangèrent partout des chaussons de pommes, furent parfaitement heureux.

Les jeunes filles bruissaient et bavardaient comme des fauvettes échappées. C'était un délire. Elles donnaient par moments de petites tapes aux jeunes gens. Ivresse matinale de la vie! Adorables années! L'aile des libellules frissonne. Oh! qui que vous soyez, vous souvenez-vous? Avez-vous marché dans les broussailles, en écartant les branches à cause de la tête charmante qui vient derrière vous? Avez-vous glissé en riant sur quelque talus mouillé par la pluie avec une femme aimée qui vous retient par la main et qui s'écrie : — Ah! mes brodequins tout neufs! dans quel état ils sont!

Disons tout de suite que cette joyeuse contrariété, une ondée, manqua à cette compagnie de belle humeur, quoique Favourite eût dit en partant, avec un accent magistral et maternel : *Les limaces se promènent dans les sentiers. Signe de pluie, mes enfants.*

Toutes quatre étaient follement jolies. Un bon vieux poëte classique, alors en renom, un bonhomme qui avait une Éléonore, M. le chevalier de Labouïsse, errant ce jour-là sous les marronniers de Saint-Cloud, les vit passer vers dix heures du matin; il s'écria : *Il y en a une de trop,* songeant aux Grâces. Favourite, l'amie de Blachevelle, celle de vingt-trois ans, la vieille, courait en avant sous les grandes branches vertes, sautait les fossés, enjambait éperdument les buissons, et présidait cette gaîté avec une verve de jeune faunesse. Zéphine et Dahlia, que le hasard avait faites belles de façon qu'elles se faisaient valoir en se rapprochant et se complétaient, ne se quittaient point, par instinct de coquetterie plus encore que par amitié, et, appuyées l'une à l'autre, prenaient des poses anglaises; les premiers *keepsakes* venaient de paraître, la mélancolie pointait pour les femmes, comme, plus tard, le byronisme pour les hommes, et les cheveux du sexe tendre commençaient à s'éplorer. Zéphine et Dahlia étaient coiffées en rouleaux. Listolier et Fameuil, engagés dans une discussion sur leurs professeurs, expliquaient à Fantine la différence qu'il y avait entre M. Delvincourt et M. Blondeau.

Blachevelle semblait avoir été créé expressément pour porter sur son bras le dimanche le châle-ternaux boiteux de Favourite.

Tholomyès suivait, dominant le groupe. Il était très gai, mais on sentait en lui le gouvernement; il y avait de la dictature dans sa jovialité; son ornement principal était un pantalon jambes-d'éléphant, en nankin, avec sous-pieds de tresse de cuivre; il avait un puissant rotin de deux cents francs à la main, et, comme il se permettait tout, une chose étrange appelée cigare, à la bouche. Rien n'étant sacré pour lui, il fumait.

— Ce Tholomyès est étonnant, disaient les autres avec vénération. Quels pantalons! quelle énergie!

Quant à Fantine, c'était la joie. Ses dents splendides avaient évidemment reçu de Dieu une fonction, le rire. Elle portait à sa main plus volontiers que sur sa tête son petit chapeau de paille cousue, aux longues brides blanches. Ses épais cheveux blonds, enclins à flotter et facilement dénoués et qu'il fallait rattacher sans cesse, semblaient faits pour la fuite de Galatée sous les saules. Ses lèvres roses babillaient avec enchantement. Les coins de sa bouche voluptueusement relevés, comme aux mascarons antiques d'Érigone, avaient l'air d'encourager les audaces; mais ses longs cils pleins d'ombre s'abaissaient discrètement sur ce brouhaha du bas du visage comme pour mettre le holà. Toute sa toilette avait on ne sait quoi de chantant et de flambant. Elle avait une robe de barège mauve, de petits souliers-cothurnes mordorés dont les rubans traçaient des X sur son fin bas blanc à jour, et cette espèce de spencer en mousseline, invention marseillaise, dont le nom, canezou, corruption du mot *quinze août* prononcé à la Canebière, signifie beau temps, chaleur et midi. Les trois autres, moins timides, nous l'avons dit, étaient décolletées tout net, ce qui, l'été, sous des chapeaux couverts de fleurs, a beaucoup de grâce et d'agacerie; mais, à côté de ces ajustements hardis, le canezou de la blonde Fantine, avec ses transparences, ses indiscrétions et ses

réticences, cachant et montrant à la fois, semblait une trou-
vaille provocante de la décence, et la fameuse cour d'amour,
présidée par la vicomtesse de Cette aux yeux vert de mer, eût
peut-être donné le prix de la coquetterie à ce canezou qui
concourait pour la chasteté. Le plus naïf est quelquefois le plus
savant. Cela arrive.

Éclatante de face, délicate de profil, les yeux d'un bleu profond, les paupières grasses, les pieds cambrés et petits, les
poignets et les chevilles admirablement emboîtés, la peau
blanche laissant voir çà et là les arborescences azurées des
veines, la joue puérile et fraîche, le cou robuste des Junons
éginétiques, la nuque forte et souple, les épaules modelées
comme par Coustou, ayant au centre une voluptueuse fos-
sette visible à travers la mousseline; une gaîté glacée de rêverie;
sculpturale et exquise; telle était Fantine; et l'on devinait sous
ces chiffons et ces rubans une statue, et dans cette statue une
âme.

Fantine était belle, sans trop le savoir. Les rares songeurs,
prêtres mystérieux du beau, qui confrontent silencieusement
toute chose à la perfection, eussent entrevu en cette petite
ouvrière, à travers la transparence de la grâce parisienne, l'antique euphonie sacrée. Cette fille de l'ombre avait de la race.
Elle était belle sous les deux espèces, qui sont le style et le
rhythme. Le style est la forme de l'idéal; le rhythme en est le
mouvement.

Nous avons dit que Fantine était la joie; Fantine était aussi la
pudeur.

Pour un observateur qui l'eût étudiée attentivement, ce qui
se dégageait d'elle, à travers toute cette ivresse de l'âge, de la
saison et de l'amourette, c'était une invincible expression de
retenue et de modestie. Elle restait un peu étonnée. Ce chaste
étonnement-là est la nuance qui sépare Psyché de Vénus. Fantine avait les longs doigts blancs et fins de la vestale qui remue
les cendres du feu sacré avec une épingle d'or. Quoiqu'elle
n'eût rien refusé, on ne le verra que trop, à Tholomyès, son
visage, au repos, était souverainement virginal; une sorte de
dignité sérieuse et presque austère l'envahissait soudainement
à de certaines heures, et rien n'était singulier et troublant
comme de voir la gaîté s'y éteindre si vite et le recueillement
y succéder sans transition à l'épanouissement. Cette gravité
subite, parfois sévèrement accentuée, ressemblait au dédain

d'une déesse. Son front, son nez et son menton offraient cet équilibre de ligne, très distinct de l'équilibre de proportion, et d'où résulte l'harmonie du visage; dans l'intervalle si caractéristique qui sépare la base du nez de la lèvre supérieure, elle avait ce pli imperceptible et charmant, signe mystérieux de la chasteté qui rendit Barberousse amoureux d'une Diane trouvée dans les fouilles d'Icône [1].

L'amour est une faute; soit. Fantine était l'innocence surnageant sur la faute

IV

THOLOMYÈS EST SI JOYEUX QU'IL CHANTE UNE CHANSON ESPAGNOLE

CETTE journée-là était d'un bout à l'autre faite d'aurore. Toute la nature semblait avoir congé, et rire. Les parterres de Saint-Cloud embaumaient; le souffle de la Seine remuait vaguement les feuilles; les branches gesticulaient dans le vent; les abeilles mettaient les jasmins au pillage; toute une bohème de papillons s'ébattait dans les achillées, les trèfles et les folles avoines; il y avait dans l'auguste parc du roi de France un tas de vagabonds, les oiseaux.

Les quatre joyeux couples, mêlés au soleil, aux champs, aux fleurs, aux arbres, resplendissaient.

Et, dans cette communauté de paradis, parlant, chantant, courant, dansant, chassant aux papillons, cueillant des liserons, mouillant leurs bas à jour roses dans les hautes herbes, fraîches, folles, point méchantes, toutes recevaient un peu çà et là les baisers de tous, excepté Fantine, enfermée dans sa vague résistance rêveuse et farouche, et qui aimait. — Toi, lui disait Favourite, tu as toujours l'air chose.

Ce sont là les joies. Ces passages de couples heureux sont un appel profond à la vie et à la nature, et font sortir de tout la caresse et la lumière. Il y avait une fois une fée qui fit les prairies et les arbres exprès pour les amoureux. De là cette éternelle école buissonnière des amants qui recommence sans cesse et qui durera tant qu'il y aura des buissons et des écoliers.

De là la popularité du printemps parmi les penseurs. Le patricien et le gagne-petit, le duc et pair et le robin, les gens de la cour et les gens de la ville, comme on parlait autrefois, tous sont sujets de cette fée. On rit, on se cherche, il y a dans l'air une clarté d'apothéose, quelle transfiguration que d'aimer! Les clercs de notaire sont des dieux. Et les petits cris, les poursuites dans l'herbe, les tailles prises au vol, ces jargons qui sont des mélodies, ces adorations qui éclatent dans la façon de dire une syllabe, ces cerises arrachées d'une bouche à l'autre, tout cela flamboie et passe dans des gloires célestes. Les belles filles font un doux gaspillage d'elles-mêmes. On croit que cela ne finira jamais. Les philosophes, les poëtes, les peintres regardent ces extases et ne savent qu'en faire, tant cela les éblouit. Le départ pour Cythère! s'écrie Watteau; Lancret, le peintre de la roture, contemple ses bourgeois envolés dans le bleu; Diderot tend les bras à toutes ces amourettes, et d'Urfé y mêle des druides[1].

Après le déjeuner les quatre couples étaient allés voir, dans ce qu'on appelait alors le carré du roi, une plante nouvellement arrivée de l'Inde, dont le nom nous échappe en ce moment[2], et qui à cette époque attirait tout Paris à Saint-Cloud; c'était un bizarre et charmant arbrisseau haut sur tige, dont les innombrables branches fines comme des fils, ébouriffées, sans feuilles, étaient couvertes d'un million de petites rosettes blanches; ce qui faisait que l'arbuste avait l'air d'une chevelure pouilleuse de fleurs. Il y avait toujours foule à l'admirer.

L'arbuste vu, Tholomyès s'était écrié : J'offre des ânes! et, prix fait avec un ânier, ils étaient revenus par Vanves et Issy. A Issy, incident. Le parc, Bien National possédé à cette époque par le munitionnaire Bourguin, était d'aventure tout grand ouvert. Ils avaient franchi la grille, visité l'anachorète mannequin dans sa grotte, essayé les petits effets mystérieux du fameux cabinet des miroirs, lascif traquenard digne d'un satyre devenu millionnaire ou de Turcaret métamorphosé en Priape. Ils avaient robustement secoué le grand filet balançoire attaché aux deux châtaigniers célébrés par l'abbé de Bernis. Tout en y balançant ces belles l'une après l'autre, ce qui faisait, parmi les rires universels, des plis de jupe envolée où Greuze eût trouvé son compte, le toulousain Tholomyès, quelque peu espagnol, Toulouse est cousine de Tolosa, chantait, sur une mélopée mélancolique, la vieille chanson *gallega* probablement inspirée par quelque belle fille lancée à toute volée sur une corde entre deux arbres :

> Soy de Badajoz.
> Amor me llama.
> Toda mi alma
> Es en mi ojos
> Porque enseñas
> A tus piernas[1]

Fantine seule refusa de se balancer.

— Je n'aime pas qu'on ait du genre comme ça, murmura assez aigrement Favourite.

Les ânes quittés, joie nouvelle; on passa la Seine en bateau, et de Passy, à pied, ils gagnèrent la barrière de l'Étoile. Ils étaient, on s'en souvient, debout depuis cinq heures du matin; mais, bah! *il n'y a pas de lassitude le dimanche,* disait Favourite; *le dimanche, la fatigue ne travaille pas.* Vers trois heures les quatre couples, effarés de bonheur, dégringolaient aux montagnes russes, édifice singulier qui occupait alors les hauteurs Beaujon et dont on apercevait la ligne serpentante au-dessus des arbres des Champs-Élysées.

De temps en temps Favourite s'écriait :

— Et la surprise? je demande la surprise.

— Patience, répondait Tholomyès.

v

CHEZ BOMBARDA

Les montagnes russes épuisées, on avait songé au dîner; et le radieux huitain, enfin un peu las, s'était échoué au cabaret Bombarda, succursale qu'avait établie aux Champs-Élysées ce fameux restaurateur Bombarda, dont on voyait alors l'enseigne rue de Rivoli à côté du passage Delorme.

Une chambre grande, mais laide, avec alcôve et lit au fond (vu la plénitude du cabaret le dimanche, il avait fallu accepter ce gîte); deux fenêtres d'où l'on pouvait contempler, à travers les ormes, le quai et la rivière; un magnifique rayon d'août effleurant les fenêtres; deux tables; sur l'une une triomphante montagne de bouquets mêlés à des chapeaux d'hommes et de femmes; à l'autre les quatre couples attablés autour d'un joyeux encombrement de plats, d'assiettes, de verres et de bouteilles; des cruchons de bière mêlés à des flacons de vin; peu d'ordre sur la table, quelque désordre dessous;

> Ils faisaient sous la table
> Un bruit, un trique-trac de pieds épouvantable

dit Molière.

Voilà où en était vers quatre heures et demie du soir la bergerade commencée à cinq heures du matin. Le soleil déclinait, l'appétit s'éteignait.

Les Champs-Élysées, pleins de soleil et de foule, n'étaient que lumière et poussière, deux choses dont se compose la gloire. Les chevaux de Marly, ces marbres hennissants, se cabraient dans un nuage d'or. Les carrosses allaient et venaient. Un escadron de magnifiques gardes du corps, clairon en tête, descendait l'avenue de Neuilly; le drapeau blanc, vaguement rose au soleil couchant, flottait sur le dôme des Tuileries. La place de la Concorde, redevenue alors place Louis XV, regorgeait de promeneurs contents. Beaucoup portaient la fleur de lys d'argent suspendue au ruban blanc moiré qui, en 1817, n'avait pas encore tout à fait disparu des boutonnières. Çà et là, au milieu des passants faisant cercle et applaudissant, des rondes de petites filles jetaient au vent une bourrée bourbonienne alors célèbre, destinée à foudroyer les Cent-Jours, et qui avait pour ritournelle :

> Rendez-nous notre père de Gand,
> Rendez-nous notre père.

Des tas de faubouriens endimanchés, parfois même fleurde-lysés comme les bourgeois, épars dans le grand carré et dans le carré Marigny, jouaient aux bagues et tournaient sur les chevaux de bois; d'autres buvaient; quelques-uns, apprentis imprimeurs, avaient des bonnets de papier; on entendait leurs rires. Tout était radieux. C'était un temps de paix incontestable et de profonde sécurité royaliste; c'était l'époque où un rapport intime et spécial du préfet de police Anglès au roi sur les faubourgs de Paris se terminait par ces lignes : « Tout bien « considéré, sire, il n'y a rien à craindre de ces gens-là. Ils « sont insouciants et indolents comme des chats. Le bas peuple

« des provinces est remuant, celui de Paris ne l'est pas. Ce
« sont tous petits hommes. Sire, il en faudrait deux bout à bout
« pour faire un de vos grenadiers. Il n'y a point de crainte du
« côté de la populace de la capitale. Il est remarquable que
« la taille a encore décru dans cette population depuis cin-
« quante ans; et le peuple des faubourgs de Paris est plus petit
« qu'avant la révolution. Il n'est point dangereux. En somme,
« c'est de la canaille, bonne. »

Qu'un chat puisse se changer en lion, les préfets de police
ne le croient pas possible; cela est pourtant, et c'est là le
miracle du peuple de Paris. Le chat d'ailleurs, si méprisé du
comte Anglès, avait l'estime des républiques antiques; il incar-
nait à leurs yeux la liberté, et, comme pour servir de pendant
à la Minerve aptère du Pirée, il y avait sur la place publique de
Corinthe le colosse de bronze d'un chat. La police naïve de la
restauration voyait trop « en beau » le peuple de Paris. Ce n'est
point, autant qu'on le croit, de la « canaille bonne ». Le parisien est au français ce que l'athénien était au grec; personne
ne dort mieux que lui, personne n'est plus franchement frivole
et paresseux que lui, personne mieux que lui n'a l'air d'oublier; qu'on ne s'y fie pas pourtant; il est propre à toute sorte
de nonchalance, mais, quand il y a de la gloire au bout, il est
admirable à toute espèce de furie. Donnez-lui une pique, il
fera le 10 août; donnez-lui un fusil, vous aurez Austerlitz. Il
est le point d'appui de Napoléon et la ressource de Danton.
S'agit-il de la patrie? il s'enrôle; s'agit-il de la liberté? il
dépave. Gare! ses cheveux pleins de colère sont épiques; sa
blouse se drape en chlamyde. Prenez garde. De la première rue
Grenéta[1] venue, il fera des fourches caudines. Si l'heure sonne,
ce faubourien va grandir, ce petit homme va se lever, et il
regardera d'une façon terrible, et son souffle deviendra tempête, et il sortira de cette pauvre poitrine grêle assez de vent
pour déranger les plis des Alpes. C'est grâce au faubourien de
Paris que la révolution, mêlée aux armées, conquiert l'Europe.
Il chante, c'est sa joie. Proportionnez sa chanson à sa nature,
et vous verrez! Tant qu'il n'a pour refrain que la Carmagnole,
il ne renverse que Louis XVI; faites-lui chanter la Marseillaise,
il délivrera le monde[2].

Cette note écrite en marge du rapport Anglès, nous revenons
à nos quatre couples. Le dîner, comme nous l'avons dit,
s'achevait.

VI

CHAPITRE OÙ L'ON S'ADORE

Propos de table et propos d'amour; les uns sont aussi insai-
sissables que les autres; les propos d'amour sont des nuées,
les propos de table sont des fumées.

Fameuil et Dahlia fredonnaient; Tholomyès buvait; Zéphine
riait, Fantine souriait. Listolier soufflait dans une trompette
de bois achetée à Saint-Cloud. Favourite regardait tendrement
Blachevelle et disait :

— Blachevelle, je t'adore.

Ceci amena une question de Blachevelle :

— Qu'est-ce que tu ferais, Favourite, si je cessais de t'aimer?

— Moi! s'écria Favourite. Ah! ne dis pas cela, même pour
rire! Si tu cessais de m'aimer, je te sauterais après, je te grif-
ferais, je te grafignerais, je te jetterais de l'eau, je te ferais
arrêter[1].

Blachevelle sourit avec la fatuité voluptueuse d'un homme
chatouillé à l'amour-propre. Favourite reprit :

— Oui, je crierais à la garde! Ah! je me gênerais par
exemple! Canaille!

Blachevelle, extasié, se renversa sur sa chaise et ferma
orgueilleusement les deux yeux.

Dahlia, tout en mangeant, dit bas à Favourite dans le brouhaha :

— Tu l'idolâtres donc bien, ton Blachevelle?

— Moi, je le déteste, répondit Favourite du même ton en
ressaisissant sa fourchette. Il est avare. J'aime le petit d'en
face de chez moi. Il est très bien, ce jeune homme-là, le
connais-tu? On voit qu'il a le genre d'être acteur. J'aime les
acteurs. Sitôt qu'il rentre, sa mère dit : — Ah! mon Dieu! ma
tranquillité est perdue. Le voilà qui va crier. Mais, mon ami,
tu me casses la tête! — Parce qu'il va dans la maison, dans des
greniers à rats, dans des trous noirs, si haut qu'il peut monter,
— et chanter, et déclamer, est-ce que je sais, moi? qu'on l'entend d'en bas! Il gagne déjà vingt sous par jour chez un avoué
à écrire de la chicane. Il est fils d'un ancien chantre de Saint-

Jacques-du-Haut-Pas. Ah! il est très bien. Il m'idolâtre tant
qu'un jour qu'il me voyait faire de la pâte pour des crêpes, il
m'a dit : *Mamselle, faites des beignets de vos gants et je les mangerai.*
Il n'y a que les artistes pour dire des choses comme ça. Ah!
il est très bien. Je suis en train d'être insensée de ce petit-là[1].
C'est égal, je dis à Blachevelle que je l'adore. Comme je mens!
Hein? comme je mens!

Favourite fit une pause, et continua :

— Dahlia, vois-tu, je suis triste. Il n'a fait que pleuvoir tout
l'été, le vent m'agace, le vent ne décolère pas, Blachevelle est
très pingre, c'est à peine s'il y a des petits pois au marché, on
ne sait que manger, j'ai le spleen, comme disent les anglais, le
beurre est si cher! et puis, vois, c'est une horreur, nous dînons
dans un endroit où il y a un lit, ça me dégoûte de la vie.

VII

SAGESSE DE THOLOMYÈS[2]

CEPENDANT, tandis que quelques-uns chantaient, les autres
causaient tumultueusement, et tous ensemble; ce n'était plus
que du bruit. Tholomyès intervint :

— Ne parlons point au hasard ni trop vite, s'écria-t-il. Médi-
tons si nous voulons être éblouissants. Trop d'improvisation
vide bêtement l'esprit. Bière qui coule n'amasse point de
mousse. Messieurs, pas de hâte. Mêlons la majesté à la ripaille;
mangeons avec recueillement; festinons lentement. Ne nous
pressons pas. Voyez le printemps; s'il se dépêche, il est
flambé, c'est-à-dire gelé. L'excès de zèle perd les pêchers et
les abricotiers. L'excès de zèle tue la grâce et la joie des bons
dîners. Pas de zèle, messieurs! Grimod de la Reynière est de
l'avis de Talleyrand.

Une sourde rébellion gronda dans le groupe.

— Tholomyès, laisse-nous tranquilles, dit Blachevelle.

— A bas le tyran! dit Fameuil.

— Bombarda, Bombance et Bamboche! cria Listolier.

— Le dimanche existe, reprit Fameuil.

— Nous sommes sobres, ajouta Listolier.

— Tholomyès, fit Blachevelle, contemple mon calme.

— Tu en es le marquis, répondit Tholomyès.

Ce médiocre jeu de mots fit l'effet d'une pierre dans une mare. Le marquis de Montcalm était un royaliste alors célèbre. Toutes les grenouilles se turent.

— Amis, s'écria Tholomyès de l'accent d'un homme qui ressaisit l'empire, remettez-vous. Il ne faut pas que trop de stupeur accueille ce calembour tombé du ciel. Tout ce qui tombe de la sorte n'est pas nécessairement digne d'enthousiasme et de respect. Le calembour est la fiente de l'esprit qui vole. Le lazzi tombe n'importe où; et l'esprit, après la ponte d'une bêtise, s'enfonce dans l'azur. Une tache blanchâtre qui s'aplatit sur le rocher n'empêche pas le condor de planer. Loin de moi l'insulte au calembour! Je l'honore dans la proportion de ses mérites; rien de plus. Tout ce qu'il y a de plus auguste, de plus sublime et de plus charmant dans l'humanité, et peut-être hors de l'humanité, a fait des jeux de mots. Jésus-Christ a fait un calembour sur saint-Pierre, Moïse sur Isaac, Eschyle sur Polynice, Cléopâtre sur Octave. Et notez que ce calembour de Cléopâtre a précédé la bataille d'Actium, et que, sans lui, personne ne se souviendrait de la ville de Toryne, nom grec qui signifie cuiller à pot. Cela concédé, je reviens à mon exhortation. Mes frères, je le répète, pas de zèle, pas de tohu-bohu, pas d'excès, même en pointes, gayetés, liesses et jeux de mots. Écoutez-moi, j'ai la prudence d'Amphiaraüs et la calvitie de César. Il faut une limite, même aux rébus. *Est modus in rebus*[1]. Il faut une limite, même aux dîners. Vous aimez les chaussons aux pommes, mesdames, n'en abusez pas. Il faut, même en chaussons, du bon sens et de l'art. La gloutonnerie châtie le glouton. Gula punit Gulax. L'indigestion est chargée par le bon Dieu de faire de la morale aux estomacs. Et, retenez ceci : chacune de nos passions, même l'amour, a un estomac qu'il ne faut pas trop remplir. En toute chose il faut écrire à temps le mot *finis*[2], il faut se contenir, quand cela devient urgent, tirer le verrou sur son appétit, mettre au violon sa fantaisie et se mener soi-même au poste. Le sage est celui qui sait à un moment donné opérer sa propre arrestation. Ayez quelque confiance en moi. Parce que j'ai fait un peu mon droit, à ce que disent mes examens, parce que je sais la différence qu'il y a entre la question mue et la question pendante, parce que j'ai soutenu une thèse en latin sur la manière dont on donnait la torture à Rome au temps où Munatius Demens était questeur du Parricide, parce que je vais être docteur, à ce qu'il paraît, il ne s'ensuit pas de toute nécessité que je sois un imbécile. Je vous recommande la modération dans vos désirs. Vrai comme je m'appelle Félix Tholomyès, je parle bien. Heureux celui qui, lorsque l'heure a sonné, prend un parti héroïque, et abdique comme Sylla, ou Origène[1] !

Favourite écoutait avec une attention profonde.

— Félix ! dit-elle, quel joli mot ! j'aime ce nom-là. C'est en latin. Ça veut dire Prosper[2].

Tholomyès poursuivit :

— Quirites, gentlemen, caballeros, mes amis ! voulez-vous ne sentir aucun aiguillon et vous passer de lit nuptial et braver l'amour ? Rien de plus simple. Voici la recette : la limonade, l'exercice outré, le travail forcé, éreintez-vous, traînez des blocs, ne dormez pas, veillez, gorgez-vous de boissons nitreuses et de tisanes de nymphæas, savourez des émulsions de pavots et d'agnus-castus, assaisonnez-moi cela d'une diète sévère, crevez de faim, et joignez-y les bains froids, les ceintures d'herbes, l'application d'une plaque de plomb, les lotions avec la liqueur de Saturne et les fomentations avec l'oxycrat.

— J'aime mieux une femme, dit Listolier.

— La femme ! reprit Tholomyès, méfiez-vous-en. Malheur à celui qui se livre au cœur changeant de la femme ! La femme est perfide et tortueuse. Elle déteste le serpent par jalousie de métier. Le serpent, c'est la boutique en face.

— Tholomyès, cria Blachevelle, tu es ivre !

— Pardieu ! dit Tholomyès.

— Alors sois gai, reprit Blachevelle.

— J'y consens, répondit Tholomyès.

Et, remplissant son verre, il se leva :

— Gloire au vin ! *Nunc te, Bacche, canam*[3] ! Pardon, mesdemoiselles, c'est de l'espagnol. Et la preuve, señoras, la voici : tel peuple, telle futaille. L'arrobe de Castille contient seize litres, le cantaro d'Alicante douze, l'almude des Canaries vingt-cinq, le cuartin des Baléares vingt-six, la botte du czar Pierre trente. Vive ce czar qui était grand, et vive sa botte qui était plus grande encore ! Mesdames, un conseil d'ami : trompez-vous de voisin, si bon vous semble. Le propre de l'amour, c'est d'errer[4]. L'amourette n'est pas faite pour s'accroupir et s'abrutir comme une servante anglaise qui a le calus du scrobage aux genoux. Elle n'est pas faite pour cela, elle erre gaîment, la douce amourette ! On a dit : l'erreur est humaine ; moi

je dis : l'erreur est amoureuse. Mesdames, je vous idolâtre
toutes. O Zéphine, ô Joséphine, figure plus que chiffonnée,
vous seriez charmante, si vous n'étiez de travers. Vous avez
l'air d'un joli visage sur lequel, par mégarde, on s'est assis.
Quant à Favourite, ô nymphes et muses! un jour que Blachevelle passait le ruisseau de la rue Guérin-Boisseau, il vit une
belle fille aux bas blancs et bien tirés qui montrait ses jambes.
Ce prologue lui plut, et Blachevelle aima. Celle qu'il aima
était Favourite. O Favourite, tu as des lèvres ioniennes. Il y
avait un peintre grec, appelé Euphorion, qu'on avait surnommé le peintre des lèvres. Ce grec seul eût été digne de
peindre ta bouche. Écoute! avant toi, il n'y avait pas de créature digne de ce nom. Tu es faite pour recevoir la pomme
comme Vénus ou pour la manger comme Eve. La beauté
commence à toi. Je viens de parler d'Ève, c'est toi qui l'as
créée. Tu mérites le brevet d'invention de la jolie femme. O
Favourite, je cesse de vous tutoyer, parce que je passe de la
poésie à la prose. Vous parliez de mon nom tout à l'heure.
Cela m'a attendri; mais, qui que nous soyons, méfions-nous
des noms. Ils peuvent se tromper. Je me nomme Félix et ne
suis pas heureux. Les mots sont des menteurs. N'acceptons pas
aveuglément les indications qu'ils nous donnent. Ce serait
une erreur d'écrire à Liége pour avoir des bouchons et à Pau
pour avoir des gants. Miss Dahlia, à votre place, je m'appelle-
rais Rosa. Il faut que la fleur sente bon et que la femme ait de
l'esprit. Je ne dis rien de Fantine, c'est une songeuse, une
rêveuse, une pensive, une sensitive; c'est un fantôme ayant
la forme d'une nymphe et la pudeur d'une nonne, qui se
fourvoie dans la vie de grisette, mais qui se réfugie dans les
illusions, et qui chante, et qui prie, et qui regarde l'azur sans
trop savoir ce qu'elle voit ni ce qu'elle fait, et qui, les yeux
au ciel, erre dans un jardin où il y a plus d'oiseaux qu'il n'en
existe![1] O Fantine, sache ceci : moi Tholomyès, je suis une illusion; mais elle ne m'entend même pas, la blonde fille des
chimères! Du reste, tout en elle est fraîcheur, suavité, jeunesse,
douce clarté matinale. O Fantine, fille digne de vous appeler
marguerite ou perle[2], vous êtes une femme du plus bel orient.
Mesdames, un deuxième conseil : ne vous mariez point; le mariage est une greffe; cela prend bien ou mal; fuyez ce risque.
Mais, bah! qu'est-ce que je chante là? Je perds mes paroles. Les
filles sont incurables sur l'épousaille; et tout ce que nous

pouvons dire, nous autres sages, n'empêchera point les giletières et les piqueuses de bottines de rêver des maris enrichis de diamants. Enfin, soit; mais, belles, retenez ceci : vous mangez trop de sucre. Vous n'avez qu'un tort, ô femmes, c'est de grignoter du sucre. O sexe rongeur, tes jolies petites dents blanches adorent le sucre. Or, écoutez bien, le sucre est un sel. Tout sel est desséchant. Le sucre est le plus desséchant de tous les sels. Il pompe à travers les veines les liquides du sang; de là la coagulation, puis la solidification du sang; de là les tubercules dans le poumon; de là la mort. Et c'est pourquoi le diabète confine à la phtisie[1]. Donc ne croquez pas de sucre, et vous vivrez! Je me tourne vers les hommes. Messieurs, faites des conquêtes. Pillez-vous les uns aux autres sans remords vos bien-aimées. Chassez-croisez. En amour, il n'y a pas d'amis. Partout où il y a une jolie femme l'hostilité est ouverte. Pas de quartier, guerre à outrance! Une jolie femme est un *casus belli;* une jolie femme est un flagrant délit. Toutes les invasions de l'histoire sont déterminées par des cotillons. La femme est le droit de l'homme. Romulus a enlevé les sabines, Guillaume a enlevé les saxonnes, César a enlevé les romaines. L'homme qui n'est pas aimé plane comme un vautour sur les amantes d'autrui; et quant à moi, à tous ces infortunés qui sont veufs, je jette la proclamation sublime de Bonaparte à l'armée d'Italie : « Soldats, vous manquez de tout. L'ennemi en a. »

Tholomyès s'interrompit.

— Souffle, Tholomyès, dit Blachevelle.

En même temps, Blachevelle, appuyé de Listolier et de Fameuil, entonna sur un air de complainte une de ces chansons d'atelier composées des premiers mots venus, rimées richement et pas du tout, vides de sens comme le geste de l'arbre et le bruit du vent, qui naissent de la vapeur des pipes et se dissipent et s'envolent avec elle. Voici par quel couplet le groupe donna la réplique à la harangue de Tholomyès :

> Les pères dindons donnèrent
> De l'argent à un agent
> Pour que mons Clermont-Tonnerre
> Fût fait pape à la Saint-Jean;
> Mais Clermont ne put pas être
> Fait pape, n'étant pas prêtre;
> Alors leur agent rageant
> Leur rapporta leur argent.

Ceci n'était pas fait pour calmer l'improvisation de Tholomyès; il vida son verre, le remplit, et recommença.

— A bas la sagesse! oubliez tout ce que j'ai dit. Ne soyons ni prudes, ni prudents, ni prud'hommes. Je porte un toast à l'allégresse; soyons allègres! Complétons notre cours de droit par la folie et la nourriture. Indigestion et digeste. Que Justinien soit le mâle et que Ripaille soit la femelle! Joie dans les profondeurs! Vis, ô création! Le monde est un gros diamant! Je suis heureux. Les oiseaux sont étonnants. Quelle fête partout! Le rossignol est un Elleviou gratis. Été, je te salue. O Luxembourg, ô Géorgiques de la rue Madame et de l'allée de l'Observatoire! ô pioupious rêveurs! ô toutes ces bonnes charmantes qui, tout en gardant des enfants, s'amusent à en ébaucher! Les pampas de l'Amérique me plairaient, si je n'avais les arcades de l'Odéon. Mon âme s'envole dans les forêts vierges et dans les savanes. Tout est beau. Les mouches bourdonnent dans les rayons. Le soleil a éternué le colibri. Embrasse-moi, Fantine!

Il se trompa, et embrassa Favourite [1].

VIII

MORT D'UN CHEVAL [2]

— On dîne mieux chez Edon [3] que chez Bombarda, s'écria Zéphine.

— Je préfère Bombarda à Édon, déclara Blachevelle. Il a plus de luxe. C'est plus asiatique. Voyez la salle d'en bas. Il y a des glaces sur les murs.

— J'en aime mieux dans mon assiette, dit Favourite.

Blachevelle insista :

— Regardez les couteaux. Les manches sont en argent chez Bombarda, et en os chez Édon. Or, l'argent est plus précieux que l'os.

— Excepté pour ceux qui ont un menton d'argent, observa Tholomyès.

Il regardait en cet instant-là le dôme des Invalides, visible des fenêtres de Bombarda.

Il y eut une pause.

— Tholomyès, cria Fameuil, tout à l'heure, Listolier et moi, nous avions une discussion.

— Une discussion est bonne, répondit Tholomyès, une querelle vaut mieux.

— Nous disputions philosophie.

— Soit.

— Lequel préfères-tu de Descartes ou de Spinosa?

— Désaugiers, dit Tholomyès.

Cet arrêt rendu, il but et reprit :

— Je consens à vivre. Tout n'est pas fini sur la terre, puisqu'on peut encore déraisonner. J'en rends grâces aux dieux immortels. On ment, mais on rit. On affirme, mais on doute. L'inattendu jaillit du syllogisme. C'est beau. Il est encore ici-bas des humains qui savent joyeusement ouvrir et fermer la boîte à surprises du paradoxe. Ceci, mesdames, que vous buvez d'un air tranquille, est du vin de Madère, sachez-le, du cru de Coutal das Freiras qui est à trois cent dix-sept toises au-dessus du niveau de la mer! Attention en buvant! trois cent dix-sept toises! et monsieur Bombarda, le magnifique restaurateur, vous donne ces trois cent dix-sept toises pour quatre francs cinquante centimes!

Fameuil interrompit de nouveau :

— Tholomyès, tes opinions font loi. Quel est ton auteur favori?

— Ber...

— Quin?

— Non. Choux.

Et Tholomyès poursuivit :

— Honneur à Bombarda! il égalerait Munophis d'Éléphanta s'il pouvait me cueillir une almée, et Thygélion de Chéronée s'il pouvait m'apporter une hétaïre! car, ô mesdames, il y avait des Bombarda en Grèce et en Égypte. C'est Apulée qui nous l'apprend. Hélas! toujours les mêmes choses et rien de nouveau. Plus rien d'inédit dans la création du créateur! *Nil sub sole novum*, dit Salomon; *amor omnibus idem*, dit Virgile [1]; et Carabine monte avec Carabin dans la galiote de Saint-Cloud, comme Aspasie s'embarquait avec Périclès sur la flotte de Samos. Un dernier mot. Savez-vous ce que c'était qu'Aspasie, mesdames? Quoiqu'elle vécût dans un temps où les femmes n'avaient pas encore d'âme, c'était une âme; une âme d'une nuance rose et pourpre, plus embrasée que le feu, plus fraîche que l'aurore. Aspasie était une créature en qui se touchaient les deux extrêmes de la femme; c'était la prostituée déesse. Socrate, plus Manon Lescaut. Aspasie fut créée pour le cas où il faudrait une catin à Prométhée.

Tholomyès, lancé, se serait difficilement arrêté, si un cheval ne se fût abattu sur le quai en cet instant-là même. Du choc, la charrette et l'orateur restèrent court. C'était une jument beauceronne, vieille et maigre et digne de l'équarrisseur[1], qui traînait une charrette fort lourde. Parvenue devant Bombarda, la bête, épuisée et accablée, avait refusé d'aller plus loin. Cet incident avait fait de la foule. A peine le charretier, jurant et indigné, avait-il le temps de prononcer avec l'énergie convenable le mot sacramentel : *mâtin!* appuyé d'un implacable coup de fouet, que la haridelle était tombée pour ne plus se relever. Au brouhaha des passants, les gais auditeurs de Tholomyès tournèrent la tête, et Tholomyès en profita pour clore son allocution par cette strophe mélancolique :

> Elle était de ce monde où coucous et carrosses
> Ont le même destin,
> Et, rosse, elle a vécu ce que vivent les rosses,
> L'espace d'un : mâtin[2]!

— Pauvre cheval, soupira Fantine.

Et Dahlia s'écria :

— Voilà Fantine qui va se mettre à plaindre les chevaux! Peut-on être fichue bête comme ça!

En ce moment, Favourite, croisant les bras et renversant la tête en arrière, regarda résolument Tholomyès et dit : .

— Ah çà! et la surprise?

— Justement. L'instant est arrivé, répondit Tholomyès. Messieurs, l'heure de surprendre ces dames a sonné. Mesdames, attendez-nous un moment.

— Cela commence par un baiser, dit Blachevelle.

— Sur le front, ajouta Tholomyès.

Chacun déposa gravement un baiser sur le front de sa maîtresse; puis ils se dirigèrent vers la porte tous les quatre à la file, en mettant leur doigt sur la bouche.

Favourite battit des mains à leur sortie.

— C'est déjà amusant, dit-elle.

— Ne soyez pas trop longtemps, murmura Fantine. Nous vous attendons.

IX

FIN JOYEUSE DE LA JOIE

LES jeunes filles, restées seules, s'accoudèrent deux à deux sur l'appui des fenêtres, jasant, penchant leur tête et se parlant d'une croisée à l'autre.

Elles virent les jeunes gens sortir du cabaret Bombarda bras dessus bras dessous; ils se retournèrent, leur firent des signes en riant, et disparurent dans cette poudreuse cohue du dimanche qui envahit hebdomadairement les Champs-Élysées.

— Ne soyez pas longtemps! cria Fantine.

— Que vont-ils nous rapporter? dit Zéphine.

— Pour sûr ce sera joli, dit Dahlia.

— Moi, reprit Favourite, je veux que ce soit en or.

Elles furent bientôt distraites par le mouvement du bord de l'eau qu'elles distinguaient dans les branches des grands arbres et qui les divertissait fort. C'était l'heure du départ des malles-poste et des diligences. Presque toutes les messageries du midi et de l'ouest passaient alors par les Champs-Élysées. La plupart suivaient le quai et sortaient par la barrière de Passy. De minute en minute, quelque grosse voiture peinte en jaune et en noir, pesamment chargée, bruyamment attelée, difforme à force de malles, de bâches et de valises, pleines de têtes tout de suite disparues, broyant la chaussée, changeant tous les pavés en briquets, se ruait à travers la foule avec toutes les étincelles d'une forge, de la poussière pour fumée, et un air de furie. Ce vacarme réjouissait les jeunes filles. Favourite s'exclamait :

— Quel tapage! on dirait des tas de chaînes qui s'envolent.

Il arriva une fois qu'une de ces voitures qu'on distinguait difficilement dans l'épaisseur des ormes, s'arrêta un moment, puis repartit au galop. Cela étonna Fantine.

— C'est particulier! dit-elle. Je croyais que la diligence ne s'arrêtait jamais.

Favourite haussa les épaules.

— Cette Fantine est surprenante. Je viens la voir par curiosité. Elle s'éblouit des choses les plus simples. Une supposition;

je suis un voyageur, je dis à la diligence : je vais en avant, vous me prendrez sur le quai en passant. La diligence passe, me voit, s'arrête, et me prend. Cela se fait tous les jours. Tu ne connais pas la vie, ma chère.

Un certain temps s'écoula ainsi. Tout à coup Favourite eut le mouvement de quelqu'un qui se réveille.

— Eh bien, fit-elle, et la surprise?

— A propos, oui, reprit Dahlia, la fameuse surprise?

— Ils sont bien longtemps! dit Fantine.

Comme Fantine achevait ce soupir, le garçon qui avait servi le dîner entra. Il tenait à la main quelque chose qui ressemblait à une lettre.

— Qu'est-ce que cela? demanda Favourite.

Le garçon répondit :

— C'est un papier que ces messieurs ont laissé pour ces dames.

— Pourquoi ne l'avoir pas apporté tout de suite?

— Parce que ces messieurs, reprit le garçon, ont commandé de ne le remettre à ces dames qu'au bout d'une heure.

Favourite arracha le papier des mains du garçon. C'était une lettre en effet.

— Tiens! dit-elle. Il n'y a pas d'adresse. Mais voici ce qui est écrit dessus :

CECI EST LA SURPRISE.

Elle décacheta vivement la lettre, l'ouvrit et lut (elle savait lire) :

« Ô nos amantes!

« Sachez que nous avons des parents. Des parents, vous ne « connaissez pas beaucoup ça. Ça s'appelle des pères et mères « dans le code civil, puéril et honnête. Or, ces parents « gémissent, ces vieillards nous réclament, ces bons hommes et « ces bonnes femmes nous appellent enfants prodigues, ils « souhaitent nos retours, et nous offrent de tuer des veaux. « Nous leur obéissons, étant vertueux. A l'heure où vous lirez « ceci, cinq chevaux fougueux nous rapporteront à nos papas « et à nos mamans. Nous fichons le camp, comme dit Bossuet. « Nous partons, nous sommes partis. Nous fuyons dans les

« bras de Laffitte et sur les ailes de Caillard. La diligence de
« Toulouse nous arrache à l'abîme, et l'abîme c'est vous, ô
« nos belles petites! Nous rentrons dans la société, dans le
« devoir et dans l'ordre, au grand trot, à raison de trois lieues
« à l'heure. Il importe à la patrie que nous soyons, comme
« tout le monde, préfets, pères de famille, gardes champêtres
« et conseillers d'état. Vénérez-nous. Nous nous sacrifions.
« Pleurez-nous rapidement et remplacez-nous vite. Si cette
« lettre vous déchire, rendez-le-lui. Adieu.

« Pendant près de deux ans, nous vous avons rendues heu-
« reuses. Ne nous en gardez pas rancune.

« Signé : BLACHEVELLE.

« FAMEUIL.

« LISTOLIER.

« FÉLIX THOLOMYÈS.

« POST-SCRIPTUM. Le dîner est payé[1]. »

Les quatre jeunes filles se regardèrent.

Favourite rompit la première le silence.

— Eh bien! s'écria-t-elle, c'est tout de même une bonne
farce.

— C'est très drôle, dit Zéphine.

— Ce doit être Blachevelle qui a eu cette idée-là, reprit
Favourite. Ça me rend amoureuse de lui. Sitôt parti, sitôt
aimé. Voilà l'histoire.

— Non, dit Dahlia, c'est une idée à Tholomyès. Ça se
reconnaît.

— En ce cas, reprit Favourite, mort à Blachevelle et vive
Tholomyès!

— Vive Tholomyès! crièrent Dahlia et Zéphine.

Et elles éclatèrent de rire.

Fantine rit comme les autres.

Une heure après, quand elle fut rentrée dans sa chambre,
elle pleura. C'était, nous l'avons dit, son premier amour;
elle s'était donnée à ce Tholomyès comme à un mari, et la
pauvre fille avait un enfant.

LIVRE QUATRIÈME

CONFIER, C'EST QUELQUEFOIS LIVRER

I

UNE MÈRE QUI EN RENCONTRE UNE AUTRE

Il y avait, dans le premier quart de ce siècle, à Montfermeil, près Paris, une façon de gargote qui n'existe plus aujourd'hui. Cette gargote était tenue par des gens appelés Thénardier, mari et femme. Elle était située dans la ruelle du Boulanger [1]. On voyait au-dessus de la porte une planche clouée à plat sur le mur. Sur cette planche était peint quelque chose qui ressemblait à un homme portant sur son dos un autre homme, lequel avait de grosses épaulettes de général dorées avec de larges étoiles argentées; des taches rouges figuraient du sang; le reste du tableau était de la fumée et représentait probablement une bataille. Au bas on lisait cette inscription : AU SERGENT DE WATERLOO [2].

Rien n'est plus ordinaire qu'un tombereau ou une charrette à la porte d'une auberge. Cependant le véhicule ou, pour mieux dire, le fragment de véhicule qui encombrait la rue devant la gargote du Sergent de Waterloo, un soir du printemps de 1818, eût certainement attiré par sa masse l'attention d'un peintre qui eût passé là.

C'était l'avant-train d'un de ces fardiers, usités dans les pays de forêts, et qui servent à charrier des madriers et des troncs d'arbres. Cet avant-train se composait d'un massif essieu de fer à pivot où s'emboîtait un lourd timon, et que supportaient deux roues démesurées. Tout cet ensemble était trapu, écrasant et difforme. On eût dit l'affût d'un canon géant. Les ornières

avaient donné aux roues, aux jantes, aux moyeux, à l'essieu et
au timon, une couche de vase, hideux badigeonnage jaunâtre assez semblable à celui dont on orne volontiers les cathédrales. Le bois disparaissait sous la boue et le fer sous la rouille.
Sous l'essieu pendant en draperie une grosse chaîne digne de
Goliath forçat. Cette chaîne faisait songer, non aux poutres
qu'elle avait fonction de transporter, mais aux mastodontes
et aux mammons qu'elle eût pu atteler; elle avait un air de
bagne[1], mais de bagne cyclopéen et surhumain, et elle semblait
détachée de quelque monstre. Homère y eût lié Polyphème et
Shakespeare Caliban.

Pourquoi cet avant-train de fardier était-il à cette place dans la
rue? D'abord, pour encombrer la rue; ensuite pour achever de
se rouiller. Il y a dans le vieil ordre social une foule d'institutions qu'on trouve de la sorte sur son passage en plein air et
qui n'ont pas pour être là d'autres raisons.

Le centre de la chaîne pendait sous l'essieu assez près de
terre, et sur la courbure, comme sur la corde d'une balançoire, étaient assises et groupées, ce soir-là, dans un entre-
lacement exquis, deux petites filles, l'une d'environ deux ans et
demi, l'autre de dix-huit mois, la plus petite dans les bras de la
plus grande. Un mouchoir savamment noué les empêchait de
tomber. Une mère avait vu cette effroyable chaîne, et avait dit :
Tiens! voilà un joujou pour mes enfants.

Les deux enfants, du reste gracieusement attifées, et avec
quelque recherche, rayonnaient; on eût dit deux roses dans de
la ferraille[2]; leurs yeux étaient un triomphe; leurs fraîches
joues riaient. L'une était châtain, l'autre était brune. Leurs
naïfs visages étaient deux étonnements ravis; un buisson
fleuri qui était près de là envoyait aux passants des parfums
qui semblaient venir d'elles; celle de dix-huit mois montrait
son gentil ventre nu avec cette chaste indécence de la petitesse.
Au-dessus et autour de ces deux têtes délicates, pétries dans le
bonheur et trempées dans la lumière, le gigantesque avant-
train, noir de rouille, presque terrible, tout enchevêtré de courbes et d'angles farouches, s'arrondissait comme un porche de
caverne. A quelques pas, accroupie sur le seuil de l'auberge, la
mère, femme d'un aspect peu avenant du reste, mais touchante
en ce moment-là, balançait les deux enfants au moyen d'une
longue ficelle, les couvant des yeux de peur d'accident avec
cette expression animale et céleste propre à la maternité; à

chaque va-et-vient, les hideux anneaux jetaient un bruit stri-
dent qui ressemblait à un cri de colère; les petites filles
s'extasiaient, le soleil couchant se mêlait à cette joie, et rien
n'était charmant comme ce caprice du hasard qui avait fait
d'une chaîne de titans une escarpolette de chérubins.

Tout en berçant ses deux petites, la mère chantonnait d'une
voix fausse une romance alors célèbre :

Il le faut, disait un guerrier...[1]

Sa chanson et la contemplation de ses filles l'empêchaient
d'entendre et de voir ce qui se passait dans la rue.

Cependant quelqu'un s'était approché d'elle, comme elle
commençait le premier couplet de la romance, et tout à coup
elle entendit une voix qui disait très près de son oreille :

— Vous avez là deux jolis enfants, madame.

— A la belle et tendre Imogine.

répondit la mère, continuant sa romance, puis elle tourna
la tête.

Une femme était devant elle, à quelques pas. Cette femme,
elle aussi, avait un enfant qu'elle portait dans ses bras.

Elle portait en outre un assez gros sac de nuit qui semblait
fort lourd.

L'enfant de cette femme était un des plus divins êtres qu'on
pût voir. C'était une fille de deux à trois ans. Elle eût pu jou-
ter avec les deux autres petites pour la coquetterie de l'ajustement; elle avait un bavolet de linge fin, des rubans à sa brassière et de la valenciennes à son bonnet. Le pli de sa jupe relevée laissait voir sa cuisse blanche, potelée et ferme. Elle était
admirablement rose et bien portante. La belle petite donnait
envie de mordre dans les pommes de ses joues. On ne pouvait rien dire de ses yeux, sinon qu'ils devaient être très grands
et qu'ils avaient des cils magnifiques. Elle dormait.

Elle dormait de ce sommeil d'absolue confiance propre à son
âge. Les bras des mères sont faits de tendresse; les enfants y
dorment profondément.

Quant à la mère, l'aspect en était pauvre et triste. Elle avait
la mise d'une ouvrière qui tend à redevenir paysanne. Elle
était jeune. Était-elle belle? peut-être; mais avec cette mise il
n'y paraissait pas. Ses cheveux, d'où s'échappait une mèche
blonde, semblaient fort épais, mais disparaissaient sévèrement

sous une coiffe de béguine, laide, serrée, étroite, et nouée au menton. Le rire montre les belles dents quand on en a; mais elle ne riait point. Ses yeux ne semblaient pas être secs depuis très longtemps. Elle était pâle; elle avait l'air très lasse et un peu malade [1]; elle regardait sa fille endormie dans ses bras avec cet air particulier d'une mère qui a nourri son enfant. Un large mouchoir bleu, comme ceux où se mouchent les invalides, plié en fichu, masquait lourdement sa taille. Elle avait les mains hâlées et toutes piquées de taches de rousseur, l'index durci et déchiqueté par l'aiguille, une mante brune de laine bourrue, une robe de toile et de gros souliers. C'était Fantine.

C'était Fantine. Difficile à reconnaître. Pourtant, à l'examiner attentivement, elle avait toujours sa beauté. Un pli triste, qui ressemblait à un commencement d'ironie, ridait sa joue droite. Quant à sa toilette, cette aérienne toilette de mousseline et de rubans qui semblait faite avec de la gaîté, de la folie et de la musique, pleine de grelots et parfumée de lilas, elle s'était évanouie comme ces beaux givres éclatants qu'on prend pour des diamants au soleil; ils fondent et laissent la branche toute noire.

Dix mois s'étaient écoulés depuis « la bonne farce ».

Que s'était-il passé pendant ces dix mois? on le devine.

Après l'abandon, la gêne. Fantine avait tout de suite perdu de vue Favourite, Zéphine et Dahlia; le lien, brisé du côté des hommes, s'était défait du côté des femmes; on les eût bien étonnées, quinze jours après, si on leur eût dit qu'elles étaient amies; cela n'avait plus de raison d'être. Fantine était restée seule. Le père de son enfant parti, — hélas! ces ruptures-là sont irrévocables, — elle se trouva absolument isolée, avec l'habitude du travail de moins et le goût du plaisir de plus. Entraînée par sa liaison avec Tholomyès à dédaigner le petit métier qu'elle savait, elle avait négligé ses débouchés; ils s'étaient fermés. Nulle ressource. Fantine savait à peine lire et ne savait pas écrire; on lui avait seulement appris dans son enfance à signer son nom; elle avait fait écrire par un écrivain public une lettre à Tholomyès, puis une seconde, puis une troisième. Tholomyès n'avait répondu à aucune. Un jour, Fantine entendit des commères dire en regardant sa fille : — Est-ce qu'on prend ces enfants-là au sérieux? on hausse les épaules de ces enfants-là! — Alors elle songea à Tholomyès qui haussait les épaules de son enfant et qui ne prenait pas cet être innocent au sérieux;

et son cœur devint sombre à l'endroit de cet homme. Quel parti prendre pourtant? Elle ne savait plus à qui s'adresser. Elle avait commis une faute, mais le fond de sa nature, on s'en souvient, était pudeur et vertu. Elle sentit vaguement qu'elle était à la veille de tomber dans la détresse et de glisser dans le pire. Il fallait du courage; elle en eut, et se roidit. L'idée lui vint de retourner dans sa ville natale, à Montreuil-sur-mer. Là quelqu'un peut-être la connaîtrait et lui donnerait du travail. Oui; mais il faudrait cacher sa faute. Et elle entrevoyait confusément la nécessité possible d'une séparation plus douloureuse encore que la première. Son cœur se serra, mais elle prit sa résolution. Fantine, on le verra, avait la farouche bravoure de la vie.

Elle avait déjà vaillamment renoncé à la parure, s'était vêtue de toile, et avait mis toute sa soie, tous ses chiffons, tous ses rubans et toutes ses dentelles sur sa fille, seule vanité qui lui restât, et sainte celle-là. Elle vendit tout ce qu'elle avait, ce qui lui produisit deux cents francs; ses petites dettes payées, elle n'eut plus que quatrevingts francs environ. A vingt-deux ans, par une belle matinée de printemps, elle quittait Paris, emportant son enfant sur son dos. Quelqu'un qui les eût vues passer toutes les deux eût eu pitié. Cette femme n'avait au monde que cet enfant, et cet enfant n'avait au monde que cette femme. Fantine avait nourri sa fille; cela lui avait fatigué la poitrine, et elle toussait un peu.

Nous n'aurons plus occasion de parler de M. Félix Tholomyès. Bornons-nous à dire que, vingt ans plus tard, sous le roi Louis-Philippe, c'était un gros avoué de province, influent et riche, électeur sage et juré très sévère; toujours homme de plaisir [1].

Vers le milieu du jour, après avoir, pour se reposer, cheminé de temps en temps, moyennant trois ou quatre sous par lieue, dans ce qu'on appelait alors les Petites Voitures des Environs de Paris, Fantine se trouvait à Montfermeil, dans la ruelle du Boulanger.

Comme elle passait devant l'auberge Thénardier, les deux petites filles, enchantées sur leur escarpolette monstre, avaient été pour elle une sorte d'éblouissement, et elle s'était arrêtée devant cette vision de joie.

Il y a des charmes. Ces deux petites filles en furent un pour cette mère.

Elle les considérait, toute émue. La présence des anges est une annonce de paradis. Elle crut voir au-dessus de cette auberge le mystérieux ICI de la providence. Ces deux petites étaient si évidemment heureuses! Elle les regardait, elle les admirait, tellement attendrie qu'au moment où la mère reprenait haleine entre deux vers de sa chanson, elle ne put s'empêcher de lui dire ce mot qu'on vient de lire :

— Vous avez là deux jolis enfants, madame.

Les créatures les plus féroces sont désarmées par la caresse à leur petits. La mère leva la tête et remercia, et fit asseoir la passante sur le banc de la porte, elle-même étant sur le seuil. Les deux femmes causèrent.

— Je m'appelle madame Thénardier, dit la mère des deux petites. Nous tenons cette auberge.

Puis, toujours à sa romance, elle reprit entre ses dents :

> Il le faut, je suis chevalier,
> Et je pars pour la Palestine.

Cette madame Thénardier était une femme rousse, charnue, anguleuse; le type femme-à-soldat dans toute sa disgrâce. Et, chose bizarre, avec un air penché qu'elle devait à des lectures romanesques. C'était une minaudière hommasse. De vieux romans qui se sont éraillés sur des imaginations de gargotières ont de ces effets-là. Elle était jeune encore; elle avait à peine trente ans. Si cette femme, qui était accroupie, se fût tenue droite, peut-être sa haute taille et sa carrure de colosse ambulant propre aux foires, eussent-elles dès l'abord effarouché la voyageuse, troublé sa confiance, et fait évanouir ce que nous avons à raconter. Une personne qui est assise au lieu d'être debout, les destinées tiennent à cela.

La voyageuse raconta son histoire, un peu modifiée :

Qu'elle était ouvrière; que son mari était mort; que le travail lui manquait à Paris, et qu'elle allait en chercher ailleurs; dans son pays; qu'elle avait quitté Paris, le matin même, à pied; que, comme elle portait son enfant, se sentant fatiguée, et ayant rencontré la voiture de Villemomble, elle y était montée; que de Villemomble elle était venue à Monfermeil à pied, que la petite avait un peu marché, mais pas beaucoup, c'est si jeune, et qu'il avait fallu la prendre, et que le bijou s'était endormi.

Et sur ce mot elle donna à sa fille un baiser passionné qui la réveilla. L'enfant ouvrit les yeux, de grands yeux bleus comme ceux de sa mère, et regarda, quoi? rien, tout, avec cet air sérieux et quelquefois sévère des petits enfants, qui est un mystère de leur lumineuse innocence devant nos crépuscules de vertus. On dirait qu'ils se sentent anges et qu'ils nous savent hommes. Puis l'enfant se mit à rire, et, quoique la mère la retînt, glissa à terre avec l'indomptable énergie d'un petit être qui veut courir. Tout à coup elle aperçut les deux autres sur leur balançoire, s'arrêta court, et tira la langue, signe d'admiration [1].

La mère Thénardier détacha ses filles, les fit descendre de l'escarpolette, et dit :

— Amusez-vous toutes les trois.

Ces âges-là s'apprivoisent vite, et au bout d'une minute les petites Thénardier jouaient avec la nouvelle venue à faire des trous dans la terre, plaisir immense.

Cette nouvelle venue était très gaie; la bonté de la mère est écrite dans la gaîté du marmot; elle avait pris un brin de bois qui lui servait de pelle, et elle creusait énergiquement une fosse bonne pour une mouche. Ce que fait le fossoyeur devient riant, fait par l'enfant.

Les deux femmes continuaient de causer.

— Comment s'appelle votre mioche?

— Cosette.

Cosette, lisez Euphrasie. La petite se nommait Euphrasie. Mais d'Euphrasie la mère avait fait Cosette, par ce doux et gracieux instinct des mères et du peuple qui change Josefa en Pepita et Françoise en Sillette. C'est là un genre de dérivés qui dérange et déconcerte toute la science des étymologistes. Nous avons connu une grand'mère qui avait réussi à faire de Théodore, Gnon [2].

— Quel âge a-t-elle?

— Elle va sur trois ans.

— C'est comme mon aînée.

Cependant les trois petites filles étaient groupées dans une posture d'anxiété profonde et de béatitude; un événement avait lieu; un gros ver venait de sortir de terre; et elles avaient peur, et elles étaient en extase.

Leurs fronts radieux se touchaient; on eût dit trois têtes dans une auréole.

— Les enfants, s'écria la mère Thénardier, comme ça se connaît tout de suite! les voilà qu'on jurerait trois sœurs!

Ce mot fut l'étincelle qu'attendait probablement l'autre mère. Elle saisit la main de la Thénardier, la regarda fixement, et lui dit :

— Voulez-vous me garder mon enfant?

La Thénardier eut un de ces mouvements surpris qui ne sont ni le consentement ni le refus.

La mère de Cosette poursuivit :

— Voyez-vous, je ne peux pas emmener ma fille au pays. L'ouvrage ne le permet pas. Avec un enfant, on ne trouve pas à se placer. Ils sont si ridicules dans ce pays-là. C'est le bon Dieu qui m'a fait passer devant votre auberge. Quand j'ai vu vos petites si jolies et si propres et si contentes, cela m'a bouleversée. J'ai dit : voilà une bonne mère. C'est ça; ça fera trois sœurs. Et puis, je ne serai pas longtemps à revenir. Voulez-vous me garder mon enfant?

— Il faudrait voir, dit la Thénardier.

— Je donnerais six francs par mois.

Ici une voix d'homme cria du fond de la gargote :

— Pas à moins de sept francs. Et six mois payés d'avance.

— Six fois sept quarante-deux, dit la Thénardier.

— Je les donnerai, dit la mère.

— Et quinze francs en dehors pour les premiers frais, ajouta la voix d'homme.

— Total cinquante-sept francs, dit la madame Thénardier. Et à travers ces chiffres, elle chantonnait vaguement :

       Il le faut, disait un guerrier.

— Je les donnerai, dit la mère, j'ai quatrevingts francs. Il me restera de quoi aller au pays. En allant à pied. Je gagnerai de l'argent là-bas, et dès que j'en aurai un peu, je reviendrai chercher l'amour.

La voix d'homme reprit :

— La petite a un trousseau?

— C'est mon mari, dit la Thénardier.

— Sans doute elle a un trousseau, le pauvre trésor. J'ai bien vu que c'était votre mari. Et un beau trousseau encore! un trousseau insensé. Tout par douzaines; et des robes de soie comme une dame. Il est là dans mon sac de nuit.

— Il faudra le donner, repartit la voix d'homme.

— Je crois bien que je le donnerai! dit la mère. Ce serait cela qui serait drôle si je laissais ma fille toute nue!

La face du maître apparut.

— C'est bon, dit-il.

Le marché fut conclu. La mère passa la nuit à l'auberge, donna son argent et laissa son enfant, renoua son sac de nuit dégonflé du trousseau et léger désormais, et partit le lendemain matin, comptant revenir bientôt. On arrange tranquillement ces départs-là, mais ce sont des désespoirs.

Une voisine des Thénardier rencontra cette mère comme elle s'en allait, et s'en revint en disant :

— Je viens de voir une femme qui pleure dans la rue, que c'est un déchirement.

Quand la mère de Cosette fut partie, l'homme dit à la femme :

— Cela va me payer mon effet de cent dix francs qui échoit demain. Il me manquait cinquante francs. Sais-tu que j'aurais eu l'huissier et un protêt ? Tu as fait là une bonne souricière avec tes petites.

— Sans m'en douter, dit la femme.

II

PREMIÈRE ESQUISSE DE DEUX FIGURES LOUCHES

La souris prise était bien chétive ; mais le chat se réjouit même d'une souris maigre.

Qu'était-ce que les Thénardier ?

Disons-en un mot dès à présent. Nous compléterons le croquis plus tard.

Ces êtres appartenaient à cette classe bâtarde composée de gens grossiers parvenus et de gens intelligents déchus, qui est entre la classe dite moyenne et la classe dite inférieure, et qui combine quelques-uns des défauts de la seconde avec presque tous les vices de la première, sans avoir le généreux élan de l'ouvrier ni l'ordre honnête du bourgeois [1].

C'étaient de ces natures naines qui, si quelque feu sombre les chauffe par hasard, deviennent facilement monstrueuses. Il y avait dans la femme le fond d'une brute et dans l'homme l'étoffe d'un gueux. Tous deux étaient au plus haut degré susceptibles de l'espèce de hideux progrès qui se fait dans le sens du mal. Il existe des âmes écrevisses reculant continuellement vers les ténèbres, rétrogradant dans la vie plutôt qu'elles n'y avancent, employant l'expérience à augmenter leur difformité, empirant sans cesse, et s'empreignant de plus en plus d'une noirceur croissante [1]. Cet homme et cette femme étaient de ces âmes-là.

Le Thénardier particulièrement était gênant pour la physionomie. On n'a qu'à regarder certains hommes pour s'en défier, on les sent ténébreux à leurs deux extrémités. Ils sont inquiets derrière eux et menaçants devant eux. Il y a en eux de l'inconnu. On ne peut pas plus répondre de ce qu'ils ont fait que de ce qu'ils feront. L'ombre qu'ils ont dans le regard les dénonce. Rien qu'en les entendant dire un mot ou qu'en les voyant faire un geste on entrevoit de sombres secrets dans leur passé et de sombres mystères dans leur avenir.

Ce Thénardier, s'il fallait l'en croire, avait été soldat; sergent, disait-il; il avait fait probablement la campagne de 1815, et s'était même comporté assez bravement, à ce qu'il paraît. Nous verrons plus tard ce qu'il en était. L'enseigne de son cabaret était une allusion à l'un de ses faits d'armes. Il l'avait peinte lui-même, car il savait faire un peu de tout; mal.

C'était l'époque où l'antique roman classique, qui, après avoir été *Clélie*, n'était plus que *Lodoïska*, toujours noble, mais de plus en plus vulgaire, tombé de mademoiselle de Scudéri à madame Barthélemy-Hadot, et de madame de Lafayette à madame Bournon-Malarme, incendiait l'âme aimante des portières de Paris et ravageait même un peu la banlieue. Madame Thénardier était juste assez intelligente pour lire ces espèces de livres. Elle s'en nourrissait. Elle y noyait ce qu'elle avait de cervelle; cela lui avait donné, tant qu'elle avait été très jeune, et même un peu plus tard, une sorte d'attitude pensive près de son mari, coquin d'une certaine profondeur, ruffian lettré à la grammaire près, grossier et fin en même temps, mais, en fait de sentimentalisme, lisant Pigault-Lebrun, et pour « tout ce qui touche le sexe », comme il disait dans son jargon, butor correct et sans mélange. Sa femme avait quelque douze ou quinze ans de moins que lui. Plus tard, quand les cheveux romanesquement pleureurs commencèrent à grisonner, quand la Mégère se dégagea de la Paméla, la Thénardier ne fut plus qu'une grosse méchante femme ayant savouré des romans bêtes [2]. Or on ne lit pas impunément des niaiseries. Il en résulta que sa fille aînée se nomma Eponine[1]. Quant à la cadette, la pauvre petite faillit se nommer Gulnarc; elle dut à je ne sais quelle heureuse diversion faite par un roman de Ducray-Duminil, de ne s'appeler qu'Azelma.

Au reste, pour le dire en passant, tout n'est pas ridicule et superficiel dans cette curieuse époque à laquelle nous faisons ici allusion, et qu'on pourrait appeler l'anarchie des noms de baptême. A côté de l'élément romanesque, que nous venons d'indiquer, il y a le symptôme social. Il n'est pas rare aujourd'hui que le garçon bouvier se nomme Arthur, Alfred ou Alphonse, et que le vicomte — s'il y a encore des vicomtes — se nomme Thomas, Pierre ou Jacques[2]. Ce déplacement qui met le nom « élégant » sur le plébéien et le nom campagnard sur l'aristocrate n'est autre chose qu'un remous d'égalité. L'irrésistible pénétration du souffle nouveau est là comme en tout. Sous cette discordance apparente, il y a une chose grande et profonde : la révolution française.

III

L'ALOUETTE

Il ne suffit pas d'être méchant pour prospérer. La gargote allait mal.

Grâce aux cinquante-sept francs de la voyageuse, Thénardier avait pu éviter un protêt et faire honneur à sa signature. Le mois suivant ils eurent encore besoin d'argent; la femme porta à Paris et engagea au Mont-de-Piété le trousseau de Cosette pour une somme de soixante francs. Dès que cette somme fut dépensée, les Thénardier s'accoutumèrent à ne plus voir dans la petite fille qu'un enfant qu'ils avaient chez eux par charité, et la traitèrent en conséquence. Comme elle n'avait plus de trousseau, on l'habilla des vieilles jupes et des vieilles chemises des petites Thénardier, c'est-à-dire de haillons. On la nourrit des restes de tout le monde, un peu mieux que le chien et un peu plus mal que le chat. Le chat et le chien étaient du reste ses commensaux habituels; Cosette mangeait avec eux sous la table dans une écuelle de bois pareille à la leur.

La mère qui s'était fixée, comme on le verra plus tard, à

Montreuil-sur-mer, écrivait, ou, pour mieux dire, faisait écrire tous les mois afin d'avoir des nouvelles de son enfant. Les Thénardier répondaient invariablement : Cosette est à merveille.

Les six premiers mois révolus, la mère envoya sept francs pour le septième mois, et continua assez exactement ses envois de mois en mois. L'année n'était pas finie que le Thénardier dit : — Une belle grâce qu'elle nous fait là! que veut-elle que nous fassions avec ses sept francs? Et il écrivit pour exiger douze francs. La mère, à laquelle ils persuadaient que son enfant était heureuse « et venait bien », se soumit et envoya les douze francs.

Certaines natures ne peuvent aimer d'un côté sans haïr de l'autre. La mère Thénardier aimait passionnément ses deux filles à elle, ce qui fit qu'elle détesta l'étrangère. Il est triste de songer que l'amour d'une mère peut avoir de vilains aspects. Si peu de place que Cosette tînt chez elle, il lui semblait que cela était pris aux siens, et que cette petite diminuait l'air que ses filles respiraient. Cette femme, comme beaucoup de femmes de sa sorte, avait une somme de caresses et une somme de coups et d'injures à dépenser chaque jour. Si elle n'avait pas eu Cosette, il est certain que ses filles, tout idolâtrées qu'elles étaient, auraient tout reçu; mais l'étrangère leur rendit le service de détourner les coups sur elles. Ses filles n'eurent que les caresses. Cosette ne faisait pas un mouvement qui ne fît pleuvoir sur sa tête une grêle de châtiments violents et immérités. Doux être faible qui ne devait rien comprendre à ce monde ni à Dieu, sans cesse punie, grondée, rudoyée, battue et voyant à côté d'elle deux petites créatures comme elle, qui vivaient dans un rayon d'aurore!

La Thénardier étant méchante pour Cosette, Éponine et Azelma furent méchantes. Les enfants, à cet âge, ne sont que des exemples de la mère. Le format est plus petit, voilà tout.

Une année s'écoula, puis une autre.

On disait dans le village :

— Ces Thénardier sont de braves gens. Ils ne sont pas riches, et ils élèvent un pauvre enfant qu'on leur a abandonné chez eux!

On croyait Cosette oubliée par sa mère [1].

Cependant le Thénardier, ayant appris par on ne sait quelles voies obscures que l'enfant était probablement bâtard et que la mère ne pouvait l'avouer, exigea quinze francs par mois, disant que « la créature » grandissait et « *mangeait* », et menaçant de la renvoyer. « Qu'elle ne m'embête pas! s'ériait-il, je lui bombarde son mioche tout au beau milieu de ses cachoteries. Il me faut de l'augmentation. » La mère paya les quinze francs.

D'année en année, l'enfant grandit, et sa misère aussi[1].

Tant que Cosette fut toute petite, elle fut le souffre-douleur des deux autres enfants; dès qu'elle se mit à se développer un peu, c'est-à-dire avant même qu'elle eût cinq ans, elle devint la servante de la maison.

Cinq ans, dira-t-on, c'est invraisemblable. Hélas, c'est vrai. La souffrance sociale commence à tout âge. N'avons-nous pas vu, récemment, le procès d'un nommé Dumolard, orphelin devenu bandit, qui, dès l'âge de cinq ans, disent les documents officiels, étant seul au monde « travaillait pour vivre, et volait ».

On fit faire à Cosette les commissions, balayer les chambres, la cour, la rue, laver la vaisselle, porter même des fardeaux. Les Thénardier se crurent d'autant plus autorisés à agir ainsi que la mère qui était toujours à Montreuil-sur-mer commença à mal payer. Quelques mois restèrent en souffrance[2].

Si cette mère fût revenue à Montfermeil au bout de ces trois années, elle n'eût point reconnu son enfant. Cosette, si jolie et si fraîche à son arrivée dans cette maison, était maintenant maigre et blême. Elle avait je ne sais quelle allure inquiète. Sournoise! disaient les Thénardier.

L'injustice l'avait faite hargneuse et la misère l'avait rendue laide. Il ne lui restait plus que ses beaux yeux qui faisaient peine, parce que, grands comme ils étaient, il semblait qu'on y vît une plus grande quantité de tristesse[3].

C'était une chose navrante de voir, l'hiver, ce pauvre enfant, qui n'avait pas encore six ans, grelottant sous de vieilles loques de toile trouées, balayer la rue avant le jour avec un énorme balai dans ses petites mains rouges et une larme dans ses grands yeux.

Dans le pays on l'appelait l'Alouette. Le peuple, qui aime les figures, s'était plu à nommer de ce nom[4] ce petit être pas plus gros qu'un oiseau, tremblant, effarouché et frissonnant, éveillé le premier chaque matin dans la maison et dans le village, toujours dans la rue ou dans les champs avant l'aube.

Seulement[5] la pauvre Alouette ne chantait jamais.

LIVRE CINQUIÈME

LA DESCENTE[1]

I

HISTOIRE D'UN PROGRÈS
DANS LES VERROTERIES NOIRES

CETTE mère cependant qui, au dire des gens de Montfermeil, semblait avoir abandonné son enfant, que devenait-elle? où était-elle? que faisait-elle?

Après avoir laissé sa petite Cosette aux Thénardier, elle avait continué son chemin et était arrivée à Montreuil-sur-mer[2].

C'était, on se le rappelle, en 1818.

Fantine avait quitté sa province depuis une dizaine d'années. Montreuil-sur-mer avait changé d'aspect. Tandis que Fantine descendait lentement de misère en misère, sa ville natale avait prospéré[3].

Depuis deux ans environ, il s'y était accompli un de ces faits industriels qui sont les grands événements des petits pays.

Ce détail importe, et nous croyons utile de le développer; nous dirions presque, de le souligner[4].

De temps immémorial, Montreuil-sur-mer avait pour industrie spéciale l'imitation des jais anglais et des verroteries noires d'Allemagne[5]. Cette industrie avait toujours végété, à cause de la cherté des matières premières qui réagissait sur la main-d'œuvre. Au moment où Fantine revint à Montreuil-sur-mer, une transformation inouïe s'était opérée dans cette production des « articles noirs ». Vers la fin de 1815, un homme, un inconnu, était venu s'établir dans la ville et avait eu l'idée de substituer, dans cette fabrication, la gomme laque à la résine et, pour les bracelets en particulier, les coulants en tôle simplement rapprochée aux coulants en tôle soudée. Ce tout petit changement avait été une révolution.

Ce tout petit changement en effet avait prodigieusement réduit le prix de la matière première, ce qui avait permis, premièrement, d'élever le prix de la main-d'œuvre, bienfait pour le pays; deuxièmement, d'améliorer la fabrication, avantage pour le consommateur; troisièmement, de vendre à meilleur marché tout en triplant le bénéfice, profit pour le manufacturier.

Ainsi pour une idée trois résultats.

En moins de trois ans, l'auteur de ce procédé était devenu riche, ce qui est bien, et avait tout fait riche autour de lui, ce qui est mieux. Il était étranger au département. De son origine, on ne savait rien; de ses commencements, peu de chose.

On contait qu'il était venu dans la ville avec fort peu d'argent, quelques centaines de francs tout au plus.

C'est de ce mince capital, mis au service d'une idée ingénieuse, fécondé par l'ordre et par la pensée, qu'il avait tiré sa fortune et la fortune de tout ce pays.

A son arrivée à Montreuil-sur-mer, il n'avait que les vêtements, la tournure et le langage d'un ouvrier.

Il paraît que, le jour même où il faisait obscurément son entrée dans la petite ville de Montreuil-sur-mer, à la tombée d'un soir de décembre, le sac au dos et le bâton d'épine à la main, un gros incendie venait d'éclater à la maison commune. Cet homme s'était jeté dans le feu, et avait sauvé, au péril de sa vie, deux enfants[1] qui se trouvaient être ceux du capitaine de gendarmerie; ce qui fait qu'on n'avait pas songé à lui demander son passeport. Depuis lors, on avait su son nom. Il s'appelait *le père Madeleine*[2].

II

MADELEINE

C'ÉTAIT un homme d'environ cinquante ans, qui avait l'air préoccupé et qui était bon. Voilà tout ce qu'on en pouvait dire.

Grâce aux progrès rapides de cette industrie qu'il avait si admirablement remaniée, Montreuil-sur-mer était devenu un centre d'affaires considérable. L'Espagne, qui consomme beaucoup de jais noir, y commandait chaque année des achats immenses. Montreuil-sur-mer, pour ce commerce, faisait presque concurrence à Londres et à Berlin. Les bénéfices du père Madeleine étaient tels que, dès la deuxième année, il avait pu bâtir une grande fabrique dans laquelle il y avait deux vastes ateliers, l'un pour les hommes, l'autre pour les femmes. Quiconque avait faim pouvait s'y présenter, et était sûr de trouver là de l'emploi et du pain. Le père Madeleine demandait aux hommes de la bonne volonté, aux femmes des mœurs pures, à tous de la probité. Il avait divisé les ateliers afin de séparer les sexes et que les filles et les femmes pussent rester sages. Sur ce point, il était inflexible. C'était le seul où il fût en quelque sorte intolérant. Il était d'autant plus fondé à cette sévérité que, Montreuil-sur-mer étant une ville de garnison, les occasions de corruption abondaient. Du reste sa venue avait été un bienfait, et sa présence était une providence. Avant l'arrivée du père Madeleine, tout languissait dans le pays; maintenant tout y vivait de la vie saine du travail. Une forte circulation échauffait tout et pénétrait partout. Le chômage et la misère étaient inconnus. Il n'y avait pas de poche si obscure où il n'y eût un peu d'argent, pas de logis si pauvre où il n'y eût un peu de joie.

Le père Madeleine employait tout le monde. Il n'exigeait qu'une chose : soyez honnête homme! soyez honnête fille!

Comme nous l'avons dit, au milieu de cette activité dont il était la cause et le pivot, le père Madeleine faisait sa fortune, mais, chose assez singulière dans un simple homme de commerce, il ne paraissait point que ce fût là son principal souci. Il semblait qu'il songeât beaucoup aux autres et peu à lui. En 1820, on lui connaissait une somme de six cent trente mille francs placée à son nom chez Laffitte; mais avant de se réserver ces six cent trente mille francs, il avait dépensé plus d'un million pour la ville et pour les pauvres.

L'hôpital était mal doté; il y avait fondé dix lits. Montreuil-sur-mer est divisé en ville haute et ville basse. La ville basse, qu'il habitait, n'avait qu'une école, méchante masure qui tombait en ruine; il en avait construit deux, une pour les filles, l'autre pour les garçons. Il allouait de ses deniers aux deux instituteurs une indemnité double de leur maigre traitement officiel, et un jour, à quelqu'un qui s'en étonnait, il dit : « Les deux premiers fonctionnaires de l'état, c'est la nourrice et le maître d'école. » Il avait créé à ses frais une salle d'asile, chose alors presque inconnue en France, et une caisse de secours pour les ouvriers vieux et infirmes. Sa manufacture étant un centre, un nouveau quartier où il y avait bon nombre de familles indigentes avait rapidement surgi autour de lui; il y avait établi une pharmacie gratuite.

Dans les premiers temps, quand on le vit commencer, les bonnes âmes dirent : C'est un gaillard qui veut s'enrichir. Quand on le vit enrichir le pays avant de s'enrichir lui-même, les mêmes bonnes âmes dirent : C'est un ambitieux. Cela semblait d'autant plus probable que cet homme était religieux, et même pratiquait dans une certaine mesure, chose fort bien vue à cette époque. Il allait régulièrement entendre une basse messe tous les dimanches. Le député local, qui flairait partout des concurrences, ne tarda pas à s'inquiéter de cette religion. Ce député [1], qui avait été membre du corps législatif de l'empire, partageait les idées religieuses d'un père de l'oratoire connu sous le nom de Fouché, duc d'Otrante, dont il avait été la créature et l'ami. A huis clos il riait de Dieu doucement. Mais quand il vit le riche manufacturier Madeleine aller à la basse messe de sept heures, il entrevit un candidat possible, et résolut de le dépasser; il prit un confesseur jésuite et alla à la grand'messe et à vêpres. L'ambition en ce temps-là était, dans l'acception directe du mot, une course au clocher. Les pauvres profitèrent de cette terreur comme le bon Dieu, car l'honorable député fonda aussi deux lits à l'hôpital; ce qui fit douze.

Cependant en 1819 le bruit se répandit un matin dans la ville que, sur la présentation de M. le préfet, et en considération des services rendus au pays, le père Madeleine allait être nommé par le roi maire de Montreuil-sur-mer. Ceux qui avaient déclaré ce nouveau venu « un ambitieux », saisirent avec transport cette occasion que tous les hommes souhaitent de s'écrier : Là! qu'est-ce que nous avions dit? Tout Montreuil-sur-mer fut en rumeur. Le bruit était fondé. Quelques jours après, la nomination parut dans *le Moniteur*. Le lendemain, le père Madeleine refusa.

Dans cette même année 1819, les produits du nouveau procédé inventé par Madeleine figurèrent à l'exposition de l'industrie; sur le rapport du jury, le roi nomma l'inventeur chevalier de la légion d'honneur. Nouvelle rumeur dans la petite ville. Eh bien! c'est la croix qu'il voulait! Le père Madeleine refusa la croix.

Décidément cet homme était une énigme. Les bonnes âmes se tirèrent d'affaire en disant : Après tout, c'est une espèce d'aventurier.

On l'a vu, le pays lui devait beaucoup, les pauvres lui devaient tout; il était si utile qu'il avait bien fallu qu'on finît par l'honorer, et il était si doux qu'il avait bien fallu qu'on finît par l'aimer; ses ouvriers en particulier l'adoraient, et il portait cette adoration avec une sorte de gravité mélancolique. Quand il fut constaté riche, « les personnes de la société » le saluèrent, et on l'appela dans la ville monsieur Madeleine; ses ouvriers et les enfants continuèrent de l'appeler *le père Madeleine*, et c'était la chose qui le faisait le mieux sourire. A mesure qu'il montait, les invitations pleuvaient sur lui. « La société » le réclamait. Les petits salons guindés de Montreuil-sur-mer qui, bien entendu, se fussent dans les premiers temps fermés à l'artisan, s'ouvrirent à deux battants au millionnaire. On lui fit mille avances. Il refusa.

Cette fois encore les bonnes âmes ne furent point empêchées. — C'est un homme ignorant et de basse éducation. On ne sait d'où cela sort. Il ne saurait pas se tenir dans le monde. Il n'est pas du tout prouvé qu'il sache lire.

Quand on l'avait vu gagner de l'argent, on avait dit : c'est un marchand. Quand on l'avait vu semer son argent, on avait dit : c'est un ambitieux. Quand on l'avait vu repousser les honneurs, on avait dit : c'est un aventurier. Quand on le vit repousser le monde, on dit : c'est une brute.

En 1820, cinq ans après son arrivée à Montreuil-sur-mer, les services qu'il avait rendus au pays étaient si éclatants, le vœu de la contrée fut tellement unanime, que le roi le nomma de nouveau maire de la ville. Il refusa encore, mais le préfet résista à son refus, tous les notables vinrent le prier, le peuple en pleine rue le suppliait, l'insistance fut si vive qu'il finit par accepter. On remarqua que ce qui parut surtout le déterminer, ce fut l'apostrophe presque irritée d'une vieille femme du peuple qui lui cria du seuil de sa porte avec humeur : *Un bon maire, c'est utile. Est-ce qu'on recule devant du bien qu'on peut faire?*

Ce fut là la troisième phase de son ascension. Le père Madeleine était devenu monsieur Madeleine, monsieur Madeleine devint monsieur le maire[1].

III

SOMMES DÉPOSÉES CHEZ LAFFITTE

Du reste, il était demeuré aussi simple que le premier jour. Il avait les cheveux gris, l'œil sérieux, le teint hâlé d'un ouvrier, le visage pensif d'un philosophe. Il portait habituellement un chapeau à bords larges et une longue redingote de gros drap, boutonnée jusqu'au menton. Il remplissait ses fonctions de maire, mais hors de là il vivait solitaire. Il parlait à peu de monde. Il se dérobait aux politesses, saluait de côté, s'esquivait vite, souriait pour se dispenser de causer, donnait pour se dispenser de sourire. Les femmes disaient de lui : Quel bon ours! Son plaisir était de se promener dans les champs.

Il prenait ses repas toujours seul, avec un livre ouvert devant lui où il lisait. Il avait une petite bibliothèque bien faite. Il aimait les livres; les livres sont des amis froids et sûrs. A mesure que le loisir lui venait avec la fortune, il semblait qu'il en profitât pour cultiver son esprit. Depuis qu'il était à Montreuil-sur-mer, on remarquait que d'année en année son langage devenait plus poli, plus choisi et plus doux.

Il emportait volontiers un fusil dans ses promenades, mais il s'en servait rarement. Quand cela lui arrivait par aventure, il avait un tir infaillible qui effrayait. Jamais il ne tuait un animal inoffensif. Jamais il ne tirait un petit oiseau.

Quoiqu'il ne fût plus jeune, on contait qu'il était d'une force prodigieuse. Il offrait un coup de main à qui en avait besoin, relevait un cheval, poussait à une roue embourbée, arrêtait par les cornes un taureau échappé. Il avait toujours ses poches pleines de monnaie en sortant et vides en rentrant[2]. Quand il passait dans un village, les marmots déguenillés couraient joyeusement après lui et l'entouraient comme une nuée de moucherons.

On croyait deviner[3] qu'il avait dû vivre jadis de la vie des

champs, car il avait toutes sortes de secrets utiles qu'il enseignait aux paysans. Il leur apprenait à détruire la teigne des
blés en aspergeant le grenier et en inondant les fentes du
plancher d'une dissolution de sel commun, et à chasser les
charançons en suspendant partout, aux murs et aux toits, dans
les héberges et dans les maisons, de l'orviot en fleur. Il avait
des « recettes » pour extirper d'un champ la luzette, la nielle,
la vesce, la gaverolle, la queue-de-renard, toutes les herbes
parasites qui mangent le blé. Il défendait une lapinière contre
les rats rien qu'avec l'odeur d'un petit cochon de Barbarie
qu'il y mettait.

Un jour il voyait des gens du pays très occupés à arracher
des orties. Il regarda ce tas de plantes déracinées et déjà des-
séchées, et dit : — C'est mort. Cela serait pourtant bon si l'on
savait s'en servir. Quand l'ortie est jeune, la feuille est un
légume excellent; quand elle vieillit, elle a des filaments et des
fibres comme le chanvre et le lin. La toile d'ortie vaut la toile
de chanvre. Hachée, l'ortie est bonne pour la volaille; broyée,
elle est bonne pour les bêtes à cornes. La graine de l'ortie mêlée
au fourrage donne du luisant au poil des animaux; la racine
mêlée au sel produit une belle couleur jaune. C'est du reste
un excellent foin qu'on peut faucher deux fois. Et que faut-il
à l'ortie? Peu de terre, nul soin, nulle culture. Seulement la
graine tombe à mesure qu'elle mûrit, et est difficile à récolter.
Voilà tout. Avec quelque peine qu'on prendrait, l'ortie serait
utile; on la néglige, elle devient nuisible. Alors on la tue. Que
d'hommes ressemblent à l'ortie! — Il ajouta après un silence :
Mes amis, retenez ceci, il n'y a ni mauvaises herbes ni mauvais
hommes. Il n'y a que de mauvais cultivateurs [1].

Les enfants l'aimaient encore parce qu'il savait faire de
charmants petits ouvrages avec de la paille et des noix de coco.

Quand il voyait la porte d'une église tendue de noir, il
entrait; il recherchait un enterrement comme d'autres re-
cherchent un baptême. Le veuvage et le malheur d'autrui l'atti-
raient à cause de sa grande douceur; il se mêlait aux amis en
deuil, aux familles vêtues de noir, aux prêtres gémissant autour
d'un cercueil. Il semblait donner volontiers pour texte à ses
pensées ces psalmodies funèbres pleines de la vision d'un autre
monde. L'œil au ciel, il écoutait, avec une sorte d'aspiration
vers tous les mystères de l'infini, ces voix tristes qui chantent
sur le bord de l'abîme obscur de la mort.

Il faisait une foule de bonnes actions en se cachant comme on se cache pour les mauvaises. Il pénétrait à la dérobée, le soir, dans les maisons; il montait furtivement des escaliers. Un pauvre diable, en rentrant dans son galetas, trouvait que sa porte avait été ouverte, quelquefois même forcée, dans son absence. Le pauvre homme se récriait : quelque malfaiteur est venu! Il entrait, et la première chose qu'il voyait, c'était une pièce d'or oubliée sur un meuble. « Le malfaiteur » qui était venu, c'était le père Madeleine.

Il était affable et triste. Le peuple disait : Voilà un homme riche qui n'a pas l'air fier. Voilà un homme heureux qui n'a pas l'air content[1].

Quelques-uns prétendaient que c'était un personnage mystérieux, et affirmaient qu'on n'entrait jamais dans sa chambre, laquelle était une vraie cellule d'anachorète meublée de sabliers ailés et enjolivée de tibias en croix et de têtes de mort. Cela se disait beaucoup, si bien que quelques jeunes femmes élégantes et malignes de Montreuil-sur-mer vinrent chez lui un jour, et lui demandèrent : — Monsieur le maire, montrez-nous donc votre chambre. On dit que c'est une grotte. — Il sourit, et les introduisit sur-le-champ dans cette « grotte ». Elles furent bien punies de leur curiosité. C'était une chambre garnie tout bonnement de meubles d'acajou assez laids comme tous les meubles de ce genre et tapissée de papier à douze sous. Elles n'y purent rien remarquer que deux flambeaux de forme vieillie qui étaient sur la cheminée et qui avaient l'air d'être en argent, « car ils étaient contrôlés ». Observation pleine de l'esprit des petites villes.

On n'en continua pas moins de dire que personne ne pénétrait dans cette chambre et que c'était une caverne d'ermite, un rêvoir, un trou, un tombeau.

On se chuchotait aussi qu'il avait des sommes « immenses » déposées chez Laffitte, avec cette particularité qu'elles étaient toujours à sa disposition immédiate, de telle sorte, ajoutait-on, que M. Madeleine pourrait arriver un matin chez Laffitte, signer un reçu et emporter ses deux ou trois millions en dix minutes. Dans la réalité ces « deux ou trois millions » se réduisaient, nous l'avons dit, à six cent trente ou quarante mille francs.

IV

M. MADELEINE EN DEUIL

Au commencement de 1821, les journaux annoncèrent la mort de M. Myriel, évêque de Digne, « surnommé *monseigneur Bienvenu* », et trépassé en odeur de sainteté à l'âge de quatre-vingt-deux ans.

L'évêque de Digne, pour ajouter ici un détail que les journaux omirent, était, quand il mourut, depuis plusieurs années aveugle, et content d'être aveugle, sa sœur étant près de lui.

Disons-le en passant, être aveugle et être aimé, c'est en effet, sur cette terre où rien n'est complet, une des formes les plus étrangement exquises du bonheur [1]. Avoir continuellement à ses côtés une femme, une fille, une sœur, un être charmant, qui est là parce que vous avez besoin d'elle et parce qu'elle ne peut se passer de vous, se savoir indispensable à qui nous est nécessaire, pouvoir incessamment mesurer son affection à la quantité de présence qu'elle nous donne, et se dire : puisqu'elle me consacre tout son temps, c'est que j'ai tout son cœur; voir la pensée à défaut de la figure, constater la fidélité d'un être dans l'éclipse du monde, percevoir le frôlement d'une robe comme un bruit d'ailes, l'entendre aller et venir, sortir, rentrer, parler, chanter, et songer qu'on est le centre de ces pas, de cette parole, de ce chant, manifester à chaque minute sa propre attraction, se sentir d'autant plus puissant qu'on est plus infirme, devenir dans l'obscurité, et par l'obscurité, l'astre autour duquel gravite cet ange, peu de félicités égalent celle-là. Le suprême bonheur de la vie, c'est la conviction qu'on est aimé; aimé pour soi-même, disons mieux, aimé malgré soi-même; cette conviction, l'aveugle l'a. Dans cette détresse, être servi, c'est être caressé. Lui manque-t-il quelque chose? Non. Ce n'est point perdre la lumière qu'avoir l'amour. Et quel amour! un amour entièrement fait de vertu. Il n'y a point de cécité où il y a certitude. L'âme à tâtons cherche l'âme, et la trouve. Et cette âme trouvée et prouvée est une femme. Une main vous soutient, c'est la sienne; une bouche effleure votre front, c'est sa bouche; vous entendez une respi-

ration tout près de vous, c'est elle. Tout avoir d'elle, depuis
son culte jusqu'à sa pitié, n'être jamais quitté, avoir cette
douce faiblesse qui vous secourt, s'appuyer sur ce roseau iné-
branlable, toucher de ses mains la providence et pouvoir la
prendre dans ses bras, Dieu palpable, quel ravissement! Le
cœur, cette céleste fleur obscure, entre dans un épanouissement
mystérieux. On ne donnerait pas cette ombre pour toute la
clarté. L'âme ange est là, sans cesse là; si elle s'éloigne, c'est
pour revenir; elle s'efface comme le rêve et reparaît comme
la réalité. On sent de la chaleur qui approche, la voilà. On
déborde de sérénité, de gaîté et d'extase; on est un rayonnement dans la nuit. Et mille petits soins. Des riens qui sont
énormes dans ce vide. Les plus ineffables accents de la voix
féminine employés à vous bercer, et suppléant pour vous à
l'univers évanoui. On est caressé avec de l'âme. On ne voit
rien, mais on se sent adoré. C'est un paradis de ténèbres.

C'est de ce paradis que monseigneur Bienvenu était passé à
l'autre.

L'annonce de sa mort fut reproduite par le journal local
de Montreuil-sur-mer. M. Madeleine parut le lendemain tout
en noir avec un crêpe à son chapeau.

On remarqua dans la ville ce deuil, et l'on jasa. Cela parut
une lueur sur l'origine de M. Madeleine. On en conclut qu'il
avait quelque alliance avec le vénérable évêque. *Il drape pour
l'évêque de Digne,* dirent les salons; cela rehaussa fort M. Madeleine, et lui donna subitement et d'emblée une certaine considération dans le monde noble de Montreuil-sur-mer. Le micro-
scopique faubourg Saint-Germain de l'endroit songea à faire
cesser la quarantaine de M. Madeleine, parent probable d'un
évêque. M. Madeleine s'aperçut de l'avancement qu'il obtenait
à plus de révérences des vieilles femmes et à plus de sourires
des jeunes. Un soir, une doyenne de ce petit grand monde-là,
curieuse par droit d'ancienneté, se hasarda à lui demander :
— Monsieur le maire est sans doute cousin du feu évêque de
Digne?

Il dit : — Non, madame.

— Mais, reprit la douairière, vous en portez le deuil?

Il répondit : — C'est que dans ma jeunesse j'ai été laquais
dans sa famille.

Une remarque qu'on faisait encore, c'est que, chaque fois
qu'il passait dans la ville un jeune savoyard courant le pays

et cherchant des cheminées à ramoner, M. le maire le faisait appeler, lui demandait son nom, et lui donnait de l'argent. Les petits savoyards se le disaient, et il en passait beaucoup.

V

VAGUES ÉCLAIRS À L'HORIZON

Peu à peu, et avec le temps, toutes les oppositions étaient tombées. Il y avait eu d'abord contre M. Madeleine, sorte de loi que subissent toujours ceux qui s'élèvent, des noirceurs et des calomnies, puis ce ne fut plus que des méchancetés, puis ce ne fut plus que des malices, puis cela s'évanouit tout à fait; le respect devint complet, unanime, cordial, et il arriva un moment, vers 1821, où ce mot : monsieur le maire, fut prononcé à Montreuil-sur-mer presque du même accent que ce mot : monseigneur l'évêque, était prononcé à Digne en 1815 [1]. On venait de dix lieues à la ronde consulter M. Madeleine. Il terminait les différends, il empêchait les procès, il réconciliait les ennemis. Chacun le prenait pour juge de son bon droit. Il semblait qu'il eût pour âme le livre de la loi naturelle. Ce fut comme une contagion de vénération qui, en six ou sept ans et de proche en proche, gagna tout le pays.

Un seul homme, dans la ville et dans l'arrondissement, se déroba absolument à cette contagion, et, quoi que fit le père Madeleine, y demeura rebelle, comme si une sorte d'instinct, incorruptible et imperturbable, l'éveillait et l'inquiétait. Il semblerait en effet qu'il existe dans certains hommes un véritable instinct bestial, pur et intègre comme tout instinct, qui crée les antipathies et les sympathies, qui sépare fatalement une nature d'une autre nature, qui n'hésite pas, qui ne se trouble, ne se tait et ne se dément jamais, clair dans son obscurité, infaillible, impérieux, réfractaire à tous les conseils de l'intelligence et à tous les dissolvants de la raison, et qui, de quelque façon que les destinées soient faites, avertit secrètement l'homme-chien de la présence de l'homme-chat, et l'homme-renard de la présence de l'homme-lion [2].

Souvent, quand M. Madeleine passait dans une rue, calme,

affectueux, entouré des bénédictions de tous, il arrivait qu'un homme de haute taille, vêtu d'une redingote gris de fer, armé d'une grosse canne et coiffé d'un chapeau rabattu, se retournait brusquement derrière lui, et le suivait des yeux jusqu'à ce qu'il eût disparu, croisant les bras, secouant lentement la tête, et haussant sa lèvre supérieure avec sa lèvre inférieure jusqu'à son nez, sorte de grimace significative qui pourrait se traduire par : — Mais qu'est-ce que c'est que cet homme-là? — Pour sûr je l'ai vu quelque part. — En tout cas, je ne suis toujours pas sa dupe.

Ce personnage, grave d'une gravité presque menaçante, était de ceux qui, même rapidement entrevus, préoccupent l'observateur.

Il se nommait Javert[1], et il était de la police.

Il remplissait à Montreuil-sur-mer les fonctions pénibles, mais utiles, d'inspecteur. Il n'avait pas vu les commencements de Madeleine. Javert devait le poste qu'il occupait à la protection de M. Chabouillet, le secrétaire du ministre d'état comte Anglès, alors préfet de police à Paris. Quand Javert était arrivé à Montreuil-sur-mer, la fortune du grand manufacturier était déjà faite, et le père Madeleine était devenu monsieur Madeleine.

Certains officiers de police ont une physionomie à part et qui se complique d'un air de bassesse mêlé à un air d'autorité. Javert avait cette physionomie, moins la bassesse.

Dans notre conviction, si les âmes étaient visibles aux yeux, on verrait distinctement cette chose étrange que chacun des individus de l'espèce humaine correspond à quelqu'une des espèces de la création animale; et l'on pourrait reconnaître aisément cette vérité à peine entrevue par le penseur, que, depuis l'huître jusqu'à l'aigle, depuis le porc jusqu'au tigre, tous les animaux sont dans l'homme et que chacun d'eux est dans un homme. Quelquefois même plusieurs d'entre eux à la fois.

Les animaux ne sont autre chose que les figures de nos vertus et de nos vices, errantes devant nos yeux, les fantômes visibles de nos âmes. Dieu nous les montre pour nous faire réfléchir. Seulement, comme les animaux ne sont que des ombres, Dieu ne les a point faits éducables dans le sens complet du mot; à quoi bon? Au contraire, nos âmes étant des réalités et ayant une fin qui leur est propre, Dieu leur a donné l'intelligence, c'est-à-dire l'éducation possible. L'éducation sociale bien faite peut toujours tirer d'une âme, quelle qu'elle soit, l'utilité qu'elle contient.

Ceci soit dit, bien entendu, au point de vue restreint de la vie terrestre apparente, et sans préjuger la question profonde de la personnalité antérieure et ultérieure des êtres qui ne sont pas l'homme. Le moi visible n'autorise en aucune façon le penseur à nier le moi latent. Cette réserve faite, passons.

Maintenant, si l'on admet un moment avec nous que dans tout homme il y a une des espèces animales de la création, il nous sera facile de dire ce que c'était que l'officier de paix Javert.

Les paysans asturiens sont convaincus que dans toute portée de louve il y a un chien, lequel est tué par la mère, sans quoi en grandissant il dévorerait les autres petits.

Donnez une face humaine à ce chien fils d'une louve, et ce sera Javert.

Javert était né dans une prison d'une tireuse de cartes dont le mari était aux galères[1]. En grandissant, il pensa qu'il était en dehors de la société et désespéra d'y rentrer jamais. Il remarqua que la société maintient irrémissiblement en dehors d'elle deux classes d'hommes, ceux qui l'attaquent et ceux qui la gardent; il n'avait le choix qu'entre ces deux classes; en même temps il se sentait je ne sais quel fond de rigidité, de régularité et de probité, compliqué d'une inexprimable haine pour cette race de bohèmes dont il était. Il entra dans la police.

Il y réussit. A quarante ans il était inspecteur.

Il avait dans sa jeunesse été employé dans les chiourmes du midi.

Avant d'aller plus loin, entendons-nous sur ce mot face humaine que nous appliquions tout à l'heure à Javert.

La face humaine de Javert consistait en un nez camard, avec deux profondes narines vers lesquelles montaient sur ses deux joues d'énormes favoris. On se sentait mal à l'aise la première fois qu'on voyait ces deux forêts et ces deux cavernes. Quand Javert riait, ce qui était rare et terrible, ses lèvres minces s'écartaient, et laissaient voir, non seulement ses dents, mais ses gencives, et il se faisait autour de son nez un plissement épaté et sauvage comme sur un mufle de bête fauve. Javert sérieux était un dogue; lorsqu'il riait, c'était un tigre. Du reste, peu de crâne, beaucoup de mâchoire, les cheveux

cachant le front et tombant sur les sourcils, entre les deux yeux
un froncement central permanent comme une étoile de colère,
le regard obscur, la bouche pincée et redoutable, l'air du
commandement féroce.

Cet homme était composé de deux sentiments très simples, et
relativement très bons, mais qu'il faisait presque mauvais à
force de les exagérer : le respect de l'autorité, la haine de la
rébellion; et à ses yeux le vol, le meurtre, tous les crimes,
n'étaient que des formes de la rébellion. Il enveloppait dans
une sorte de foi aveugle et profonde tout ce qui a une fonction
dans l'état, depuis le premier ministre jusqu'au garde cham-
pêtre. Il couvrait de mépris, d'aversion et de dégoût tout ce
qui avait franchi une fois le seuil légal du mal. Il était absolu
et n'admettait pas d'exceptions. D'une part il disait : — Le
fonctionnaire ne peut se tromper; le magistrat n'a jamais tort.
— D'autre part il disait : — Ceux-ci sont irrémédiablement perdus. Rien de bon n'en peut sortir. — Il partageait pleinement
l'opinion de ces esprits extrêmes qui attribuent à la loi humaine
je ne sais quel pouvoir de faire ou, si l'on veut, de constater
des damnés, et qui mettent un Styx[1] au bas de la société. Il était
stoïque, sérieux, austère; rêveur triste; humble et hautain
comme les fanatiques. Son regard était une vrille. Cela était
froid et cela perçait. Toute sa vie tenait dans ces deux mots :
veiller et surveiller. Il avait introduit la ligne droite dans ce
qu'il y a de plus tortueux au monde; il avait la conscience de
son utilité, la religion de ses fonctions; et il était espion comme
on est prêtre. Malheur à qui tombait sous sa main! Il eût
arrêté son père s'évadant du bagne et dénoncé sa mère en
rupture de ban. Et il l'eût fait avec cette sorte de satisfaction
intérieure que donne la vertu. Avec cela une vie de privations,
l'isolement, l'abnégation, la chasteté, jamais une distraction.
C'était le devoir implacable, la police comprise comme les
spartiates comprenaient Sparte, un guet impitoyable, une honnêteté farouche, un mouchard marmoréen, Brutus dans Vidocq.

Toute la personne de Javert exprimait l'homme qui épie
et qui se dérobe. L'école mystique de Joseph de Maistre,
laquelle à cette époque assaisonnait de haute cosmogonie ce
qu'on appelait les journaux ultras, n'eût pas manqué de dire
que Javert était un symbole[2]. On ne voyait pas son front qui
disparaissait sous son chapeau, on ne voyait pas ses yeux qui
se perdaient sous ses sourcils, on ne voyait pas son menton

qui plongeait dans sa cravate, on ne voyait pas ses mains qui rentraient dans ses manches, on ne voyait pas sa canne qu'il portait sous sa redingote. Mais l'occasion venue, on voyait tout à coup sortir de toute cette ombre, comme d'une embuscade, un front anguleux et étroit, un regard funeste, un menton menaçant, des mains énormes, et un gourdin monstrueux.

A ses moments de loisir, qui étaient peu fréquents, tout en haïssant les livres, il lisait; ce qui fait qu'il n'était pas complètement illettré. Cela se reconnaissait à quelque emphase dans la parole.

Il n'avait aucun vice, nous l'avons dit. Quand il était content de lui, il s'accordait une prise de tabac. Il tenait à l'humanité par là.

On comprendra sans peine que Javert était l'effroi de toute cette classe que la statistique annuelle du ministère de la justice désigne sous la rubrique : *Gens sans aveu*. Le nom de Javert prononcé les mettait en déroute; la face de Javert apparaissant les pétrifiait.

Tel était cet homme formidable.

Javert était comme un œil toujours fixé sur M. Madeleine. Œil plein de soupçon et de conjectures. M. Madeleine avait fini par s'en apercevoir, mais il sembla que cela fût insignifiant pour lui. Il ne fit pas même une question à Javert, il ne le cherchait ni ne l'évitait, et il portait, sans paraître y faire attention, ce regard gênant et presque pesant. Il traitait Javert comme tout le monde, avec aisance et bonté.

A quelques paroles échappées à Javert, on devinait qu'il avait recherché secrètement, avec cette curiosité qui tient à la race et où il entre autant d'instinct que de volonté, toutes les traces antérieures que le père Madeleine avait pu laisser ailleurs. Il paraissait savoir, et il disait parfois à mots couverts, que quelqu'un avait pris certaines informations dans un certain pays sur une certaine famille disparue. Une fois il lui arriva de dire, se parlant à lui-même : — Je crois que je le tiens! — Puis il resta trois jours pensif sans prononcer une parole. Il paraît que le fil qu'il croyait tenir s'était rompu.

Du reste, et ceci est le correctif nécessaire à ce que le sens de certains mots pourrait présenter de trop absolu, il ne peut y avoir rien de vraiment infaillible dans une créature humaine, et le propre de l'instinct est précisément de pouvoir être troublé, dépisté et dérouté. Sans quoi il serait supérieur à l'intelligence, et la bête se trouverait avoir une meilleure lumière que l'homme.

Javert était évidemment quelque peu déconcerté par le complet naturel et la tranquillité de M. Madeleine.

Un jour pourtant son étrange manière d'être parut faire impression sur M. Madeleine. Voici à quelle occasion.

VI

LE PÈRE FAUCHELEVENT

M. Madeleine passait un matin dans une ruelle non pavée de Montreuil-sur-mer. Il entendit du bruit et vit un groupe à quelque distance. Il y alla. Un vieux homme, nommé le père Fauchelevent, venait de tomber sous sa charrette dont le cheval s'était abattu[1].

Ce Fauchelevent était un des rares ennemis qu'eût encore M. Madeleine à cette époque. Lorsque Madeleine était arrivé dans le pays, Fauchelevent, ancien tabellion et paysan presque lettré, avait un commerce qui commençait à aller mal. Fauchelevent avait vu ce simple ouvrier qui s'enrichissait, tandis que lui, maître, se ruinait. Cela l'avait rempli de jalousie, et il avait fait ce qu'il avait pu en toute occasion pour nuire à Madeleine. Puis la faillite était venue, et, vieux, n'ayant plus à lui qu'une charrette et un cheval, sans famille et sans enfants du reste, pour vivre il s'était fait charretier.

Le cheval avait les deux cuisses cassées et ne pouvait se relever. Le vieillard était engagé entre les roues. La chute avait été tellement malheureuse que toute la voiture pesait sur sa poitrine. La charrette était assez lourdement chargée. Le père Fauchelevent poussait des râles lamentables. On avait essayé de le tirer, mais en vain. Un effort désordonné, une aide maladroite, une secousse à faux pouvaient l'achever. Il était impossible de le dégager autrement qu'en soulevant la voiture par-dessous. Javert, qui était survenu au moment de l'accident, avait envoyé chercher un cric.

M. Madeleine arriva. On s'écarta avec respect.

— A l'aide! criait le vieux Fauchelevent. Qui est-ce qui est bon enfant pour sauver le vieux?

M. Madeleine se tourna vers les assistants :

— A-t-on un cric?

— On en est allé quérir un, répondit un paysan.

— Dans combien de temps l'aura-t-on?

— On est allé au plus près, au lieu Flachot, où il y a un maré-chal; mais c'est égal, il faudra bien un bon quart d'heure.

— Un quart d'heure! s'écria Madeleine.

Il avait plu la veille, le sol était détrempé, la charrette s'enfonçait dans la terre à chaque instant et comprimait de plus en plus la poitrine du vieux charretier. Il était évident qu'avant cinq minutes il aurait les côtes brisées.

— Il est impossible d'attendre un quart d'heure, dit Madeleine aux paysans qui regardaient.

— Il faut bien!

— Mais il ne sera plus temps! Vous ne voyez donc pas que la charrette s'enfonce?

— Dame!

— Écoutez, reprit Madeleine, il y a encore assez de place sous la voiture pour qu'un homme s'y glisse et la soulève avec son dos. Rien qu'une demi-minute, et l'on tirera le pauvre homme. Y a-t-il ici quelqu'un qui ait des reins et du cœur? Cinq louis d'or à gagner!

Personne ne bougea dans le groupe.

— Dix louis, dit Madeleine.

Les assistants baissaient les yeux. Un d'eux murmura : — Il faudrait être diablement fort. Et puis, on risque de se faire écraser!

— Allons! recommença Madeleine, vingt louis!

Même silence.

— Ce n'est pas la bonne volonté qui leur manque, dit une voix.

M. Madeleine se retourna, et reconnut Javert. Il ne l'avait pas aperçu en arrivant.

Javert continua :

— C'est la force. Il faudrait être un terrible homme pour faire la chose de lever une voiture comme cela sur son dos.

Puis, regardant fixement M. Madeleine, il poursuivit en appuyant sur chacun des mots qu'il prononçait :

— Monsieur Madeleine, je n'ai jamais connu qu'un seul homme capable de faire ce que vous demandez là.

Madeleine tressaillit.

Javert ajouta avec un air d'indifférence, mais sans quitter des yeux Madeleine.

— C'était un forçat.

— Ah! dit Madeleine.

— Du bagne de Toulon.

Madeleine devint pâle.

Cependant la charrette continuait à s'enfoncer lentement. Le père Fauchelevent râlait et hurlait :

— J'étouffe! Ça me brise les côtes! Un cric! quelque chose! Ah!

Madeleine regarda autour de lui :

— Il n'y a donc personne qui veuille gagner vingt louis et sauver la vie à ce pauvre vieux?

Aucun des assistants ne remua. Javert reprit :

— Je n'ai jamais connu qu'un homme qui pût remplacer un cric. C'était ce forçat.

— Ah! voilà que ça m'écrase! cria le vieillard.

Madeleine leva la tête, rencontra l'œil de faucon de Javert toujours attaché sur lui, regarda les paysans immobiles, et sourit tristement. Puis, sans dire une parole, il tomba à genoux ¹, et avant même que la foule eût eu le temps de jeter un cri, il était sous la voiture.

Il y eut un affreux moment d'attente et de silence.

On vit Madeleine presque à plat ventre sous ce poids effrayant essayer deux fois en vain de rapprocher ses coudes de ses genoux. On lui cria : — Père Madeleine! retirez-vous de là! — Le vieux Fauchelevent lui-même lui dit : — Monsieur Madeleine! allez-vous-en! C'est qu'il faut que je meure, voyez-vous! Laissez-moi! Vous allez vous faire écraser aussi! — Madeleine ne répondit pas.

Les assistants haletaient. Les roues avaient continué de s'enfoncer, et il était déjà devenu presque impossible que Madeleine sortît de dessous la voiture.

Tout à coup on vit l'énorme masse s'ébranler, la charrette se soulevait lentement, les roues sortaient à demi de l'ornière. On entendit une voix étouffée qui criait : Dépêchez-vous! aidez! C'était Madeleine qui venait de faire un dernier effort.

Ils se précipitèrent. Le dévouement d'un seul avait donné de la force et du courage à tous. La charrette fut enlevée par vingt bras. Le vieux Fauchelevent était sauvé.

Madeleine se releva. Il était blême, quoique ruisselant de

sueur. Ses habits étaient déchirés et couverts de boue. Tous pleuraient. Le vieillard lui baisait les genoux et l'appelait le bon Dieu. Lui, il avait sur le visage je ne sais quelle expression de souffrance heureuse et céleste, et il fixait son œil tranquille sur Javert qui le regardait toujours.

VII

FAUCHELEVENT DEVIENT JARDINIER À PARIS

FAUCHELEVENT s'était démis la rotule dans sa chute[1]. Le père Madeleine le fit transporter dans une infirmerie qu'il avait établie pour ses ouvriers dans le bâtiment même de sa fabrique et qui était desservie par deux sœurs de charité. Le lendemain matin, le vieillard trouva un billet de mille francs sur sa table de nuit, avec ce mot de la main du père Madeleine : *Je vous achète votre charrette et votre cheval*[2]. La charrette était brisée et le cheval était mort. Fauchelevent guérit, mais son genou resta ankylosé. M. Madeleine, par les recommandations des sœurs et de son curé, fit placer le bonhomme comme jardinier dans un couvent de femmes du quartier Saint-Antoine à Paris.

Quelque temps après, M. Madeleine fut nommé maire. La première fois que Javert vit M. Madeleine revêtu de l'écharpe qui lui donnait toute autorité sur la ville, il éprouva cette sorte de frémissement qu'éprouverait un dogue qui flairerait un loup sous les habits de son maître. A partir de ce moment, il l'évita le plus qu'il put. Quand les besoins du service l'exigeaient impérieusement et qu'il ne pouvait faire autrement que de se trouver avec M. le maire, il lui parlait avec un respect profond.

Cette prospérité créée à Montreuil-sur-mer par le père Madeleine avait, outre les signes visibles que nous avons indiqués, un autre symptôme qui, pour n'être pas visible, n'était pas moins significatif. Ceci ne trompe jamais. Quand la population souffre, quand le travail manque, quand le commerce est nul, le contribuable résiste à l'impôt par pénurie, épuise et dépasse les délais, et l'état dépense beaucoup d'argent en frais de contrainte et de rentrée. Quand le travail abonde, quand le pays est heureux et riche, l'impôt se paye aisément et coûte peu à l'état. On peut dire que la misère et la richesse publiques ont un thermomètre infaillible, les frais de perception de l'impôt. En sept ans, les frais de perception de l'impôt s'étaient réduits des trois quarts dans l'arrondissement de Montreuil-sur-mer, ce qui faisait fréquemment citer cet arrondissement entre tous par M. de Villèle, alors ministre des finances [1].

Telle était la situation du pays, lorsque Fantine y revint. Personne ne se souvenait plus d'elle. Heureusement la porte de la fabrique de M. Madeleine était comme un visage ami [2]. Elle s'y présenta, et fut admise dans l'atelier des femmes. Le métier était tout nouveau pour Fantine, elle n'y pouvait être bien adroite, elle ne tirait donc de sa journée de travail que peu de chose, mais enfin cela suffisait, le problème était résolu, elle gagnait sa vie.

VIII

MADAME VICTURNIEN DÉPENSE TRENTE-CINQ FRANCS POUR LA MORALE

Quand Fantine vit qu'elle vivait, elle eut un moment de joie. Vivre honnêtement de son travail, quelle grâce du ciel! Le goût du travail lui revint vraiment. Elle acheta un miroir, se réjouit d'y regarder sa jeunesse, ses beaux cheveux et ses belles dents [3], oublia beaucoup de choses, ne songea plus qu'à sa Cosette et à l'avenir possible, et fut presque heureuse. Elle loua une petite chambre et la meubla à crédit sur son travail futur; reste de ses habitudes de désordre.

Ne pouvant pas dire qu'elle était mariée, elle s'était bien gardée, comme nous l'avons déjà fait entrevoir, de parler de sa petite fille.

En ces commencements, on l'a vu, elle payait exactement les Thénardier. Comme elle ne savait que signer, elle était obligée de leur écrire par un écrivain public.

Elle écrivait souvent. Cela fut remarqué. On commença à dire tout bas dans l'atelier des femmes que Fantine « écrivait des lettres » et qu'« elle avait des allures ».

Il n'y a rien de tel pour épier les actions des gens que ceux qu'elles ne regardent pas. — Pourquoi ce monsieur ne vient-il jamais qu'à la brune? pourquoi monsieur un tel n'accrochet-il jamais sa clef au clou le jeudi? pourquoi prend-il toujours les petites rues? pourquoi madame descend-elle toujours de son fiacre avant d'arriver à la maison? pourquoi envoie-t-elle acheter un cahier de papier à lettres, quand elle en a « plein sa papeterie? » etc., etc. — Il existe des êtres qui, pour connaître le mot de ces énigmes, lesquelles leur sont du reste parfaitement indifférentes, dépensent plus d'argent, prodiguent plus de temps, se donnent plus de peine qu'il n'en faudrait pour dix bonnes actions; et cela, gratuitement, pour le plaisir, sans être payés de la curiosité autrement que par la curiosité. Ils suivront celui-ci ou celle-là des jours entiers, feront faction des heures à des coins de rue, sous des portes d'allées, la nuit, par le froid et par la pluie, corrompront des commissionnaires, griseront des cochers de fiacre et des laquais, achèteront une femme de chambre, feront acquisition d'un portier. Pourquoi? pour rien. Pur acharnement de voir, de savoir et de pénétrer. Pure démangeaison de dire. Et souvent ces secrets connus, ces mystères publiés, ces énigmes éclairées du grand jour, entraînent des catastrophes, des duels, des faillites, des familles ruinées, des existences brisées, à la grande joie de ceux qui ont « tout découvert » sans intérêt et par pur instinct. Chose triste.

Certaines personnes sont méchantes uniquement par besoin de parler. Leur conversation, causerie dans le salon, bavardage dans l'antichambre, est comme ces cheminées qui usent vite le bois; il leur faut beaucoup de combustible; et le combustible, c'est le prochain.

On observa donc Fantine.

Avec cela, plus d'une était jalouse de ses cheveux blonds et de ses dents blanches.

On constata que dans l'atelier, au milieu des autres, elle se détournait souvent pour essuyer une larme. C'étaient les moments où elle songeait à son enfant; peut-être aussi à l'homme qu'elle avait aimé.

C'est un douloureux labeur que la rupture des sombres attaches du passé [1].

On constata qu'elle écrivait, au moins deux fois par mois, toujours à la même adresse, et qu'elle affranchissait la lettre. On parvint à se procurer l'adresse : *Monsieur, Monsieur Thénardier, aubergiste, à Montfermeil.* On fit jaser au cabaret l'écrivain public, vieux bonhomme qui ne pouvait pas emplir son estomac de vin rouge sans vider sa poche aux secrets. Bref, on sut que Fantine avait un enfant. « Ce devait être une espèce de fille. » Il se trouva une commère qui fit le voyage de Montfermeil, parla aux Thénardier, et dit à son retour : Pour mes trente-cinq francs, j'en ai eu le cœur net. J'ai vu l'enfant!

La commère qui fit cela était une gorgone appelée madame Victurnien, gardienne et portière de la vertu de tout le monde [1]. Madame Victurnien avait cinquante-six ans, et doublait le masque de la laideur du masque de la vieillesse. Voix chevrotante, esprit capricant. Cette vieille femme avait été jeune, chose étonnante. Dans sa jeunesse, en plein 93, elle avait épousé un moine échappé du cloître en bonnet rouge et passé des bernardins aux jacobins. Elle était sèche, rêche, revêche, pointue, épineuse, presque venimeuse; tout en se souvenant de son moine dont elle était veuve, et qui l'avait fort domptée et pliée. C'était une ortie où l'on voyait le froissement du froc. A la restauration, elle s'était faite bigote, et si énergiquement que les prêtres lui avaient pardonné son moine. Elle avait un petit bien qu'elle léguait bruyamment à une communauté religieuse. Elle était fort bien vue à l'évêché d'Arras. Cette madame Victurnien donc alla à Montfermeil, et revint en disant : J'ai vu l'enfant.

Tout cela prit du temps. Fantine était depuis plus d'un an à la fabrique, lorsqu'un matin la surveillante de l'atelier lui remit, de la part de M. le maire, cinquante francs, en lui disant qu'elle ne faisait plus partie de l'atelier et en l'engageant, de la part de M. le maire, à quitter le pays.

C'était précisément dans ce même mois que les Thénardier, après avoir demandé douze francs au lieu de six, venaient d'exiger quinze francs au lieu de douze.

Fantine fut atterrée. Elle ne pouvait s'en aller du pays, elle devait son loyer et ses meubles. Cinquante francs ne suffisaient pas pour acquitter cette dette. Elle balbutia quelques mots suppliants. La surveillante lui signifia qu'elle eût à sortir sur-le-champ de l'atelier. Fantine n'était du reste qu'une ouvrière médiocre. Accablée de honte plus encore que de désespoir, elle quitta l'atelier et rentra dans sa chambre. Sa faute était donc maintenant connue de tous!

Elle ne se sentit plus la force de dire un mot. On lui conseilla de voir M. le maire; elle n'osa pas. M. le maire lui donnait cinquante francs, parce qu'il était bon, et la chassait, parce qu'il était juste. Elle plia sous cet arrêt.

IX

SUCCÈS DE MADAME VICTURNIEN

La veuve du moine fut donc bonne à quelque chose.

Du reste, M. Madeleine n'avait rien su de tout cela. Ce sont là de ces combinaisons d'événements dont la vie est pleine. M. Madeleine avait pour habitude de n'entrer presque jamais dans l'atelier des femmes. Il avait mis à la tête de cet atelier une vieille fille, que le curé lui avait donnée, et il avait toute confiance dans cette surveillante, personne vraiment respectable, ferme, équitable, intègre, remplie de la charité qui consiste à donner, mais n'ayant pas au même degré la charité qui consiste à comprendre et à pardonner. M. Madeleine se remettait de tout sur elle. Les meilleurs hommes sont souvent forcés de déléguer leur autorité. C'est dans cette pleine puissance et avec la conviction qu'elle faisait bien, que la surveillante avait instruit le procès, jugé, condamné et exécuté Fantine [1].

Quant aux cinquante francs, elle les avait donnés sur une somme que M. Madeleine lui confiait pour aumônes et secours aux ouvrières, et dont elle ne rendait pas compte.

Fantine s'offrit comme servante dans le pays; elle alla d'une maison à l'autre. Personne ne voulut d'elle. Elle n'avait pu quitter la ville. Le marchand fripier auquel elle devait ses meubles, quels meubles! lui avait dit : Si vous vous en allez, je vous fais arrêter comme voleuse. Le propriétaire auquel elle devait son loyer, lui avait dit : Vous êtes jeune et jolie, vous pouvez payer. Elle partagea les cinquante francs entre le propriétaire et le fripier, rendit au marchand les trois quarts de son mobilier, ne garda que le nécessaire, et se trouva sans travail, sans état, n'ayant plus que son lit [2], et devant encore environ cent francs.

Elle se mit à coudre de grosses chemises pour les soldats de la garnison, et gagnait douze sous par jour. Sa fille lui en coûtait dix. C'est en ce moment qu'elle commença à mal payer les Thénardier.

Cependant une vieille femme qui lui allumait sa chandelle

quand elle rentrait le soir, lui enseigna l'art de vivre dans la misère. Derrière vivre de peu, il y a vivre de rien. Ce sont deux chambres; la première est obscure, la seconde est noire.

Fantine apprit comment on se passe tout à fait de feu en hiver, comment on renonce à un oiseau qui vous mange un liard de millet tous les deux jours, comment on fait de son jupon sa couverture et de sa couverture son jupon, comment on ménage sa chandelle en prenant son repas à la lumière de la fenêtre d'en face. On ne sait pas tout ce que certains êtres faibles, qui ont vieilli dans le dénûment et l'honnêteté, savent tirer d'un sou. Cela finit par être un talent. Fantine acquit ce sublime talent et reprit un peu de courage.

A cette époque, elle disait à une voisine : — Bah! je me dis : en ne dormant que cinq heures et en travaillant tout le reste à mes coutures, je parviendrai bien toujours à gagner à peu près du pain. Et puis, quand on est triste, on mange moins. Eh bien! des souffrances, des inquiétudes, un peu de pain d'un côté, des chagrins de l'autre, tout cela me nourrira.

Dans cette détresse, avoir sa petite fille eût été un étrange bonheur. Elle songea à la faire venir. Mais quoi! lui faire partager son dénûment! Et puis, elle devait aux Thénardier! comment s'acquitter? Et le voyage! comment le payer?

La vieille qui lui avait donné ce qu'on pourrait appeler des leçons de vie indigente était une sainte fille nommée Marguerite, dévote de la bonne dévotion, pauvre, et charitable pour les pauvres et même pour les riches, sachant tout juste assez écrire pour signer *Margueritte,* et croyant en Dieu, ce qui est la science [1].

Il y a beaucoup de ces vertus-là en bas; un jour elles seront en haut. Cette vie a un lendemain.

Dans les premiers temps, Fantine avait été si honteuse qu'elle n'avait pas osé sortir.

Quand elle était dans la rue, elle devinait qu'on se retournait derrière elle et qu'on la montrait du doigt; tout le monde la regardait et personne ne la saluait; le mépris âcre et froid des passants lui pénétrait dans la chair et dans l'âme comme une bise.

Dans les petites villes, il semble qu'une malheureuse soit nue sous les sarcasmes et la curiosité de tous. A Paris, du moins, personne ne vous connaît, et cette obscurité est un vêtement. Oh! comme elle eût souhaité venir à Paris! Impossible [2].

Il fallut bien s'accoutumer à la déconsidération, comme elle s'était accoutumée à l'indigence. Peu à peu elle en prit son parti. Après deux ou trois mois elle secoua la honte et se remit à sortir comme si de rien n'était. — Cela m'est bien égal, dit-elle. Elle alla et vint, la tête haute, avec un sourire amer, et sentit qu'elle devenait effrontée.

Madame Victurnien quelquefois la voyait passer de sa fenêtre, remarquait la détresse de « cette créature », grâce à elle « remise à sa place », et se félicitait. Les méchants ont un bonheur noir.

L'excès du travail fatiguait Fantine, et la petite toux sèche qu'elle avait augmenta. Elle disait quelquefois à sa voisine Marguerite : — Tâtez donc comme mes mains sont chaudes.

Cependant le matin, quand elle peignait avec un vieux peigne cassé ses beaux cheveux qui ruisselaient comme de la soie floche, elle avait une minute de coquetterie heureuse.

x

SUITE DU SUCCÈS [1]

Elle avait été congédiée vers la fin de l'hiver; l'été se passa, mais l'hiver revint. Jours courts, moins de travail. L'hiver, point de chaleur, point de lumière, point de midi, le soir touche au matin, brouillard, crépuscule, la fenêtre est grise, on n'y voit pas clair. Le ciel est un soupirail [2]. Toute la journée est une cave. Le soleil a l'air d'un pauvre. L'affreuse saison ! L'hiver change en pierre l'eau du ciel et le cœur de l'homme [3]. Ses créanciers la harcelaient.

Fantine gagnait trop peu. Ses dettes avaient grossi. Les Thénardier, mal payés, lui écrivaient à chaque instant des lettres dont le contenu la désolait et dont le port la ruinait. Un jour ils lui écrivirent que sa petite Cosette était toute nue par le froid qu'il faisait, qu'elle avait besoin d'une jupe de laine, et qu'il fallait au moins que la mère envoyât dix francs pour cela. Elle reçut la lettre, et la froissa dans ses mains tout le jour. Le soir elle entra chez un barbier qui habitait le coin de la rue, et défit son peigne. Ses admirables cheveux blonds lui tombèrent jusqu'aux reins.

— Les beaux cheveux! s'écria le barbier.

— Combien m'en donneriez-vous? dit-elle.

— Dix francs.

— Coupez-les.

Elle acheta une jupe de tricot et l'envoya aux Thénardier.

Cette jupe fit les Thénardier furieux. C'était de l'argent qu'ils voulaient. Ils donnèrent la jupe à Éponine. La pauvre Alouette continua de frissonner.

Fantine pensa : — Mon enfant n'a plus froid. Je l'ai habillée de mes cheveux. — Elle mettait de petits bonnets ronds qui cachaient sa tête tondue et avec lesquels elle était encore jolie.

Un travail ténébreux se faisait dans le cœur de Fantine. Quand elle vit qu'elle ne pouvait plus se coiffer, elle commença à tout prendre en haine autour d'elle. Elle avait long-temps partagé la vénération de tous pour le père Madeleine; cependant, à force de se répéter que c'était lui qui l'avait chassée, et qu'il était la cause de son malheur, elle en vint à le haïr lui aussi, lui surtout. Quand elle passait devant la fabrique aux heures où les ouvriers sont sur la porte, elle affectait de rire et de chanter.

Une vieille ouvrière qui la vit une fois chanter et rire de cette façon dit : — Voilà une fille qui finira mal.

Elle prit un amant, le premier venu, un homme qu'elle n'aimait pas, par bravade, avec la rage dans le cœur. C'était un misérable, une espèce de musicien mendiant, un oisif gueux, qui la battait, et qui la quitta comme elle l'avait pris, avec dégoût.

Elle adorait son enfant.

Plus elle descendait, plus tout devenait sombre autour d'elle, plus ce doux petit ange rayonnait dans le fond de son âme. Elle disait : Quand je serai riche, j'aurai ma Cosette avec moi; et elle riait. La toux ne la quittait pas, et elle avait des sueurs dans le dos.

Un jour elle reçut des Thénardier une lettre ainsi conçue : « Cosette est malade d'une maladie qui est dans le pays. Une « fièvre miliaire, qu'ils appellent. Il faut des drogues chères. « Cela nous ruine et nous ne pouvons plus payer. Si vous ne « nous envoyez pas quarante francs avant huit jours, la petite « est morte. »

Elle se mit à rire aux éclats, et elle dit à sa vieille voisine : — Ah! ils sont bons! quarante francs! que ça! ça fait deux napoléons! Où veulent-ils que je les prenne? Sont-ils bêtes, ces paysans!

Cependant elle alla dans l'escalier près d'une lucarne et relut la lettre.

Puis elle descendit l'escalier et sortit en courant et en sautant, riant toujours.

Quelqu'un qui la rencontra lui dit : — Qu'est-ce que vous avez donc à être si gaie?

Elle répondit : — C'est une bonne bêtise que viennent de m'écrire des gens de la campagne. Ils me demandent quarante francs: Paysans, va!

Comme elle passait sur la place, elle vit beaucoup de monde qui entourait une voiture de forme bizarre, sur l'impériale de laquelle pérorait tout debout un homme vêtu de rouge. C'était un bateleur dentiste en tournée, qui offrait au public des râteliers complets, des opiats, des poudres et des élixirs.

Fantine se mêla au groupe et se mit à rire comme les autres de cette harangue où il y avait de l'argot pour la canaille et du jargon pour les gens comme il faut. L'arracheur de dents vit cette belle fille qui riait, et s'écria tout à coup : — Vous avez de jolies dents, la fille qui riez là. Si vous voulez me vendre vos deux palettes, je vous donne de chaque un napoléon d'or.

— Qu'est-ce que c'est que ça, mes palettes? demanda Fantine.

— Les palettes, reprit le professeur dentiste, c'est les dents de devant, les deux d'en haut.

— Quelle horreur! s'écria Fantine.

— Deux napoléons! grommela une vieille édentée qui était là. Qu'en voilà une qui est heureuse!

Fantine s'enfuit, et se boucha les oreilles pour ne pas entendre la voix enrouée de l'homme qui lui criait : — Réfléchissez, la belle! deux napoléons, ça peut servir. Si le cœur vous en dit, venez ce soir à l'auberge du *Tillac d'argent*, vous m'y trouverez.

Fantine rentra, elle était furieuse et conta la chose à sa bonne voisine Marguerite : — Comprenez-vous cela? ne voilà-t-il pas un abominable homme? comment laisse-t-on des gens comme cela aller dans le pays! M'arracher mes deux dents de devant! mais je serais horrible! Les cheveux repoussent, mais les dents! Ah! le monstre d'homme! j'aimerais mieux me jeter d'un cinquième la tête la première sur le pavé! Il m'a dit qu'il serait ce soir au *Tillac d'argent*.

— Et qu'est-ce qu'il offrait? demanda Marguerite.

— Deux napoléons.

— Cela fait quarante francs.

— Oui, dit Fantine, cela fait quarante francs.

Elle resta pensive, et se mit à son ouvrage. Au bout d'un quart d'heure, elle quitta sa couture et alla relire la lettre des Thénardier sur l'escalier.

En rentrant, elle dit à Marguerite qui travaillait près d'elle :

— Qu'est-ce que c'est donc que cela, une fièvre miliaire? Savez-vous?

— Oui, répondit la vieille fille, c'est une maladie.

— Ça a donc besoin de beaucoup de drogues?

— Oh! des drogues terribles.

— Où ça vous prend-il?

— C'est une maladie qu'on a comme ça.

— Cela attaque donc les enfants?

— Surtout les enfants.

— Est-ce qu'on en meurt?

— Très bien, dit Marguerite.

Fantine sortit et alla encore une fois relire la lettre sur l'escalier.

Le soir elle descendit, et on la vit qui se dirigeait du côté de la rue de Paris où sont les auberges.

Le lendemain matin, comme Marguerite entrait dans la chambre de Fantine avant le jour, car elles travaillaient toujours ensemble et de cette façon n'allumaient qu'une chandelle pour deux, elle trouva Fantine assise sur son lit, pâle, glacée. Elle ne s'était pas couchée. Son bonnet était tombé sur ses genoux. La chandelle avait brûlé toute la nuit et était presque entièrement consumée.

Marguerite s'arrêta sur le seuil, pétrifiée de cet énorme désordre, et s'écria :

— Seigneur! la chandelle qui est toute brûlée! il s'est passé des événements!

Puis elle regarda Fantine qui tournait vers elle sa tête sans cheveux.

Fantine depuis la veille avait vieilli de dix ans.

— Jésus! fit Marguerite, qu'est-ce que vous avez, Fantine?

— Je n'ai rien, répondit Fantine. Au contraire. Mon enfant ne mourra pas de cette affreuse maladie, faute de secours. Je suis contente.

En parlant ainsi, elle montrait à la vieille fille deux napoléons qui brillaient sur la table.

— Ah! Jésus Dieu! dit Marguerite. Mais c'est une fortune!
Où avez-vous eu ces louis d'or?

— Je les ai eus, répondit Fantine.

En même temps elle sourit. La chandelle éclairait son visage.
C'était un sourire sanglant. Une salive rougeâtre lui souillait
le coin des lèvres, et elle avait un trou noir dans la bouche.

Les deux dents étaient arrachées.

Elle envoya les quarante francs à Montfermeil.

Du reste c'était une ruse des Thénardier pour avoir de
l'argent. Cosette n'était pas malade.

Fantine jeta son miroir par la fenêtre. Depuis longtemps
elle avait quitté sa cellule du second pour une mansarde fermée d'un loquet sous le toit; un de ces galetas dont le plafond
fait angle avec le plancher et vous heurte à chaque instant la
tête. Le pauvre ne peut aller au fond de sa chambre comme
au fond de sa destinée qu'en se courbant de plus en plus. Elle
n'avait plus de lit, il lui restait une loque qu'elle appelait sa
couverture, un matelas à terre et une chaise dépaillée. Un petit
rosier qu'elle avait s'était desséché dans un coin, oublié. Dans
l'autre coin, il y avait un pot à beurre à mettre l'eau, qui gelait
l'hiver, et où les différents niveaux de l'eau restaient longtemps
marqués par des cercles de glace. Elle avait perdu la honte,
elle perdit la coquetterie. Dernier signe. Elle sortait avec des
bonnets sales. Soit faute de temps, soit indifférence, elle ne
raccommodait plus son linge. A mesure que les talons s'usaient,
elle tirait ses bas dans ses souliers. Cela se voyait à de certains
plis perpendiculaires. Elle rapiéçait son corset, vieux et usé,
avec des morceaux de calicot qui se déchiraient au moindre
mouvement. Les gens auxquels elle devait, lui faisaient « des
scènes », et ne lui laissaient aucun repos. Elle les trouvait dans
la rue, elle les retrouvait dans son escalier. Elle passait des
nuits à pleurer et à songer. Elle avait les yeux très brillants,
et elle sentait une douleur fixe dans l'épaule, vers le haut de
l'omoplate gauche. Elle toussait beaucoup. Elle haïssait profondément le père Madeleine, et ne se plaignait pas. Elle cou-
sait dix-sept heures par jour; mais un entrepreneur du travail
des prisons, qui faisait travailler les prisonnières au rabais,
fit tout à coup baisser les prix, ce qui réduisit la journée des
ouvrières libres à neuf sous. Dix-sept heures de travail, et

neuf sous par jour! Ses créanciers étaient plus impitoyables que jamais. Le fripier, qui avait repris presque tous les meubles, lui disait sans cesse : Quand me payeras-tu, coquine? Que voulait-on d'elle, bon Dieu! Elle se sentait traquée et il se développait en elle quelque chose de la bête farouche. Vers le même temps, le Thénardier lui écrivit que décidément il avait attendu avec beaucoup trop de bonté, et qu'il lui fallait cent francs, tout de suite; sinon qu'il mettrait à la porte la petite Cosette, toute convalescente de sa grande maladie, par le froid, par les chemins, et qu'elle deviendrait ce qu'elle pourrait, et qu'elle crèverait, si elle voulait. — Cent francs, songea Fantine. Mais où y a-t-il un état à gagner cent sous par jour?

— Allons! dit-elle, vendons le reste.

L'infortunée se fit fille publique.

XI

CHRISTUS NOS LIBERAVIT[1]

Qu'est-ce que c'est que cette histoire de Fantine? C'est la société achetant une esclave.

A qui? A la misère.

A la faim, au froid, à l'isolement, à l'abandon, au dénûment. Marché douloureux. Une âme pour un morceau de pain. La misère offre, la société accepte[2].

La sainte loi de Jésus-Christ gouverne notre civilisation, mais elle ne la pénètre pas encore. On dit que l'esclavage a disparu de la civilisation européenne. C'est une erreur. Il existe toujours, mais il ne pèse plus que sur la femme, et il s'appelle prostitution.

Il pèse sur la femme, c'est-à-dire sur la grâce, sur la faiblesse, sur la beauté, sur la maternité. Ceci n'est pas une des moindres hontes de l'homme.

Au point de ce douloureux drame où nous sommes arrivés, il ne reste plus rien à Fantine de ce qu'elle a été autrefois. Elle est devenue marbre en devenant boue. Qui la touche a froid. Elle passe, elle vous subit et elle vous ignore; elle est la figure déshonorée et sévère. La vie et l'ordre social lui ont dit leur dernier mot. Il lui est arrivé tout ce qui lui arrivera. Elle a tout ressenti, tout supporté, tout éprouvé, tout souffert, tout perdu, tout pleuré. Elle est résignée de cette résignation qui ressemble à l'indifférence comme la mort ressemble au sommeil. Elle n'évite plus rien. Elle ne craint plus rien. Tombe sur elle toute la nuée et passe sur elle tout l'océan! que lui importe! c'est une éponge imbibée.

Elle le croit du moins, mais c'est une erreur de s'imaginer qu'on épuise le sort et qu'on touche le fond de quoi que ce soit.

Hélas! qu'est-ce que toutes ces destinées ainsi poussées pêle-mêle? où vont-elles? pourquoi sont-elles ainsi?

Celui qui sait cela voit toute l'ombre.

Il est seul. Il s'appelle Dieu [1].

XII

LE DÉSŒUVREMENT DE M. BAMATABOIS

IL y a dans toutes les petites villes, et il y avait à Montreuil-sur-mer en particulier, une classe de jeunes gens qui grignotent quinze cents livres de rente en province du même air dont leurs pareils dévorent à Paris deux cent mille francs par an. Ce sont des êtres de la grande espèce neutre; hongres, parasites, nuls, qui ont un peu de terre, un peu de sottise et un peu d'esprit, qui seraient des rustres dans un salon et se croient des gentils-hommes au cabaret, qui disent : mes prés, mes bois, mes paysans, sifflent les actrices du théâtre pour prouver qu'ils sont gens de goût, querellent les officiers de la garnison pour montrer qu'ils sont gens de guerre, chassent, fument, bâillent, boivent, sentent le tabac, jouent au billard, regardent les voyageurs descendre de diligence, vivent au café, dînent à l'auberge, ont un chien qui mange les os sous la table et une maîtresse qui pose les plats dessus, tiennent à un sou, exagèrent les modes, admirent la tragédie, méprisent les femmes, usent leurs vieilles bottes, copient Londres à travers Paris et Paris à travers Pont-à-Mousson, vieillissent hébétés, ne travaillent pas, ne servent à rien et ne nuisent pas à grand'chose.

M. Félix Tholomyès, resté dans sa province et n'ayant jamais vu Paris, serait un de ces hommes-là.

S'ils étaient plus riches, on dirait : ce sont des élégants; s'ils étaient plus pauvres, on dirait : ce sont des fainéants. Ce sont tout simplement des désœuvrés. Parmi ces désœuvrés, il y a des ennuyeux, des ennuyés, des rêvasseurs, et quelques drôles.

Dans ce temps-là, un élégant se composait d'un grand col, d'une grande cravate, d'une montre à breloques, de trois gilets superposés de couleurs différentes, le bleu et le rouge en dedans, d'un habit couleur olive à taille courte, à queue de morue, à double rangée de boutons d'argent serrés les uns contre les autres et montant jusque sur l'épaule, et d'un pantalon olive plus clair, orné sur les deux coutures d'un nombre de côtes indéterminé, mais toujours impair, variant de une à onze, limite qui n'était jamais franchie. Ajoutez à cela des souliers-bottes avec de petits fers au talon, un chapeau à haute forme et à bords étroits, des cheveux en touffe, une énorme canne, et une conversation rehaussée des calembours de Potier. Sur le tout des éperons et des moustaches. A cette époque, des moustaches voulaient dire bourgeois et des éperons voulaient dire piéton[1].

L'élégant de province portait les éperons plus longs et les moustaches plus farouches.

C'était le temps de la lutte des républiques de l'Amérique méridionale contre le roi d'Espagne, de Bolivar contre Morillo. Les chapeaux à petits bords étaient royalistes et se nommaient des morillos; les libéraux portaient des chapeaux à larges bords qui s'appelaient des bolivars.

Huit ou dix mois donc après ce qui a été raconté dans les pages précédentes, vers les premiers jours de janvier 1823, un soir qu'il avait neigé, un de ces élégants, un de ces désœuvrés, un « bien pensant », car il avait un morillo, de plus chaudement enveloppé d'un de ces grands manteaux qui complétaient dans les temps froids le costume à la mode, se divertissait à harceler une créature qui rôdait en robe de bal et toute décolletée avec des fleurs sur la tête devant la vitre du café des officiers. Cet élégant fumait, car c'était décidément la mode.

Chaque fois que cette femme passait devant lui, il lui jetait, avec une bouffée de la fumée de son cigare, quelque apostrophe qu'il croyait spirituelle et gaie, comme : — Que tu es laide! — Veux-tu te cacher! — Tu n'as pas de dents! etc., etc. — Ce monsieur s'appelait monsieur Bamatabois. La femme, triste spectre paré qui allait et venait sur la neige, ne lui répondait pas, ne le regardait même pas, et n'en accomplissait pas moins en silence et avec une régularité sombre sa promenade qui la ramenait de cinq minutes en cinq minutes sous le sarcasme, comme le soldat condamné qui revient sous les verges. Ce peu d'effet piqua sans doute l'oisif qui, profitant d'un moment où elle se retournait, s'avança derrière elle à pas de loup et en étouffant son rire, se baissa, prit sur le pavé une poignée de neige et la lui plongea brusquement dans le dos entre ses deux épaules nues. La fille poussa un rugissement, se tourna, bondit comme une panthère, et se rua sur l'homme, lui enfonçant ses ongles dans le visage, avec les plus effroyables paroles qui puissent tomber du corps de garde dans le ruisseau. Ces injures, vomies d'une voix enrouée par l'eau-de-vie, sortaient hideusement d'une bouche à laquelle manquaient en effet les deux dents de devant. C'était la Fantine.

Au bruit que cela fit, les officiers sortirent en foule du café, les passants s'amassèrent, et il se forma un grand cercle riant, huant et applaudissant, autour de ce tourbillon composé de deux êtres où l'on avait peine à reconnaître un homme et une femme, l'homme se débattant, son chapeau à terre, la femme frappant des pieds et des poings, décoiffée, hurlant, sans dents et sans cheveux, livide de colère, horrible.

Tout à coup un homme de haute taille sortit vivement de la foule, saisit la femme à son corsage de satin couvert de boue, et lui dit : Suis-moi!

La femme leva la tête; sa voix furieuse s'éteignit subitement. Ses yeux étaient vitreux, de livide elle était devenue pâle, et elle tremblait d'un tremblement de terreur. Elle avait reconnu Javert.

L'élégant avait profité de l'incident pour s'esquiver.

XIII

SOLUTION DE QUELQUES QUESTIONS DE POLICE MUNICIPALE [1]

JAVERT écarta les assistants, rompit le cercle, et se mit à marcher à grands pas vers le bureau de police qui est à l'extrémité de la place, traînant après lui la misérable. Elle se laissait faire machinalement. Ni lui ni elle ne disaient un mot. La nuée des spectateurs, au paroxysme de la joie, suivait avec des quolibets. La suprême misère, occasion d'obscénités.

Arrivé au bureau de police qui était une salle basse chauffée par un poêle et gardée par un poste, avec une porte vitrée et grillée sur la rue, Javert ouvrit la porte, entra avec Fantine, et referma la porte derrière lui, au grand désappointement des curieux qui se haussèrent sur la pointe du pied et allongèrent le cou devant la vitre trouble du corps de garde, cherchant à voir. La curiosité est une gourmandise. Voir, c'est dévorer [1].

En entrant, la Fantine alla tomber dans un coin, immobile et muette, accroupie comme une chienne qui a peur.

Le sergent du poste apporta une chandelle allumée sur une table. Javert s'assit, tira de sa poche une feuille de papier timbré et se mit à écrire.

Ces classes de femmes sont entièrement remises par nos lois à la discrétion de la police. Elle en fait ce qu'elle veut, les punit comme bon lui semble, et confisque à son gré ces deux tristes choses qu'elles appellent leur industrie et leur liberté. Javert était impassible; son visage sérieux ne trahissait aucune émotion. Pourtant il était gravement et profondément préoccupé. C'était un de ces moments où il exerçait sans contrôle, mais avec tous les scrupules d'une conscience sévère, son redoutable pouvoir discrétionnaire. En cet instant, il le sentait, son escabeau d'agent de police était un tribunal. Il jugeait. Il jugeait, et il condamnait. Il appelait tout ce qu'il pouvait avoir d'idées dans l'esprit autour de la grande chose qu'il faisait. Plus il examinait le fait de cette fille, plus il se sentait révolté. Il était évident qu'il venait de voir commettre un crime. Il venait de voir, là dans la rue, la société, représentée par un propriétaire-électeur, insultée et attaquée par une créature en dehors de tout [2]. Une prostituée avait attenté à un bourgeois. Il avait vu cela, lui Javert. Il écrivait en silence.

Quand il eut fini, il signa, plia le papier et dit au sergent du poste, en le lui remettant : — Prenez trois hommes, et menez cette fille au bloc. — Puis se tournant vers la Fantine : — Tu en as pour six mois.

La malheureuse tressaillit.

— Six mois! six mois de prison! cria-t-elle. Six mois à gagner sept sous par jour! Mais que deviendra Cosette? ma fille! ma fille! Mais je dois encore plus de cent francs aux Thénardier, monsieur l'inspecteur, savez-vous cela?

Elle se traîna sur la dalle mouillée par les bottes boueuses de tous ces hommes, sans se lever, joignant les mains, faisant de grands pas avec ses genoux.

— Monsieur Javert, dit-elle, je vous demande grâce. Je vous assure que je n'ai pas eu tort. Si vous aviez vu le commencement, vous auriez vu! je vous jure le bon Dieu que je n'ai pas eu tort. C'est ce monsieur le bourgeois que je ne connais pas qui m'a mis de la neige dans le dos. Est-ce qu'on a le droit de nous mettre de la neige dans le dos quand nous passons comme cela tranquillement sans faire de mal à personne? Cela m'a saisie. Je suis un peu malade, voyez-vous! Et puis il y avait déjà un peu de temps qu'il me disait des raisons. Tu es laide! tu n'as pas de dents! Je le sais bien que je n'ai plus mes dents. Je ne faisais rien, moi; je disais : c'est un monsieur qui s'amuse. J'étais honnête avec lui, je ne lui parlais pas. C'est à cet instant-là qu'il m'a mis de la neige. Monsieur Javert, mon bon monsieur l'inspecteur! est-ce qu'il n'y a personne là qui ait vu pour vous dire que c'est bien vrai? J'ai peut-être eu tort de me fâcher. Vous savez, dans le premier moment, on n'est pas maître. On a des vivacités. Et puis, quelque chose de si froid qu'on vous met dans le dos à l'heure que vous ne vous y attendez pas! J'ai eu tort d'abîmer le chapeau de ce monsieur. Pourquoi s'est-il en allé? Je lui demanderais pardon. Oh! mon Dieu, cela me serait bien égal de lui demander pardon. Faites-moi grâce pour aujourd'hui cette fois, monsieur Javert. Tenez, vous ne savez pas ça, dans les prisons on ne gagne que sept sous, ce n'est pas la faute du gouvernement, mais on gagne sept sous, et figurez-vous que j'ai cent francs à payer, ou autrement on me renverra ma petite. Ô mon Dieu! je ne peux pas l'avoir avec moi. C'est si vilain ce que je fais! Ô ma Cosette, ô mon petit ange de la bonne sainte Vierge, qu'est-ce qu'elle deviendra, pauvre loup! Je vais vous dire, c'est les Thénardier, des aubergistes, des paysans, ça n'a pas de raisonnement. Il leur faut de l'argent. Ne me mettez pas en prison! Voyez-vous, c'est une petite qu'on mettrait à même sur la grande route, va comme tu pourras, en plein cœur d'hiver, il faut avoir pitié de cette chose-là, mon bon monsieur Javert. Si c'était plus grand, ça gagnerait sa vie, mais ça ne peut pas, à ces âges-là. Je ne suis pas une mauvaise femme au fond. Ce n'est pas la lâcheté et la gourmandise qui ont fait de moi ça. J'ai bu de l'eau-de-vie, c'est par misère. Je ne l'aime pas, mais cela étourdit. Quand j'étais plus heureuse, on n'aurait eu qu'à regarder dans mes armoires, on aurait bien vu que je n'étais pas une femme coquette qui a du désordre. J'avais du linge, beaucoup de linge. Ayez pitié de moi, monsieur Javert![1]

Elle parlait ainsi, brisée en deux, secouée par les sanglots, aveuglée par les larmes, la gorge nue, se tordant les mains, toussant d'une toux sèche et courte, balbutiant tout doucement avec la voix de l'agonie. La grande douleur est un rayon divin et terrible qui transfigure les misérables. A ce moment-là, la Fantine était redevenue belle[2]. A de certains instants, elle s'arrêtait et baisait tendrement le bas de la redingote du mouchard. Elle eût attendri un cœur de granit; mais on n'attendrit pas un cœur de bois.

— Allons! dit Javert, je t'ai écoutée. As-tu bien tout dit? Marche à présent! Tu as tes six mois; le Père éternel en personne n'y pourrait plus rien.

A cette solennelle parole, *le Père éternel en personne n'y pourrait plus rien,* elle comprit que l'arrêt était prononcé. Elle s'affaissa sur elle-même en murmurant :

— Grâce!

Javert tourna le dos.

Les soldats la saisirent par les bras.

Depuis quelques minutes, un homme était entré sans qu'on eût pris garde à lui. Il avait refermé la porte, s'y était adossé, et avait entendu les prières désespérées de la Fantine.

Au moment où les soldats mirent la main sur la malheureuse, qui ne voulait pas se lever, il fit un pas, sortit de l'ombre, et dit :

— Un instant, s'il vous plaît!

Javert leva les yeux et reconnut M. Madeleine. Il ôta son chapeau, et saluant avec une sorte de gaucherie fâchée :

— Pardon, monsieur le maire...

Ce mot, monsieur le maire, fit sur la Fantine un effet étrange. Elle se dressa debout tout d'une pièce comme un spectre qui sort de terre, repoussa les soldats des deux bras, marcha droit à M. Madeleine avant qu'on eût pu la retenir, et le regardant fixement, l'air égaré, elle cria :

— Ah! c'est donc toi qui es monsieur le maire!

Puis elle éclata de rire et lui cracha au visage.

M. Madeleine s'essuya le visage, et dit :

— Inspecteur Javert, mettez cette femme en liberté.

Javert se sentit au moment de devenir fou. Il éprouvait en cet instant, coup sur coup, et presque mêlées ensemble, les plus violentes émotions qu'il eût ressenties de sa vie. Voir une fille publique cracher au visage d'un maire, cela était une chose si monstrueuse que, dans ses suppositions les plus effroyables, il eût regardé comme un sacrilège de le croire possible. D'un autre côté, dans le fond de sa pensée, il faisait confusément un rapprochement hideux entre ce qu'était cette femme et ce que pouvait être ce maire, et alors il entrevoyait avec horreur je ne sais quoi de tout simple dans ce prodigieux attentat. Mais quand il vit ce maire, ce magistrat, s'essuyer tranquillement le visage et dire : *mettez cette femme en liberté,* il eut comme un éblouissement de stupeur ; la pensée et la parole lui manquèrent également ; la somme de l'étonnement possible était dépassée pour lui. Il resta muet.

Ce mot n'avait pas porté un coup moins étrange à la Fantine. Elle leva son bras nu et se cramponna à la clef du poêle comme une personne qui chancelle. Cependant elle regardait tout autour d'elle et elle se mit à parler à voix basse, comme si elle se parlait à elle-même.

— En liberté ! qu'on me laisse aller ! que je n'aille pas en prison six mois ! Qui est-ce qui a dit cela ? Il n'est pas possible qu'on ait dit cela. J'ai mal entendu. Ça ne peut pas être ce monstre de maire ! Est-ce que c'est vous, mon bon monsieur Javert, qui avez dit qu'on me mette en liberté ? Oh ! voyez-vous ! je vais vous dire et vous me laisserez aller. Ce monstre de maire, ce vieux gredin de maire, c'est lui qui est cause de tout. Figurez-vous, monsieur Javert, qu'il m'a chassée ! à cause d'un tas de gueuses qui tiennent des propos dans l'atelier. Si ce n'est pas là une horreur ! renvoyer une pauvre fille qui fait honnêtement son ouvrage ! Alors je n'ai plus gagné assez, et tout le malheur est venu. D'abord il y a une amélioration que ces messieurs de la police devraient bien faire, ce serait d'empêcher les entrepreneurs des prisons de faire du tort aux pauvres gens. Je vais vous expliquer cela, voyez-vous. Vous gagnez douze sous dans les chemises, cela tombe à neuf sous, il n'y a plus moyen de vivre. Il faut donc devenir ce qu'on peut. Moi, j'avais ma petite Cosette, j'ai bien été forcée de devenir une mauvaise femme. Vous comprenez à présent que c'est ce gueux de maire qui a tout fait le mal. Après cela, j'ai piétiné le chapeau de ce monsieur bourgeois devant le café des officiers. Mais lui, il m'avait perdu toute ma robe avec sa neige. Nous autres, nous n'avons qu'une robe de soie, pour le soir. Voyez-vous, je n'ai jamais fait de mal exprès, vrai, monsieur Javert, et je vois partout des femmes bien plus méchantes que moi qui sont bien plus heureuses. Ô monsieur Javert, c'est vous qui avez dit qu'on me mette dehors, n'est-ce pas? Prenez des informations, parlez à mon propriétaire, maintenant je paye mon terme, on vous dira bien que je suis honnête. Ah! mon Dieu, je vous demande pardon, j'ai touché, sans faire attention, à la clef du poêle, et cela fait fumer.

M. Madeleine l'écoutait avec une attention profonde. Pendant qu'elle parlait, il avait fouillé dans son gilet, en avait tiré sa bourse et l'avait ouverte. Elle était vide. Il l'avait remise dans sa poche. Il dit à la Fantine :

— Combien avez-vous dit que vous deviez?

La Fantine, qui ne regardait que Javert, se retourna de son côté :

— Est-ce que je te parle à toi!

Puis s'adressant aux soldats :

— Dites donc, vous autres, avez-vous vu comme je te vous lui ai craché à la figure? Ah! vieux scélérat de maire, tu viens ici pour me faire peur, mais je n'ai pas peur de toi. J'ai peur de monsieur Javert. J'ai peur de mon bon monsieur Javert!

En parlant ainsi elle se retourna vers l'inspecteur :

— Avec ça, voyez-vous, monsieur l'inspecteur, il faut être juste. Je comprends que vous êtes juste, monsieur l'inspecteur. Au fait, c'est tout simple, un homme qui joue à mettre un peu de neige dans le dos d'une femme, ça les faisait rire, les officiers, il faut bien qu'on se divertisse à quelque chose, nous autres nous sommes là pour qu'on s'amuse, quoi![1] Et puis, vous, vous venez, vous êtes bien forcé de mettre l'ordre, vous emmenez la femme qui a tort, mais en y réfléchissant, comme vous êtes bon, vous dites qu'on me mette en liberté, c'est pour la petite, parce que six mois en prison, cela m'empêcherait de nourrir mon enfant. Seulement n'y reviens plus, coquine! Oh! je n'y reviendrai plus, monsieur Javert! on me fera tout ce qu'on voudra maintenant, je ne bougerai plus. Seulement, aujourd'hui, voyez-vous, j'ai crié parce que cela m'a fait mal, je ne m'attendais pas du tout à cette neige de ce monsieur, et puis, je vous ai dit, je ne me porte pas très bien, je tousse, j'ai là dans l'estomac comme une boule qui me brûle, que le médecin me dit : soignez-vous. Tenez, tâtez, donnez votre main, n'ayez pas peur, c'est ici.

Elle ne pleurait plus, sa voix était caressante, elle appuyait sur sa gorge blanche et délicate la grosse main rude de Javert, et elle le regardait en souriant [1].

Tout à coup elle rajusta vivement le désordre de ses vêtements, fit retomber les plis de sa robe qui en se traînant s'était relevée presque à la hauteur du genou, et marcha vers la porte en disant à demi-voix aux soldats avec un signe de tête amical :

— Les enfants, monsieur l'inspecteur a dit qu'on me lâche, je m'en vas.

Elle mit la main sur le loquet. Un pas de plus, elle était dans la rue.

Javert jusqu'à cet instant était resté debout, immobile, l'œil fixé à terre, posé de travers au milieu de cette scène comme une statue dérangée qui attend qu'on la mette quelque part.

Le bruit que fit le loquet le réveilla. Il releva la tête avec une expression d'autorité souveraine, expression toujours d'autant plus effrayante que le pouvoir se trouve placé plus bas, féroce chez la bête fauve, atroce chez l'homme de rien.

— Sergent, cria-t-il, vous ne voyez pas que cette drôlesse s'en va! Qui est-ce qui vous a dit de la laisser aller?

— Moi, dit Madeleine.

La Fantine à la voix de Javert avait tremblé et lâché le loquet comme un voleur pris lâche l'objet volé. A la voix de Madeleine, elle se retourna, et à partir de ce moment, sans qu'elle prononçât un mot, sans qu'elle osât même laisser sortir son souffle librement, son regard alla tour à tour de Madeleine à Javert et de Javert à Madeleine, selon que c'était l'un ou l'autre qui parlait.

Il était évident qu'il fallait que Javert eût été, comme on dit, « jeté hors des gonds » pour qu'il se fût permis d'apostropher le sergent comme il l'avait fait, après l'invitation du maire de mettre Fantine en liberté. En était-il venu à oublier la présence de monsieur le maire? Avait-il fini par se déclarer à lui-même qu'il était impossible qu'une « autorité » eût donné un pareil ordre, et que bien certainement monsieur le maire avait dû dire sans le vouloir une chose pour une autre? Ou bien, devant les énormités dont il était témoin depuis deux

heures, se disait-il qu'il fallait revenir aux suprêmes résolutions, qu'il était nécessaire que le petit se fît grand, que le
mouchard se transformât en magistrat, que l'homme de police
devînt homme de justice, et qu'en cette extrémité prodigieuse
l'ordre, la loi, la morale, le gouvernement, la société tout
entière, se personnifiaient en lui Javert?

Quoi qu'il en soit, quand M. Madeleine eut dit ce *moi* qu'on
vient d'entendre, on vit l'inspecteur de police Javert se tourner
vers monsieur le maire, pâle, froid, les lèvres bleues, le regard
désespéré, tout le corps agité d'un tremblement imperceptible,
et, chose inouïe, lui dire, l'œil baissé, mais la voix ferme :

— Monsieur le maire, cela ne se peut pas.

— Comment? dit M. Madeleine.

— Cette malheureuse a insulté un bourgeois.

— Inspecteur Javert, repartit M. Madeleine avec un accent
conciliant et calme, écoutez. Vous êtes un honnête homme,
et je ne fais nulle difficulté de m'expliquer avec vous. Voici
le vrai. Je passais sur la place comme vous emmeniez cette
femme, il y avait encore des groupes, je me suis informé, j'ai
tout su, c'est le bourgeois qui a eu tort et qui, en bonne police,
eût dû être arrêté.

Javert reprit :

— Cette misérable vient d'insulter monsieur le maire.

— Ceci me regarde, dit M. Madeleine. Mon injure est à moi
peut-être. J'en puis faire ce que je veux.

— Je demande pardon à monsieur le maire. Son injure n'est
pas à lui, elle est à la justice.

— Inspecteur Javert, répliqua M. Madeleine, la première
justice, c'est la conscience. J'ai entendu cette femme. Je sais
ce que je fais.

— Et moi, monsieur le maire, je ne sais pas ce que je vois.

— Alors contentez-vous d'obéir.

— J'obéis à mon devoir. Mon devoir veut que cette femme
fasse six mois de prison.

M. Madeleine répondit avec douceur :

— Écoutez bien ceci. Elle n'en fera pas un jour.

A cette parole décisive, Javert osa regarder le maire fixement, et lui dit, mais avec un son de voix toujours profondément respectueux :

— Je suis au désespoir de résister à monsieur le maire, c'est
la première fois de ma vie, mais il daignera me permettre de

lui faire observer que je suis dans la limite de mes attributions. Je reste, puisque monsieur le maire le veut, dans le fait du bourgeois. J'étais là. C'est cette fille qui s'est jetée sur monsieur Bamatabois, qui est électeur et propriétaire de cette belle maison à balcon qui fait le coin de l'esplanade, à trois étages et toute en pierre de taille. Enfin, il y a des choses dans ce monde! Quoi qu'il en soit, monsieur le maire, cela, c'est un fait de police de la rue qui me regarde, et je retiens la femme Fantine.

Alors M. Madeleine croisa les bras et dit avec une voix sévère que personne dans la ville n'avait encore entendue :

— Le fait dont vous parlez est un fait de police municipale. Aux termes des articles neuf, onze, quinze et soixante-six du code d'instruction criminelle, j'en suis juge. J'ordonne que cette femme soit mise en liberté.

Javert voulut tenter un dernier effort.

— Mais, monsieur le maire...

— Je vous rappelle, à vous, l'article quatrevingt-un de la loi du 13 décembre 1799 sur la détention arbitraire.

— Monsieur le maire, permettez...

— Plus un mot.

— Pourtant...

— Sortez, dit M. Madeleine.

Javert reçut le coup, debout, de face, et en pleine poitrine comme un soldat russe. Il salua jusqu'à terre monsieur le maire, et sortit.

Fantine se rangea de la porte et le regarda avec stupeur passer devant elle.

Cependant elle aussi était en proie à un bouleversement étrange. Elle venait de se voir en quelque sorte disputée par deux puissances opposées. Elle avait vu lutter devant ses yeux deux hommes tenant dans leurs mains sa liberté, sa vie, son âme, son enfant; l'un de ces hommes la tirait du côté de l'ombre, l'autre la ramenait vers la lumière. Dans cette lutte, entrevue à travers les grossissements de l'épouvante, ces deux hommes lui étaient apparus comme deux géants; l'un parlait comme son démon, l'autre parlait comme son bon ange. L'ange avait vaincu le démon, et, chose qui la faisait frissonner de la tête aux pieds, cet ange, ce libérateur, c'était précisément l'homme qu'elle abhorrait, ce maire qu'elle avait si longtemps considéré comme l'auteur de tous ses maux, ce Madeleine! et au moment même où elle venait de l'insulter d'une façon hideuse, il la sauvait! S'était-elle donc trompée? Devait-elle donc changer toute son âme?... Elle ne savait, elle tremblait. Elle écoutait éperdue, elle regardait effarée, et à chaque parole que disait M. Madeleine, elle sentait fondre et s'écrouler en elle les affreuses ténèbres de la haine et naître dans son cœur je ne sais quoi de réchauffant et d'ineffable qui était de la joie, de la confiance et de l'amour. [1]

Quand Javert fut sorti, M. Madeleine se tourna vers elle, et lui dit avec une voix lente, ayant peine à parler comme un homme sérieux qui ne veut pas pleurer :

— Je vous ai entendue. Je ne savais rien de ce que vous avez dit. Je crois que c'est vrai, et je sens que c'est vrai. J'ignorais même que vous eussiez quitté mes ateliers. Pourquoi ne vous êtes-vous pas adressée à moi? Mais voici : je payerai vos dettes, je ferai venir votre enfant, ou vous irez la rejoindre. Vous vivrez ici, à Paris, où vous voudrez. Je me charge de votre enfant et de vous. Vous ne travaillerez plus, si vous voulez. Je vous donnerai tout l'argent qu'il vous faudra. Vous redeviendrez honnête en redevenant heureuse. Et même, je vous le déclare dès à présent, si tout est comme vous le dites, et je n'en doute pas, vous n'avez jamais cessé d'être vertueuse et sainte devant Dieu. Oh! pauvre femme!

C'en était plus que la pauvre Fantine n'en pouvait supporter. Avoir Cosette! sortir de cette vie infâme! vivre libre, riche, heureuse, honnête, avec Cosette! voir brusquement s'épanouir au milieu de sa misère toutes ces réalités du paradis! Elle regarda comme hébétée cet homme qui lui parlait, et ne put que jeter deux ou trois sanglots : oh! oh! oh! Ses jarrets plièrent, elle se mit à genoux devant M. Madeleine [2], et, avant qu'il eût pu l'en empêcher, il sentit qu'elle lui prenait la main et que ses lèvres s'y posaient.

Puis elle s'évanouit.

LIVRE SIXIÈME

JAVERT

I

COMMENCEMENT DU REPOS

M. Madeleine fit transporter la Fantine à cette infirmerie qu'il avait dans sa propre maison. Il la confia aux sœurs qui la mirent au lit. Une fièvre ardente était survenue. Elle passa une partie de la nuit à délirer et à parler haut. Cependant elle finit par s'endormir.

Le lendemain vers midi Fantine se réveilla, elle entendit une respiration tout près de son lit, elle écarta son rideau et vit M. Madeleine debout qui regardait quelque chose au-dessus de sa tête. Ce regard était plein de pitié et d'angoisse et suppliait. Elle en suivit la direction et vit qu'il s'adressait à un crucifix cloué au mur.

M. Madeleine était désormais transfiguré aux yeux de Fantine. Il lui paraissait enveloppé de lumière. Il était absorbé dans une sorte de prière. Elle le considéra longtemps sans oser l'interrompre. Enfin elle lui dit timidement :

— Que faites-vous donc là ?

M. Madeleine était à cette place depuis une heure. Il attendait que Fantine se réveillât. Il lui prit la main, lui tâta le pouls, et répondit :

— Comment êtes-vous ?

— Bien, j'ai dormi, dit-elle, je crois que je vais mieux. Ce ne sera rien.

Lui reprit, répondant à la question qu'elle lui avait adressée d'abord, comme s'il ne faisait que de l'entendre :

— Je priais le martyr qui est là-haut [1].

Et il ajouta dans sa pensée : — Pour la martyre qui est ici-bas.

M. Madeleine avait passé la nuit et la matinée à s'informer. Il savait tout maintenant. Il connaissait dans tous ses poignants détails l'histoire de Fantine. Il continua :

— Vous avez bien souffert, pauvre mère. Oh! ne vous plaignez pas, vous avez à présent la dot des élus. C'est de cette façon que les hommes font des anges [1]. Ce n'est point leur faute; ils ne savent pas s'y prendre autrement. Voyez-vous, cet enfer dont vous sortez est la première forme du ciel. Il fallait commencer par là.

Il soupira profondément. Elle cependant lui souriait avec ce sublime sourire auquel il manquait deux dents.

Javert dans cette même nuit avait écrit une lettre. Il remit lui-même cette lettre le lendemain matin au bureau de poste de Montreuil-sur-mer. Elle était pour Paris, et la suscription portait : *A monsieur Chabouillet, secrétaire de monsieur le préfet de police.* Comme l'affaire du corps de garde s'était ébruitée, la directrice du bureau de poste et quelques autres personnes qui virent la lettre avant le départ et qui reconnurent l'écriture de Javert sur l'adresse, pensèrent que c'était sa démission qu'il envoyait.

M. Madeleine se hâta d'écrire aux Thénardier. Fantine leur devait cent vingt francs. Il leur envoya trois cents francs, en leur disant de se payer sur cette somme, et d'amener tout de suite l'enfant à Montreuil-sur-mer où sa mère malade la réclamait.

Ceci éblouit le Thénardier. — Diable! dit-il à sa femme, ne lâchons pas l'enfant. Voilà que cette mauviette va devenir une vache à lait. Je devine. Quelque jocrisse se sera amouraché de la mère.

Il riposta par un mémoire de cinq cents et quelques francs fort bien fait. Dans ce mémoire figuraient pour plus de trois cents francs deux notes incontestables, l'une d'un médecin, l'autre d'un apothicaire, lesquels avaient soigné et médicamenté dans deux longues maladies Éponine et Azelma. Cosette, nous l'avons dit, n'avait pas été malade. Ce fut l'affaire d'une toute petite substitution de noms. Thénardier mit au bas du mémoire : *reçu à compte trois cents francs.*

M. Madeleine envoya tout de suite trois cents autres francs et écrivit : Dépêchez-vous d'amener Cosette.

— Christi! dit le Thénardier, ne lâchons pas l'enfant.

Cependant Fantine ne se rétablissait point. Elle était toujours à l'infirmerie.

Les sœurs n'avaient d'abord reçu et soigné « cette fille » qu'avec répugnance. Qui a vu les bas-reliefs de Reims se souvient du gonflement de la lèvre inférieure des vierges sages regardant les vierges folles. Cet antique mépris des vestales pour les ambulaïes est un des plus profonds instincts de la dignité féminine; les sœurs l'avaient éprouvé, avec le redoublement qu'ajoute la religion. Mais, en peu de jours, Fantine les avait désarmées. Elle avait toutes sortes de paroles humbles et douces, et la mère qui était en elle attendrissait. Un jour les sœurs l'entendirent qui disait à travers la fièvre : — J'ai été une pécheresse, mais quand j'aurai mon enfant près de moi, cela voudra dire que Dieu m'a pardonné. Pendant que j'étais dans le mal, je n'aurais pas voulu avoir ma Cosette avec moi, je n'aurais pas pu supporter ses yeux étonnés et tristes. C'était pour elle pourtant que je faisais le mal, et c'est ce qui fait que Dieu me pardonne. Je sentirai la bénédiction du bon Dieu quand Cosette sera ici. Je la regarderai, cela me fera du bien de voir cette innocente. Elle ne sait rien du tout. C'est un ange, voyez-vous, mes sœurs. A cet âge-là, les ailes, ça n'est pas encore tombé [1].

M. Madeleine l'allait voir deux fois par jour, et chaque fois elle lui demandait :

— Verrai-je bientôt ma Cosette?

Il lui répondait :

— Peut-être demain matin. D'un moment à l'autre elle arrivera, je l'attends.

Et le visage pâle de la mère rayonnait.

— Oh! disait-elle, comme je vais être heureuse!

Nous venons de dire qu'elle ne se rétablissait pas. Au contraire, son état semblait s'aggraver de semaine en semaine. Cette poignée de neige appliquée à nu sur la peau entre les deux omoplates avait déterminé une suppression subite de transpiration à la suite de laquelle la maladie qu'elle couvait depuis plusieurs années finit par se déclarer violemment. On commençait alors à suivre pour l'étude et le traitement des maladies de poitrine les belles indications de Laënnec. Le médecin ausculta la Fantine et hocha la tête.

M. Madeleine dit au médecin :

— Eh bien?

— N'a-t-elle pas un enfant qu'elle désire voir? dit le médecin.

— Oui.

— Eh bien, hâtez-vous de le faire venir.

M. Madeleine eut un tressaillement.

Fantine lui demanda :

— Qu'a dit le médecin?

M. Madeleine s'efforça de sourire.

— Il a dit de faire venir bien vite votre enfant. Que cela vous rendra la santé.

— Oh! reprit-elle, il a raison! Mais qu'est-ce qu'ils ont donc ces Thénardier à me garder ma Cosette! Oh! elle va venir. Voici enfin que je vois le bonheur tout près de moi!

Le Thénardier cependant ne « lâchait pas l'enfant » et donnait cent mauvaises raisons. Cosette était un peu souffrante pour se mettre en route l'hiver. Et puis il y avait un reste de petites dettes criardes dans le pays dont il rassemblait les factures, etc., etc.

— J'enverrai quelqu'un chercher Cosette, dit le père Madeleine. S'il le faut, j'irai moi-même.

Il écrivit sous la dictée de Fantine cette lettre qu'il lui fit signer :

    « Monsieur Thénardier,

« Vous remettrez Cosette à la personne.

« On vous payera toutes les petites choses.

« J'ai l'honneur de vous saluer avec considération.

                      « Fantine. »

Sur ces entrefaites, il survint un grave incident. Nous avons beau tailler de notre mieux le bloc mystérieux dont notre vie est faite, la veine noire de la destinée y reparaît toujours [1].

II

COMMENT JEAN PEUT DEVENIR CHAMP

Un matin, M. Madeleine était dans son cabinet, occupé à régler d'avance quelques affaires pressantes de la mairie pour le cas où il se déciderait à ce voyage de Montfermeil [2], lorsqu'on vint lui dire que l'inspecteur de police Javert demandait à lui parler. En entendant prononcer ce nom, M. Madeleine ne put se défendre d'une impression désagréable. Depuis l'aventure du bureau de police, Javert l'avait plus que jamais évité, et M. Madeleine ne l'avait point revu.

— Faites entrer, dit-il.

Javert entra.

M. Madeleine était resté assis près de la cheminée, une plume à la main, l'œil sur un dossier qu'il feuilletait et qu'il annotait, et qui contenait des procès-verbaux de contraventions à la police de la voirie. Il ne se dérangea point pour Javert. Il ne pouvait s'empêcher de songer à la pauvre Fantine, et il lui convenait d'être glacial.

Javert salua respectueusement M. le maire qui lui tournait le dos. M. le maire ne le regarda pas et continua d'annoter son dossier.

Javert fit deux ou trois pas dans le cabinet, et s'arrêta sans rompre le silence.

Un physionomiste qui eût été familier avec la nature de Javert, qui eût étudié depuis longtemps ce sauvage au service de la civilisation, ce composé bizarre du romain, du spartiate, du moine et du caporal, cet espion incapable d'un mensonge, ce mouchard vierge, un physionomiste qui eût su sa secrète et ancienne aversion pour M. Madeleine, son conflit avec le maire au sujet de la Fantine, et qui eût considéré Javert en ce moment, se fût dit : que s'est-il passé ? Il était évident, pour qui eût connu cette conscience droite, claire, sincère, probe, austère et féroce, que Javert sortait de quelque grand événement intérieur. Javert n'avait rien dans l'âme qu'il ne l'eût aussi sur le visage. Il était, comme les gens violents, sujet aux revirements brusques. Jamais sa physionomie n'avait été plus étrange et plus inattendue. En entrant, il s'était incliné devant M. Madeleine avec un regard où il n'y avait ni rancune, ni colère, ni défiance, il s'était arrêté à quelques pas derrière le fauteuil du maire ; et maintenant il se tenait là, debout, dans une attitude presque disciplinaire, avec la rudesse naïve et froide d'un homme qui n'a jamais été doux et qui a toujours été patient ; il attendait, sans dire un mot, sans faire un mouvement, dans une humilité vraie et dans une résignation tranquille, qu'il plût à monsieur le maire de se retourner, calme, sérieux, le chapeau à la main, les yeux baissés, avec une expression qui tenait le milieu entre

le soldat devant son officier et le coupable devant son juge.
Tous les sentiments comme tous les souvenirs qu'on eût pu
lui supposer avaient disparu. Il n'y avait plus rien sur ce visage
impénétrable et simple comme le granit, qu'une morne
tristesse. Toute sa personne respirait l'abaissement et la
fermeté, et je ne sais quel accablement courageux.

Enfin M. le maire posa sa plume et se tourna à demi :

— Eh bien! qu'est-ce? qu'y a-t-il, Javert?

Javert demeura un instant silencieux comme s'il se recueillait, puis éleva la voix avec une sorte de solennité triste qui
n'excluait pourtant pas la simplicité :

— Il y a, monsieur le maire, qu'un acte coupable a été
commis.

— Quel acte?

— Un agent inférieur de l'autorité a manqué de respect à
un magistrat de la façon la plus grave. Je viens, comme c'est
mon devoir, porter le fait à votre connaissance.

— Quel est cet agent? demanda M. Madeleine.

— Moi, dit Javert.

— Vous?

— Moi.

— Et quel est le magistrat qui aurait à se plaindre de
l'agent?

— Vous, monsieur le maire.

M. Madeleine se dressa sur son fauteuil. Javert poursuivit,
l'air sévère et les yeux toujours baissés :

— Monsieur le maire, je viens vous prier de vouloir bien
provoquer près de l'autorité ma destitution.

M. Madeleine stupéfait ouvrit la bouche. Javert l'interrompit.

— Vous direz, j'aurais pu donner ma démission, mais cela
ne suffit pas. Donner sa démission, c'est honorable. J'ai
failli, je dois être puni. Il faut que je sois chassé.

Et après une pause, il ajouta :

— Monsieur le maire, vous avez été sévère pour moi l'autre
jour injustement. Soyez-le aujourd'hui justement.

— Ah çà! pourquoi? s'écria M. Madeleine. Quel est ce
galimatias? qu'est-ce que cela veut dire? où y a-t-il un acte
coupable commis contre moi par vous? qu'est-ce que vous
m'avez fait? quels torts avez-vous envers moi? Vous vous
accusez, vous voulez être remplacé...

— Chassé, dit Javert.

— Chassé, soit. C'est fort bien. Je ne comprends pas.

— Vous allez comprendre, monsieur le maire.

Javert soupira du fond de sa poitrine et reprit toujours froidement et tristement :

— Monsieur le maire, il y a six semaines, à la suite de cette scène pour cette fille, j'étais furieux, je vous ai dénoncé.

— Dénoncé!

— A la préfecture de police de Paris.

M. Madeleine, qui ne riait pas beaucoup plus souvent que Javert, se mit à rire.

— Comme maire ayant empiété sur la police?

— Comme ancien forçat.

Le maire devint livide.

Javert, qui n'avait pas levé les yeux, continua :

— Je le croyais. Depuis longtemps j'avais des idées. Une ressemblance, des renseignements que vous avez fait prendre à Faverolles, votre force des reins, l'aventure du vieux Fauchelevent, votre adresse au tir, votre jambe qui traîne un peu, est-ce que je sais, moi? des bêtises! mais enfin je vous prenais pour un nommé Jean Valjean.

— Un nommé?... Comment dites-vous ce nom-là?

— Jean Valjean. C'est un forçat que j'avais vu il y a vingt ans quand j'étais adjudant-garde-chiourme à Toulon. En sortant du bagne, ce Jean Valjean avait, à ce qu'il paraît, volé chez un évêque, puis il avait commis un autre vol à main armée, dans un chemin public, sur un petit savoyard. Depuis huit ans il s'était dérobé, on ne sait comment, et on le cherchait. Moi je m'étais figuré... — Enfin j'ai fait cette chose! La colère m'a décidé, je vous ai dénoncé à la préfecture.

M. Madeleine, qui avait ressaisi le dossier depuis quelques instants, reprit avec un accent de parfaite indifférence :

— Et que vous a-t-on répondu?

— Que j'étais fou.

— Eh bien?

— Eh bien, on avait raison.

— C'est heureux que vous le reconnaissiez!

— Il faut bien, puisque le véritable Jean Valjean est trouvé.

La feuille que tenait M. Madeleine lui échappa des mains, il leva la tête, regarda fixement Javert, et dit avec un accent inexprimable : — Ah!

Javert poursuivit :

— Voilà ce que c'est, monsieur le maire. Il paraît qu'il y avait dans le pays, du côté d'Ailly-le-Haut-Clocher, une espèce de bonhomme qu'on appelait le père Champmathieu. C'était très misérable. On n'y faisait pas attention[1]. Ces gens-là, on ne sait pas de quoi cela vit. Dernièrement, cet automne, le père Champmathieu a été arrêté pour un vol de pommes à cidre, commis chez... — enfin n'importe! Il y a eu vol, mur escaladé, branches de l'arbre cassées. On a arrêté mon Champmathieu. Il avait encore la branche de pommier à la main. On coffre le drôle. Jusqu'ici ce n'est pas beaucoup plus qu'une affaire correctionnelle. Mais voici qui est de la providence. La geôle étant en mauvais état, monsieur le juge d'instruction trouve à propos de faire transférer Champmathieu à Arras où est la prison départementale. Dans cette prison d'Arras, il y a un ancien forçat nommé Brevet qui est détenu pour je ne sais quoi et qu'on a fait guichetier de chambrée parce qu'il se conduit bien. Monsieur le maire, Champmathieu n'est pas plus tôt débarqué que voilà Brevet qui s'écrie : Eh mais! je connais cet homme-là. C'est un fagot*. Regardez-moi, donc, bonhomme! Vous êtes Jean Valjean! — Jean Valjean! qui ça Jean Valjean? Le Champmathieu joue l'étonné. — Ne fais donc pas le sinvre[2], dit Brevet. Tu es Jean Valjean! Tu as été au bagne de Toulon. Il y a vingt ans. Nous y étions ensemble. — Le Champmathieu nie. Parbleu! vous comprenez. On approfondit. On me fouille cette aventure-là. Voici ce qu'on trouve : ce Champmathieu, il y a une trentaine d'années, a été ouvrier émondeur d'arbres dans plusieurs pays, notamment à Faverolles. Là on perd sa trace. Longtemps après, on le revoit en Auvergne, puis à Paris, où il dit avoir été charron et avoir eu une fille blanchisseuse, mais cela n'est pas prouvé; enfin dans ce pays-ci. Or, avant d'aller au bagne pour vol qualifié, qu'était Jean Valjean? émondeur. Où? à Faverolles. Autre fait. Ce Valjean s'appelait de son nom de baptême Jean et sa mère se nommait de son nom de famille Mathieu. Quoi de plus naturel que de penser qu'en sortant du bagne il aura pris le nom de sa mère pour se cacher et se sera fait appeler Jean Mathieu? Il va en Auvergne. De *Jean* la prononciation du pays fait *Chan,* on

* *Fagot,* ancien forçat.

l'appelle Chan Mathieu. Notre homme se laisse faire et le voilà transformé en Champmathieu. Vous me suivez, n'est-ce pas? On s'informe à Faverolles. La famille de Jean Valjean n'y est plus. On ne sait plus où elle est. Vous savez, dans ces classes-là, il y a souvent de ces évanouissements d'une famille. On cherche, on ne trouve plus rien. Ces gens-là, quand ce n'est pas de la boue, c'est de la poussière. Et puis, comme le commencement de ces histoires date de trente ans, il n'y a plus personne à Faverolles qui ait connu Jean Valjean. On s'informe à Toulon. Avec Brevet, il n'y a plus que deux forçats qui aient vu Jean Valjean. Ce sont les condamnés à vie Cochepaille et Chenildieu. On les extrait du bagne et on les fait venir. On les confronte au prétendu Champmathieu. Ils n'hésitent pas. Pour eux comme pour Brevet, c'est Jean Valjean. Même âge, il a cinquante-quatre ans, même taille, même air, même homme enfin, c'est lui. C'est en ce moment-là même que j'envoyais ma dénonciation à la préfecture de Paris. On me répond que je perds l'esprit et que Jean Valjean est à Arras au pouvoir de la justice. Vous concevez si cela m'étonne, moi qui croyais tenir ici ce même Jean Valjean! J'écris à monsieur le juge d'instruction. Il me fait venir, on m'amène le Champmathieu...

— Eh bien? interrompit M. Madeleine.

Javert répondit avec son visage incorruptible et triste :

— Monsieur le maire, la vérité est la vérité. J'en suis fâché, mais c'est cet homme-là qui est Jean Valjean. Moi aussi je l'ai reconnu.

M. Madeleine reprit d'une voix très basse :

— Vous êtes sûr ?

Javert se mit à rire de ce rire douloureux qui échappe à une conviction profonde :

— Oh, sûr!

Il demeura un moment pensif, prenant machinalement des pincées de poudre de bois dans la sébille à sécher l'encre qui était sur la table, et il ajouta :

— Et même, maintenant que je vois le vrai Jean Valjean, je ne comprends pas comment j'ai pu croire autre chose. Je vous demande pardon, monsieur le maire.

En adressant cette parole suppliante et grave à celui qui, six semaines auparavant, l'avait humilié en plein corps de garde et lui avait dit : sortez! Javert, cet homme hautain, était à son insu plein de simplicité et de dignité. M. Madeleine ne répondit à sa prière que par cette question brusque :

— Et que dit cet homme?

— Ah, dame! monsieur le maire, l'affaire est mauvaise. Si c'est Jean Valjean, il y a récidive. Enjamber un mur, casser une branche, chiper des pommes, pour un enfant, c'est une polissonnerie; pour un homme, c'est un délit; pour un forçat, c'est un crime. Escalade et vol, tout y est. Ce n'est plus la police correctionnelle, c'est la cour d'assises. Ce n'est plus quelques jours de prison, ce sont les galères à perpétuité. Et puis, il y a l'affaire du petit savoyard que j'espère bien qui reviendra. Diable! il y a de quoi se débattre, n'est-ce pas? Oui, pour un autre que Jean Valjean. Mais Jean Valjean est un sournois. C'est encore là que je le reconnais. Un autre sentirait que cela chauffe; il se démènerait, il crierait, la bouilloire chante devant le feu, il ne voudrait pas être Jean Valjean, et cætera. Lui, il n'a pas l'air de comprendre, il dit : Je suis Champmathieu, je ne sors pas de là! Il a l'air étonné, il fait la brute, c'est bien mieux. Oh! le drôle est habile. Mais c'est égal, les preuves sont là. Il est reconnu par quatre personnes, le vieux coquin sera condamné. C'est porté aux assises, à Arras. Je vais y aller pour témoigner. Je suis cité [1].

M. Madeleine s'était remis à son bureau, avait ressaisi son dossier, et le feuilletait tranquillement, lisant et écrivant tour à tour comme un homme affairé. Il se tourna vers Javert :

— Assez, Javert. Au fait, tous ces détails m'intéressent fort peu. Nous perdons notre temps, et nous avons des affaires pressées. Javert, vous allez vous rendre sur-le-champ chez la bonne femme Buseaupied qui vend des herbes là-bas au coin de la rue Saint-Saulve. Vous lui direz de déposer sa plainte contre le charretier Pierre Chesnelong. Cet homme est un brutal qui a failli écraser cette femme et son enfant. Il faut qu'il soit puni. Vous irez ensuite chez M. Charcellay, rue Montre-de-Champigny. Il se plaint qu'il y a une gouttière de la maison voisine qui verse l'eau de la pluie chez lui, et qui affouille les fondations de sa maison. Après vous constaterez des contraventions de police qu'on me signale rue Guibourg chez la veuve Doris, et rue du Garraud-Blanc chez madame Renée Le Bossé, et vous dresserez procès-verbal. Mais je vous donne là beaucoup de besogne. N'allez-vous pas être absent? ne m'avez-vous pas dit que vous alliez à Arras pour cette affaire dans huit ou dix jours?...

— Plus tôt que cela, monsieur le maire.

— Quel jour donc?

— Mais je croyais avoir dit à monsieur le maire que cela se jugeait demain et que je partais par la diligence cette nuit.

M. Madeleine fit un mouvement imperceptible.

— Et combien de temps durera l'affaire?

— Un jour tout au plus. L'arrêt sera prononcé au plus tard demain dans la nuit. Mais je n'attendrai pas l'arrêt, qui ne peut manquer. Sitôt ma déposition faite, je reviendrai ici.

— C'est bon, dit M. Madeleine.

Et il congédia Javert d'un signe de main.

Javert ne s'en alla pas.

— Pardon, monsieur le maire, dit-il.

— Qu'est-ce encore? demanda M. Madeleine.

— Monsieur le maire, il me reste une chose à vous rappeler.

— Laquelle?

— C'est que je dois être destitué.

M. Madeleine se leva.

— Javert, vous êtes un homme d'honneur, et je vous estime. Vous vous exagérez votre faute. Ceci d'ailleurs est encore une offense qui me concerne. Javert, vous êtes digne de monter et non de descendre. J'entends que vous gardiez votre place.

Javert regarda M. Madeleine avec sa prunelle candide au fond de laquelle il semblait qu'on vît cette conscience peu éclairée, mais rigide et chaste, et il dit d'une voix tranquille :

— Monsieur le maire, je ne puis vous accorder cela.

— Je vous répète, répliqua M. Madeleine, que la chose me regarde.

Mais Javert, attentif à sa seule pensée, continua :

— Quant à exagérer, je n'exagère point. Voici comment je raisonne. Je vous ai soupçonné injustement. Cela, ce n'est rien. C'est notre droit à nous autres de soupçonner, quoiqu'il y ait pourtant abus à soupçonner au-dessus de soi. Mais, sans preuves, dans un accès de colère, dans le but de me venger, je vous ai dénoncé comme forçat, vous, un homme respectable, un maire, un magistrat! ceci est grave. Très grave. J'ai offensé l'autorité dans votre personne, moi, agent de l'autorité! Si l'un de mes subordonnés avait fait ce que j'ai fait, je l'aurais déclaré indigne du service, et chassé. Eh bien?

— Tenez, monsieur le maire, encore un mot. J'ai souvent été

sévère dans ma vie. Pour les autres. C'était juste. Je faisais bien. Maintenant, si je n'étais pas sévère pour moi, tout ce que j'ai fait de juste deviendrait injuste. Est-ce que je dois m'épargner plus que les autres? Non. Quoi! je n'aurais été bon qu'à châtier autrui, et pas moi! mais je serais un misérable! mais ceux qui disent : ce gueux de Javert! auraient raison! Monsieur le maire, je ne souhaite pas que vous me traitiez avec bonté, votre bonté m'a fait faire assez de mauvais sang quand elle était pour les autres. Je n'en veux pas pour moi. La bonté qui consiste à donner raison à la fille publique contre le bourgeois, à l'agent de police contre le maire, à celui qui est en bas contre celui qui est en haut, c'est ce que j'appelle de la mauvaise bonté. C'est avec cette bonté-là que la société se désorganise. Mon Dieu! c'est bien facile d'être bon, le malaisé c'est d'être juste [1]. Allez! si vous aviez été ce que je croyais, je n'aurais pas été bon pour vous, moi! vous auriez vu! Monsieur le maire, je dois me traiter comme je traiterais tout autre. Quand je réprimais des malfaiteurs, quand je sévissais sur des gredins, je me suis souvent dit à moi-même : toi, si tu bronches, si jamais je te prends en faute, sois tranquille! — J'ai bronché, je me prends en faute, tant pis! Allons, renvoyé, cassé, chassé! c'est bon. J'ai des bras, je travaillerai à la terre, cela m'est égal. Monsieur le maire, le bien du service veut un exemple. Je demande simplement la destitution de l'inspecteur Javert.

Tout cela était prononcé d'un accent humble, fier, désespéré et convaincu qui donnait je ne sais quelle grandeur bizarre à cet étrange honnête homme.

— Nous verrons, fit M. Madeleine.

Et il lui tendit la main.

Javert recula, et dit d'un ton farouche :

— Pardon, monsieur le maire, mais cela ne doit pas être. Un maire ne donne pas la main à un mouchard.

Il ajouta entre ses dents :

— Mouchard, oui; du moment où j'ai mésusé de la police, je ne suis plus qu'un mouchard.

Puis il salua profondément, et se dirigea vers la porte.

Là il se retourna, et, les yeux toujours baissés :

— Monsieur le maire, dit-il, je continuerai le service jusqu'à ce que je sois remplacé.

Il sortit. M. Madeleine resta rêveur, écoutant ce pas ferme et assuré qui s'éloignait sur le pavé du corridor.

LIVRE SEPTIÈME

L'AFFAIRE CHAMPMATHIEU

I

LA SŒUR SIMPLICE

Les incidents qu'on va lire n'ont pas tous été connus à Montreuil-sur-mer, mais le peu qui en a percé a laissé dans cette ville un tel souvenir, que ce serait une grave lacune dans ce livre si nous ne les racontions dans leurs moindres détails.

Dans ces détails, le lecteur rencontrera deux ou trois circonstances invraisemblables que nous maintenons par respect pour la vérité.

Dans l'après-midi qui suivit la visite de Javert, M. Madeleine alla voir la Fantine comme d'habitude.

Avant de pénétrer près de Fantine, il fit demander la sœur Simplice.

Les deux religieuses qui faisaient le service de l'infirmerie, dames lazaristes comme toutes les sœurs de charité, s'appelaient sœur Perpétue et sœur Simplice[1].

La sœur Perpétue était la première villageoise venue, grossièrement sœur de charité, entrée chez Dieu comme on entre en place. Elle était religieuse comme on est cuisinière. Ce type n'est point très rare. Les ordres monastiques acceptent volontiers cette lourde poterie paysanne, aisément façonnée en capucin ou en ursuline. Ces rusticités s'utilisent pour les grosses besognes de la dévotion. La transition d'un bouvier

à un carme n'a rien de heurté; l'un devient l'autre sans grand
travail; le fond commun d'ignorance du village et du cloître
est une préparation toute faite, et met tout de suite le campagnard de plain-pied avec le moine. Un peu d'ampleur au
sarrau, et voilà un froc. La sœur Perpétue était une forte religieuse, de Marines, près Pontoise, patoisant, psalmodiant,
bougonnant, sucrant la tisane selon le bigotisme ou l'hypocrisie du grabataire, brusquant les malades, bourrue avec
les mourants, leur jetant presque Dieu au visage, lapidant
l'agonie avec des prières en colère, hardie, honnête et rou-
geaude [1].

   La sœur Simplice était blanche d'une blancheur de cire.
Près de sœur Perpétue, c'était le cierge à côté de la chandelle.
Vincent de Paul a divinement fixé la figure de la sœur de charité dans ces admirables paroles où il mêle tant de liberté
à tant de servitude : « Elles n'auront pour monastère que la
maison des malades, pour cellule qu'une chambre de louage,
pour chapelle que l'église de leur paroisse, pour cloître que
les rues de la ville ou les salles des hôpitaux, pour clôture
que l'obéissance, pour grille que la crainte de Dieu, pour
voile que la modestie. » Cet idéal était vivant dans la sœur
Simplice. Personne n'eût pu dire l'âge de la sœur Simplice;
elle n'avait jamais été jeune et semblait ne devoir jamais être
vieille. C'était une personne — nous n'osons dire une femme [2] —
calme, austère, de bonne compagnie, froide, et qui n'avait
jamais menti. Elle était si douce qu'elle paraissait fragile;
plus solide d'ailleurs que le granit. Elle touchait aux malheureux avec de charmants doigts fins et purs. Il y avait, pour
ainsi dire, du silence dans sa parole; elle parlait juste le
nécessaire, et elle avait un son de voix qui eût tout à la fois
édifié un confessionnal et enchanté un salon. Cette délicatesse s'accommodait de la robe de bure, trouvant à ce rude
contact un rappel continuel du ciel et de Dieu. Insistons sur
un détail. N'avoir jamais menti, n'avoir jamais dit, pour un
intérêt quelconque, même indifféremment, une chose qui
ne fût la vérité, la sainte vérité, c'était le trait distinctif de
la sœur Simplice; c'était l'accent de sa vertu. Elle était presque
célèbre dans la congrégation pour cette véracité imperturbable. L'abbé Sicard parle de la sœur Simplice dans une lettre
au sourd-muet Massieu. Si sincères, si loyaux et si purs que
nous soyons, nous avons tous sur notre candeur au moins

la fêlure du petit mensonge innocent. Elle, point. Petit mensonge, mensonge innocent, est-ce que cela existe? Mentir, c'est l'absolu du mal. Peu mentir n'est pas possible; celui qui ment, ment tout le mensonge; mentir, c'est la face même du démon; Satan a deux noms, il s'appelle Satan et il s'appelle Mensonge. Voilà ce qu'elle pensait. Et comme elle pensait, elle pratiquait. Il en résultait cette blancheur dont nous avons parlé, blancheur qui couvrait de son rayonnement même ses lèvres et ses yeux. Son sourire était blanc, son regard était blanc. Il n'y avait pas une toile d'araignée, pas un grain de poussière à la vitre de cette conscience. En entrant dans l'obédience de saint-Vincent de Paul, elle avait pris le nom de Simplice par choix spécial. Simplice de Sicile, on le sait, est cette sainte qui aima mieux se laisser arracher les deux seins que de répondre, étant née à Syracuse, qu'elle était née à Ségeste, mensonge qui la sauvait. Cette patronne convenait à cette âme.

La sœur Simplice, en entrant dans l'ordre, avait deux défauts dont elle s'était peu à peu corrigée; elle avait eu le goût des friandises et elle avait aimé à recevoir des lettres. Elle ne lisait jamais qu'un livre de prières en gros caractères et en latin. Elle ne comprenait pas le latin, mais elle comprenait le livre.

La pieuse fille avait pris en affection Fantine, y sentant probablement de la vertu latente, et s'était dévouée à la soigner presque exclusivement.

M. Madeleine emmena à part la sœur Simplice et lui recommanda Fantine avec un accent singulier dont la sœur se souvint plus tard.

En quittant la sœur, il s'approcha de Fantine.

Fantine attendait chaque jour l'apparition de M. Madeleine comme on attend un rayon de chaleur et de joie. Elle disait aux sœurs : — Je ne vis que lorsque monsieur le maire est là.

Elle avait ce jour-là beaucoup de fièvre. Dès qu'elle vit M. Madeleine, elle lui demanda :

— Et Cosette?

Il répondit en souriant :

— Bientôt.

M. Madeleine fut avec Fantine comme à l'ordinaire. Seulement il resta une heure au lieu d'une demi-heure, au grand contentement de Fantine. Il fit mille instances à tout le monde pour que rien ne manquât à la malade. On remarqua qu'il y eut un moment où son visage devint très sombre. Mais cela s'expliqua quand on sut que le médecin s'était penché à son oreille et lui avait dit : — Elle baisse beaucoup.

Puis il rentra à la mairie, et le garçon de bureau le vit examiner avec attention une carte routière de France qui était suspendue dans son cabinet. Il écrivit quelques chiffres au crayon sur un papier.

II

PERSPICACITÉ DE MAÎTRE SCAUFFLAIRE

DE la mairie il se rendit au bout de la ville chez un flamand, maître Scafflaër, francisé Scaufflaire, qui louait des chevaux et des « cabriolets à volonté ».

Pour aller chez ce Scaufflaire, le plus court était de prendre une rue peu fréquentée où était le presbytère de la paroisse que M. Madeleine habitait. Le curé était, disait-on, un homme digne et respectable, et de bon conseil. A l'instant où M. Madeleine arriva devant le presbytère, il n'y avait dans la rue qu'un passant, et ce passant remarqua ceci [1] : M. le maire, après avoir dépassé la maison curiale, s'arrêta, demeura immobile, puis revint sur ses pas et rebroussa chemin jusqu'à la porte du presbytère, qui était une porte bâtarde avec marteau de fer. Il mit vivement la main au marteau, et le souleva; puis il s'arrêta de nouveau, et resta court, et comme pensif, et, après quelques secondes, au lieu de laisser bruyamment retomber le marteau, il le reposa doucement et reprit son chemin avec une sorte de hâte qu'il n'avait pas auparavant.

M. Madeleine trouva maître Scaufflaire chez lui occupé à repiquer un harnais.

— Maître Scaufflaire, demanda-t-il, avez-vous un bon cheval?

— Monsieur le maire, dit le flamand, tous mes chevaux sont bons. Qu'entendez-vous par un bon cheval?

— J'entends un cheval qui puisse faire vingt lieues en un jour.

— Diable! fit le flamand, vingt lieues!

— Oui.

— Attelé à un cabriolet?

— Oui.

— Et combien de temps se reposera-t-il après la course?

— Il faut qu'il puisse au besoin repartir le lendemain.

— Pour refaire le même trajet?

— Oui.

— Diable! diable! et c'est vingt lieues?

M. Madeleine tira de sa poche le papier où il avait crayonné des chiffres. Il les montra au flamand. C'étaient les chiffres 5, 6, 8 1/2.

— Vous voyez, dit-il. Total, dix-neuf et demi, autant dire vingt lieues.

— Monsieur le maire, reprit le flamand, j'ai votre affaire. Mon petit cheval blanc. Vous avez dû le voir passer quelquefois. C'est une petite bête du bas Boulonnais. C'est plein de feu. On a voulu d'abord en faire un cheval de selle. Bah! il ruait, il flanquait tout le monde par terre. On le croyait vicieux, on ne savait qu'en faire. Je l'ai acheté. Je l'ai mis au cabriolet. Monsieur, c'est cela qu'il voulait; il est doux comme une fille, il va le vent. Ah! par exemple, il ne faudrait pas lui monter sur le dos. Ce n'est pas son idée d'être cheval de selle. Chacun a son ambition. Tirer, oui, porter, non; il faut croire qu'il s'est dit ça [1].

— Et il fera la course?

— Vos vingt lieues. Toujours au grand trot, et en moins de huit heures. Mais voici à quelles conditions.

— Dites.

— Premièrement, vous le ferez souffler une heure à moitié chemin; il mangera, et on sera là pendant qu'il mangera pour empêcher le garçon de l'auberge de lui voler son avoine; car j'ai remarqué que dans les auberges l'avoine est plus souvent bue par les garçons d'écurie que mangée par les chevaux.

— On sera là.

— Deuxièmement... Est-ce pour monsieur le maire le cabriolet?

— Oui.

— Monsieur le maire sait conduire?

— Oui.

— Eh bien, monsieur le maire voyagera seul et sans bagage afin de ne point charger le cheval.

— Convenu.

— Mais monsieur le maire, n'ayant personne avec lui, sera obligé de prendre la peine de surveiller lui-même l'avoine.

— C'est dit.

— Il me faudra trente francs par jour. Les jours de repos payés. Pas un liard de moins, et la nourriture de la bête à la charge de monsieur le maire.

M. Madeleine tira trois napoléons de sa bourse et les mit sur la table.

— Voilà deux jours d'avance.

— Quatrièmement, pour une course pareille un cabriolet serait trop lourd et fatiguerait le cheval. Il faudrait que monsieur le maire consentît à voyager dans un petit tilbury que j'ai.

— J'y consens.

— C'est léger, mais c'est découvert.

— Cela m'est égal.

— Monsieur le maire a-t-il réfléchi que nous sommes en hiver?...

M. Madeleine ne répondit pas. Le flamand reprit :

— Qu'il fait très froid?

M. Madeleine garda le silence. Maître Scaufflaire continua :

— Qu'il peut pleuvoir?

M. Madeleine leva la tête et dit :

— Le tilbury et le cheval seront devant ma porte demain à quatre heures et demie du matin.

— C'est entendu, monsieur le maire, répondit Scaufflaire, puis, grattant avec l'ongle de son pouce une tache qui était dans le bois de la table, il reprit de cet air insouciant que les flamands savent si bien mêler à leur finesse :

— Mais voilà que j'y songe à présent! monsieur le maire ne me dit pas où il va. Où est-ce que va monsieur le maire?

Il ne songeait pas à autre chose depuis le commencement de la conversation, mais il ne savait pourquoi il n'avait pas osé faire cette question.

— Votre cheval a-t-il de bonnes jambes de devant? dit M. Madeleine.

— Oui, monsieur le maire. Vous le soutiendrez un peu dans les descentes. Y a-t-il beaucoup de descentes d'ici où vous allez?

— N'oubliez pas d'être à ma porte à quatre heures et demie

du matin, très précises, répondit M. Madeleine; et il sortit.

Le flamand resta « tout bête », comme il disait lui-même quelque temps après.

M. le maire était sorti depuis deux ou trois minutes, lorsque la porte se rouvrit; c'était M. le maire.

Il avait toujours le même air impassible et préoccupé.

— Monsieur Scaufflaire, dit-il, à quelle somme estimez-vous le cheval et le tilbury que vous me louerez, l'un portant l'autre?

L'un traînant l'autre, monsieur le maire, dit le flamand avec un gros rire.

— Soit. Eh bien!

— Est ce que monsieur le maire veut me les acheter?

— Non, mais à tout événement, je veux vous les garantir. A mon retour vous me rendrez la somme. A combien estimez-sous cabriolet et cheval?

— A cinq cents francs, monsieur le maire.

— Les voici.

M. Madeleine posa un billet de banque sur la table, puis sortit et cette fois ne rentra plus.

Maître Scaufflaire regretta affreusement de n'avoir point dit mille francs. Du reste le cheval et le tilbury, en bloc, valaient cent écus.

Le flamand appela sa femme, et lui conta la chose. Où diable monsieur le maire peut-il aller? Ils tinrent conseil. — Il va à Paris, dit la femme. — Je ne crois pas, dit le mari. M. Madeleine avait oublié sur la cheminée le papier où il avait tracé des chiffres. Le flamand le prit et l'étudia. — Cinq, six, huit et demi? cela doit marquer des relais de poste. Il se tourna vers sa femme. — J'ai trouvé. — Comment? — Il y a cinq lieues d'ici à Hesdin, six de Hesdin à Saint-Pol, huit et demie de Saint-Pol à Arras. Il va à Arras.

Cependant M. Madeleine était rentré chez lui.

Pour revenir de chez maître Scaufflaire, il avait pris le plus long, comme si la porte du presbytère avait été pour lui une tentation, et qu'il eût voulu l'éviter. Il était monté dans sa chambre et s'y était enfermé, ce qui n'avait rien que de simple, car il se couchait volontiers de bonne heure. Pourtant la concierge de la fabrique, qui était en même temps l'unique servante de M. Madeleine, observa que sa lumière s'éteignit à huit heures et demie, et elle le dit au caissier qui rentrait, en ajoutant :

— Est-ce que monsieur le maire est malade? je lui ai trouvé l'air un peu singulier.

Ce caissier habitait une chambre située précisément au-dessous de la chambre de M. Madeleine. Il ne prit point garde aux paroles de la portière, se coucha et s'endormit. Vers minuit, il se réveilla brusquement; il avait entendu à travers son sommeil un bruit au-dessus de sa tête. Il écouta. C'était un pas qui allait et venait, comme si l'on marchait dans la chambre en haut. Il écouta plus attentivement, et reconnut le pas de M. Madeleine. Cela lui parut étrange; habituellement aucun bruit ne se faisait dans la chambre de M. Madeleine avant l'heure de son lever. Un moment après, le caissier entendit quelque chose qui ressemblait à une armoire qu'on ouvre et qu'on referme. Puis on dérangea un meuble, il y eut un silence, et le pas recommença. Le caissier se dressa sur son séant, s'éveilla tout à fait, regarda, et à travers les vitres de sa croisée aperçut sur le mur d'en face la réverbération rougeâtre d'une fenêtre éclairée. A la direction des rayons, ce ne pouvait être que la fenêtre de la chambre de M. Madeleine. La réverbération tremblait, comme si elle venait plutôt d'un feu allumé que d'une lumière. L'ombre des châssis vitrés ne s'y dessinait pas, ce qui indiquait que la fenêtre était toute grande ouverte. Par le froid qu'il faisait, cette fenêtre ouverte était surprenante. Le caissier se rendormit. Une heure ou deux après, il se réveilla encore. Le même pas, lent et régulier, allait et venait toujours au-dessus de sa tête.

La réverbération se dessinait toujours sur le mur, mais elle était maintenant pâle et paisible comme le reflet d'une lampe ou d'une bougie. La fenêtre était toujours ouverte.

Voici ce qui se passait dans la chambre de M. Madeleine.

III

UNE TEMPÊTE SOUS UN CRÂNE[1]

LE lecteur a sans doute deviné que M. Madeleine n'est autre que Jean Valjean[2].

Nous avons déjà regardé dans les profondeurs de cette conscience; le moment est venu d'y regarder encore. Nous ne le faisons pas sans émotion et sans tremblement. Il n'existe rien de plus terrifiant que cette sorte de contemplation. L'œil de l'esprit ne peut trouver nulle part plus d'éblouissements ni plus de ténèbres que dans l'homme; il ne peut se fixer sur aucune chose qui soit plus redoutable, plus compliquée, plus mystérieuse et plus infinie. Il y a un spectacle plus grand que la mer, c'est le ciel; il y a un spectacle plus grand que le ciel, c'est l'intérieur de l'âme.

Faire le poème de la conscience humaine[1], ne fût-ce qu'à propos d'un seul homme, ne fût-ce qu'à propos du plus infime des hommes, ce serait fondre toutes les épopées dans une épopée supérieure et définitive. La conscience, c'est le chaos des chimères, des convoitises et des tentatives, la fournaise des rêves, l'antre des idées dont on a honte; c'est le pandémonium des sophismes, c'est le champ de bataille des passions. À de certaines heures, pénétrez à travers la face livide d'un être humain qui réfléchit, et regardez derrière, regardez dans cette âme, regardez dans cette obscurité. Il y a là, sous le silence extérieur, des combats de géants comme dans Homère, des mêlées de dragons et d'hydres et des nuées de fantômes comme dans Milton, des spirales visionnaires comme chez Dante. Chose sombre que cet infini que tout homme porte en soi et auquel il mesure avec désespoir les volontés de son cerveau et les actions de sa vie!

Alighieri rencontra un jour une sinistre porte devant laquelle il hésita. En voici une aussi devant nous, au seuil de laquelle nous hésitons. Entrons pourtant[2].

Nous n'avons que peu de chose à ajouter à ce que le lecteur connaît déjà de ce qui était arrivé à Jean Valjean depuis l'aventure de Petit-Gervais. À partir de ce moment, on l'a vu, il fut un autre homme. Ce que l'évêque avait voulu faire de lui, il l'exécuta. Ce fut plus qu'une transformation, ce fut une transfiguration.

Il réussit à disparaître, vendit l'argenterie de l'évêque, ne gardant que les flambeaux, comme souvenir[3], se glissa de ville en ville, traversa la France, vint à Montreuil-sur-mer, eut l'idée que nous avons dite, accomplit ce que nous avons raconté, parvint à se faire insaisissable et inaccessible, et désormais, établi à Montreuil-sur-mer, heureux de sentir sa conscience attristée par son passé et la première moitié de son existence démentie par la dernière, il vécut paisible, rassuré et espérant, n'ayant plus que deux pensées : cacher son nom, et sanctifier sa vie : échapper aux hommes, et revenir à Dieu.

Ces deux pensées étaient si étroitement mêlées dans son esprit qu'elles n'en formaient qu'une seule; elles étaient toutes deux également absorbantes et impérieuses, et dominaient ses moindres actions. D'ordinaire elles étaient d'accord pour régler la conduite de sa vie; elles le tournaient vers l'ombre; elles le faisaient bienveillant et simple; elles lui conseillaient les mêmes choses. Quelquefois cependant il y avait conflit entre elles. Dans ce cas-là, on s'en souvient, l'homme que tout le pays de Montreuil-sur-mer appelait M. Madeleine ne balançait pas à sacrifier la première à la seconde, sa sécurité à sa vertu. Ainsi, en dépit de toute réserve et de toute prudence, il avait gardé les chandeliers de l'évêque, porté son deuil, appelé et interrogé tous les petits savoyards qui passaient, pris des renseignements sur les familles de Faverolles, et sauvé la vie au vieux Fauchelevent, malgré les inquiétantes insinuations de Javert. Il semblait, nous l'avons déjà remarqué, qu'il pensât, à l'exemple de tous ceux qui ont été sages, saints et justes, que son premier devoir n'était pas envers lui.

Toutefois, il faut le dire, jamais rien de pareil ne s'était encore présenté. Jamais les deux idées qui gouvernaient le malheureux homme dont nous racontons les souffrances [1] n'avaient engagé une lutte si sérieuse. Il le comprit confusément, mais profondément, dès les premières paroles que prononça Javert, en entrant dans son cabinet. Au moment où fut si étrangement articulé ce nom qu'il avait enseveli sous tant d'épaisseurs, il fut saisi de stupeur et comme enivré par la sinistre bizarrerie de sa destinée, et, à travers cette stupeur, il eut ce tressaillement qui précède les grandes secousses; il se courba comme un chêne à l'approche d'un orage, comme un soldat à l'approche d'un assaut. Il sentit venir sur sa tête des ombres pleines de foudres et d'éclairs. Tout en écoutant parler Javert, il eut une première pensée d'aller, de courir, de se dénoncer, de tirer ce Champmathieu de prison et de s'y mettre; cela fut douloureux et poignant comme une incision dans la chair vive, puis cela passa, et il se dit : Voyons! voyons! — Il réprima ce premier mouvement généreux et recula devant l'héroïsme.

Sans doute il serait beau qu'après les saintes paroles de

l'évêque, après tant d'années de repentir et d'abnégation, au milieu d'une pénitence admirablement commencée, cet homme, même en présence d'une si terrible conjoncture, n'eût pas bronché un instant et eût continué de marcher du même pas vers ce précipice ouvert au fond duquel était le ciel; cela serait beau, mais cela ne fut pas ainsi. Il faut bien que nous rendions compte des choses qui s'accomplissaient dans cette âme, et nous ne pouvons dire que ce qui y était. Ce qui l'emporta tout d'abord, ce fut l'instinct de la conservation; il rallia en hâte ses idées, étouffa ses émotions, considéra la présence de Javert, ce grand péril, ajourna toute résolution avec la fermeté de l'épouvante, s'étourdit sur ce qu'il y avait à faire, et reprit son calme comme un lutteur ramasse son bouclier.

Le reste de la journée il fut dans cet état, un tourbillon au dedans, une tranquillité profonde au dehors; il ne prit que ce qu'on pourrait appeler « les mesures conservatoires ». Tout était encore confus et se heurtait dans son cerveau; le trouble y était tel qu'il ne voyait distinctement la forme d'aucune idée; et lui-même n'aurait pu rien dire de lui-même, si ce n'est qu'il venait de recevoir un grand coup. Il se rendit comme d'habitude près du lit de douleur de Fantine et prolongea sa visite, par un instinct de bonté, se disant qu'il fallait agir ainsi et la bien recommander aux sœurs pour le cas où il arriverait qu'il eût à s'absenter. Il sentit vaguement qu'il faudrait peut-être aller à Arras, et, sans être le moins du monde décidé à ce voyage, il se dit qu'à l'abri de tout soupçon comme il l'était, il n'y avait point d'inconvénient à être témoin de ce qui se passerait, et il retint le tilbury de Scaufflaire, afin d'être préparé à tout événement.

Il dîna avec assez d'appétit.

Rentré dans sa chambre il se recueillit.

Il examina la situation et la trouva inouïe; tellement inouïe qu'au milieu de sa rêverie, par je ne sais quelle impulsion d'anxiété presque inexplicable, il se leva de sa chaise et ferma sa porte au verrou. Il craignait qu'il n'entrât encore quelque chose. Il se barricadait contre le possible.

Un moment après il souffla sa lumière. Elle le gênait.

Il lui semblait qu'on pouvait le voir.

Qui, on ?[1]

Hélas! ce qu'il voulait mettre à la porte était entré; ce qu'il voulait aveugler, le regardait. Sa conscience.

Sa conscience, c'est-à-dire Dieu.

Pourtant, dans le premier moment, il se fit illusion; il eut un sentiment de sûreté et de solitude; le verrou tiré, il se crut imprenable; la chandelle éteinte, il se sentit invisible. Alors il prit possession de lui-même; il posa ses coudes sur la table, appuya la tête sur sa main, et se mit à songer dans les ténèbres.

— Où en suis-je? — Est-ce que je ne rêve pas? — Que m'a-t-on dit? — Est-il bien vrai que j'aie vu ce Javert et qu'il m'ait parlé ainsi? — Que peut être ce Champmathieu? — Il me ressemble donc? — Est-ce possible? — Quand je pense qu'hier j'étais si tranquille et si loin de me douter de rien! — Qu'est-ce que je faisais donc hier à pareille heure? — Qu'y a-t-il dans cet incident? — Comment se dénouera-t-il? — Que faire?

Voilà dans quelle tourmente [1] il était. Son cerveau avait perdu la force de retenir ses idées, elles passaient comme des ondes, et il prenait son front dans ses deux mains pour les arrêter.

De ce tumulte qui bouleversait sa volonté et sa raison, et dont il cherchait à tirer une évidence et une résolution, rien ne se dégageait que l'angoisse.

Sa tête était brûlante. Il alla à la fenêtre et l'ouvrit toute grande. Il n'y avait pas d'étoiles au ciel. Il revint s'asseoir près de la table.

La première heure s'écoula ainsi.

Peu à peu cependant des linéaments vagues commencèrent à se former et à se fixer dans sa méditation, et il put entrevoir avec la précision de la réalité, non l'ensemble de la situation, mais quelques détails.

Il commença par reconnaître que, si extraordinaire et si critique que fût cette situation, il en était tout à fait le maître.

Sa stupeur ne fit que s'en accroître.

Indépendamment du but sévère et religieux que se proposaient ses actions, tout ce qu'il avait fait jusqu'à ce jour n'était autre chose qu'un trou qu'il creusait pour y enfouir son nom. Ce qu'il avait toujours le plus redouté, dans ses heures de repli sur lui-même, dans ses nuits d'insomnie, c'était d'entendre jamais prononcer ce nom; il se disait que ce serait là pour lui la fin de tout; que le jour où ce nom reparaîtrait, il ferait évanouir autour de lui sa vie nouvelle, et qui sait même peut-être? au dedans de lui sa nouvelle âme. Il frémissait de la seule pensée que c'était possible. Certes, si quelqu'un lui eût dit en ces moments-là qu'une heure viendrait où ce nom retentirait à son oreille, où ce hideux mot[1], Jean Valjean, sortirait tout à coup de la nuit et se dresserait devant lui, où cette lumière formidable faite pour dissiper le mystère dont il s'enveloppait resplendirait subitement sur sa tête; et que ce nom ne le menacerait pas, que cette lumière ne produirait qu'une obscurité plus épaisse, que ce voile déchiré accroîtrait le mystère, que ce tremblement de terre consoliderait son édifice, que ce prodigieux incident n'aurait d'autre résultat, si bon lui semblait, à lui, que de rendre son existence à la fois plus claire et plus impénétrable, et que, de sa confrontation avec le fantôme de Jean Valjean, le bon et digne bourgeois monsieur Madeleine sortirait plus honoré, plus paisible et plus respecté que jamais, — si quelqu'un lui eût dit cela, il eût hoché la tête et regardé ces paroles comme insensées. Eh bien! tout cela venait précisément d'arriver, tout cet entassement de l'impossible était un fait, et Dieu avait permis que ces choses folles devinssent des choses réelles!

Sa rêverie continuait de s'éclaircir. Il se rendait de plus en plus compte de sa position.

Il lui semblait qu'il venait de s'éveiller de je ne sais quel sommeil, et qu'il se trouvait glissant sur une pente au milieu de la nuit, debout, frissonnant, reculant en vain, sur le bord extrême d'un abîme. Il entrevoyait distinctement dans l'ombre un inconnu, un étranger, que la destinée prenait pour lui et poussait dans le gouffre à sa place. Il fallait, pour que le gouffre se refermât, que quelqu'un y tombât, lui ou l'autre.

Il n'avait qu'à laisser faire.

La clarté devint complète, et il s'avoua ceci : — Que sa place était vide aux galères, qu'il avait beau faire, qu'elle l'y attendait toujours, que le vol de Petit-Gervais l'y ramenait, que cette place vide l'attendrait et l'attirerait jusqu'à ce qu'il y fût, que cela était inévitable et fatal[2]. — Et puis il se dit : — Qu'en ce moment il avait un remplaçant, qu'il paraissait qu'un nommé Champmathieu avait cette mauvaise chance, et que, quant à lui, présent désormais au bagne dans la personne de ce Champmathieu, présent dans la société sous le nom de M. Madeleine, il n'avait plus rien à redouter, pourvu qu'il n'empêchât pas les hommes de sceller sur la tête de ce Champmathieu cette pierre de l'infamie qui, comme la pierre du sépulcre, tombe une fois et ne se relève jamais[3].

Tout cela était si violent et si étrange qu'il se fit soudain en lui cette espèce de mouvement indescriptible qu'aucun homme n'éprouve plus de deux ou trois fois dans sa vie, sorte de convulsion de la conscience qui remue tout ce que le cœur a de douteux, qui se compose d'ironie, de joie ou de désespoir, et qu'on pourrait appeler un éclat de rire intérieur.

Il ralluma brusquement sa bougie.

— Eh bien quoi! se dit-il, de quoi est-ce que j'ai peur? qu'est-ce que j'ai à songer comme cela? Me voilà sauvé. Tout est fini. Je n'avais plus qu'une porte entr'ouverte par laquelle mon passé pouvait faire irruption dans ma vie; cette porte, la voilà murée! à jamais! Ce Javert qui me trouble depuis si longtemps, ce redoutable instinct qui semblait m'avoir deviné, qui m'avait deviné, pardieu! et qui me suivait partout, cet affreux chien de chasse toujours en arrêt sur moi, le voilà dérouté, occupé ailleurs, absolument dépisté! Il est satisfait désormais, il me laissera tranquille, il tient son Jean Valjean! Qui sait même, il est probable qu'il voudra quitter la ville! Et tout cela s'est fait sans moi! Et je n'y suis pour rien. Ah çà, mais! qu'est-ce qu'il y a de malheureux dans ceci? Des gens qui me verraient, parole d'honneur! croiraient qu'il m'est arrivé une catastrophe! Après tout, s'il y a du mal pour quelqu'un, ce n'est aucunement de ma faute. C'est la providence qui a tout fait. C'est qu'elle veut cela apparemment! Ai-je le droit de déranger ce qu'elle arrange? Qu'est-ce que je demande à présent? De quoi est-ce que je vais me mêler? Cela ne me regarde pas. Comment! je ne suis pas content! Mais qu'est-ce qu'il me faut donc? Le but auquel j'aspire depuis tant d'années, le songe de mes nuits, l'objet de mes prières au ciel, la sécurité, je l'atteins! C'est Dieu qui le veut. Je n'ai rien à faire contre la volonté de Dieu. Et pourquoi Dieu le veut-il? Pour que je continue ce que j'ai commencé, pour que je fasse le bien, pour que je sois un jour un grand et encourageant exemple, pour qu'il soit dit qu'il y a eu enfin un peu de bonheur attaché à cette pénitence que j'ai subie et à cette vertu où je suis revenu! Vraiment je ne comprends pas pourquoi j'ai eu peur tantôt d'entrer chez ce brave curé et de tout lui raconter comme à un confesseur, et de lui demander conseil, c'est évidemment là ce qu'il m'aurait dit. C'est décidé, laissons aller les choses! laissons faire le bon Dieu!

Il se parlait ainsi dans les profondeurs de sa conscience, penché sur ce qu'on pourrait appeler son propre abîme. Il se leva de sa chaise, et se mit à marcher dans la chambre. — Allons, dit-il, n'y pensons plus. Voilà une résolution prise! — Mais il ne sentit aucune joie.

Au contraire.

On n'empêche pas plus la pensée de revenir à une idée que la mer de revenir à un rivage. Pour le matelot, cela s'appelle la marée; pour le coupable, cela s'appelle le remords. Dieu soulève l'âme comme l'océan [1].

Au bout de peu d'instants, il eut beau faire, il reprit ce sombre dialogue dans lequel c'était lui qui parlait et lui qui écoutait, disant ce qu'il eût voulu taire, écoutant ce qu'il n'eût pas voulu entendre, cédant à cette puissance mystérieuse qui lui disait : pense! comme elle disait il y a deux mille ans à un autre condamné : marche!

Avant d'aller plus loin et pour être pleinement compris, insistons sur une observation nécessaire.

Il est certain qu'on se parle à soi-même, il n'est pas un être pensant qui ne l'ait éprouvé. On peut dire même que le verbe n'est jamais un plus magnifique mystère que lorsqu'il va, dans l'intérieur d'un homme, de la pensée à la conscience et qu'il retourne de la conscience à la pensée. C'est dans ce sens seulement qu'il faut entendre les mots souvent employés dans ce chapitre, *il dit, il s'écria.* On se dit, on se parle, on s'écrie en soi-même, sans que le silence extérieur soit rompu. Il y a un grand tumulte; tout parle en nous, excepté la bouche. Les réalités de l'âme, pour n'être point visibles et palpables, n'en sont pas moins des réalités [2].

Il se demanda donc où il en était. Il s'interrogea sur cette « résolution prise ». Il se confessa à lui-même que tout ce qu'il venait d'arranger dans son esprit était monstrueux, que « laisser aller les choses, laisser faire le bon Dieu », c'était tout simplement horrible. Laisser s'accomplir cette méprise de la destinée et des hommes, ne pas l'empêcher, s'y prêter par son silence, ne rien faire enfin, c'était faire tout! c'était le dernier degré de l'indignité hypocrite! c'était un crime bas, lâche, sournois, abject, hideux!

Pour la première fois depuis huit années, le malheureux homme venait de sentir la saveur amère d'une mauvaise pensée et d'une mauvaise action.

Il la recracha avec dégoût.

Il continua de se questionner. Il se demanda sévèrement ce

qu'il avait entendu par ceci : « Mon but est atteint! » Il se déclara que sa vie avait un but en effet. Mais quel but? cacher son
nom? tromper la police? Était-ce pour une chose si petite
qu'il avait fait tout ce qu'il avait fait? Est-ce qu'il n'avait pas
un autre but, qui était le grand, qui était le vrai? Sauver, non
sa personne, mais son âme. Redevenir honnête et bon. Être
un juste! est-ce que ce n'était pas là surtout, là uniquement, ce
qu'il avait toujours voulu, ce que l'évêque lui avait ordonné?
— Fermer la porte à son passé? Mais il ne la fermait pas, grand
Dieu! il la rouvrait en faisant une action infâme! mais il rede-
venait un voleur, et le plus odieux des voleurs! il volait à un
autre son existence, sa vie, sa paix, sa place au soleil! il devenait un assassin! il tuait, il tuait moralement un misérable
homme, il lui infligeait cette affreuse mort vivante, cette mort à
ciel ouvert, qu'on appelle le bagne! Au contraire, se livrer,
sauver cet homme frappé d'une si lugubre erreur, reprendre
son nom, redevenir par devoir le forçat Jean Valjean, c'était
là vraiment achever sa résurrection, et fermer à jamais l'enfer
d'où il sortait! Y retomber en apparence, c'était en sortir en
réalité! Il fallait faire cela! il n'avait rien fait s'il ne faisait pas
cela! toute sa vie était inutile, toute sa pénitence était perdue,
et il n'y avait plus qu'à dire : à quoi bon? Il sentait que
l'évêque était là, que l'évêque était d'autant plus présent qu'il
était mort, que l'évêque le regardait fixement, que désormais le
maire Madeleine avec toutes ses vertus lui serait abominable,
et que le galérien Jean Valjean serait admirable et pur devant
lui. Que les hommes voyaient son masque, mais que l'évêque
voyait sa face. Que les hommes voyaient sa vie, mais que
l'évêque voyait sa conscience. Il fallait donc aller à Arras,
délivrer le faux Jean Valjean, dénoncer le véritable! Hélas!
c'était là le plus grand des sacrifices, la plus poignante des victoires, le dernier pas à franchir; mais il le fallait. Douloureuse destinée! il n'entrerait dans la sainteté aux yeux de Dieu
que s'il rentrait dans l'infamie aux yeux des hommes!

— Eh bien, dit-il, prenons ce parti! faisons notre devoir! sau-
vons cet homme!

Il prononça ces paroles à haute voix, sans s'apercevoir qu'il
parlait tout haut.

Il prit ses livres, les vérifia et les mit en ordre. Il jeta au feu
une liasse de créances qu'il avait sur de petits commerçants
gênés. Il écrivit une lettre qu'il cacheta et sur l'enveloppe de

laquelle on aurait pu lire, s'il y avait eu quelqu'un dans sa chambre en cet instant : *A Monsieur Laffitte, banquier, rue d'Artois, à Paris.*

Il tira d'un secrétaire un portefeuille qui contenait quelques billets de banque et le passeport dont il s'était servi cette même année pour aller aux élections.

Qui l'eût vu pendant qu'il accomplissait ces divers actes aux-quels se mêlait une méditation si grave, ne se fût pas douté de ce qui se passait en lui. Seulement par moments ses lèvres remuaient; dans d'autres instants il relevait la tête et fixait son regard sur un point quelconque de la muraille, comme s'il y avait précisément là quelque chose qu'il voulait éclaircir ou interroger.

La lettre à M. Laffitte terminée, il la mit dans sa poche ainsi que le portefeuille, et recommença à marcher.

Sa rêverie n'avait point dévié. Il continuait de voir clairement son devoir écrit en lettres lumineuses qui flamboyaient devant ses yeux et se déplaçaient avec son regard : — *Va! nomme-toi! dénonce-toi!* —

Il voyait de même, et comme si elles se fussent mues devant lui avec des formes sensibles, les deux idées qui avaient été jusque-là la double règle de sa vie : cacher son nom, sanctifier son âme. Pour la première fois, elles lui apparaissaient absolu-ment distinctes, et il voyait la différence qui les séparait. Il reconnaissait que l'une de ces idées était nécessairement bonne, tandis que l'autre pouvait devenir mauvaise, que celle-là était le dévouement et que celle-ci était la personnalité; que l'une disait : *le prochain,* et que l'autre disait : *moi;* que l'une venait de la lumière et que l'autre venait de la nuit.

Elles se combattaient, il les voyait se combattre. A mesure qu'il songeait, elles avaient grandi devant l'œil de son esprit; elles avaient maintenant des statures colossales; et il lui sem-blait qu'il voyait lutter au dedans de lui-même, dans cet infini dont nous parlions tout à l'heure, au milieu des obscurités et des lueurs, une déesse et une géante [1].

Il était plein d'épouvante, mais il lui semblait que la bonne pensée l'emportait.

Il sentait qu'il touchait à l'autre moment décisif de sa cons-cience et de sa destinée; que l'évêque avait marqué la première phase de sa vie nouvelle, et que ce Champmathieu en marquait la seconde. Après la grande crise, la grande épreuve.

Cependant la fièvre, un instant apaisée, lui revenait peu à peu. Mille pensées le traversaient, mais elles continuaient de le fortifier dans sa résolution.

Un moment il s'était dit : — qu'il prenait peut-être la chose trop vivement, qu'après tout ce Champmathieu n'était pas intéressant, qu'en somme il avait volé.

Il se répondit : — Si cet homme a en effet volé quelques pommes, c'est un mois de prison. Il y a loin de là aux galères. Et qui sait même? a-t-il volé? est-ce prouvé? Le nom de Jean Valjean l'accable et semble dispenser de preuves. Les procureurs du roi n'agissent-ils pas habituellement ainsi? On le croit voleur, parce qu'on le sait forçat.

Dans un autre instant, cette idée lui vint que, lorsqu'il se serait dénoncé, peut-être on considérerait l'héroïsme de son action, et sa vie honnête depuis sept ans, et ce qu'il avait fait pour le pays, et qu'on lui ferait grâce.

Mais cette supposition s'évanouit bien vite, et il sourit amèrement en songeant que le vol des quarante sous à Petit-Gervais le faisait récidiviste, que cette affaire reparaîtrait certainement et, aux termes précis de la loi, le ferait passible des travaux forcés à perpétuité.

Il se détourna de toute illusion, se détacha de plus en plus de la terre et chercha la consolation et la force ailleurs. Il se dit qu'il fallait faire son devoir; que peut-être même ne serait-il pas plus malheureux après avoir fait son devoir qu'après l'avoir éludé; que s'il *laissait faire,* s'il restait à Montreuil-sur-mer, sa considération, sa bonne renommée, ses bonnes œuvres, la déférence, la vénération, sa charité, sa richesse, sa popularité, sa vertu, seraient assaisonnées d'un crime; et quel goût auraient toutes ces choses saintes liées à cette chose hideuse! tandis que, s'il accomplissait son sacrifice, au bagne, au poteau, au carcan, au bonnet vert, au travail sans relâche, à la honte sans pitié, il se mêlerait une idée céleste!

Enfin il se dit qu'il y avait nécessité, que sa destinée était ainsi faite, qu'il n'était pas maître de déranger les arrangements d'en haut, que dans tous les cas il fallait choisir : ou la vertu au dehors et l'abomination au dedans, ou la sainteté au dedans et l'infamie au dehors.

A remuer tant d'idées lugubres, son courage ne défaillait pas, mais son cerveau se fatiguait. Il commençait à penser malgré lui à d'autres choses, à des choses indifférentes.

Ses artères battaient violemment dans ses tempes. Il allait et venait toujours. Minuit sonna d'abord à la paroisse, puis à la maison de ville. Il compta les douze coups aux deux horloges, et il compara le son des deux cloches. Il se rappela à cette occasion que quelques jours auparavant il avait vu chez un marchand de ferrailles une vieille cloche à vendre sur laquelle ce nom était écrit : *Antoine Albin de Romainville*[1].

Il avait froid. Il alluma un peu de feu. Il ne songea pas à fermer la fenêtre.

Cependant il était retombé dans sa stupeur. Il lui fallait faire un assez grand effort pour se rappeler à quoi il songeait avant que minuit sonnât. Il y parvint enfin.

— Ah ! oui, se dit-il, j'avais pris la résolution de me dénoncer.

Et puis tout à coup il pensa à la Fantine.

— Tiens ! dit-il ; et cette pauvre femme !

Ici une nouvelle crise se déclara.

Fantine, apparaissant brusquement dans sa rêverie, y fut comme un rayon d'une lumière inattendue. Il lui sembla que tout changeait d'aspect autour de lui, il s'écria :

— Ah çà, mais ! jusqu'ici je n'ai considéré que moi ! je n'ai eu égard qu'à ma convenance ! Il me convient de me taire ou de me dénoncer, — cacher ma personne ou sauver mon âme, — être un magistrat méprisable et respecté ou un galérien infâme et vénérable, c'est moi, c'est toujours moi, ce n'est que moi ! Mais, mon Dieu, c'est de l'égoïsme tout cela ! Ce sont des formes diverses de l'égoïsme, mais c'est de l'égoïsme ! Si je songeais un peu aux autres ? La première sainteté est de penser à autrui. Voyons, examinons. Moi excepté, moi effacé, moi oublié, qu'arrivera-t-il de tout ceci ? — Si je me dénonce ? on me prend, on lâche ce Champmathieu, on me remet aux galères, c'est bien. Et puis ? Que se passe-t-il ici ? Ah ! ici, il y a un pays, une ville, des fabriques, une industrie, des ouvriers, des hommes, des femmes, des vieux grands-pères, des enfants, des pauvres gens ! J'ai créé tout cela, je fais vivre tout cela ; partout où il y a une cheminée qui fume, c'est moi qui ai mis le tison dans le feu et la viande dans la marmite ; j'ai fait l'aisance, la circulation, le crédit ; avant moi il n'y avait rien ; j'ai relevé, vivifié, animé, fécondé, stimulé, enrichi tout le pays ; moi de moins, c'est l'âme de moins. Je m'ôte, tout meurt. — Et cette femme qui a tant souffert, qui a tant de mérites dans sa chute, dont j'ai causé sans le vouloir tout le malheur ! Et cet enfant que je voulais aller chercher, que j'ai promis à la mère! Est-ce que je ne dois pas aussi quelque chose à cette femme, en réparation du mal que je lui ai fait? Si je disparais, qu'arrive-t-il? La mère meurt. L'enfant.devient ce qu'il peut. Voilà ce qui se passe, si je me dénonce. — Si je ne me dénonce pas? Voyons, si je ne me dénonce pas?

Après s'être fait cette question, il s'arrêta; il eut comme un moment d'hésitation et de tremblement; mais ce moment dura peu, et il se répondit avec calme :

— Eh bien, cet homme a aux galères, c'est vrai, mais, que diable! il a volé! J'ai beau me dire qu'il n'a pas volé, il a volé! Moi, je reste ici, je continue. Dans dix ans j'aurai gagné dix millions, je les répands dans le pays, je n'ai rien à moi, qu'est-ce que cela me fait? Ce n'est pas pour moi ce que je fais! La prospérité de tous va croissant, les industries s'éveillent et s'excitent, les manufactures et les usines se multiplient, les familles, cent familles, mille familles! sont heureuses; la contrée se peuple; il naît des villages où il n'y a que des fermes, il naît des fermes où il n'y a rien; la misère disparaît, et avec la misère disparaissent la débauche, la prostitution, le vol, le meurtre, tous les vices, tous les crimes! Et cette pauvre mère élève son enfant! et voilà tout un pays riche et honnête! Ah çà, j'étais fou, j'étais absurde, qu'est-ce que je parlais donc de me dénoncer? Il faut faire attention, vraiment, et ne rien précipiter. Quoi! parce qu'il m'aura plu de faire le grand et le généreux, — c'est du mélodrame, après tout![1] — parce que je n'aurai songé qu'à moi, qu'à moi seul, quoi! pour sauver d'une punition peut-être un peu exagérée, mais juste au fond, on ne sait qui, un voleur, un drôle évidemment, il faudra que tout un pays périsse! il faudra qu'une pauvre femme crève à l'hôpital! qu'une pauvre petite fille crève sur le pavé! comme des chiens! Ah! mais c'est.abominable! Sans même que la mère ait revu son enfant! sans que l'enfant ait presque connu sa mère! Et tout ça pour ce vieux gredin de voleur de pommes qui, à coup sûr, a mérité les galères pour autre chose, si ce n'est pour cela! Beaux scrupules qui sauvent un coupable et qui sacrifient des innocents, qui sauvent un vieux vagabond, lequel n'a plus que quelques années à vivre au bout du compte et ne sera guère plus malheureux au bagne que dans sa masure, et qui sacrifient toute une population, mères, femmes, enfants! Cette pauvre petite Cosette qui n'a que moi au monde et qui est sans doute en ce moment toute bleue de froid dans le bouge de ces Thénardier! Voilà encore des canailles ceux-là! Et je manquerais à mes devoirs envers tous ces pauvres êtres! Et je m'en irais me dénoncer! Et je ferais cette inepte sottise! Mettons tout au pis. Supposons qu'il y ait une mauvaise action pour moi dans ceci et que ma conscience me la reproche un jour, accepter, pour le bien d'autrui, ces reproches qui ne chargent que moi, cette mauvaise action qui ne compromet que mon âme, c'est là qu'est le dévouement, c'est là qu'est la vertu.

Il se leva, il se remit à marcher. Cette fois il lui semblait qu'il était content.

On ne trouve les diamants que dans les ténèbres de la terre; on ne trouve les vérités que dans les profondeurs de la pensée. Il lui semblait qu'après être descendu dans ces profondeurs, après avoir longtemps tâtonné au plus noir de ces ténèbres, il venait enfin de trouver un de ces diamants, une de ces vérités, et qu'il la tenait dans sa main; et il s'éblouissait à la regarder.

— Oui, pensa-t-il, c'est cela. Je suis dans le vrai. J'ai la solution. Il faut finir par s'en tenir à quelque chose. Mon parti est pris. Laissons faire! Ne vacillons plus, ne reculons plus. Ceci est dans l'intérêt de tous, non dans le mien. Je suis Madeleine, je reste Madeleine. Malheur à celui qui est Jean Valjean! Ce n'est plus moi. Je ne connais pas cet homme [1], je ne sais plus ce que c'est, s'il se trouve que quelqu'un est Jean Valjean à cette heure, qu'il s'arrange! cela ne me regarde pas. C'est un nom de fatalité qui flotte dans la nuit, s'il s'arrête et s'abat sur une tête, tant pis pour elle!

Il se regarda dans le petit miroir qui était sur sa cheminée, et dit :

— Tiens! cela m'a soulagé de prendre une résolution! Je suis tout autre à présent.

Il marcha encore quelques pas, puis il s'arrêta court :

— Allons! dit-il, il ne faut hésiter devant aucune des conséquences de la résolution prise. Il y a encore des fils qui m'attachent à ce Jean Valjean. Il faut les briser! Il y a ici, dans cette chambre même, des objets qui m'accuseraient, des choses muettes qui seraient des témoins, c'est dit, il faut que tout cela disparaisse.

Il fouilla dans sa poche, en tira sa bourse, l'ouvrit, et y prit une petite clef.

Il introduisit cette clef dans une serrure dont on voyait à

peine le trou, perdu qu'il était dans les nuances les plus sombres du dessin qui couvrait le papier collé sur le mur. Une cachette s'ouvrit, une espèce de fausse armoire ménagée entre l'angle de la muraille et le manteau de la cheminée. Il n'y avait dans cette cachette que quelques guenilles, un sarrau de toile bleue, un vieux pantalon, un vieux havresac, et un gros bâton d'épine ferré aux deux bouts. Ceux qui avaient vu Jean Valjean à l'époque où il traversait Digne, en octobre 1815, eussent aisément reconnu toutes les pièces de ce misérable accoutrement.

Il les avait conservées comme il avait conservé les chandeliers d'argent, pour se rappeler toujours son point de départ. Seulement il cachait ceci qui venait du bagne, et il laissait voir les flambeaux qui venaient de l'évêque.

Il jeta un regard furtif vers la porte, comme s'il eût craint qu'elle ne s'ouvrît malgré le verrou qui la fermait; puis d'un mouvement vif et brusque et d'une seule brassée, sans même donner un coup d'œil à ces choses qu'il avait si religieusement et si périlleusement gardées pendant tant d'années, il prit tout, haillons, bâton, havresac, et jeta tout au feu.

Il referma la fausse armoire, et, redoublant de précautions, désormais inutiles puisqu'elle était vide, en cacha la porte derrière un gros meuble qu'il y poussa.

Au bout de quelques secondes, la chambre et le mur d'en face furent éclairés d'une grande réverbération rouge et tremblante. Tout brûlait. Le bâton d'épine pétillait et jetait des étincelles jusqu'au milieu de la chambre.

Le havresac, en se consumant avec d'affreux chiffons qu'il contenait, avait mis à nu quelque chose qui brillait dans la cendre. En se penchant, on eût aisément reconnu une pièce d'argent. Sans doute la pièce de quarante sous volée au petit savoyard.

Lui ne regardait pas le feu et marchait, allant et venant toujours du même pas.

Tout à coup ses yeux tombèrent sur les deux flambeaux d'argent que la réverbération faisait reluire vaguement sur la cheminée.

— Tiens! pensa-t-il, tout Jean Valjean est encore là-dedans. Il faut aussi détruire cela.

Il prit les deux flambeaux.

Il y avait assez de feu pour qu'on pût les déformer promptement et en faire une sorte de lingot méconnaissable.

Il se pencha sur le foyer et s'y chauffa un instant. Il eut un vrai bien-être. — La bonne chaleur! dit-il.

Il remua le brasier avec un des deux chandeliers.

Une minute de plus, et ils étaient dans le feu.

En ce moment il lui sembla qu'il entendait une voix qui criait au dedans de lui :

— Jean Valjean! Jean Valjean!

Ses cheveux se dressèrent, il devint comme un homme qui écoute une chose terrible.

— Oui! c'est cela, achève! disait la voix. Complète ce que tu fais! détruis ces flambeaux! anéantis ce souvenir! oublie l'évêque! oublie tout! perds ce Champmathieu! va, c'est bien. Applaudis-toi! Ainsi, c'est convenu, c'est résolu, c'est dit, voilà un homme, voilà un vieillard qui ne sait ce qu'on lui veut, qui n'a rien fait peut-être, un innocent, dont ton nom fait tout le malheur, sur qui ton nom pèse comme un crime, qui va être pris pour toi, qui va être condamné, qui va finir ses jours dans l'abjection et dans l'horreur! c'est bien. Sois honnête homme, toi. Reste monsieur le maire, reste honorable et honoré, enrichis la ville, nourris des indigents, élève des orphelins, vis heureux, vertueux et admiré, et pendant ce temps-là, pendant que tu seras ici dans la joie et dans la lumière, il y aura quelqu'un qui aura ta casaque rouge, qui portera ton nom dans l'ignominie et qui traînera ta chaîne au bagne! Oui, c'est bien arrangé ainsi! Ah! misérable!

La sueur lui coulait du front. Il attachait sur les flambeaux un œil hagard. Cependant ce qui parlait en lui n'avait pas fini. La voix continuait :

— Jean Valjean! il y aura autour de toi beaucoup de voix qui feront un grand bruit, qui parleront bien haut, et qui te béniront, et une seule que personne n'entendra et qui te maudira dans les ténèbres. Eh bien! écoute, infâme! toutes ces bénédictions retomberont avant d'arriver au ciel, et il n'y aura que la malédiction qui montera jusqu'à Dieu!

Cette voix, d'abord toute faible et qui s'était élevée du plus obscur de sa conscience, était devenue par degrés éclatante et formidable, et il l'entendait maintenant à son oreille. Il lui semblait qu'elle était sortie de lui-même et qu'elle parlait à présent en dehors de lui. Il crut entendre les dernières paroles si distinctement qu'il regarda dans la chambre avec une sorte de terreur.

— Y a-t-il quelqu'un ici? demanda-t-il à haute voix, et tout égaré.

Puis il reprit avec un rire qui ressemblait au rire d'un idiot :
— Que je suis bête! il ne peut y avoir personne.

Il y avait quelqu'un; mais celui qui y était n'était pas de ceux que l'œil humain peut voir.

Il posa les flambeaux sur la cheminée.

Alors il reprit cette marche monotone et lugubre qui troublait dans ses rêves et réveillait en sursaut l'homme endormi au-dessous de lui.

Cette marche le soulageait et l'enivrait en même temps. Il semble que parfois dans les occasions suprêmes on se remue pour demander conseil à tout ce qu'on peut rencontrer en se déplaçant. Au bout de quelques instants il ne savait plus où il en était.

Il reculait maintenant avec une égale épouvante devant les deux résolutions qu'il avait prises tour à tour. Les deux idées qui le conseillaient lui paraissaient aussi funestes l'une que l'autre. — Quelle fatalité! quelle rencontre que ce Champmathieu pris pour lui! Être précipité justement par le moyen que la providence paraissait d'abord avoir employé pour l'affermir!

Il y eut un moment où il considéra l'avenir. Se dénoncer, grand Dieu! se livrer! Il envisagea avec un immense désespoir tout ce qu'il faudrait quitter, tout ce qu'il faudrait reprendre. Il faudrait donc dire adieu à cette existence si bonne, si pure, si radieuse, à ce respect de tous, à l'honneur, à la liberté! Il n'irait plus se promener dans les champs, il n'entendrait plus chanter les oiseaux au mois de mai, il ne ferait plus l'aumône aux petits enfants! Il ne sentirait plus la douceur des regards de reconnaissance et d'amour fixés sur lui! Il quitterait cette maison qu'il avait bâtie, cette chambre, cette petite chambre! Tout lui paraissait charmant[1] à cette heure. Il ne lirait plus dans ces livres, il n'écrirait plus sur cette petite table de bois blanc! Sa vieille portière, la seule servante qu'il eût, ne lui monterait plus son café le matin. Grand Dieu! au lieu de cela, la chiourme, le carcan, la veste rouge, la chaîne au pied, la fatigue, le cachot, le lit de camp, toutes ces horreurs connues! A son âge, après avoir été ce qu'il était! Si encore il était jeune! Mais, vieux, être tutoyé par le premier venu, être fouillé par le garde-chiourme, recevoir le coup de bâton de l'argousin! avoir les pieds nus dans des souliers ferrés! tendre matin et soir sa jambe au marteau du rondier qui visite la manille! subir la curiosité des étrangers auxquels on dirait : *Celui-là, c'est le fameux Jean Valjean, qui a été maire à Montreuil-sur-mer!* Le soir, ruisselant de sueur, accablé de lassitude, le bonnet vert sur les yeux, remonter deux à deux, sous le fouet du sergent, l'escalier-échelle du bagne flottant! Oh! quelle misère! La destinée peut-elle donc être méchante comme un être intelligent et devenir monstrueuse comme le cœur humain!

Et, quoi qu'il fît, il retombait toujours sur ce poignant dilemme qui était au fond de sa rêverie : — rester dans le paradis, et y devenir démon! rentrer dans l'enfer, et y devenir ange!

Que faire, grand Dieu! que faire?

La tourmente dont il était sorti avec tant de peine se déchaîna de nouveau en lui. Ses idées recommencèrent à se mêler. Elles prirent ce je ne sais quoi de stupéfié et de machinal qui est propre au désespoir. Ce nom de Romainville lui revenait sans cesse à l'esprit avec deux vers d'une chanson qu'il avait entendue autrefois. Il songeait que Romainville est un petit bois près Paris où les jeunes gens amoureux vont cueillir des lilas au mois d'avril.

Il chancelait au dehors comme au dedans. Il marchait comme un petit enfant qu'on laisse aller seul.

A de certains moments, luttant contre sa lassitude, il faisait effort pour ressaisir son intelligence. Il tâchait de se poser une dernière fois, et définitivement, le problème sur lequel il était en quelque sorte tombé d'épuisement. Faut-il se dénoncer? Faut-il se taire? — Il ne réussissait à rien voir de distinct. Les vagues aspects de tous les raisonnements ébauchés par sa rêverie tremblaient et se dissipaient l'un après l'autre en fumée. Seulement il sentait que, à quelque parti qu'il s'arrêtât, nécessairement, et sans qu'il fût possible d'y échapper, quelque chose de lui allait mourir; qu'il entrait dans un sépulcre à droite comme à gauche; qu'il accomplissait une agonie, l'agonie de son bonheur ou l'agonie de sa vertu.

Hélas! toutes ses irrésolutions l'avaient repris. Il n'était pas plus avancé qu'au commencement.

Ainsi se débattait sous l'angoisse cette malheureuse âme. Dix-huit cents ans avant cet homme infortuné, l'être mystérieux, en qui se résument toutes les saintetés et toutes les souffrances de l'humanité, avait aussi lui, pendant que les oliviers frémissaient au vent farouche de l'infini, longtemps écarté de la main l'effrayant calice qui lui apparaissait ruisselant d'ombre et débordant de ténèbres dans des profondeurs pleines d'étoiles [1].

IV

FORMES QUE PREND LA SOUFFRANCE
PENDANT LE SOMMEIL

TROIS heures du matin venaient de sonner, et il y avait cinq heures qu'il marchait ainsi, presque sans interruption, lorsqu'il se laissa tomber sur sa chaise.

Il s'y endormit et fit un rêve.

Ce rêve, comme la plupart des rêves, ne se rapportait à la situation que par je ne sais quoi de funeste et de poignant, mais il lui fit impression. Ce cauchemar le frappa tellement que plus tard il l'a écrit. C'est un des papiers écrits de sa main qu'il a laissés. Nous croyons devoir transcrire ici cette chose textuellement [2].

Quel que soit ce rêve, l'histoire de cette nuit serait incomplète si nous l'omettions. C'est la sombre aventure d'une âme malade.

Le voici. Sur l'enveloppe nous trouvons cette ligne écrite : *Le rêve que j'ai eu cette nuit-là.*

« J'étais dans une campagne. Une grande campagne triste où « il n'y avait pas d'herbe. Il ne me semblait pas qu'il fît jour « ni qu'il fît nuit.

« Je me promenais avec mon frère, le frère de mes années « d'enfance, ce frère auquel je dois dire que je ne pense jamais « et dont je ne me souviens presque plus.

« Nous causions, et nous rencontrions des passants. Nous par-« lions d'une voisine que nous avions eue autrefois, et qui, « depuis qu'elle demeurait sur la rue, travaillait la fenêtre « toujours ouverte. Tout en causant, nous avions froid à cause « de cette fenêtre ouverte.

« Il n'y avait pas d'arbres dans la campagne.

« Nous vîmes un homme qui passa près de nous. C'était un « homme tout nu, couleur de cendre, monté sur un cheval cou-« leur de terre. L'homme n'avait pas de cheveux ; on voyait son

« crâne et des veines sur son crâne. Il tenait à la main une
« baguette qui était souple comme un sarment de vigne et lourde
« comme du fer. Ce cavalier passa et ne nous dit rien.

« Mon frère me dit : Prenons par le chemin creux.

« Il y avait un chemin creux où l'on ne voyait pas une
« broussaille ni un brin de mousse. Tout était couleur de terre,
« même le ciel. Au bout de quelques pas, on ne me répondit
« plus quand je parlais. Je m'aperçus que mon frère n'était
« plus avec moi.

« J'entrai dans un village que je vis. Je songeai que ce
« devait être là Romainville (pourquoi Romainville ?)* [1].

« La première rue où j'entrai était déserte. J'entrai dans une
« seconde rue. Derrière l'angle que faisaient les deux rues, il
« y avait un homme debout contre le mur. Je dis à cet homme :

« Quel est ce pays ? où suis-je ? L'homme ne répondit pas. Je
« vis la porte d'une maison ouverte, j'y entrai.

« La première chambre était déserte. J'entrai dans la
« seconde. Derrière la porte de cette chambre, il y avait un
« homme debout contre le mur. Je demandai à cet homme :
« — A qui est cette maison ? où suis-je ? L'homme ne répondit
« pas. La maison avait un jardin.

« Je sortis de la maison et j'entrai dans le jardin. Le jardin
« était désert. Derrière le premier arbre, je trouvai un homme
« qui se tenait debout. Je dis à cet homme : Quel est ce jardin ?
« où suis-je ? L'homme ne répondit pas.

« J'errai dans le village, et je m'aperçus que c'était une ville.
« Toutes les rues étaient désertes, toutes les portes étaient
« ouvertes. Aucun être vivant ne passait dans les rues, ne mar-
« chait dans les chambres ou ne se promenait dans les jardins.
« Mais il y avait derrière chaque angle de mur, derrière chaque
« porte, derrière chaque arbre, un homme debout qui se
« taisait. On n'en voyait jamais qu'un à la fois. Ces hommes
« me regardaient passer.

« Je sortis de la ville et je me mis à marcher dans les champs.

« Au bout de quelque temps, je me retournai, et je vis une
« grande foule qui venait derrière moi. Je reconnus tous les
« hommes que j'avais vus dans la ville. Ils avaient des têtes
« étranges. Ils ne semblaient pas se hâter, et cependant ils
« marchaient plus vite que moi. Ils ne faisaient aucun bruit

---

* Cette parenthèse est de la main de Jean Valjean.

« en marchant. En un instant, cette foule me rejoignit et
« m'entoura. Les visages de ces hommes étaient couleur de
« terre.

« Alors le premier que j'avais vu et questionné en entrant
« dans la ville me dit : — Où allez-vous? Est-ce que vous ne
« savez pas que vous êtes mort depuis longtemps?

« J'ouvris la bouche pour répondre, et je m'aperçus qu'il
« n'y avait personne autour de moi. »

Il se réveilla. Il était glacé. Un vent qui était froid comme le
vent du matin faisait tourner dans leurs gonds les châssis
de la croisée restée ouverte. Le feu s'était éteint. La bougie
touchait à sa fin. Il était encore nuit noire.

Il se leva, il alla à la fenêtre. Il n'y avait toujours pas
d'étoiles au ciel.

De sa fenêtre on voyait la cour de la maison et la rue. Un
bruit sec et dur qui résonna tout à coup sur le sol lui fit
baisser les yeux.

Il vit au-dessus de lui deux étoiles rouges dont les rayons
s'allongeaient et se raccourcissaient bizarrement dans l'ombre.

Comme sa pensée était encore à demi submergée dans la
brume des rêves, — tiens! songea-t-il, il n'y en a pas dans le ciel.
Elles sont sur la terre maintenant.

Cependant ce trouble se dissipa, un second bruit pareil au
premier acheva de le réveiller, il regarda, et il reconnut que
ces deux étoiles étaient les lanternes d'une voiture. A la clarté
qu'elles jetaient, il put distinguer la forme de cette voiture.
C'était un tilbury attelé d'un petit cheval blanc. Le bruit qu'il
avait entendu, c'étaient les coups de pied du cheval sur le pavé.

— Qu'est-ce que c'est que cette voiture? se dit-il. Qui est-ce
qui vient donc si matin?

En ce moment on frappa un petit coup à la porte de sa
chambre.

Il frissonna de la tête aux pieds, et cria d'une voix terrible :

— Qui est là? ·

Quelqu'un répondit :

— Moi, monsieur le maire.

Il reconnut la voix de la vieille femme, sa portière.

— Eh bien, reprit-il, qu'est-ce que c'est?

— Monsieur le maire, il est tout à l'heure cinq heures du
matin.

— Qu'est-ce que cela me fait?

— Monsieur le maire, c'est le cabriolet.

— Quel cabriolet?

— Le tilbury.

— Quel tilbury?

— Est-ce que monsieur le maire n'a pas fait demander un tilbury?

— Non, dit-il.

— Le cocher dit qu'il vient chercher monsieur le maire.

— Quel cocher?

— Le cocher de M. Scaufflaire.

— M. Scaufflaire?

Ce nom le fit tressaillir comme si un éclair lui eût passé devant la face.

— Ah oui! reprit-il, M. Scaufflaire.

Si la vieille femme l'eût pu voir en ce moment, elle eût été épouvantée.

Il se fit un assez long silence. Il examinait d'un air stupide la flamme de la bougie et prenait autour de la mèche de la cire brûlante qu'il roulait dans ses doigts. La vieille attendait. Elle se hasarda pourtant à élever encore la voix :

— Monsieur le maire, que faut-il que je réponde?

— Dites que c'est bien, et que je descends.

V

BÂTONS DANS LES ROUES[1]

LE service des postes d'Arras à Montreuil-sur-mer se faisait encore à cette époque par de petites malles du temps de l'empire. Ces malles étaient des cabriolets à deux roues, tapissés de cuir fauve au dedans, suspendus sur des ressorts à pompe, et n'ayant que deux places, l'une pour le courrier, l'autre pour le voyageur. Les roues étaient armées de ces longs moyeux offensifs qui tiennent les autres voitures à distance et qu'on voit encore sur les routes d'Allemagne. Le coffre aux dépêches, immense boîte oblongue, était placé derrière le cabriolet et faisait corps avec lui. Ce coffre était peint en noir et le cabriolet en jaune.

Ces voitures, auxquelles rien ne ressemble aujourd'hui, avaient je ne sais quoi de difforme et de bossu, et, quand on les voyait passer de loin et ramper dans quelque route à l'horizon, elles ressemblaient à ces insectes qu'on appelle, je crois, termites, et qui, avec un petit corsage, traînent un gros arrière-train. Elles allaient, du reste, fort vite. La malle partie d'Arras toutes les nuits à une heure, après le passage du courrier de Paris, arrivait à Montreuil-sur-mer un peu avant cinq heures du matin.

Cette nuit-là, la malle qui descendait à Montreuil-sur-mer par la route de Hesdin accrocha, au tournant d'une rue, au moment où elle entrait dans la ville, un petit tilbury attelé d'un cheval blanc, qui venait en sens inverse et dans lequel il n'y avait qu'une personne, un homme enveloppé d'un manteau. La roue du tilbury reçut un choc assez rude. Le courrier cria à cet homme d'arrêter, mais le voyageur n'écouta pas et continua sa route au grand trot.

— Voilà un homme diablement pressé! dit le courrier.

L'homme qui se hâtait ainsi, c'est celui que nous venons de voir se débattre dans des convulsions dignes à coup sûr de pitié.

Où allait-il? Il n'eût pu le dire. Pourquoi se hâtait-il? Il ne savait. Il allait au hasard devant lui. Où? A Arras sans doute; mais il allait peut-être ailleurs aussi. Par moments il le sentait, et il tressaillait.

Il s'enfonçait dans cette nuit comme dans un gouffre. Quelque chose le poussait, quelque chose l'attirait. Ce qui se passait en lui, personne ne pourrait le dire, tous le comprendront. Quel homme n'est entré, au moins une fois en sa vie, dans cette obscure caverne de l'inconnu?

Du reste il n'avait rien résolu, rien décidé, rien arrêté, rien fait. Aucun des actes de sa conscience n'avait été définitif. Il était plus que jamais comme au premier moment.

Pourquoi allait-il à Arras?

Il se répétait ce qu'il s'était déjà dit en retenant le cabriolet de Scaufflaire, — que, quel que dût être le résultat, il n'y avait aucun inconvénient à voir de ses yeux, à juger les choses par lui-même; — que cela même était prudent, qu'il fallait savoir ce qui se passerait; — qu'on ne pouvait rien décider sans avoir observé et scruté; — que de loin on se faisait des montagnes de tout; qu'au bout du compte, lorsqu'il aurait vu ce Champmathieu, quelque misérable, sa conscience serait probablement fort soulagée de le laisser aller au bagne à sa place; — qu'à la vérité il y aurait là Javert, et ce Brevet, ce Chenildieu, ce Cochepaille, anciens forçats qui l'avaient connu; mais qu'à coup sûr ils ne le reconnaîtraient pas; — bah! quelle idée! — que Javert en était à cent lieues; — que toutes les conjectures et toutes les suppositions étaient fixées sur ce Champmathieu, et que rien n'est entêté comme les suppositions et les conjectures; — qu'il n'y avait donc aucun danger.

Que sans doute c'était un moment noir, mais qu'il en sortirait; — qu'après tout il tenait sa destinée, si mauvaise qu'elle voulût être, dans sa main; — qu'il en était le maître. Il se cramponnait à cette pensée.

Au fond, pour tout dire, il eût mieux aimé ne point aller à Arras [1].

Cependant il y allait.

Tout en songeant, il fouettait le cheval, lequel trottait de ce bon trot réglé et sûr qui fait deux lieues et demie à l'heure.

A mesure que le cabriolet avançait, il sentait quelque chose en lui qui reculait.

Au point du jour il était en rase campagne; la ville de Montreuil-sur-mer était assez loin derrière lui. Il regarda l'horizon blanchir; il regarda, sans les voir, passer devant ses yeux toutes les froides figures d'une aube d'hiver. Le matin a ses spectres comme le soir. Il ne les voyait pas, mais, à son insu, et par une sorte de pénétration presque physique, ces noires silhouettes d'arbres et de collines ajoutaient à l'état violent de son âme je ne sais quoi de morne et de sinistre.

Chaque fois qu'il passait devant une de ces maisons isolées qui côtoient parfois les routes, il se disait : il y a pourtant là-dedans des gens qui dorment!

Le trot du cheval, les grelots du harnais, les roues sur le pavé, faisaient un bruit doux et monotone. Ces choses-là sont charmantes quand on est joyeux et lugubres quand on est triste.

Il était grand jour lorsqu'il arriva à Hesdin. Il s'arrêta devant une auberge pour laisser souffler le cheval et lui faire donner l'avoine.

Ce cheval était, comme l'avait dit Scaufflaire, de cette petite race du Boulonnais qui a trop de tête, trop de ventre et pas assez d'encolure, mais qui a le poitrail ouvert, la croupe large, la jambe sèche et fine et le pied solide; race laide, mais robuste et saine. L'excellente bête avait fait cinq lieues en deux heures et n'avait pas une goutte de sueur sur la croupe.

Il n'était pas descendu du tilbury. Le garçon d'écurie qui apportait l'avoine se baissa tout à coup et examina la roue de gauche.

— Allez-vous loin comme cela? dit cet homme.

Il répondit, presque sans sortir de sa rêverie :

— Pourquoi?

— Venez-vous de loin? reprit le garçon.

— De cinq lieues d'ici.

— Ah!

— Pourquoi dites-vous : ah?

Le garçon se pencha de nouveau, resta un moment silencieux, l'œil fixé sur la roue, puis se redressa en disant :

— C'est que voilà une roue qui vient de faire cinq lieues, c'est possible, mais qui à coup sûr ne fera pas maintenant un quart de lieue.

Il sauta à bas du tilbury.

— Que dites-vous là, mon ami?

— Je dis que c'est un miracle que vous ayez fait cinq lieues sans rouler, vous et votre cheval, dans quelque fossé de la grande route. Regardez plutôt.

La roue en effet était gravement endommagée. Le choc de la malle-poste avait fendu deux rayons et labouré le moyeu dont l'écrou ne tenait plus.

— Mon ami, dit-il au garçon d'écurie, il y a un charron ici?

— Sans doute, monsieur.

— Rendez-moi le service de l'aller chercher.

— Il est là, à deux pas. Hé! maître Bourgaillard!

Maître Bourgaillard [1], le charron, était sur le seuil de sa porte. Il vint examiner la roue et fit la grimace d'un chirurgien qui considère une jambe cassée.

— Pouvez-vous raccommoder cette roue sur-le-champ?

— Oui, monsieur.

— Quand pourrai-je repartir?

— Demain.

— Demain!

— Il y a une grande journée d'ouvrage. Est-ce que monsieur est pressé?

— Très pressé. Il faut que je reparte dans une heure au plus tard.

— Impossible, monsieur.

— Je payerai tout ce qu'on voudra.

— Impossible.

— Eh bien! dans deux heures.

— Impossible pour aujourd'hui. Il faut refaire deux rais et un moyeu. Monsieur ne pourra repartir avant demain.

— L'affaire que j'ai ne peut attendre à demain. Si, au lieu de raccommoder cette roue, on la remplaçait?

— Comment cela?

— Vous êtes charron?

— Sans doute, monsieur.

— Est-ce que vous n'auriez pas une roue à me vendre? Je pourrais repartir tout de suite.

— Une roue de rechange?

— Oui.

— Je n'ai pas une roue toute faite pour votre cabriolet. Deux roues font la paire. Deux roues ne vont pas ensemble au hasard.

— En ce cas, vendez-moi une paire de roues.

— Monsieur, toutes les roues ne vont pas à tous les essieux.

— Essayez toujours.

— C'est inutile, monsieur. Je n'ai à vendre que des roues de charrette. Nous sommes un petit pays ici.

— Auriez-vous un cabriolet à me louer?

Le maître charron, du premier coup d'œil, avait reconnu que le tilbury était une voiture de louage. Il haussa les épaules.

— Vous les arrangez bien, les cabriolets qu'on vous loue! j'en aurais un que je ne vous le louerais pas.

— Eh bien, à me vendre?

— Je n'en ai pas.

— Quoi! pas une carriole? Je ne suis pas difficile, comme vous voyez.

— Nous sommes un petit pays. J'ai bien là sous la remise, ajouta le charron, une vieille calèche qui est à un bourgeois de la ville qui me l'a donnée en garde et qui s'en sert tous les trente-six du mois. Je vous la louerais bien, qu'est-ce que cela me fait? mais il ne faudrait pas que le bourgeois la vît passer; et puis, c'est une calèche, il faudrait deux chevaux.

— Je prendrai des chevaux de poste.

— Où va monsieur?

— A Arras.

— Et monsieur veut arriver aujourd'hui?

— Mais oui.

— En prenant des chevaux de poste?

— Pourquoi pas?

— Est-il égal à monsieur d'arriver cette nuit à quatre heures du matin?

— Non certes.

— C'est que, voyez-vous bien, il y a une chose à dire, en prenant des chevaux de poste... — Monsieur a son passeport?

— Oui.

— Eh bien, en prenant des chevaux de poste, monsieur n'arrivera pas à Arras avant demain. Nous sommes un chemin de traverse. Les relais sont mal servis, les chevaux sont aux champs. C'est la saison des grandes charrues qui commence, il faut de forts attelages, et l'on prend les chevaux partout, à la poste comme ailleurs. Monsieur attendra au moins trois ou quatre heures à chaque relais. Et puis on va au pas. Il y a beaucoup de côtes à monter.

— Allons, j'irai à cheval. Dételez le cabriolet. On me vendra bien une selle dans le pays.

— Sans doute. Mais ce cheval-ci endure-t-il la selle?

— C'est vrai, vous m'y faites penser. Il ne l'endure pas.

— Alors...

— Mais je trouverai bien dans le village un cheval à louer?

— Un cheval pour aller à Arras d'une traite!

— Oui.

— Il faudrait un cheval comme on n'en a pas dans nos endroits. Il faudrait l'acheter d'abord, car on ne vous connaît pas. Mais ni à vendre ni à louer, ni pour cinq cents francs, ni pour mille, vous ne le trouveriez pas!

— Comment faire?

— Le mieux, là, en honnête homme, c'est que je raccommode la roue et que vous remettiez votre voyage à demain.

— Demain il sera trop tard.

— Dame!

— N'y a-t-il pas la malle-poste qui va à Arras? Quand passe-t-elle?

— La nuit prochaine. Les deux malles font le service la nuit, celle qui monte comme celle qui descend.

— Comment! il vous faut une journée pour raccommoder cette roue?

— Une journée, et une bonne!

— En mettant deux ouvriers?

— En en mettant dix!

— Si on liait les rayons avec des cordes?

— Les rayons, oui; le moyeu, non. Et puis la jante aussi est en mauvais état.

— Y a-t-il un loueur de voitures dans la ville?

— Non.

— Y a-t-il un autre charron?

Le garçon d'écurie et le maître charron répondirent en même temps en hochant la tête.

— Non.

Il sentit une immense joie.

Il était évident que la providence s'en mêlait. C'était elle qui avait brisé la roue du tilbury et qui l'arrêtait en route. Il ne s'était pas rendu à cette espèce de première sommation; il venait de faire tous les efforts possibles pour continuer son voyage; il avait loyalement et scrupuleusement épuisé tous les moyens; il n'avait reculé ni devant la saison, ni devant la fatigue, ni devant la dépense; il n'avait rien à se reprocher. S'il n'allait pas plus loin, cela ne le regardait plus. Ce n'était plus sa faute, c'était, non le fait de sa conscience, mais le fait de la providence.

Il respira. Il respira librement et à pleine poitrine pour la première fois depuis la visite de Javert. Il lui semblait que le poignet de fer qui lui serrait le cœur depuis vingt heures venait de le lâcher.

Il lui paraissait que maintenant Dieu était pour lui, et se déclarait.

Il se dit qu'il avait fait tout ce qu'il pouvait, et qu'à présent il n'avait qu'à revenir sur ses pas, tranquillement.

Si sa conversation avec le charron eût eu lieu dans une chambre de l'auberge, elle n'eût point eu de témoins, personne ne l'eût entendue, les choses en fussent restées là, et il est probable que nous n'aurions eu à raconter aucun des événements qu'on va lire; mais cette conversation s'était faite dans la rue. Tout colloque dans la rue produit inévitablement un cercle. Il y a toujours des gens qui ne demandent qu'à être spectateurs. Pendant qu'il questionnait le charron, quelques allants et venants s'étaient arrêtés autour d'eux. Après avoir écouté pendant quelques minutes, un jeune garçon [1], auquel personne n'avait pris garde, s'était détaché du groupe en courant.

Au moment où le voyageur, après la délibération intérieure

que nous venons d'indiquer, prenait la résolution de rebrousser chemin, cet enfant revenait. Il était accompagné d'une vieille femme.

— Monsieur, dit la femme, mon garçon me dit que vous avez envie de louer un cabriolet.

Cette simple parole, prononcée par une vieille femme que conduisait un enfant, lui fit ruisseler la sueur dans les reins. Il crut voir la main qui l'avait lâché reparaître dans l'ombre derrière lui, toute prête à le reprendre.

Il répondit :

— Oui, bonne femme, je cherche un cabriolet à louer.

Et il se hâta d'ajouter :

— Mais il n'y en a pas dans le pays.

— Si fait, dit la vieille.

— Où ça donc? reprit le charron.

— Chez moi, répliqua la vieille.

Il tressaillit. La main fatale l'avait ressaisi.

La vieille avait en effet sous un hangar une façon de carriole en osier. Le charron et le garçon d'auberge, désolés que le voyageur leur échappât, intervinrent.

— C'était une affreuse guimbarde, — cela était posé à cru sur l'essieu, — il est vrai que les banquettes étaient suspendues à l'intérieur avec des lanières de cuir, — il pleuvait dedans, — les roues étaient rouillées et rongées d'humidité, — cela n'irait pas beaucoup plus loin que le tilbury, — une vraie patache! — Ce monsieur aurait bien tort de s'y embarquer, — etc., etc.

Tout cela était vrai, mais cette guimbarde, cette patache, cette chose, quelle qu'elle fût, roulait sur ses deux roues et pouvait aller à Arras.

Il paya ce qu'on voulut, laissa le tilbury à réparer chez le charron pour l'y retrouver à son retour, fit atteler le cheval blanc à la carriole, y monta, et reprit la route qu'il suivait depuis le matin.

Au moment où la carriole s'ébranla, il s'avoua qu'il avait eu l'instant d'auparavant une certaine joie de songer qu'il n'irait point où il allait. Il examina cette joie avec une sorte de colère et la trouva absurde. Pourquoi de la joie à revenir en arrière? Après tout, il faisait ce voyage librement. Personne ne l'y forçait.

Et, certainement, rien n'arriverait que ce qu'il voudrait bien.

Comme il sortait de Hesdin, il entendit une voix qui lui criait : arrêtez! arrêtez! Il arrêta la carriole d'un mouvement vif dans lequel il y avait encore je ne sais quoi de fébrile et de convulsif qui ressemblait à de l'espérance.

C'était le petit garçon de la vieille.

— Monsieur, dit-il, c'est moi qui vous ai procuré la carriole.

— Eh bien!

— Vous ne m'avez rien donné.

Lui qui donnait à tous et si facilement, il trouva cette prétention exorbitante et presque odieuse.

— Ah! c'est toi, drôle? dit-il, tu n'auras rien!

Il fouetta le cheval et repartit au grand trot.

Il avait perdu beaucoup de temps à Hesdin, il eût voulu le rattraper. Le petit cheval était courageux et tirait comme deux; mais on était au mois de février, il avait plu, les routes étaient mauvaises. Et puis, ce n'était plus le tilbury. La carriole était dure et très lourde. Avec cela force montées.

Il mit près de quatre heures pour aller de Hesdin à Saint-Pol. Quatre heures pour cinq lieues.

A Saint-Pol il dételа à la première auberge venue, et fit mener le cheval à l'écurie. Comme il l'avait promis à Scauf-flaire, il se tint près du râtelier pendant que le cheval mangeait. Il songeait à des choses tristes et confuses.

La femme de l'aubergiste entra dans l'écurie.

— Est-ce que monsieur ne veut pas déjeuner?

— Tiens, c'est vrai, dit-il, j'ai même bon appétit.

Il suivit cette femme qui avait une figure fraîche et réjouie. Elle le conduisit dans une salle basse où il y avait des tables ayant pour nappes des toiles cirées.

— Dépêchez-vous, reprit-il, il faut que je reparte. Je suis pressé.

Une grosse servante flamande mit son couvert en toute hâte. Il regardait cette fille avec un sentiment de bien-être.

— C'est là ce que j'avais, pensa-t-il. Je n'avais pas déjeuné.

On le servit. Il se jeta sur le pain, mordit une bouchée, puis le reposa lentement sur la table et n'y toucha plus.

Un roulier mangeait à une autre table. Il dit à cet homme :

— Pourquoi leur pain est-il donc si amer?

Le roulier était allemand et n'entendit pas.

Il retourna dans l'écurie près du cheval.

Une heure après, il avait quitté Saint-Pol et se dirigeait vers Tinques qui n'est qu'à cinq lieues d'Arras.

Que faisait-il pendant ce trajet? A quoi pensait-il? Comme le matin, il regardait passer les arbres, les toits de chaume, les champs cultivés, et les évanouissements du paysage qui se disloque à chaque coude du chemin. C'est là une contemplation qui suffit quelquefois à l'âme et qui la dispense presque de penser. Voir mille objets pour la première et pour la dernière fois, quoi de plus mélancolique et de plus profond! Voyager, c'est naître et mourir à chaque instant. Peut-être, dans la région la plus vague de son esprit, faisait-il des rapprochements entre ces horizons changeants et l'existence humaine. Toutes les choses de la vie sont perpétuellement en fuite devant nous. Les obscurcissements et les clartés s'entremêlent : après un éblouissement, une éclipse; on regarde, on se hâte, on tend les mains pour saisir ce qui passe; chaque événement est un tournant de la route; et tout à coup on est vieux. On sent comme une secousse, tout est noir, on distingue une porte obscure, ce sombre cheval de la vie qui vous traînait s'arrête, et l'on voit quelqu'un de voilé et d'inconnu qui le dételle dans les ténèbres[1].

Le crépuscule tombait au moment où des enfants qui sortaient de l'école regardèrent ce voyageur entrer dans Tinques. Il est vrai qu'on était encore aux jours courts de l'année. Il ne s'arrêta pas à Tinques. Comme il débouchait du village, un cantonnier qui empierrait la route dressa la tête et dit :

— Voilà un cheval bien fatigué.

La pauvre bête en effet n'allait plus qu'au pas.

— Est-ce que vous allez à Arras? ajouta le cantonnier.

— Oui.

— Si vous allez de ce train, vous n'y arriverez pas de bonne heure.

Il arrêta le cheval et demanda au cantonnier :

— Combien y a-t-il encore d'ici à Arras?

— Près de sept grandes lieues.

— Comment cela? le livre de poste ne marque que cinq lieues et un quart.

— Ah! reprit le cantonnier, vous ne savez donc pas que la route est en réparation? Vous allez la trouver coupée à un quart d'heure d'ici. Pas moyen d'aller plus loin.

— Vraiment.

— Vous prendrez à gauche, le chemin qui va à Carency, vous passerez la rivière; et, quand vous serez à Camblin, vous tournerez à droite; c'est la route de Mont-Saint-Éloy qui va à Arras.

— Mais voilà la nuit, je me perdrai.

— Vous n'êtes pas du pays?

— Non.

— Avec ça, c'est tout chemins de traverse. — Tenez, monsieur, reprit le cantonnier, voulez-vous que je vous donne un conseil? Votre cheval est las, rentrez dans Tinques. Il y a une bonne auberge. Couchez-y. Vous irez demain à Arras.

— Il faut que j'y sois ce soir.

— C'est différent. Alors allez tout de même à cette auberge et prenez-y un cheval de renfort. Le garçon du cheval vous guidera dans la traverse.

Il suivit le conseil du cantonnier, rebroussa chemin, et une demi-heure après il repassait au même endroit, mais au grand trot, avec un bon cheval de renfort. Un garçon d'écurie qui s'intitulait postillon était assis sur le brancard de la carriole.

Cependant il sentait qu'il perdait du temps.

Il faisait tout à fait nuit.

Ils s'engagèrent dans la traverse. La route devint affreuse. La carriole tombait d'une ornière dans l'autre. Il dit au postillon :

— Toujours au trot, et double pourboire.

Dans un cahot le palonnier cassa.

— Monsieur, dit le postillon, voilà le palonnier cassé, je ne sais plus comment atteler mon cheval, cette route-ci est bien mauvaise la nuit; si vous vouliez revenir coucher à Tinques, nous pourrions être demain matin de bonne heure à Arras.

Il répondit : — As-tu un bout de corde et un couteau?

— Oui, monsieur.

Il coupa une branche d'arbre et en fit un palonnier.

Ce fut encore une perte de vingt minutes; mais ils repartirent au galop.

La plaine était ténébreuse. Des brouillards bas, courts et noirs rampaient sur les collines et s'en arrachaient comme des fumées. Il y avait des lueurs blanchâtres dans les nuages. Un grand vent qui venait de la mer faisait dans tous les coins de l'horizon le bruit de quelqu'un qui remue des meubles. Tout ce qu'on entrevoyait avait des attitudes de terreur. Que de choses frissonnent sous ces vastes souffles de la nuit!

Le froid le pénétrait. Il n'avait pas mangé depuis la veille. Il se rappelait vaguement son autre course nocturne dans la grande plaine aux environs de Digne. Il y avait huit ans; et cela lui semblait hier[1].

Une heure sonna à quelque clocher lointain. Il demanda au garçon :

— Quelle est cette heure?

— Sept heures, monsieur. Nous serons à Arras à huit. Nous n'avons plus que trois lieues.

En ce moment il fit pour la première fois cette réflexion, — en trouvant étrange qu'elle ne lui fût pas venue plus tôt : — que c'était peut-être inutile, toute la peine qu'il prenait; qu'il ne savait seulement pas l'heure du procès; qu'il aurait dû au moins s'en informer; qu'il était extravagant d'aller ainsi devant soi sans savoir si cela servirait à quelque chose. — Puis il ébaucha quelques calculs dans son esprit : — qu'ordinairement les séances des cours d'assises commençaient à neuf heures du matin; — que cela ne devait pas être long, cette affaire-là; — que le vol de pommes, ce serait très court; — qu'il n'y aurait plus ensuite qu'une question d'identité; — quatre ou cinq dépositions, peu de chose à dire pour les avocats; — qu'il allait arriver lorsque tout serait fini!

Le postillon fouettait les chevaux. Ils avaient passé la rivière et laissé derrière eux Mont-Saint-Éloy.

La nuit devenait de plus en plus profonde.

VI

LA SŒUR SIMPLICE MISE À L'ÉPREUVE

Cependant, en ce moment-là même, Fantine était dans la joie[2].

Elle avait passé une très mauvaise nuit. Toux affreuse, redoublement de fièvre; elle avait eu des songes. Le matin, à la visite du médecin, elle délirait. Il avait eu l'air alarmé et avait recommandé qu'on le prévînt dès que M. Madeleine viendrait.

Toute la matinée elle fut morne, parla peu, et fit des plis à ses draps en murmurant à voix basse des calculs qui avaient l'air d'être des calculs de distances. Ses yeux étaient caves et fixes. Ils paraissaient presque éteints, et puis, par moments, ils se rallumaient et resplendissaient comme des étoiles. Il semble qu'aux approches d'une certaine heure sombre, la clarté du ciel emplisse ceux que quitte la clarté de la terre.

Chaque fois que la sœur Simplice lui demandait comment elle se trouvait, elle répondait invariablement : — Bien. Je voudrais voir monsieur Madeleine.

Quelques mois auparavant, à ce moment où Fantine venait de perdre sa dernière pudeur, sa dernière honte et sa dernière joie, elle était l'ombre d'elle-même; maintenant elle en était le spectre. Le mal physique avait complété l'œuvre du mal moral. Cette créature de vingt-cinq ans avait le front ridé, les joues flasques, les narines pincées, les dents déchaussées, le teint plombé, le cou osseux, les clavicules saillantes, les membres chétifs, la peau terreuse, et ses cheveux blonds poussaient mêlés de cheveux gris. Hélas! comme la maladie improvise la vieillesse[1]!

A midi, le médecin revint, il fit quelques prescriptions, s'informa si M. le maire avait paru à l'infirmerie, et branla la tête.

M. Madeleine venait d'habitude à trois heures voir la malade. Comme l'exactitude était de la bonté, il était exact.

Vers deux heures et demie, Fantine commença à s'agiter. Dans l'espace de vingt minutes, elle demanda plus de dix fois à la religieuse : — Ma sœur, quelle heure est-il?

Trois heures sonnèrent. Au troisième coup, Fantine se dressa sur son séant, elle qui d'ordinaire pouvait à peine remuer dans son lit; elle joignit dans une sorte d'étreinte convulsive ses deux mains décharnées et jaunes, et la religieuse entendit sortir de la sa poitrine un de ces soupirs profonds qui semblent soulever un accablement. Puis Fantine se tourna et regarda la porte.

Personne n'entra; la porte ne s'ouvrit point.

Elle resta ainsi un quart d'heure, l'œil attaché sur la porte, immobile et comme retenant son haleine. La sœur n'osait lui parler. L'église sonna trois heures un quart. Fantine se laissa retomber sur l'oreiller.

Elle ne dit rien et se remit à faire des plis à son drap.

La demi-heure passa, puis l'heure. Personne ne vint. Chaque fois que l'horloge sonnait, Fantine se dressait et regardait du côté de la porte, puis elle retombait.

On voyait clairement sa pensée, mais elle ne prononçait aucun nom, elle ne se plaignait pas, elle n'accusait pas. Seulement elle toussait d'une façon lugubre. On eût dit que quelque chose d'obscur s'abaissait sur elle. Elle était livide et avait les lèvres bleues. Elle souriait par moments.

Cinq heures sonnèrent. Alors la sœur l'entendit qui disait très bas et doucement : — Mais puisque je m'en vais demain, il a tort de ne pas venir aujourd'hui!

La sœur Simplice elle-même était surprise du retard de M. Madeleine.

Cependant Fantine regardait le ciel de son lit. Elle avait l'air de chercher à se rappeler quelque chose. Tout à coup elle se mit à chanter d'une voix faible comme un souffle. La religieuse écouta. Voici ce que Fantine chantait :

> Nous achèterons de bien belles choses
> En nous promenant le long des faubourgs.
> Les bleuets sont bleus, les roses sont roses,
> Les bleuets sont bleus, j'aime mes amours.
>
> La vierge Marie auprès de mon poêle
> Est venue hier en manteau brodé,
> Et m'a dit : — Voici, caché sous mon voile,
> Le petit qu'un jour tu m'as demandé. —
> Courez à la ville, ayez de la toile,
> Achetez du fil, achetez un dé.
>
> Nous achèterons de bien belles choses
> En nous promenant le long des faubourgs.
>
> Bonne sainte Vierge, auprès de mon poêle
> J'ai mis un berceau de rubans orné.
> Dieu me donnerait sa plus belle étoile,
> J'aime mieux l'enfant que tu m'as donné.
> — Madame, que faire avec cette toile?
> — Faites un trousseau pour mon nouveau-né.
>
> Les bleuets sont bleus, les roses sont roses,
> Les bleuets sont bleus, j'aime mes amours.
>
> — Lavez cette toile. — Où? — Dans la rivière.
> Faites-en, sans rien gâter ni salir,
> Une belle jupe avec sa brassière
> Que je veux broder et de fleurs emplir.
> — L'enfant n'est plus là, madame, qu'en faire?
> — Faites-en un drap pour m'ensevelir.

Nous achèterons de bien belles choses
En nous promenant le long des faubourgs.
Les bleuets sont bleus, les roses sont roses,
Les bleuets sont bleus, j'aime mes amours. [1]

Cette chanson était une vieille romance de berceuse avec laquelle autrefois elle endormait sa petite Cosette, et qui ne s'était pas offerte à son esprit depuis cinq ans qu'elle n'avait plus son enfant. Elle chantait cela d'une voix si triste et sur un air si doux que c'était à faire pleurer, même une religieuse. La sœur, habituée aux choses austères, sentit une larme lui venir.

L'horloge sonna six heures. Fantine ne parut pas entendre. Elle semblait ne plus faire attention à aucune chose autour d'elle.

La sœur Simplice envoya une fille de service s'informer près de la portière de la fabrique si M. le maire était rentré et s'il ne monterait pas bientôt à l'infirmerie. La fille revint au bout de quelques minutes.

Fantine était toujours immobile et paraissait attentive à des idées qu'elle avait.

La servante raconta très bas à la sœur Simplice que M. le maire était parti le matin même avant six heures dans un petit tilbury attelé d'un cheval blanc, par le froid qu'il faisait, qu'il était parti seul, pas même de cocher, qu'on ne savait pas le chemin qu'il avait pris, que des personnes disaient l'avoir vu tourner par la route d'Arras, que d'autres assuraient l'avoir rencontré sur la route de Paris. Qu'en s'en allant il avait été comme à l'ordinaire très doux, et qu'il avait seulement dit à la portière qu'on ne l'attendît pas cette nuit.

Pendant que les deux femmes, le dos tourné au lit de la Fantine, chuchotaient, la sœur questionnant, la servante conjecturant, la Fantine, avec cette vivacité fébrile de certaines maladies organiques qui mêle les mouvements libres de la santé à l'effrayante maigreur de la mort, s'était mise à genoux sur son·lit, ses deux poings crispés appuyés sur le traversin, et, la tête passée par l'intervalle des rideaux, elle écoutait. Tout à coup elle cria :

— Vous parlez là de monsieur Madeleine! pourquoi parlez-vous tout bas? Qu'est-ce qu'il fait? Pourquoi ne vient-il pas?

Sa voix était si brusque et si rauque que les deux femmes crurent entendre une voix d'homme; elles se retournèrent effrayées.

— Répondez donc! cria Fantine.

La servante balbutia :

— La portière m'a dit qu'il ne pourrait pas venir aujourd'hui.

— Mon enfant, dit la sœur, tenez-vous tranquille, recouchez-vous.

Fantine, sans changer d'attitude, reprit d'une voix haute et avec un accent tout à la fois impérieux et déchirant :

— Il ne pourra venir? Pourquoi cela? Vous savez la raison. Vous la chuchotiez là entre vous. Je veux la savoir.

La servante se hâta de dire à l'oreille de la religieuse : — Répondez qu'il est occupé au conseil municipal.

La sœur Simplice rougit légèrement; c'était un mensonge que la servante lui proposait. D'un autre côté il lui semblait bien que dire la vérité à la malade ce serait sans doute lui porter un coup terrible et que cela était grave dans l'état où était Fantine. Cette rougeur dura peu. La sœur leva sur Fantine son œil calme et triste, et dit :

— Monsieur le maire est parti.

Fantine se redressa et s'assit sur ses talons. Ses yeux étincelèrent. Une joie inouïe rayonna sur cette physionomie douloureuse.

— Parti! s'écria-t-elle. Il est allé chercher Cosette!

Puis elle tendit ses deux mains vers le ciel et tout son visage devint ineffable. Ses lèvres remuaient; elle priait à voix basse.

Quand sa prière fut finie : — Ma sœur, dit-elle, je veux bien me recoucher, je vais faire tout ce qu'on voudra; tout à l'heure j'ai été méchante, je vous demande pardon d'avoir parlé si haut, c'est très mal de parler haut, je le sais bien, ma bonne sœur, mais voyez-vous, je suis très contente. Le bon Dieu est bon, monsieur Madeleine est bon, figurez-vous qu'il est allé chercher ma petite Cosette à Montfermeil.

Elle se recoucha, aida la religieuse à arranger l'oreiller et baisa une petite croix d'argent qu'elle avait au cou et que la sœur Simplice lui avait donnée.

— Mon enfant, dit la sœur, tâchez de reposer maintenant, et ne parlez plus.

Fantine prit dans ses mains moites la main de la sœur, qui souffrait de lui sentir cette sueur.

— Il est parti ce matin pour aller à Paris. Au fait il n'a pas même besoin de passer par Paris. Montfermeil, c'est un peu à gauche en venant. Vous rappelez-vous comme il me disait hier quand je lui parlais de Cosette : *bientôt, bientôt?* C'est une surprise qu'il veut me faire. Vous savez? il m'avait fait signer une lettre pour la reprendre aux Thénardier. Ils n'auront rien à dire, pas vrai? Ils rendront Cosette. Puisqu'ils sont payés. Les autorités ne souffriraient pas qu'on garde un enfant quand on est payé. Ma sœur, ne me faites pas signe qu'il ne faut pas que je parle. Je suis extrêmement heureuse, je vais très bien, je n'ai plus de mal du tout, je vais revoir Cosette, j'ai même très faim. Il y a près de cinq ans que je ne l'ai vue. Vous ne vous figurez pas, vous, comme cela vous tient, les enfants! Et puis elle sera si gentille, vous verrez! Si vous saviez, elle a de si jolis petits doigts roses! D'abord elle aura de très belles mains. A un an, elle avait des mains ridicules. Ainsi! — Elle doit être grande à présent. Cela vous a sept ans. C'est une demoiselle. Je l'appelle Cosette, mais elle s'appelle Euphrasie[1]. Tenez, ce matin, je regardais de la poussière qui était sur la cheminée et j'avais bien l'idée comme cela que je reverrais bientôt Cosette. Mon Dieu! comme on a tort d'être des années sans voir ses enfants! on devrait bien réfléchir que la vie n'est pas éternelle! Oh! comme il est bon d'être parti, monsieur le maire! C'est vrai ça, qu'il fait bien froid? avait-il son manteau au moins? Il sera ici demain, n'est-ce pas? Ce sera demain fête. Demain matin, ma sœur, vous me ferez penser à mettre mon petit bonnet qui a de la dentelle. Montfermeil, c'est un pays. J'ai fait cette route-là à pied, dans le temps. Il y a eu bien loin pour moi. Mais les diligences vont très vite! Il sera ici demain avec Cosette. Combien y a-t-il d'ici Montfermeil?

La sœur, qui n'avait aucune idée des distances, répondit :

— Oh! je crois bien qu'il pourra être ici demain.

— Demain! demain! dit Fantine, je verrai Cosette demain! Voyez-vous, bonne sœur du bon Dieu, je ne suis plus malade. Je suis folle. Je danserais, si on voulait.

Quelqu'un qui l'eût vue un quart d'heure auparavant n'y eût rien compris. Elle était maintenant toute rose, elle parlait d'une voix vive et naturelle, toute sa figure n'était qu'un sourire. Par moments elle riait en se parlant tout bas. Joie de mère, c'est presque joie d'enfant.

— Eh bien, reprit la religieuse, vous voilà heureuse, obéissez-moi, ne parlez plus.

Fantine posa sa tête sur l'oreiller et dit à demi-voix : — Oui, recouche-toi, sois sage puisque tu vas avoir ton enfant. Elle a raison, sœur Simplice. Tous ceux qui sont ici ont raison.

Et puis, sans bouger, sans remuer la tête, elle se mit à regarder partout avec ses yeux tout grands ouverts et un air joyeux, et elle ne dit plus rien.

La sœur referma ses rideaux, espérant qu'elle s'assoupirait.

Entre sept et huit heures le médecin vint. N'entendant aucun bruit, il crut que Fantine dormait, entra doucement et s'approcha du lit sur la pointe du pied. Il entr'ouvrit les rideaux, et à la lueur de la veilleuse il vit les grands yeux calmes de Fantine qui le regardaient.

Elle lui dit : — Monsieur, n'est-ce pas, on me laissera la coucher à côté de moi dans un petit lit?

Le médecin crut qu'elle délirait. Elle ajouta :

— Regardez plutôt, il y a juste la place.

Le médecin prit à part la sœur Simplice qui lui expliqua la chose, que M. Madeleine était absent pour un jour ou deux, et que, dans le doute, on n'avait pas cru devoir détromper la malade qui croyait monsieur le maire parti pour Montfermeil; qu'il était possible en somme qu'elle eût deviné juste. Le médecin approuva.

Il se rapprocha du lit de Fantine, qui reprit :

— C'est que, voyez-vous, le matin, quand elle s'éveillera, je lui dirai bonjour à ce pauvre chat, et la nuit, moi qui ne dors pas, je l'entendrai dormir. Sa petite respiration si douce, cela me fera du bien.

— Donnez-moi votre main, dit le médecin.

Elle tendit son bras, et s'écria en riant :

— Ah! tiens! au fait, c'est vrai, vous ne savez pas! c'est que je suis guérie. Cosette arrive demain.

Le médecin fut surpris. Elle était mieux. L'oppression était moindre. Le pouls avait repris de la force. Une sorte de vie survenue tout à coup ranimait ce pauvre être épuisé.

— Monsieur le docteur, reprit-elle, la sœur vous a-t-elle dit que monsieur le maire était allé chercher le chiffon?

Le médecin recommanda le silence et qu'on évitât toute émotion pénible. Il prescrivit une infusion de quinquina pur, et, pour le cas où la fièvre reprendrait dans la nuit, une potion calmante. En s'en allant, il dit à la sœur : — Cela va mieux. Si le bonheur voulait qu'en effet monsieur le maire arrivât demain avec l'enfant, qui sait? il y a des crises si étonnantes, on a vu de grandes joies arrêter court des maladies; je sais bien que celle-ci est une maladie organique, et bien avancée, mais c'est un tel mystère que tout cela! Nous la sauverions peut-être.

VII

LE VOYAGEUR ARRIVÉ PREND SES PRÉCAUTIONS POUR REPARTIR

Il était près de huit heures du soir quand la carriole que nous avons laissée en route entra sous la porte cochère de l'hôtel de la Poste à Arras. L'homme que nous avons suivi jusqu'à ce moment en descendit, répondit d'un air distrait aux empressements des gens de l'auberge, renvoya le cheval de renfort, et conduisit lui-même le petit cheval blanc à l'écurie; puis il poussa la porte d'une salle de billard qui était au rez-de-chaussée, s'y assit, et s'accouda sur une table. Il avait mis quatorze heures à ce trajet qu'il comptait faire en six. Il se rendait la justice que ce n'était pas sa faute; mais au fond il n'en était pas fâché.

La maîtresse de l'hôtel entra.

— Monsieur couche-t-il? monsieur soupe-t-il?

Il fit un signe de tête négatif.

— Le garçon d'écurie dit que le cheval de monsieur est bien fatigué!

Ici il rompit le silence.

— Est-ce que le cheval ne pourra pas repartir demain matin?

— Oh! monsieur! il lui faut au moins deux jours de repos.

Il demanda :

— N'est-ce pas ici le bureau de la poste?

— Oui, monsieur.

L'hôtesse le mena à ce bureau; il montra son passeport et s'informa s'il y avait moyen de revenir cette nuit même à Montreuil-sur-mer par la malle; la place à côté du courrier était justement vacante; il la retint et la paya. — Monsieur, dit le buraliste, ne manquez pas d'être ici pour partir à une heure précise du matin.

Cela fait, il sortit de l'hôtel et se mit à marcher dans la ville.

Il ne connaissait pas Arras, les rues étaient obscures, et il allait au hasard. Cependant il semblait s'obstiner à ne pas demander son chemin aux passants. Il traversa la petite rivière Crinchon et se trouva dans un dédale de ruelles étroites où il se perdit. Un bourgeois cheminait avec un falot. Après quelque hésitation, il prit le parti de s'adresser à ce bourgeois, non sans avoir d'abord regardé devant et derrière lui, comme s'il craignait que quelqu'un n'entendît la question qu'il allait faire.

— Monsieur, dit-il, le palais de justice, s'il vous plaît?

— Vous n'êtes pas de la ville, monsieur? répondit le bourgeois qui était un assez vieux homme, eh bien, suivez-moi. Je vais précisément du côté du palais de justice, c'est-à-dire du côté de l'hôtel de la préfecture. Car on répare en ce moment le palais, et provisoirement les tribunaux ont leurs audiences à la préfecture.

— Est-ce là, demanda-t-il, qu'on tient les assises?

— Sans doute, monsieur. Voyez-vous, ce qui est la préfecture aujourd'hui était l'évêché avant la révolution. Monsieur de Conzié, qui était évêque en quatre-vingt-deux, y a fait bâtir une grande salle. C'est dans cette grande salle qu'on juge[1].

Chemin faisant, le bourgeois lui dit :

— Si c'est un procès que monsieur veut voir, il est un peu tard. Ordinairement les séances finissent à six heures.

Cependant, comme ils arrivaient sur la grande place, le bourgeois lui montra quatre longues fenêtres éclairées sur la façade d'un vaste bâtiment ténébreux.

— Ma foi, monsieur, vous arrivez à temps, vous avez du bonheur. Voyez-vous ces quatre fenêtres? c'est la cour d'assises. Il y a de la lumière. Donc ce n'est pas fini. L'affaire aura traîné en longueur et on fait une audience du soir. Vous vous intéressez à cette affaire? Est-ce que c'est un procès criminel? Est-ce que vous êtes témoin?

Il répondit :

— Je ne viens pour aucune affaire, j'ai seulement à parler à un avocat.

— C'est différent, dit le bourgeois. Tenez, monsieur, voici la porte. Où est le factionnaire. Vous n'aurez qu'à monter le grand escalier.

Il se conforma aux indications du bourgeois, et, quelques minutes après, il était dans une salle où il y avait beaucoup de monde et où des groupes mêlés d'avocats en robe chuchotaient çà et là.

C'est toujours une chose qui serre le cœur de voir ces attroupements d'hommes vêtus de noir qui murmurent entre eux à voix basse sur le seuil des chambres de justice. Il est rare que la charité et la pitié sortent de toutes ces paroles. Ce qui en sort le plus souvent, ce sont des condamnations faites d'avance. Tous ces groupes semblent à l'observateur qui passe et qui rêve autant de ruches sombres où des espèces d'esprits bourdonnants construisent en commun toutes sortes d'édifices ténébreux[1].

Cette salle, spacieuse et éclairée d'une seule lampe, était une ancienne antichambre de l'évêché et servait de salle des pas perdus. Une porte à deux battants, fermée en ce moment, la séparait de la grande chambre où siégeait la cour d'assises.

L'obscurité était telle qu'il ne craignit pas de s'adresser au premier avocat qu'il rencontra.

— Monsieur, dit-il, où en est-on?

— C'est fini, dit l'avocat.

— Fini!

Ce mot fut répété d'un tel accent que l'avocat se retourna.

— Pardon, monsieur, vous êtes peut-être un parent?

— Non. Je ne connais personne ici. Et y a-t-il eu condamnation?

— Sans doute. Cela n'était guère possible autrement.

— Aux travaux forcés?...

— A perpétuité.

Il reprit d'une voix tellement faible qu'on l'entendait à peine :

— L'identité a donc été constatée?

— Quelle identité? répondit l'avocat. Il n'y avait pas d'identité à constater. L'affaire était simple. Cette femme avait tué son enfant, l'infanticide a été prouvé, le jury a écarté la préméditation, on l'a condamnée à vie[2].

— C'est donc une femme? dit-il.

— Mais sûrement. La fille Limosin. De quoi me parlez-vous donc?

— De rien. Mais puisque c'est fini, comment se fait-il que la salle soit encore éclairée?

— C'est pour l'autre affaire qu'on a commencée il y a à peu près deux heures.

— Quelle autre affaire?

— Oh! celle-là est claire aussi. C'est une espèce de gueux, un récidiviste, un galérien, qui a volé. Je ne sais plus trop son nom. En voilà un qui vous a une mine de bandit. Rien que pour avoir cette figure-là, je l'enverrais aux galères.

— Monsieur, demanda-t-il, y a-t-il moyen de pénétrer dans la salle?

— Je ne crois vraiment pas. Il y a beaucoup de foule. Cependant l'audience est suspendue. Il y a des gens qui sont sortis, et, à la reprise de l'audience, vous pourrez essayer.

— Par où entre-t-on?

— Par cette grande porte.

L'avocat le quitta. En quelques instants, il avait éprouvé, presque en même temps, presque mêlées, toutes les émotions possibles. Les paroles de cet indifférent lui avaient tour à tour traversé le cœur comme des aiguilles de glace et comme des lames de feu. Quand il vit que rien n'était terminé, il respira; mais il n'eût pu dire si ce qu'il ressentait était du contentement ou de la douleur.

Il s'approcha de plusieurs groupes et il écouta ce qu'on disait. Le rôle de la session étant très chargé, le président avait indiqué pour ce même jour deux affaires simples et courtes. On avait commencé par l'infanticide, et maintenant on en était au forçat, au récidiviste, au « cheval de retour »[1]. Cet homme avait volé des pommes, mais cela ne paraissait pas bien prouvé; ce qui était prouvé, c'est qu'il avait été déjà aux galères à Toulon. C'est ce qui faisait son affaire mauvaise. Du reste, l'interrogatoire de l'homme était terminé et les dépositions des témoins; mais il y avait encore les plaidoiries de l'avocat et le réquisitoire du ministère public; cela ne devait guère finir avant minuit. L'homme serait probablement condamné; l'avocat général était très bon, — et ne *manquait* pas ses accusés; — c'était un garçon d'esprit qui faisait des vers[2].

Un huissier se tenait debout près de la porte qui communiquait avec la salle des assises. Il demanda à cet huissier :

— Monsieur, la porte va-t-elle bientôt s'ouvrir?

— Elle ne s'ouvrira pas, dit l'huissier.

— Comment! on ne l'ouvrira pas à la reprise de l'audience? est-ce que l'audience n'est pas suspendue?

— L'audience vient d'être reprise, répondit l'huissier, mais la porte ne se rouvrira pas.

— Pourquoi?

— Parce que la salle est pleine.

— Quoi! il n'y a plus une place?

— Plus une seule. La porte est fermée. Personne ne peut plus entrer.

L'huissier ajouta après un silence : — Il y a bien encore deux ou trois places derrière monsieur le président, mais monsieur le président n'y admet que les fonctionnaires publics.

Cela dit, l'huissier lui tourna le dos.

Il se retira la tête baissée, traversa l'antichambre et redescendit l'escalier lentement, comme hésitant à chaque marche. Il est probable qu'il tenait conseil avec lui-même. Le violent combat qui se livrait en lui depuis la veille n'était pas fini; et, à chaque instant, il en traversait quelque nouvelle péripétie. Arrivé sur le palier de l'escalier, il s'adossa à la rampe et croisa les bras. Tout à coup il ouvrit sa redingote, prit son portefeuille, en tira un crayon, déchira une feuille, et écrivit rapidement sur cette feuille à la lueur du réverbère cette ligne : — *M. Madeleine, maire de Montreuil-sur-mer*. Puis il remonta l'escalier à grands pas, fendit la foule, marcha droit à l'huissier, lui remit le papier, et lui dit avec autorité : — Portez ceci à monsieur le président.

L'huissier prit le papier, y jeta un coup d'œil et obéit.

VIII

ENTRÉE DE FAVEUR

Sans qu'il s'en doutât, le maire de Montreuil-sur-mer avait une sorte de célébrité. Depuis sept ans que sa réputation de vertu remplissait tout le bas Boulonnais, elle avait fini par franchir les limites d'un petit pays et s'était répandue dans les deux ou trois départements voisins. Outre le service considérable qu'il avait rendu au chef-lieu en y restaurant l'industrie des verroteries noires, il n'était pas une des cent quarante et une communes de l'arrondissement de Montreuil-sur-mer qui ne lui dût quelque bienfait. Il avait su même au

besoin aider et féconder les industries des autres arrondisse-
ments. C'est ainsi qu'il avait dans l'occasion soutenu de son
crédit et de ses fonds la fabrique de tulle de Boulogne, la filature
de lin à la mécanique de Frévent et la manufacture hydraulique
de toiles de Boubers-sur-Canche. Partout on prononçait avec
vénération le nom de M. Madeleine. Arras et Douai enviaient
son maire à l'heureuse petite ville de Montreuil-sur-mer.

Le conseiller à la cour royale de Douai, qui présidait cette
session des assises à Arras, connaissait comme tout le monde
ce nom si profondément et si universellement honoré. Quand
l'huissier, ouvrant discrètement la porte qui communiquait
de la chambre du conseil à l'audience, se pencha derrière
le fauteuil du président et lui remit le papier où était écrite
la ligne qu'on vient de lire, en ajoutant : _Ce monsieur désire
assister à l'audience,_ le président fit un vif mouvement de déférence, saisit une plume, écrivit quelques mots au bas du papier,
et le rendit à l'huissier en lui disant : Faites entrer.

L'homme malheureux dont nous racontons l'histoire était
resté près de la porte de la salle à la même place et dans la
même attitude où l'huissier l'avait quitté. Il entendit, à travers sa rêverie, quelqu'un qui lui disait : Monsieur veut-il
bien me faire l'honneur de me suivre? C'était ce même huissier
qui lui avait tourné le dos l'instant d'auparavant et qui maintenant le saluait jusqu'à terre. L'huissier en même temps lui
remit le papier. Il le déplia, et, comme il se rencontrait qu'il
était près de la lampe, il put lire :

« Le président de la cour d'assises présente son respect à
M. Madeleine. »

Il froissa le papier entre ses mains, comme si ces quelques
mots eussent eu pour lui un arrière-goût étrange et amer.

Il suivit l'huissier.

Quelques minutes après, il se trouvait seul dans une espèce
de cabinet lambrissé, d'un aspect sévère, éclairé par deux
bougies posées sur une table à tapis vert. Il avait encore dans
l'oreille les dernières paroles de l'huissier qui venait de le
quitter : « Monsieur, vous voici dans la chambre du conseil;
« vous n'avez qu'à tourner le bouton de cuivre de cette porte,
« et vous vous trouverez dans l'audience derrière le fauteuil de
« monsieur le président. » — Ces paroles se mêlaient dans sa
pensée à un souvenir vague de corridors étroits et d'escaliers
noirs qu'il venait de parcourir.

L'huissier l'avait laissé seul. Le moment suprême était arrivé. Il cherchait à se recueillir sans pouvoir y parvenir. C'est surtout aux heures où l'on aurait le plus besoin de les rattacher aux réalités poignantes de la vie que tous les fils de la pensée se rompent dans le cerveau. Il était dans l'endroit même où les juges délibèrent et condamnent. Il regardait avec une tranquillité stupide cette chambre paisible et redoutable où tant d'existences avaient été brisées, où son nom allait retentir tout à l'heure, et que sa destinée traversait en ce moment. Il regardait la muraille, puis il se regardait lui-même, s'étonnant que ce fût cette chambre et que ce fût lui.

Il n'avait pas mangé depuis plus de vingt-quatre heures, il était brisé par les cahots de la carriole, mais il ne le sentait pas; il lui semblait qu'il ne sentait rien.

Il s'approcha d'un cadre noir qui était accroché au mur et qui contenait sous verre une vieille lettre autographe de Jean Nicolas Pache, maire de Paris et ministre, datée, sans doute par erreur, du *9 juin* an II, et dans laquelle Pache envoyait à la commune la liste des ministres et des députés tenus en arrestation chez eux[1]. Un témoin qui l'eût pu voir et qui l'eût observé en cet instant eût sans doute imaginé que cette lettre lui paraissait bien curieuse, car il n'en détachait pas ses yeux, et il la lut deux ou trois fois. Il la lisait sans y faire attention et à son insu. Il pensait à Fantine et à Cosette[2].

Tout en rêvant, il se retourna, et ses yeux rencontrèrent le bouton de cuivre de la porte qui le séparait de la salle des assises. Il avait presque oublié cette porte. Son regard, d'abord calme, s'y arrêta, resta attaché à ce bouton de cuivre, puis devint effaré et fixe, et s'empreignit peu à peu d'épouvante. Des gouttes de sueur lui sortaient d'entre les cheveux et ruisselaient sur ses tempes.

A un certain moment, il fit avec une sorte d'autorité mêlée de rébellion ce geste indescriptible qui veut dire et qui dit si bien : *Pardieu! qui est-ce qui m'y force?* Puis il se tourna vivement, vit devant lui la porte par laquelle il était entré, y alla, l'ouvrit, et sortit. Il n'était plus dans cette chambre, il était dehors, dans un corridor, un corridor long, étroit, coupé de degrés et de guichets, faisant toutes sortes d'angles, éclairé çà et là de réverbères pareils à des veilleuses de malades, le corridor par où il était venu. Il respira, il écouta;

aucun bruit derrière lui, aucun bruit devant lui; il se mit à fuir comme si on le poursuivait[1].

Quand il eut doublé plusieurs des coudes de ce couloir, il écouta encore. C'était toujours le même silence et la même ombre autour de lui. Il était essoufflé, il chancelait, il s'appuya au mur. La pierre était froide, sa sueur était glacée sur son front, il se redressa en frissonnant.

Alors, là, seul, debout dans cette obscurité, tremblant de froid et d'autre chose peut-être, il songea.

Il avait songé toute la nuit, il avait songé toute la journée, il n'entendait plus en lui qu'une voix qui disait : hélas!

Un quart d'heure s'écoula ainsi. Enfin, il pencha la tête, soupira avec angoisse, laissa pendre ses bras, et revint sur ses pas. Il marchait lentement et comme accablé. Il semblait que quelqu'un l'eût atteint dans sa fuite et le ramenât.

Il rentra dans la chambre du conseil. La première chose qu'il aperçut, ce fut la gâchette de la porte. Cette gâchette, ronde et en cuivre poli, resplendissait pour lui comme une effroyable étoile. Il la regardait comme une brebis regarderait l'œil d'un tigre.

Ses yeux ne pouvaient s'en détacher.

De temps en temps il faisait un pas et se rapprochait de la porte.

S'il eût écouté, il eût entendu, comme une sorte de murmure confus, le bruit de la salle voisine; mais il n'écoutait pas, et il n'entendait pas.

Tout à coup, sans qu'il sût lui-même comment, il se trouva près de la porte. Il saisit convulsivement le bouton; la porte s'ouvrit.

Il était dans la salle d'audience.

IX

UN LIEU OÙ DES CONVICTIONS SONT EN TRAIN DE SE FORMER

Il fit un pas, referma machinalement la porte derrière lui, et resta debout, considérant ce qu'il voyait.

C'était une assez vaste enceinte à peine éclairée, tantôt pleine de rumeur, tantôt pleine de silence, où tout l'appareil d'un procès criminel se développait avec sa gravité mesquine et lugubre au milieu de la foule.

A un bout de la salle, celui où il se trouvait, des juges à l'air distrait, en robe usée, se rongeant les ongles ou fermant les paupières; à l'autre bout, une foule en haillons; des avocats dans toutes sortes d'attitudes; des soldats au visage honnête et dur; de vieilles boiseries tachées, un plafond sale, des tables couvertes d'une serge plutôt jaune que verte, des portes noircies par les mains; à des clous plantés dans le lambris, des quinquets d'estaminet donnant plus de fumée que de clarté; sur les tables, des chandelles dans des chandeliers de cuivre; l'obscurité, la laideur, la tristesse; et de tout cela se dégageait une impression austère et auguste, car on y sentait cette grande chose humaine qu'on appelle la loi et cette grande chose divine qu'on appelle la justice.

Personne dans cette foule ne fit attention à lui. Tous les regards convergeaient vers un point unique, un banc de bois adossé à une petite porte, le long de la muraille, à gauche du président. Sur ce banc, que plusieurs chandelles éclairaient, il y avait un homme entre deux gendarmes.

Cet homme, c'était l'homme [1].

Il ne le chercha pas, il le vit. Ses yeux allèrent là naturellement, comme s'ils avaient su d'avance où était cette figure.

Il crut se voir lui-même, vieilli, non pas sans doute absolument semblable de visage, mais tout pareil d'attitude et d'aspect, avec ces cheveux hérissés, avec cette prunelle fauve et inquiète, avec cette blouse, tel qu'il était le jour où il entrait à Digne, plein de haine et cachant dans son âme ce hideux trésor de pensées affreuses qu'il avait mis dix-neuf ans à ramasser sur le pavé du bagne.

Il se dit avec un frémissement : — Mon Dieu! est-ce que je redeviendrai ainsi?

Cet être paraissait au moins soixante ans. Il avait je ne sais quoi de rude, de stupide et d'effarouché.

Au bruit de la porte, on s'était rangé pour lui faire place, le président avait tourné la tête, et comprenant que le personnage qui venait d'entrer était M. le maire de Montreuil-sur-mer, il l'avait salué. L'avocat général, qui avait vu M. Madeleine à Montreuil-sur-mer où des opérations de son ministère l'avaient plus d'une fois appelé, le reconnut, et salua également. Lui s'en aperçut à peine. Il était en proie à une sorte d'hallucination; il regardait.

Des juges, un greffier, des gendarmes, une foule de têtes cruellement curieuses, il avait déjà vu cela une fois, autrefois, il y avait vingt-sept ans. Ces choses funestes, il les retrouvait; elles étaient là, elles remuaient, elles existaient. Ce n'était plus un effort de sa mémoire, un mirage de sa pensée, c'étaient de vrais gendarmes et de vrais juges, une vraie foule et de vrais hommes en chair et en os. C'en était fait, il voyait reparaître et revivre autour de lui, avec tout ce que la réalité a de formidable, les aspects monstrueux de son passé[1].

Tout cela était béant devant lui.

Il en eut horreur, il ferma les yeux, et s'écria au plus profond de son âme : jamais!

Et par un jeu tragique de la destinée qui faisait trembler toutes ses idées et le rendait presque fou, c'était un autre lui-même qui était là! Cet homme qu'on jugeait, tous l'appelaient Jean Valjean!

Il avait sous les yeux, vision inouïe, une sorte de représentation du moment le plus horrible de sa vie, jouée par son fantôme.

Tout y était, c'était le même appareil, la même heure de nuit, presque les mêmes faces de juges, de soldats et de spectateurs. Seulement, au-dessus de la tête du président, il y avait un crucifix, chose qui manquait aux tribunaux du temps de sa condamnation. Quand on l'avait jugé, Dieu était absent[2].

Une chaise était derrière lui; il s'y laissa tomber, terrifié de l'idée qu'on pouvait le voir. Quand il fut assis, il profita d'une pile de cartons qui était sur le bureau des juges pour dérober son visage à toute la salle. Il pouvait maintenant voir sans être vu. Peu à peu il se remit. Il rentra pleinement dans le sentiment du réel; il arriva à cette phase de calme où l'on peut écouter.

M. Bamatabois était au nombre des jurés[3].

Il chercha Javert, mais il ne le vit pas. Le banc des témoins lui était caché par la table du greffier. Et puis, nous venons de le dire, la salle était à peine éclairée.

Au moment où il était entré, l'avocat de l'accusé achevait sa plaidoirie. L'attention de tous était excitée au plus haut point; l'affaire durait depuis trois heures. Depuis trois heures, cette foule regardait plier peu à peu sous le poids d'une vraisemblance terrible un homme, un inconnu, une espèce d'être misérable, profondément stupide ou profondément habile. Cet homme, on le sait déjà, était un vagabond qui avait été trouvé dans un champ, emportant une branche chargée de pommes mûres, cassée à un pommier dans un clos voisin, appelé le clos Pierron. Qui était cet homme? Une enquête avait eu lieu; des témoins venaient d'être entendus, ils avaient été unanimes, des lumières avaient jailli de tout le débat. L'accusation disait : — Nous ne tenons pas seulement un voleur de fruits, un maraudeur; nous tenons là, dans notre main, un bandit, un relaps en rupture de ban, un ancien forçat, un scélérat des plus dangereux, un malfaiteur appelé Jean Valjean que la justice recherche depuis longtemps, et qui, il y a huit ans, en sortant du bagne de Toulon, a commis un vol de grand chemin à main armée sur la personne d'un enfant savoyard appelé Petit-Gervais, crime prévu par l'article 383 du code pénal, pour lequel nous nous réservons de le poursuivre ultérieurement, quand l'identité sera judiciairement acquise. Il vient de commettre un nouveau vol. C'est un cas de récidive. Condamnez-le pour le fait nouveau; il sera jugé plus tard pour le fait ancien [1]. — Devant cette accusation, devant l'unanimité des témoins, l'accusé paraissait surtout étonné. Il faisait des gestes et des signes qui voulaient dire non, ou bien il considérait le plafond. Il parlait avec peine, répondait avec embarras, mais de la tête aux pieds toute sa personne niait. Il était comme un idiot en présence de toutes ces intelligences rangées en bataille autour de lui, et comme un étranger [2] au milieu de cette société qui le saisissait. Cependant il y allait pour lui de l'avenir le plus menaçant, la vraisemblance croissait à chaque minute, et toute cette foule regardait avec plus d'anxiété que lui-même cette sentence pleine de calamités qui penchait sur lui de plus en plus. Une éventualité laissait même entrevoir, outre le bagne, la peine de mort possible, si l'identité était reconnue et si l'affaire Petit-Gervais se terminait plus tard par une condamnation. Qu'était-ce que cet homme? De quelle nature était son apathie? Était-ce imbécillité ou ruse? Comprenait-il trop, ou ne comprenait-il pas du tout? Questions qui divisaient la foule et semblaient partager le jury. Il y avait dans ce procès ce qui effraye et ce qui intrigue; le drame n'était pas seulement sombre, il était obscur.

Le défenseur avait assez bien plaidé, dans cette langue de

province qui a longtemps constitué l'éloquence du barreau et dont usaient jadis tous les avocats, aussi bien à Paris qu'à Romorantin ou à Montbrison, et qui aujourd'hui, étant devenue classique, n'est plus guère parlée que par les orateurs officiels du parquet, auxquels elle convient par sa sonorité grave et son allure majestueuse; langue où un mari s'appelle *un époux,* une femme, *une épouse,* Paris, *le centre des arts et de la civilisation,* le roi, *le monarque,* monseigneur l'évêque, *un saint pontife,* l'avocat général, *l'éloquent interprète de la vindicte,* la plaidoirie, *les accents qu'on vient d'entendre,* le siècle de Louis XIV, *le grand siècle,* un théâtre, *le temple de Melpomène,* la famille régnante, *l'auguste sang de nos rois,* un concert, *une solennité musicale,* monsieur le général commandant le département, *l'illustre guerrier qui,* etc., les élèves du séminaire, *ces tendres lévites,* les erreurs imputées aux journaux, *l'imposture qui distille son venin dans les colonnes de ces organes,* etc., etc. — L'avocat donc avait commencé par s'expliquer sur le vol de pommes, — chose malaisée en beau style; mais Bénigne Bossuet lui-même a été obligé de faire allusion à une poule en pleine oraison funèbre, et il s'en est tiré avec pompe. L'avocat avait établi que le vol de pommes n'était pas matériellement prouvé. — Son client, qu'en sa qualité de défenseur, il persistait à appeler Champmathieu, n'avait été vu de personne escaladant le mur ou cassant la branche. — On l'avait arrêté nanti de cette branche (que l'avocat appelait plus volontiers *rameau*); — mais il disait l'avoir trouvée à terre et ramassée. Où était la preuve du contraire? — Sans doute cette branche avait été cassée et dérobée après escalade, puis jetée là par le maraudeur alarmé; sans doute il y avait un voleur. — Mais qu'est-ce qui prouvait que ce voleur était Champmathieu? Une seule chose. Sa qualité d'ancien forçat. L'avocat ne niait pas que cette qualité ne parût malheureusement bien constatée; l'accusé avait résidé à Faverolles; l'accusé y avait été émondeur; le nom de Champmathieu pouvait bien avoir pour origine Jean Mathieu; tout cela était vrai; enfin quatre témoins reconnaissaient sans hésiter et positivement Champmathieu pour être le galérien Jean Valjean; à ces indications, à ces témoignages, l'avocat ne pouvait opposer que la dénégation de son client, dénégation intéressée; mais en supposant qu'il fût le forçat Jean Valjean, cela prouvait-il qu'il fût le voleur des pommes? C'était une présomption, tout au plus; non une preuve. L'accusé, cela était vrai, et le défenseur « dans sa bonne foi » devait en convenir, avait adopté « un mauvais système de défense ». Il s'obstinait à nier tout, le vol et sa qualité de forçat. Un aveu sur ce dernier point eût mieux valu, à coup sûr, et lui eût concilié l'indulgence de ses juges; l'avocat le lui avait conseillé; mais l'accusé s'y était refusé obstinément, croyant sans doute sauver tout en n'avouant rien. C'était un tort; mais ne fallait-il pas considérer la brièveté de cette intelligence? Cet homme était visiblement stupide. Un long malheur au bagne, une longue misère hors du bagne, l'avaient abruti, etc., etc. Il se défendait mal, était-ce une raison pour le condamner? Quant à l'affaire Petit-Gervais, l'avocat n'avait pas à la discuter, elle n'était point dans la cause. L'avocat concluait en suppliant le jury et la cour, si l'identité de Jean Valjean leur paraissait évidente, de lui appliquer les peines de police qui s'adressent au condamné en rupture de ban, et non le châtiment épouvantable qui frappe le forçat récidiviste.

L'avocat général répliqua au défenseur. Il fut violent et fleuri, comme sont habituellement les avocats généraux.

Il félicita le défenseur de sa « loyauté », et profita habilement de cette loyauté. Il atteignit l'accusé par toutes les concessions que l'avocat avait faites. L'avocat semblait accorder que l'accusé était Jean Valjean. Il en prit acte. Cet homme était donc Jean Valjean. Ceci était acquis à l'accusation et ne pouvait plus se contester. Ici, par une habile antonomase, remontant aux sources et aux causes de la criminalité, l'avocat général tonna contre l'immoralité de l'école romantique, alors à son aurore sous le nom d'*école satanique* que lui avaient décerné les critiques de *l'Oriflamme* et de *la Quotidienne;* il attribua, non sans vraisemblance, à l'influence de cette littérature perverse le délit de Champmathieu, ou pour mieux dire, de Jean Valjean. Ces considérations épuisées, il passa à Jean Valjean lui-même. Qu'était-ce que Jean Valjean? Description de Jean Valjean. Un monstre vomi, etc. Le modèle de ces sortes de descriptions est dans le récit de Théramène, lequel n'est pas utile à la tragédie, mais rend tous les jours de grands services à l'éloquence judiciaire [1]. L'auditoire et les jurés « frémirent ». La description achevée, l'avocat général reprit, dans un mouvement oratoire fait pour exciter au plus haut point le lendemain matin l'enthousiasme du Journal de la Préfecture : — Et c'est un pareil homme, etc., etc., etc., vagabond,

mendiant, sans moyens d'existence, etc., etc., — accoutumé par
sa vie passée aux actions coupables et peu corrigé par son
séjour au bagne, comme le prouve le crime commis sur Petit-
Gervais, etc., etc., — c'est un homme pareil qui, trouvé sur
la voie publique en flagrant délit de vol, à quelques pas d'un
mur escaladé, tenant encore à la main l'objet volé, nie le flagrant délit, le vol, l'escalade, nie tout, nie jusqu'à son nom,
nie jusqu'à son identité! Outre cent autres preuves sur lesquelles nous ne revenons pas, quatre témoins le reconnaissent,
Javert, l'intègre inspecteur de police Javert, et trois de ses
anciens compagnons d'ignominie, les forçats Brevet, Chenildieu et Cochepaille. Qu'oppose-t-il à cette unanimité fou-
droyante? Il nie. Quel endurcissement! Vous ferez justice,
messieurs les jurés, etc., etc. — Pendant que l'avocat général
parlait, l'accusé écoutait, la bouche ouverte, avec une sorte
d'étonnement où il entrait bien quelque admiration [1]. Il était
évidemment surpris qu'un homme pût parler comme cela.
De temps en temps, aux moments les plus « énergiques » du
réquisitoire, dans ces instants où l'éloquence, qui ne peut se
contenir, déborde dans un flux d'épithètes flétrissantes et enveloppe l'accusé comme un orage, il remuait lentement la tête
de droite à gauche et de gauche à droite, sorte de protestation
triste et muette dont il se contentait depuis le commencement
des débats. Deux ou trois fois les spectateurs placés le plus
près de lui l'entendirent dire à demi-voix : — Voilà ce que
c'est, de n'avoir pas demandé à M. Baloup! — L'avocat général
fit remarquer au jury cette attitude hébétée, calculée évidemment, qui dénotait, non l'imbécillité, mais l'adresse, la ruse,
l'habitude de tromper la justice, et qui mettait dans tout son
jour « la profonde perversité » de cet homme. Il termina en
faisant ses réserves pour l'affaire Petit-Gervais, et en récla-
mant une condamnation sévère.

C'était, pour l'instant, on s'en souvient, les travaux forcés
à perpétuité.

Le défenseur se leva, commença par complimenter « monsieur l'avocat général » sur son « admirable parole », puis
répliqua comme il put, mais il faiblissait, le terrain évidemment se dérobait sous lui.

X

LE SYSTÈME DE DÉNÉGATIONS

L'INSTANT de clore les débats était venu. Le président fit lever l'accusé et lui adressa la question d'usage : — Avez-vous quelque chose à ajouter à votre défense?

L'homme, debout, roulant dans ses mains un affreux bonnet qu'il avait, sembla ne pas entendre.

Le président répéta la question.

Cette fois l'homme entendit. Il parut comprendre, il fit le mouvement de quelqu'un qui se réveille, promena ses yeux autour de lui, regarda le public, les gendarmes, son avocat, les jurés, la cour, posa son poing monstrueux sur le rebord de la boiserie placée devant son banc, regarda encore, et tout à coup, fixant son regard sur l'avocat général, il se mit à parler. Ce fut comme une éruption. Il sembla, à la façon dont les paroles s'échappaient de sa bouche, incohérentes, impétueuses, heurtées, pêle-mêle, qu'elles s'y pressaient toutes à la fois pour sortir en même temps. Il dit [1] :

— J'ai à dire ça. Que j'ai été charron à Paris, même que c'était chez monsieur Baloup. C'est un état dur. Dans la chose de charron [2], on travaille toujours en plein air, dans des cours, sous des hangars chez les bons maîtres, jamais dans des ateliers fermés, parce qu'il faut des espaces, voyez-vous. L'hiver, on a si froid qu'on se bat les bras pour se réchauffer; mais les maîtres ne veulent pas, ils disent que cela perd du temps. Manier du fer quand il y a de la glace entre les pavés, c'est rude. Ça vous use vite un homme. On est vieux tout jeune dans cet état-là. A quarante ans, un homme est fini. Moi, j'en avais cinquante-trois, j'avais bien du mal. Et puis c'est si méchant les ouvriers! Quand un bonhomme n'est plus jeune, on vous l'appelle pour tout vieux serin, vieille bête! Je ne gagnais plus que trente sous par jour, on me payait le moins cher qu'on pouvait, les maîtres profitaient de mon âge [3]. Avec ça, j'avais ma fille qui était blanchisseuse à la rivière [4]. Elle gagnait un peu de son côté. A nous deux, cela allait. Elle avait de la peine aussi. Toute la journée dans un baquet jusqu'à mi-corps, à la pluie, à la neige, avec le vent qui vous coupe la figure; quand il gèle, c'est tout de même, il faut laver; il y a des personnes qui n'ont pas beaucoup de linge et qui attendent après; si on ne lavait pas, on perdrait des pratiques. Les planches sont mal jointes et il vous tombe des gouttes d'eau partout. On a ses jupes toutes mouillées, dessus et dessous. Ça pénètre. Elle a aussi travaillé au lavoir des Enfants-Rouges, où l'eau arrive par des robinets. On n'est pas dans le baquet. On lave devant soi au robinet et on rince derrière soi dans le bassin. Comme c'est fermé, on a moins froid au corps. Mais il y a une buée d'eau chaude qui est terrible et qui vous perd les yeux. Elle revenait à sept heures du soir, et se couchait bien vite; elle était si fatiguée. Son mari la battait. Elle est morte. Nous n'avons pas été bien heureux. C'était une brave fille qui n'allait pas au bal, qui était bien tranquille. Je me rappelle un mardi gras où elle était couchée à huit heures.[1] Voilà. Je dis vrai. Vous n'avez qu'à demander. Ah, bien oui, demander! que je suis bête! Paris, c'est un gouffre. Qui est-ce qui connaît le père Champmathieu? Pourtant je vous dis monsieur Baloup. Voyez chez monsieur Baloup. Après ça, je ne sais pas ce qu'on me veut.

L'homme se tut, et resta debout. Il avait dit ces choses d'une voix haute, rapide, rauque, dure et enrouée, avec une sorte de naïveté irritée et sauvage. Une fois il s'était interrompu pour saluer quelqu'un dans la foule. Les espèces d'affirmations qu'il semblait jeter au hasard devant lui, lui venaient comme des hoquets, et il ajoutait à chacune d'elles le geste d'un bûcheron qui fend du bois. Quand il eut fini, l'auditoire éclata de rire. Il regarda le public, et voyant qu'on riait, et ne comprenant pas, il se mit à rire lui-même.[2]

Cela était sinistre.

Le président, homme attentif et bienveillant, éleva la voix.

Il rappela à « messieurs les jurés » que « le sieur Baloup, « l'ancien maître charron chez lequel l'accusé disait avoir « servi, avait été inutilement cité. Il était en faillite et n'avait « pu être retrouvé. » Puis se tournant vers l'accusé, il l'engagea à écouter ce qu'il allait lui dire et ajouta : — Vous êtes dans une situation où il faut réfléchir. Les présomptions les plus graves pèsent sur vous et peuvent entraîner des conséquences capitales. Accusé, dans votre intérêt, je vous interpelle une dernière fois, expliquez-vous clairement sur ces deux faits :

— Premièrement, avez-vous, oui ou non, franchi le mur du clos Pierron, cassé la branche et volé les pommes, c'est-à-dire commis le crime de vol avec escalade? Deuxièmement, oui ou non, êtes-vous le forçat libéré Jean Valjean?

L'accusé secoua la tête d'un air capable, comme un homme qui a bien compris et qui sait ce qu'il va répondre. Il ouvrit la bouche, se tourna vers le président et dit :

— D'abord...

Puis il regarda son bonnet, il regarda le plafond, et se tut.

— Accusé, reprit l'avocat général d'une voix sévère, faites attention. Vous ne répondez à rien de ce qu'on vous demande. Votre trouble vous condamne. Il est évident que vous ne vous appelez pas Champmathieu, que vous êtes le forçat Jean Valjean caché d'abord sous le nom de Jean Mathieu qui était le nom de sa mère, que vous êtes allé en Auvergne, que vous êtes né à Faverolles où vous avez été émondeur. Il est évident que vous avez volé avec escalade des pommes mûres dans le clos Pierron. Messieurs les jurés apprécieront.

L'accusé avait fini par se rasseoir; il se leva brusquement quand l'avocat général eut fini, et s'écria :

— Vous êtes très méchant, vous! Voilà ce que je voulais dire. Je ne trouvais pas d'abord. Je n'ai rien volé. Je suis un homme qui ne mange pas tous les jours. Je venais d'Ailly, je marchais dans le pays après une ondée qui avait fait la campagne toute jaune, même que les mares débordaient et qu'il ne sortait plus des sables que de petits brins d'herbe au nord de la route, j'ai trouvé une branche cassée par terre où il y avait des pommes, j'ai ramassé la branche sans savoir qu'elle me ferait arriver de la peine. Il y a trois mois que je suis en prison et qu'on me trimbale. Après ça, je ne peux pas dire, on parle contre moi, on me dit : répondez! le gendarme, qui est bon enfant, me pousse le coude et me dit tout bas : réponds donc. Je ne sais pas expliquer, moi, je n'ai pas fait les études, je suis un pauvre homme. Voilà ce qu'on a tort de ne pas voir. Je n'ai pas volé, j'ai ramassé par terre des choses qu'il y avait. Vous dites Jean Valjean, Jean Mathieu! Je ne connais pas ces personnes-là. C'est des villageois. J'ai travaillé chez monsieur Baloup, boulevard de l'Hôpital[1]. Je m'appelle Champmathieu. Vous êtes bien malins de me dire où je suis né. Moi, je l'ignore. Tout le monde n'a pas des maisons pour y venir au monde. Ce serait trop commode. Je crois que mon père et ma mère étaient des gens qui allaient sur les routes. Je ne sais pas d'ailleurs. Quand j'étais enfant, on m'appelait Petit, maintenant, on m'appelle Vieux. Voilà mes noms de baptême. Prenez ça comme vous voudrez. J'ai été en Auvergne, j'ai été à Faverolles, pardi! Eh bien? est-ce qu'on ne peut pas avoir été en Auvergne et avoir été à Faverolles sans avoir été aux galères? Je vous dis que je n'ai pas volé, et que je suis le père Champmathieu. J'ai été chez monsieur Baloup, j'ai été domicilié. Vous m'ennuyez avec vos bêtises à la fin! Pourquoi donc est-ce que le monde est après moi comme des acharnés!

L'avocat général était demeuré debout; il s'adressa au président:

— Monsieur le président, en présence des dénégations confuses, mais fort habiles de l'accusé, qui voudrait bien se faire passer pour idiot, mais qui n'y parviendra pas, — nous l'en prévenons, — nous requérons qu'il vous plaise et qu'il plaise à la cour appeler de nouveau dans cette enceinte les condamnés Brevet, Cochepaille et Chenildieu[1] et l'inspecteur de police Javert, et les interpeller une dernière fois sur l'identité de l'accusé avec le forçat Jean Valjean.

— Je fais remarquer à monsieur l'avocat général, dit le président, que l'inspecteur de police Javert, rappelé par ses fonctions au chef-lieu d'un arrondissement voisin, a quitté l'audience et même la ville, aussitôt sa déposition faite. Nous lui en avons accordé l'autorisation, avec l'agrément de monsieur l'avocat général et du défenseur de l'accusé.

— C'est juste, monsieur le président, reprit l'avocat général. En l'absence du sieur Javert, je crois devoir rappeler à messieurs les jurés ce qu'il a dit ici-même il y a peu d'heures. Javert est un homme estimé qui honore par sa rigoureuse et stricte probité des fonctions inférieures, mais importantes. Voici en quels termes il a déposé: — « Je n'ai pas même besoin « des présomptions morales et des preuves matérielles qui « démentent les dénégations de l'accusé. Je le reconnais par-« faitement. Cet homme ne s'appelle pas Champmathieu; « c'est un ancien forçat très méchant et très redouté nommé « Jean Valjean. On ne l'a libéré à l'expiration de sa peine « qu'avec un extrême regret. Il a subi dix-neuf ans de travaux « forcés pour vol qualifié. Il avait cinq ou six fois tenté de

« s'évader. Outre le vol Petit-Gervais et le vol Pierron, je le
« soupçonne encore d'un vol commis chez sa grandeur le
« défunt évêque de Digne. Je l'ai souvent vu, à l'époque où
« j'étais adjudant garde-chiourme au bagne de Toulon. Je
« répète que je le reconnais parfaitement. »

Cette déclaration si précise parut produire une vive impression sur le public et le jury. L'avocat général termina
en insistant pour qu'à défaut de Javert, les trois témoins
Brevet, Chenildieu et Cochepaille fussent entendus de nouveau et interpellés solennellement.

Le président transmit un ordre à un huissier, et un moment après la porte de la chambre des témoins s'ouvrit. L'huissier, accompagné d'un gendarme prêt à lui prêter main-forte,
introduisit le condamné Brevet. L'auditoire était en suspens
et toutes les poitrines palpitaient comme si elles n'eussent
eu qu'une seule âme.

L'ancien forçat Brevet portait la veste noire et grise des
maisons centrales. Brevet était un personnage d'une soixan-
taine d'années qui avait une espèce de figure d'homme d'affaires
et l'air d'un coquin. Cela va quelquefois ensemble. Il était
devenu, dans la prison où de nouveaux méfaits l'avaient
ramené, quelque chose comme guichetier. C'était un homme
dont les chefs disaient : Il cherche à se rendre utile. Les aumô-
niers portaient bon témoignage de ses habitudes religieuses. Il
ne faut pas oublier que ceci se passait sous la restauration.

— Brevet, dit le président, vous avez subi une condamnation
infamante et vous ne pouvez prêter serment...

Brevet baissa les yeux.

Cependant, reprit le président, même dans l'homme
que la loi a dégradé, il peut rester, quand la pitié divine le
permet, un sentiment d'honneur et d'équité. C'est à ce sentiment que je fais appel à cette heure décisive. S'il existe encore
en vous, et je l'espère, réfléchissez avant de me répondre,
considérez d'une part cet homme qu'un mot de vous peut
perdre, d'autre part la justice qu'un mot de vous peut éclairer. L'instant est solennel, et il est toujours temps de vous
rétracter, si vous croyez vous être trompé. — Accusé, levez-
vous. — Brevet, regardez bien l'accusé, recueillez vos souvenirs, et dites-nous, en votre âme et conscience, si vous per-
sistez à reconnaître cet homme pour votre ancien camarade
de bagne Jean Valjean.

Brevet regarda l'accusé, puis se retourna vers la cour.

— Oui, monsieur le président. C'est moi qui l'ai reconnu le premier et je persiste. Cet homme est Jean Valjean. Entré à Toulon en 1796 et sorti en 1815. Je suis sorti l'an d'après. Il a l'air d'une brute maintenant, alors ce serait que l'âge l'a abruti; au bagne il était sournois. Je le reconnais positivement.

— Allez vous asseoir, dit le président. Accusé, restez debout.

On introduisit Chenildieu, forçat à vie, comme l'indiquaient sa casaque rouge et son bonnet vert. Il subissait sa peine au bagne de Toulon, d'où on l'avait extrait pour cette affaire. C'était un petit homme d'environ cinquante ans, vif, ridé, chétif, jaune, effronté, fiévreux, qui avait dans tous ses membres et dans toute sa personne une sorte de faiblesse maladive et dans le regard une force immense. Ses compagnons du bagne l'avaient surnommé Je-nie-Dieu.

Le président lui adressa à peu près les mêmes paroles qu'à Brevet. Au moment où il lui rappela que son infamie lui ôtait le droit de prêter serment, Chenildieu leva la tête et regarda la foule en face. Le président l'invita à se recueillir et lui demanda, comme à Brevet, s'il persistait à reconnaître l'accusé.

Chenildieu éclata de rire.

— Pardine! si je le reconnais! nous avons été cinq ans attachés à la même chaîne. Tu boudes donc, mon vieux?

— Allez vous asseoir, dit le président.

L'huissier amena Cochepaille. Cet autre condamné à perpétuité, venu du bagne et vêtu de rouge comme Chenildieu, était un paysan de Lourdes et un demi-ours des Pyrénées. Il avait gardé des troupeaux dans la montagne, et de pâtre il avait glissé brigand. Cochepaille n'était pas moins sauvage et paraissait plus stupide encore que l'accusé. C'était un de ces malheureux hommes que la nature a ébauchés en bêtes fauves et que la société termine en galériens.

Le président essaya de le remuer par quelques paroles pathétiques et graves et lui demanda, comme aux deux autres, s'il persistait, sans hésitation et sans trouble, à reconnaître l'homme debout devant lui.

— C'est Jean Valjean, dit Cochepaille. Même qu'on l'appelait Jean-le-Cric, tant il était fort.

Chacune des affirmations de ces trois hommes, évidemment sincères et de bonne foi, avait soulevé dans l'auditoire un murmure de fâcheux augure pour l'accusé, murmure qui croissait et se prolongeait plus longtemps chaque fois qu'une déclaration nouvelle venait s'ajouter à la précédente. L'accusé, lui, les avait écoutées avec ce visage étonné qui, selon l'accusation, était son principal moyen de défense. A la première, les gendarmes ses voisins l'avaient entendu grommeler entre ses dents : Ah bien! en voilà un! Après la seconde il dit un peu plus haut, d'un air presque satisfait : Bon! A la troisième il s'écria : Fameux![1]

Le président l'interpella :

— Accusé, vous avez entendu. Qu'avez-vous à dire?

Il répondit :

— Je dis — Fameux!

Une rumeur éclata dans le public et gagna presque le jury. Il était évident que l'homme était perdu.

— Huissiers, dit le président, faites faire silence. Je vais clore les débats.

En ce moment un mouvement se fit tout à côté du président. On entendit une voix qui criait :

— Brevet, Chenildieu, Cochepaille! regardez de ce côté-ci.

Tous ceux qui entendirent cette voix se sentirent glacés, tant elle était lamentable et terrible. Les yeux se tournèrent vers le point d'où elle venait. Un homme, placé parmi les spectateurs privilégiés qui étaient assis derrière la cour, venait de se lever, avait poussé la porte à hauteur d'appui qui séparait le tribunal du prétoire, et était debout au milieu de la salle. Le président, l'avocat général, M. Bamatabois, vingt personnes, le reconnurent, et s'écrièrent à la fois :

— Monsieur Madeleine!

XI

CHAMPMATHIEU DE PLUS EN PLUS ÉTONNÉ

C'ÉTAIT lui en effet. La lampe du greffier éclairait son visage. Il tenait son chapeau à la main, il n'y avait aucun désordre dans ses vêtements, sa redingote était boutonnée avec soin.

Il était très pâle et il tremblait légèrement. Ses cheveux, gris encore au moment de son arrivée à Arras, étaient maintenant tout à fait blancs. Ils avaient blanchi depuis une heure qu'il était là[1].

Toutes les têtes se dressèrent. La sensation fut indescriptible. Il y eut dans l'auditoire un instant d'hésitation. La voix avait été si poignante, l'homme qui était là paraissait si calme, qu'au premier abord on ne comprit pas. On se demanda qui avait crié. On ne pouvait croire que ce fût cet homme tranquille qui eût jeté ce cri effrayant.

Cette indécision ne dura que quelques secondes. Avant même que le président et l'avocat général eussent pu dire un mot, avant que les gendarmes et les huissiers eussent pu faire un geste, l'homme que tous appelaient encore en ce moment M. Madeleine s'était avancé vers les témoins Cochepaille, Brevet et Chenildieu.

— Vous ne me reconnaissez pas ? dit-il.

Tous trois demeurèrent interdits et indiquèrent par un signe de tête qu'ils ne le connaissaient point. Cochepaille intimidé fit le salut militaire[2]. M. Madeleine se tourna vers les jurés et vers la cour et dit d'une voix douce :

— Messieurs les jurés, faites relâcher l'accusé. Monsieur le président, faites-moi arrêter. L'homme que vous cherchez, ce n'est pas lui, c'est moi. Je suis Jean Valjean.

Pas une bouche ne respirait. A la première commotion de l'étonnement avait succédé un silence de sépulcre. On sentait dans la salle cette espèce de terreur religieuse qui saisit la foule lorsque quelque chose de grand s'accomplit.

Cependant le visage du président s'était empreint de sympathie et de tristesse; il avait échangé un signe rapide avec l'avocat général et quelques paroles à voix basse avec les conseillers assesseurs. Il s'adressa au public, et demanda avec un accent qui fut compris de tous :

— Y a-t-il un médecin ici ?

L'avocat général prit la parole :

— Messieurs les jurés, l'incident si étrange et si inattendu qui trouble l'audience ne nous inspire, ainsi qu'à vous, qu'un sentiment que nous n'avons pas besoin d'exprimer. Vous connaissez tous, au moins de réputation, l'honorable M. Madeleine, maire de Montreuil-sur-mer. S'il y a un médecin dans l'auditoire, nous nous joignons à monsieur le président pour

le prier de vouloir bien assister monsieur Madeleine et le
reconduire à sa demeure.

M. Madeleine ne laissa point achever l'avocat général. Il
l'interrompit d'un accent plein de mansuétude et d'autorité.
Voici les paroles qu'il prononça; les voici littéralement, telles
qu'elles furent écrites immédiatement après l'audience par
un des témoins de cette scène, telles qu'elles sont encore dans
l'oreille de ceux qui les ont entendues, il y a près de quarante
ans aujourd'hui [1].

— Je vous remercie, monsieur l'avocat général, mais je ne
suis pas fou. Vous allez voir. Vous étiez sur le point de
commettre une grande erreur, lâchez cet homme, j'accomplis un
devoir, je suis ce malheureux condamné. Je suis le seul qui
voie clair ici, et je vous dis la vérité. Ce que je fais en ce
moment, Dieu, qui est là-haut, le regarde, et cela suffit.
Vous pouvez me prendre, puisque me voilà. J'avais pourtant
fait de mon mieux. Je me suis caché sous un nom; je suis
devenu riche, je suis devenu maire; j'ai voulu rentrer parmi
les honnêtes gens. Il paraît que cela ne se peut pas. Enfin, il
y a bien des choses que je ne puis pas dire, je ne vais pas
vous raconter ma vie, un jour on saura [2]. J'ai volé monseigneur l'évêque, cela est vrai; j'ai volé Petit-Gervais, cela est
vrai. On a eu raison de vous dire que Jean Valjean était un
malheureux très méchant. Toute la faute n'est peut-être pas
à lui. Écoutez, messieurs les juges, un homme aussi abaissé
que moi n'a pas de remontrance à faire à la providence ni
de conseil à donner à la société; mais, voyez-vous, l'infamie
d'où j'avais essayé de sortir est une chose nuisible. Les
galères font le galérien. Recueillez cela, si vous voulez [3]. Avant
le bagne, j'étais un pauvre paysan très peu intelligent, une
espèce d'idiot; le bagne m'a changé. J'étais stupide, je suis
devenu méchant; j'étais bûche, je suis devenu tison. Plus
tard l'indulgence et la bonté m'ont sauvé, comme la sévérité
m'avait perdu. Mais, pardon, vous ne pouvez pas comprendre ce que je dis là. Vous trouverez chez moi, dans les
cendres de la cheminée, la pièce de quarante sous que j'ai
volée il y a sept ans à Petit-Gervais. Je n'ai plus rien à
ajouter. Prenez-moi. Mon Dieu! monsieur l'avocat général
remue la tête, vous dites : M. Madeleine est devenu fou,
vous ne me croyez pas! Voilà qui est affligeant. N'allez point
condamner cet homme au moins! Quoi! ceux-ci ne me

reconnaissent pas! Je voudrais que Javert fût ici. Il me reconnaîtrait, lui!

Rien ne pourrait rendre ce qu'il y avait de mélancolie bienveillante et sombre dans l'accent qui accompagnait ces paroles.

Il se tourna vers les trois forçats :

— Eh bien, je vous reconnais, moi! Brevet! vous rappelezvous?...

Il s'interrompit, hésita un moment, et dit :

— Te rappelles-tu ces bretelles en tricot à damier [1] que tu avais au bagne?

Brevet eut comme une secousse de surprise et le regarda de la tête aux pieds d'un air effrayé. Lui continua :

— Chenildieu, qui te surnommais toi-même Je-nie-Dieu, tu as toute l'épaule droite brûlée profondément, parce que tu t'es couché un jour l'épaule sur un réchaud plein de braise, pour effacer les trois lettres T. F. P., qu'on y voit toujours cependant. Réponds, est-ce vrai?

— C'est vrai, dit Chenildieu.

Il s'adressa à Cochepaille :

— Cochepaille, tu as près de la saignée du bras gauche une date gravée en lettres bleues avec de la poudre brûlée. Cette date, c'est celle du débarquement de l'empereur à Cannes, *1er mars 1815*. Relève ta manche.

Cochepaille releva sa manche, tous les regards se penchèrent autour de lui sur son bras nu. Un gendarme approcha une lampe; la date y était.

Le malheureux homme se tourna vers l'auditoire et vers les juges avec un sourire dont ceux qui l'ont vu sont encore navrés lorsqu'ils y songent. C'était le sourire du triomphe, c'était aussi le sourire du désespoir.

— Vous voyez bien, dit-il, que je suis Jean Valjean.

Il n'y avait plus dans cette enceinte ni juges, ni accusateurs, ni gendarmes; il n'y avait que des yeux fixes et des cœurs émus. Personne ne se rappelait plus le rôle que chacun pouvait avoir à jouer; l'avocat général oubliait qu'il était là pour requérir, le président qu'il était là pour présider, le défenseur qu'il était là pour défendre. Chose frappante, aucune question ne fut faite, aucune autorité n'intervint. Le propre des spectacles sublimes, c'est de prendre toutes les âmes et de faire de tous les témoins des spectateurs. Aucun peut-être ne se rendait compte de ce qu'il éprouvait; aucun, sans doute, ne se disait qu'il voyait resplendir là une grande lumière; tous intérieurement se sentaient éblouis.

Il était évident qu'on avait sous les yeux Jean Valjean. Cela rayonnait. L'apparition de cet homme avait suffi pour remplir de clarté cette aventure si obscure le moment d'auparavant. Sans qu'il fût besoin d'aucune explication désormais, toute cette foule, comme par une sorte de révélation électrique, comprit tout de suite et d'un seul coup d'œil cette simple et magnifique histoire d'un homme qui se livrait pour qu'un autre homme ne fût pas condamné à sa place. Les détails, les hésitations, les petites résistances possibles se perdirent dans ce vaste fait lumineux.

Impression qui passa vite, mais qui dans l'instant fut irrésistible[1].

— Je ne veux pas déranger davantage l'audience, reprit Jean Valjean. Je m'en vais, puisqu'on ne m'arrête pas. J'ai plusieurs choses à faire. Monsieur l'avocat général sait qui je suis, il sait où je vais, il me fera arrêter quand il voudra.

Il se dirigea vers la porte de sortie. Pas une voix ne s'éleva, pas un bras ne s'étendit pour l'empêcher. Tous s'écartèrent. Il avait en ce moment ce je ne sais quoi de divin qui fait que les multitudes reculent et se rangent devant un homme. Il traversa la foule à pas lents. On n'a jamais su qui ouvrit la porte, mais il est certain que la porte se trouva ouverte lorsqu'il y parvint[2]. Arrivé là, il se retourna et dit :

— Monsieur l'avocat général, je reste à votre disposition.

Puis il s'adressa à l'auditoire :

— Vous tous, tous ceux qui sont ici, vous me trouvez digne de pitié, n'est-ce pas? Mon Dieu! quand je pense à ce que j'ai été sur le point de faire, je me trouve digne d'envie. Cependant j'aurais mieux aimé que tout ceci n'arrivât pas[3].

Il sortit, et la porte se referma comme elle avait été ouverte, car ceux qui font de certaines choses souveraines sont toujours sûrs d'être servis par quelqu'un dans la foule.

Moins d'une heure après, le verdict du jury déchargeait de toute accusation le nommé Champmathieu; et Champmathieu, mis en liberté immédiatement, s'en allait stupéfait, croyant tous les hommes fous et ne comprenant rien à cette vision.

LIVRE HUITIÈME

CONTRE-COUP

I

DANS QUEL MIROIR
M. MADELEINE REGARDE SES CHEVEUX

LE jour commençait à poindre. Fantine avait eu une nuit de fièvre et d'insomnie, pleine d'ailleurs d'images heureuses; au matin, elle s'endormit. La sœur Simplice qui l'avait veillée profita de ce sommeil pour aller préparer une nouvelle potion de quinquina. La digne sœur était depuis quelques instants dans le laboratoire de l'infirmerie, penchée sur ses drogues et sur ses fioles et regardant de très près à cause de cette brume que le crépuscule répand sur les objets. Tout à coup elle tourna la tête et fit un léger cri. M. Madeleine était devant elle. Il venait d'entrer silencieusement.

— C'est vous, monsieur le maire! s'écria-t-elle.

Il répondit, à voix basse :

— Comment va cette pauvre femme?

— Pas mal en ce moment. Mais nous avons été bien inquiets, allez!

Elle lui expliqua ce qui s'était passé, que Fantine était bien mal la veille et que maintenant elle était mieux, parce qu'elle croyait que monsieur le maire était allé chercher son enfant à Montfermeil. La sœur n'osa pas interroger monsieur le maire, mais elle vit bien à son air que ce n'était point de là qu'il venait.

— Tout cela est bien, dit-il, vous avez eu raison de ne pas la détromper.

— Oui, reprit la sœur, mais maintenant, monsieur le maire, qu'elle va vous voir et qu'elle ne verra pas son enfant, que lui dirons-nous?

Il resta un moment rêveur.

— Dieu nous inspirera, dit-il.

— On ne pourrait cependant pas mentir, murmura la sœur à demi-voix.

Le plein jour s'était fait dans la chambre. Il éclairait en face le visage de M. Madeleine. Le hasard fit que la sœur leva les yeux.

— Mon Dieu, monsieur! s'écria-t-elle, que vous est-il donc arrivé? vos cheveux sont tout blancs!

— Blancs! dit-il.

La sœur Simplice n'avait point de miroir; elle fouilla dans une trousse et en tira une petite glace dont se servait le médecin de l'infirmerie pour constater qu'un malade était mort et ne respirait plus[1]. M. Madeleine prit la glace, y considéra ses cheveux, et dit : Tiens!

Il prononça ce mot avec indifférence et comme s'il pensait à autre chose.

La sœur se sentit glacée par je ne sais quoi d'inconnu qu'elle entrevoyait dans tout ceci.

Il demanda :

— Puis-je la voir?

— Est-ce que monsieur le maire ne lui fera pas revenir son enfant? dit la sœur, osant à peine hasarder une question.

— Sans doute, mais il faut au moins deux ou trois jours.

— Si elle ne voyait pas monsieur le maire d'ici là, reprit timidement la sœur, elle ne saurait pas que monsieur le maire est de retour, il serait aisé de lui faire prendre patience, et quand l'enfant arriverait elle penserait tout naturellement que monsieur le maire est arrivé avec l'enfant. On n'aurait pas de mensonge à faire.

M. Madeleine parut réfléchir quelques instants, puis il dit avec sa gravité calme :

— Non, ma sœur, il faut que je la voie. Je suis peut-être pressé.

La religieuse ne sembla pas remarquer ce mot « peut-être », qui donnait un sens obscur et singulier aux paroles de M. le maire. Elle répondit en baissant les yeux et la voix respectueusement :

— En ce cas, elle repose, mais monsieur le maire peut entrer.

Il fit quelques observations sur une porte qui fermait mal, et dont le bruit pouvait réveiller la malade, puis il entra dans la chambre de Fantine, s'approcha du lit et entr'ouvrit les rideaux. Elle dormait. Son souffle sortait de sa poitrine avec ce bruit tragique qui est propre à ces maladies, et qui navre les pauvres mères lorsqu'elles veillent la nuit près de leur enfant condamné et endormi. Mais cette respiration pénible troublait à peine une sorte de sérénité ineffable, répandue sur son visage, qui la transfigurait dans son sommeil. Sa pâleur était devenue de la blancheur; ses joues étaient vermeilles. Ses longs cils blonds, la seule beauté qui lui fût restée de sa virginité et de sa jeunesse, palpitaient tout en demeurant clos et baissés. Toute sa personne tremblait de je ne sais quel déploiement d'ailes prêtes à s'entr'ouvrir et à l'emporter, qu'on sentait frémir, mais qu'on ne voyait pas [1]. A la voir ainsi, on n'eût jamais pu croire que c'était là une malade presque désespérée. Elle ressemblait plutôt à ce qui va s'envoler qu'à ce qui va mourir.

La branche, lorsqu'une main s'approche pour détacher la fleur, frissonne, et semble à la fois se dérober et s'offrir. Le corps humain a quelque chose de ce tressaillement, quand arrive l'instant où les doigts mystérieux de la mort vont cueillir l'âme.

M. Madeleine resta quelque temps immobile près de ce lit, regardant tour à tour la malade et le crucifix, comme il faisait deux mois auparavant, le jour où il était venu pour la première fois la voir dans cet asile. Ils étaient encore là tous les deux dans la même attitude, elle dormant, lui priant; seulement maintenant, depuis ces deux mois écoulés, elle avait des cheveux gris et lui des cheveux blancs.

La sœur n'était pas entrée avec lui. Il se tenait près de ce lit, debout, le doigt sur la bouche, comme s'il y eût eu dans la chambre quelqu'un à faire taire.

Elle ouvrit les yeux, le vit, et dit paisiblement, avec un sourire :

— Et Cosette?

II

FANTINE HEUREUSE

ELLE n'eut pas un mouvement de surprise, ni un mouvement de joie; elle était la joie même. Cette simple question : — Et Cosette? fut faite avec une foi si profonde, avec tant de certitude, avec une absence si complète d'inquiétude et de doute, qu'il ne trouva pas une parole. Elle continua :

— Je savais que vous étiez là. Je dormais, mais je vous voyais. Il y a longtemps que je vous vois. Je vous ai suivi des yeux toute la nuit. Vous étiez dans une gloire et vous aviez autour de vous toutes sortes de figures célestes.

Il leva son regard vers le crucifix.

— Mais, reprit-elle, dites-moi donc où est Cosette? Pourquoi ne l'avoir pas mise sur mon lit pour le moment où je m'éveillerais?

Il répondit machinalement quelque chose qu'il n'a jamais pu se rappeler plus tard [1].

Heureusement le médecin, averti, était survenu. Il vint en aide à M. Madeleine.

— Mon enfant, dit le médecin, calmez-vous. Votre enfant est là.

Les yeux de Fantine s'illuminèrent et couvrirent de clarté tout son visage. Elle joignit les mains avec une expression qui contenait tout ce que la prière peut avoir à la fois de plus violent et de plus doux.

— Oh! s'écria-t-elle, apportez-la-moi!

Touchante illusion de mère! Cosette était toujours pour elle le petit enfant qu'on apporte.

— Pas encore, reprit le médecin, pas en ce moment. Vous avez un reste de fièvre. La vue de votre enfant vous agiterait et vous ferait du mal. Il faut d'abord vous guérir.

Elle l'interrompit impétueusement.

— Mais je suis guérie! je vous dis que je suis guérie! Est-il âne, ce médecin! Ah çà! je veux voir mon enfant, moi!

— Vous voyez, dit le médecin, comme vous vous emportez. Tant que vous serez ainsi, je m'opposerai à ce que vous ayez votre enfant. Il ne suffit pas de la voir, il faut vivre pour elle.

Quand vous serez raisonnable, je vous l'amènerai moi-même.

La pauvre mère courba la tête.

— Monsieur le médecin, je vous demande pardon, je vous demande vraiment bien pardon. Autrefois je n'aurais pas parlé comme je viens de faire, il m'est arrivé tant de malheurs que quelquefois je ne sais plus ce que je dis. Je comprends, vous craignez l'émotion, j'attendrai tant que vous voudrez, mais je vous jure que cela ne m'aurait pas fait de mal de voir ma fille. Je la vois, je ne la quitte pas des yeux depuis hier au soir. Savez-vous? on me l'apporterait maintenant que je me mettrais à lui parler doucement. Voilà tout. Est-ce que ce n'est pas bien naturel que j'aie envie de voir mon enfant qu'on a été me chercher exprès à Montfermeil? Je ne suis pas en colère. Je sais bien que je vais être heureuse. Toute la nuit j'ai vu des choses blanches et des personnes qui me souriaient. Quand monsieur le médecin voudra, il m'apportera ma Cosette. Je n'ai plus de fièvre, puisque je suis guérie; je sens bien que je n'ai plus rien du tout; mais je vais faire comme si j'étais malade et ne pas bouger pour faire plaisir aux dames d'ici. Quand on verra que je suis bien tranquille, on dira : il faut lui donner son enfant.

M. Madeleine s'était assis sur une chaise qui était à côté du lit. Elle se tourna vers lui; elle faisait visiblement effort pour paraître calme et « bien sage », comme elle disait dans cet affaiblissement de la maladie qui ressemble à l'enfance [1], afin que, le voyant si paisible, on ne fît pas difficulté de lui amener Cosette. Cependant, tout en se contenant, elle ne pouvait s'empêcher d'adresser à M. Madeleine mille questions.

— Avez-vous fait un bon voyage, monsieur le maire? Oh! comme vous êtes bon d'avoir été me la chercher! Dites-moi seulement comment elle est. A-t-elle bien supporté la route? Hélas! elle ne me reconnaîtra pas! Depuis le temps, elle m'a oubliée, pauvre chou! Les enfants, cela n'a pas de mémoire. C'est comme des oiseaux [2]. Aujourd'hui cela voit une chose et demain une autre, et cela ne pense plus à rien. Avait-elle du linge blanc seulement? Ces Thénardier la tenaient-ils proprement? Comment la nourrissait-on? Oh! comme j'ai souffert, si vous saviez! de me faire toutes ces questions-là dans le temps de ma misère! Maintenant, c'est passé. Je suis joyeuse. Oh! que je voudrais donc la voir! Monsieur le maire, l'avez-vous trouvée jolie? N'est-ce pas qu'elle est belle, ma fille? Vous devez avoir eu bien froid dans cette diligence! Est-ce qu'on ne pourrait pas l'amener rien qu'un petit moment? On la remporterait tout de suite après. Dites! vous qui êtes le maître, si vous vouliez!

Il lui prit la main : — Cosette est belle, dit-il, Cosette se porte bien, vous la verrez bientôt, mais apaisez-vous. Vous parlez trop vivement, et puis vous sortez vos bras du lit, et cela vous fait tousser.

En effet, des quintes de toux interrompaient Fantine presque à chaque mot.

Fantine ne murmura pas, elle craignit d'avoir compromis par quelques plaintes trop passionnées la confiance qu'elle voulait inspirer, et elle se mit à dire des paroles indifférentes.

— C'est assez joli, Montfermeil, n'est-ce pas? L'été, on va y faire des parties de plaisir. Ces Thénardier font-ils de bonnes affaires? Il ne passe pas grand monde dans leur pays. C'est une espèce de gargote que cette auberge-là.

M. Madeleine lui tenait toujours la main, il la considérait avec anxiété; il était évident qu'il était venu pour lui dire des choses devant lesquelles sa pensée hésitait maintenant. Le médecin, sa visite faite, s'était retiré. La sœur Simplice était seule restée auprès d'eux.

Cependant, au milieu de ce silence, Fantine s'écria :

— Je l'entends! mon Dieu! je l'entends!

Elle étendit le bras pour qu'on se tût autour d'elle, retint son souffle, et se mit à écouter avec ravissement.

Il y avait un enfant qui jouait dans la cour; l'enfant de la portière ou d'une ouvrière quelconque. C'est là un de ces hasards qu'on retrouve toujours et qui semblent faire partie de la mystérieuse mise en scène des événements lugubres. L'enfant, c'était une petite fille, allait, venait, courait pour se réchauffer, riait et chantait à haute voix. Hélas! à quoi les jeux des enfants ne se mêlent-ils pas! C'était cette petite fille que Fantine entendait chanter.

— Oh! reprit-elle, c'est ma Cosette! je reconnais sa voix!

L'enfant s'éloigna comme il était venu, la voix s'éteignit, Fantine écouta encore quelque temps, puis son visage s'assombrit, et M. Madeleine l'entendit qui disait à voix basse : — Comme ce médecin est méchant de ne pas me laisser voir ma fille! Il a une mauvaise figure, cet homme-là!

Cependant le fond riant de ses idées revint. Elle continua de se parler à elle-même, la tête sur l'oreiller : — Comme nous allons être heureuses! Nous aurons un petit jardin, d'abord! M. Madeleine me l'a promis. Ma fille jouera dans le jardin. Elle doit savoir ses lettres maintenant. Je la ferai épeler. Elle courra dans l'herbe après les papillons. Je la regarderai. Et puis elle fera sa première communion. Ah çà! quand fera-t-elle sa première communion?

Elle se mit à compter sur ses doigts.

— ... Un, deux, trois, quatre,... elle a sept ans. Dans cinq ans. Elle aura un voile blanc, des bas à jour, elle aura l'air d'une petite femme. O ma bonne sœur, vous ne savez pas comme je suis bête, voilà que je pense à la première communion de ma fille!

Et elle se mit à rire.

Il avait quitté la main de Fantine. Il écoutait ces paroles comme on écoute un vent qui souffle, les yeux à terre, l'esprit plongé dans des réflexions sans fond. Tout à coup elle cessa de parler, cela lui fit lever machinalement la tête. Fantine était devenue effrayante.

Elle ne parlait plus, elle ne respirait plus; elle s'était soulevée à demi sur son séant, son épaule maigre sortait de sa chemise, son visage, radieux le moment d'auparavant, était blême, et elle paraissait fixer sur quelque chose de formidable, devant elle, à l'autre extrémité de la chambre, son œil agrandi par la terreur.

— Mon Dieu! s'écria-t-il. Qu'avez-vous, Fantine?

Elle ne répondit pas, elle ne quitta point des yeux l'objet quelconque qu'elle semblait voir, elle lui toucha le bras d'une main et de l'autre lui fit signe de regarder derrière lui.

Il se retourna, et vit Javert.

III

JAVERT CONTENT [1]

VOICI ce qui s'était passé.

Minuit et demi venait de sonner, quand M. Madeleine était sorti de la salle des assises d'Arras. Il était rentré à son auberge juste à temps pour repartir par la malle-poste où l'on se rappelle qu'il avait retenu sa place. Un peu avant six heures du matin, il était arrivé à Montreuil-sur-mer, et son premier soin avait été de jeter à la poste sa lettre à M. Laffitte, puis d'entrer à l'infirmerie et de voir Fantine.

Cependant, à peine avait-il quitté la salle d'audience de la cour d'assises, que l'avocat général, revenu du premier saisissement, avait pris la parole pour déplorer l'acte de folie de l'honorable maire de Montreuil-sur-mer, déclarer que ses convictions n'étaient en rien modifiées par cet incident bizarre qui s'éclaircirait plus tard, et requérir, en attendant, la condamnation de ce Champmathieu, évidemment le vrai Jean Valjean. La persistance de l'avocat général était visiblement en contradiction avec le sentiment de tous, du public, de la cour et du jury. Le défenseur avait eu peu de peine à réfuter cette harangue et à établir que, par suite des révélations de M. Madeleine, c'est-à-dire du vrai Jean Valjean, la face de l'affaire était bouleversée de fond en comble, et que le jury n'avait plus devant les yeux qu'un innocent. L'avocat avait tiré de là quelques épiphonèmes, malheureusement peu neufs, sur les erreurs judiciaires, etc., etc., le président dans son résumé s'était joint au défenseur, et le jury en quelques minutes avait mis hors de cause Champmathieu.

Cependant il fallait un Jean Valjean à l'avocat général, et, n'ayant plus Champmathieu, il prit Madeleine [1].

Immédiatement après la mise en liberté de Champmathieu, l'avocat général s'enferma avec le président. Ils conférèrent « de la nécessité de se saisir de la personne de M. le maire de « Montreuil-sur-mer ». Cette phrase, où il y a beaucoup de *de,* est de M. l'avocat général, entièrement écrite de sa main sur la minute de son rapport au procureur général. La première émotion passée, le président fit peu d'objections. Il fallait bien que justice eût son cours. Et puis, pour tout dire, quoique le président fût homme bon et assez intelligent, il était en même temps fort royaliste et presque ardent, et il avait été choqué que le maire de Montreuil-sur-mer, en parlant du débarquement à Cannes, eût dit *l'empereur* et non *Bonaparte* [2].

L'ordre d'arrestation fut donc expédié. L'avocat général l'envoya à Montreuil-sur-mer par un exprès, à franc étrier, et en chargea l'inspecteur de police Javert.

On sait que Javert était revenu à Montreuil-sur-mer immédiatement après avoir fait sa déposition.

Javert se levait au moment où l'exprès lui remit l'ordre d'arrestation et le mandat d'amener.

L'exprès était lui-même un homme de police fort entendu

qui, en deux mots, mit Javert au fait de ce qui était arrivé à Arras. L'ordre d'arrestation, signé de l'avocat général, était ainsi conçu : — L'inspecteur Javert appréhendera au corps le sieur Madeleine, maire de Montreuil-sur-mer, qui, dans l'audience de ce jour, a été reconnu[1] pour être le forçat libéré Jean Valjean.

Quelqu'un qui n'eût pas connu Javert et qui l'eût vu au moment où il pénétra dans l'antichambre de l'infirmerie n'eût pu rien deviner de ce qui se passait, et lui eût trouvé l'air le plus ordinaire du monde. Il était froid, calme, grave, avait ses cheveux gris parfaitement lissés sur les tempes et venait de monter l'escalier avec sa lenteur habituelle. Quelqu'un qui l'eût connu à fond et qui l'eût examiné attentivement eût frémi. La boucle de son col de cuir, au lieu d'être sur sa nuque, était sur son oreille gauche. Ceci révélait une agitation inouïe.

Javert était un caractère complet, ne laissant faire de pli ni à son devoir, ni à son uniforme; méthodique avec les scélérats, rigide avec les boutons de son habit.

Pour qu'il eût mal mis la boucle de son col, il fallait qu'il y eût en lui une de ces émotions qu'on pourrait appeler des tremblements de terre intérieurs.

Il était venu simplement, avait requis un caporal et quatre soldats au poste voisin, avait laissé les soldats dans la cour, et s'était fait indiquer la chambre de Fantine par la portière sans défiance, accoutumée qu'elle était à voir des gens armés demander monsieur le maire.

Arrivé à la chambre de Fantine, Javert tourna la clef, poussa la porte avec une douceur de garde-malade ou de mouchard, et entra.

A proprement parler, il n'entra pas. Il se tint debout dans la porte entrebâillée, le chapeau sur la tête, la main gauche dans sa redingote fermée jusqu'au menton. Dans le pli du coude on pouvait voir le pommeau de plomb de son énorme canne, laquelle disparaissait derrière lui.

Il resta ainsi près d'une minute sans qu'on s'aperçût de sa présence. Tout à coup Fantine leva les yeux, le vit, et fit retourner M. Madeleine.

A l'instant où le regard de Madeleine rencontra le regard de Javert, Javert, sans bouger, sans remuer, sans approcher, devint épouvantable. Aucun sentiment humain ne réussit à être effroyable comme la joie.

Ce fut le visage d'un démon qui vient de retrouver son damné.

La certitude de tenir enfin Jean Valjean fit apparaître sur sa physionomie tout ce qu'il avait dans l'âme. Le fond remué monta à la surface. L'humiliation d'avoir un peu perdu la piste et de s'être mépris quelques minutes sur ce Champmathieu, s'effaçait sous l'orgueil d'avoir si bien deviné d'abord et d'avoir eu si longtemps un instinct juste. Le contentement de Javert éclata dans son attitude souveraine. La difformité du triomphe s'épanouit sur ce front étroit. Ce fut tout le déploiement d'horreur que peut donner une figure satisfaite.

Javert en ce moment était au ciel. Sans qu'il s'en rendît nettement compte, mais pourtant avec une intuition confuse de sa nécessité et de son succès, il personnifiait, lui Javert, la justice, la lumière et la vérité dans leur fonction céleste d'écrasement du mal. Il avait derrière lui et autour de lui, à une profondeur infinie, l'autorité, la raison, la chose jugée, la conscience légale, la vindicte publique, toutes les étoiles; il protégeait l'ordre, il faisait sortir de la loi la foudre, il vengeait la société, il prêtait main-forte à l'absolu; il se dressait dans une gloire; il y avait dans sa victoire un reste de défi et de combat; debout, altier, éclatant, il étalait en plein azur la bestialité surhumaine d'un archange féroce; l'ombre redoutable de l'action qu'il accomplissait faisait visible à son poing crispé le vague flamboiement de l'épée sociale; heureux et indigné, il tenait sous son talon le crime, le vice, la rébellion, la perdition, l'enfer, il rayonnait, il exterminait, il souriait, et il y avait une incontestable grandeur dans ce saint-Michel monstrueux.

Javert, effroyable, n'avait rien d'ignoble.

La probité, la sincérité, la candeur, la conviction, l'idée du devoir, sont des choses qui, en se trompant, peuvent devenir hideuses, mais qui, même hideuses, restent grandes; leur majesté, propre à la conscience humaine, persiste dans l'horreur. Ce sont des vertus qui ont un vice, l'erreur. L'impitoyable joie honnête d'un fanatique en pleine atrocité conserve on ne sait quel rayonnement lugubrement vénérable. Sans qu'il s'en doutât, Javert, dans son bonheur formidable, était à plaindre comme tout ignorant qui triomphe. Rien n'était poignant et terrible comme cette figure où se montrait ce qu'on pourrait appeler tout le mauvais du bon.

IV

L'AUTORITÉ REPREND SES DROITS

La Fantine n'avait point vu Javert depuis le jour où M. le maire l'avait arrachée à cet homme. Son cerveau malade ne se rendit compte de rien, seulement elle ne douta pas qu'il ne revînt la chercher. Elle ne put supporter cette figure affreuse, elle se sentit expirer, elle cacha son visage de ses deux mains et cria avec angoisse :

— Monsieur Madeleine, sauvez-moi !

Jean Valjean, — nous ne le nommerons plus désormais autrement, — s'était levé. Il dit à Fantine de sa voix la plus douce et la plus calme :

— Soyez tranquille. Ce n'est pas pour vous qu'il vient.

Puis il s'adressa à Javert et lui dit :

— Je sais ce que vous voulez.

Javert répondit :

— Allons, vite !

Il y eut dans l'inflexion qui accompagna ces deux mots je ne sais quoi de fauve et de frénétique. Javert ne dit pas : Allons, vite ! il dit : Allonouaite ! Aucune orthographe ne pourrait rendre l'accent dont cela fut prononcé ; ce n'était plus une parole humaine, c'était un rugissement[1].

Il ne fit point comme d'habitude ; il n'entra point en matière ; il n'exhiba point de mandat d'amener. Pour lui, Jean Valjean était une sorte de combattant mystérieux et insaisissable, un lutteur ténébreux qu'il étreignait depuis cinq ans sans pouvoir le renverser. Cette arrestation n'était pas un commencement, mais une fin. Il se borna à dire : Allons, vite !

En parlant ainsi, il ne fit point un pas ; il lança sur Jean Valjean ce regard qu'il jetait comme un crampon, et avec lequel il avait coutume de tirer violemment les misérables à lui.[2]

C'était ce regard que la Fantine avait senti pénétrer jusque dans la moelle de ses os deux mois auparavant.

Au cri de Javert, Fantine avait rouvert les yeux. Mais M. le maire était là. Que pouvait-elle craindre ?

Javert avança au milieu de la chambre et cria :

— Ah çà ! viendras-tu ?

La malheureuse regarda autour d'elle. Il n'y avait personne que la religieuse et monsieur le maire. A qui pouvait s'adresser ce tutoiement abject? A elle seulement. Elle frissonna.

Alors elle vit une chose inouïe, tellement inouïe que jamais rien de pareil ne lui était apparu dans les plus noirs délires de la fièvre.

Elle vit le mouchard Javert saisir au collet monsieur le maire; elle vit monsieur le maire courber la tête. Il lui sembla que le monde s'évanouissait.

Javert, en effet, avait pris Jean Valjean au collet.

— Monsieur le maire! cria Fantine.

Javert éclata de rire, de cet affreux rire qui lui déchaussait toutes les dents.

— Il n'y a plus de monsieur le maire ici!

Jean Valjean n'essaya pas de déranger la main qui tenait le col de sa redingote. Il dit :

— Javert...

Javert l'interrompit : — Appelle-moi monsieur l'inspecteur.

— Monsieur, reprit Jean Valjean, je voudrais vous dire un mot en particulier.

— Tout haut! parle tout haut! répondit Javert; on me parle tout haut à moi!

Jean Valjean continua en baissant la voix :

— C'est une prière que j'ai à vous faire...

— Je te dis de parler tout haut.

— Mais cela ne doit être entendu que de vous seul...

— Qu'est-ce que cela me fait? je n'écoute pas!

Jean Valjean se tourna vers lui et lui dit rapidement et très bas :

— Accordez-moi trois jours! trois jours pour aller chercher l'enfant de cette malheureuse femme! Je payerai ce qu'il faudra. Vous m'accompagnerez si vous voulez.

— Tu veux rire! cria Javert. Ah çà! je ne te croyais pas bête! Tu me demandes trois jours pour t'en aller! Tu dis que c'est pour aller chercher l'enfant de cette fille! Ah! ah! c'est bon! voilà qui est bon!

Fantine eut un tremblement.

— Mon enfant! s'écria-t-elle, aller chercher mon enfant! Elle n'est donc pas ici! Ma sœur, répondez-moi, où est Cosette? Je veux mon enfant! Monsieur Madeleine! monsieur le maire!

Javert frappa du pied.

— Voilà l'autre, à présent! Te tairas-tu, drôlesse! Gredin

de pays où les galériens sont magistrats et où les filles publiques sont soignées comme des comtesses! Ah mais! tout ça va changer; il était temps!

Il regarda fixement Fantine et ajouta en reprenant à poignée la cravate, la chemise et le collet de Jean Valjean :

— Je te dis qu'il n'y a point de monsieur Madeleine et qu'il n'y a point de monsieur le maire. Il y a un voleur, il y a un brigand, il y a un forçat appelé Jean Valjean! c'est lui que je tiens! voilà ce qu'il y a!

Fantine se dressa en sursaut, appuyée sur ses bras roides et sur ses deux mains, elle regarda Jean Valjean, elle regarda Javert, elle regarda la religieuse, elle ouvrit la bouche comme pour parler, un râle sortit du fond de sa gorge, ses dents claquèrent, elle étendit les bras avec angoisse, ouvrant convulsivement les mains, et cherchant autour d'elle comme quelqu'un qui se noie[1], puis elle s'affaissa subitement sur l'oreiller. Sa tête heurta le chevet du lit et vint retomber sur sa poitrine, la bouche béante, les yeux ouverts et éteints.

Elle était morte[2].

Jean Valjean posa sa main sur la main de Javert qui le tenait, et l'ouvrit comme il eût ouvert la main d'un enfant, puis il dit à Javert :

— Vous avez tué cette femme.

— Finirons-nous! cria Javert furieux. Je ne suis pas ici pour entendre des raisons. Économisons tout ça. La garde est en bas. Marchons tout de suite, ou les poucettes!

Il y avait dans un coin de la chambre un vieux lit en fer en assez mauvais état qui servait de lit de camp aux sœurs quand elles veillaient. Jean Valjean alla à ce lit, disloqua en un clin d'œil le chevet déjà fort délabré, chose facile à des muscles comme les siens, saisit à poigne-main la maîtresse-tringle, et considéra Javert. Javert recula vers la porte.

Jean Valjean, sa barre de fer au poing, marcha lentement vers le lit de Fantine. Quand il y fut parvenu, il se retourna, et dit à Javert d'une voix qu'on entendait à peine :

— Je ne vous conseille pas de me déranger en ce moment.

Ce qui est certain, c'est que Javert tremblait[3].

Il eut l'idée d'aller appeler la garde, mais Jean Valjean pouvait profiter de cette minute pour s'évader. Il resta donc, saisit sa canne par le petit bout, et s'adossa au chambranle de la porte sans quitter du regard Jean Valjean.

Jean Valjean posa son coude sur la pomme du chevet du lit et son front sur sa main, et se mit à contempler Fantine immobile et étendue. Il demeura ainsi, absorbé, muet, et ne songeant évidemment plus à aucune chose de cette vie. Il n'y avait plus rien sur son visage et dans son attitude qu'une inexprimable pitié. Après quelques instants de cette rêverie, il se pencha vers Fantine et lui parla à voix basse.

Que lui dit-il? Que pouvait dire cet homme qui était réprouvé à cette femme qui était morte? Qu'était-ce que ces paroles? Personne sur la terre ne les a entendues. La morte les entendit-elle? Il y a des illusions touchantes qui sont peut-être des réalités sublimes. Ce qui est hors de doute, c'est que la sœur Simplice, unique témoin de la chose qui se passait, a souvent raconté qu'au moment où Jean Valjean parla à l'oreille de Fantine, elle vit distinctement poindre un ineffable sourire sur ces lèvres pâles et dans ces prunelles vagues, pleines de l'étonnement du tombeau [1].

Jean Valjean prit dans ses deux mains la tête de Fantine et l'arrangea sur l'oreiller comme une mère eût fait pour son enfant, il lui rattacha le cordon de sa chemise et rentra ses cheveux sous son bonnet. Cela fait, il lui ferma les yeux.

La face de Fantine en cet instant semblait étrangement éclairée.

La mort, c'est l'entrée dans la grande lueur.

La main de Fantine pendait hors du lit. Jean Valjean s'agenouilla devant cette main, la souleva doucement, et la baisa.

Puis il se redressa, et, se tournant vers Javert:

— Maintenant, dit-il, je suis à vous.

V

TOMBEAU CONVENABLE

Javert déposa Jean Valjean à la prison de la ville.

L'arrestation de M. Madeleine produisit à Montreuil-sur-mer une sensation, ou pour mieux dire une commotion extraordinaire. Nous sommes triste de ne pouvoir dissimuler que sur ce seul mot: *c'était un galérien,* tout le monde à peu près l'abandonna. En moins de deux heures tout le bien qu'il avait fait fut oublié, et ce ne fut plus « qu'un galérien ». Il est juste

de dire qu'on ne connaissait pas encore les détails de l'événement d'Arras. Toute la journée on entendait dans toutes les parties de la ville des conversations comme celle-ci :
— Vous ne savez pas? c'était un forçat libéré! — Qui ça?
— Le maire. — Bah! M. Madeleine? — Oui. — Vraiment? — Il ne s'appelait pas Madeleine, il a un affreux nom, Béjean, Bojean, Boujean[1]. — Ah! mon Dieu! — Il est arrêté. — Arrêté! — En prison à la prison de la ville, en attendant qu'on le transfère. — Qu'on le transfère! On va le transférer! Où va-t-on le transférer? — Il va passer aux assises pour un vol de grand chemin qu'il a fait autrefois. — Eh bien! je m'en doutais. Cet homme était trop bon, trop parfait, trop confit. Il refusait la croix, il donnait des sous à tous les petits drôles qu'il rencontrait. J'ai toujours pensé qu'il y avait là-dessous quelque mauvaise histoire[2].

« Les salons » surtout abondèrent dans ce sens.

Une vieille dame, abonnée au *Drapeau blanc,* fit cette réflexion dont il est presque impossible de sonder la profondeur :

— Je n'en suis pas fâchée. Cela apprendra aux buonapartistes![3]

C'est ainsi que ce fantôme qui s'était appelé M. Madeleine se dissipa à Montreuil-sur-mer. Trois ou quatre personnes seulement dans toute la ville restèrent fidèles à cette mémoire. La vieille portière qui l'avait servi fut du nombre.

Le soir de ce même jour, cette digne vieille était assise dans sa loge, encore tout effarée et réfléchissant tristement. La fabrique avait été fermée toute la journée, la porte cochère était verrouillée, la rue était déserte. Il n'y avait dans la maison que deux religieuses, sœur Perpétue et sœur Simplice, qui veillaient près du corps de Fantine.

Vers l'heure où M. Madeleine avait coutume de rentrer, la brave portière se leva machinalement, prit la clef de la chambre de M. Madeleine dans un tiroir et le bougeoir dont il se servait tous les soirs pour monter chez lui, puis elle accrocha la clef au clou où il la prenait d'habitude, et plaça le bougeoir à côté, comme si elle l'attendait. Ensuite elle se rassit sur sa chaise et se remit à songer. La pauvre bonne vieille avait fait tout cela sans en avoir conscience.

Ce ne fut qu'au bout de plus de deux heures qu'elle sortit de sa rêverie et s'écria : Tiens! mon bon Dieu Jésus! moi qui ai mis sa clef au clou!

En ce moment la vitre de la loge s'ouvrit, une main passa par l'ouverture, saisit la clef et le bougeoir et alluma la bougie à la chandelle qui brûlait.

La portière leva les yeux et resta béante, avec un cri dans le gosier qu'elle retint.

Elle connaissait cette main, ce bras, cette manche de redingote.

C'était M. Madeleine.

Elle fut quelques secondes avant de pouvoir parler, *saisie,* comme elle le disait elle-même plus tard en racontant son aventure.

— Mon Dieu, monsieur le maire, s'écria-t-elle enfin, je vous croyais...

Elle s'arrêta, la fin de sa phrase eût manqué de respect au commencement. Jean Valjean était toujours pour elle monsieur le maire.

Il acheva sa pensée.

— En prison, dit-il. J'y étais. J'ai brisé un barreau d'une fenêtre, je me suis laissé tomber du haut d'un toit, et me voici. Je monte à ma chambre, allez me chercher la sœur Simplice. Elle est sans doute près de cette pauvre femme.

La vieille obéit en toute hâte.

Il ne lui fit aucune recommandation; il était bien sûr qu'elle le garderait mieux qu'il ne se garderait lui-même.

On n'a jamais su comment il avait réussi à pénétrer dans la cour sans faire ouvrir la porte cochère. Il avait, et portait toujours sur lui, un passe-partout qui ouvrait une petite porte latérale; mais on avait dû le fouiller et lui prendre son passe-partout. Ce point n'a pas été éclairci [1].

Il monta l'escalier qui conduisait à sa chambre. Arrivé en haut, il laissa son bougeoir sur les dernières marches de l'escalier, ouvrit sa porte avec peu de bruit, et alla fermer à tâtons sa fenêtre et son volet, puis il revint prendre sa bougie et rentra dans sa chambre.

La précaution était utile; on se souvient que sa fenêtre pouvait être aperçue de la rue.

Il jeta un coup d'œil autour de lui, sur sa table, sur sa chaise, sur son lit qui n'avait pas été défait depuis trois jours. Il ne restait aucune trace du désordre de l'avant-dernière nuit. La portière avait « fait la chambre ». Seulement elle avait ramassé dans les cendres et posé proprement sur la table les deux bouts du bâton ferré et la pièce de quarante sous noircie par le feu.

Il prit une feuille de papier sur laquelle il écrivit : *Voici les deux bouts de mon bâton ferré et la pièce de quarante sous volée à Petit-Gervais dont j'ai parlé à la cour d'assises,* et il posa sur cette feuille la pièce d'argent et les deux morceaux de fer, de façon que ce fût la première chose qu'on aperçût en entrant dans la chambre. Il tira d'une armoire une vieille chemise à lui qu'il déchira. Cela fit quelques morceaux de toile dans lesquels il emballa les deux flambeaux d'argent. Du reste il n'avait ni hâte ni agitation, et, tout en emballant les chandeliers de l'évêque, il mordait dans un morceau de pain noir. Il est probable que c'était le pain de la prison qu'il avait emporté en s'évadant.

Ceci a été constaté par les miettes de pain qui furent trouvées sur le carreau de la chambre, lorsque la justice plus tard fit une perquisition.

On frappa deux petits coups à la porte.

— Entrez, dit-il.

C'était la sœur Simplice.

Elle était pâle, elle avait les yeux rouges, la chandelle qu'elle tenait vacillait dans sa main. Les violences de la destinée ont cela de particulier que, si perfectionnés ou si refroidis que nous soyons, elles nous tirent du fond des entrailles la nature humaine et la forcent de reparaître au dehors. Dans les émotions de cette journée, la religieuse était redevenue femme. Elle avait pleuré, et elle tremblait [1].

Jean Valjean venait d'écrire quelques lignes sur un papier qu'il tendit à la religieuse en disant : — Ma sœur, vous remettrez ceci à monsieur le curé.

Le papier était déplié. Elle y jeta les yeux.

— Vous pouvez lire, dit-il.

Elle lut : — « Je prie monsieur le curé de veiller sur tout ce « que je laisse ici. Il voudra bien payer là-dessus les frais de « mon procès et l'enterrement de la femme qui est morte « aujourd'hui. Le reste sera aux pauvres. »

La sœur voulut parler, mais elle put à peine balbutier quelques sons inarticulés. Elle parvint cependant à dire :

— Est-ce que monsieur le maire ne désire pas revoir une dernière fois cette pauvre malheureuse?

— Non, dit-il, on est à ma poursuite, on n'aurait qu'à m'arrêter dans sa chambre, cela la troublerait.

Il achevait à peine qu'un grand bruit se fit dans l'escalier. Ils entendirent un tumulte de pas qui montaient, et la vieille portière qui disait de sa voix la plus haute et la plus perçante :

— Mon bon monsieur, je vous jure le bon Dieu qu'il n'est entré personne ici de toute la journée ni de toute la soirée, que même je n'ai pas quitté ma porte!

Un homme répondit :

— Cependant il y a de la lumière dans cette chambre.

Ils reconnurent la voix de Javert.

La chambre était disposée de façon que la porte en s'ouvrant masquait l'angle du mur à droite. Jean Valjean souffla la bougie et se mit dans cet angle.

La sœur Simplice tomba à genoux[1] près de la table.

La porte s'ouvrit.

Javert entra.

On entendait le chuchotement de plusieurs hommes et les protestations de la portière dans le corridor.

La religieuse ne leva pas les yeux. Elle priait.

La chandelle était sur la cheminée et ne donnait que peu de clarté.

Javert aperçut la sœur et s'arrêta interdit.

On se rappelle que le fond même de Javert, son élément, son milieu respirable, c'était la vénération de toute autorité. Il était tout d'une pièce et n'admettait ni objection, ni restriction. Pour lui, bien entendu, l'autorité ecclésiastique était la première de toutes. Il était religieux, superficiel et correct sur ce point comme sur tous. A ses yeux un prêtre était un esprit qui ne se trompe pas, une religieuse était une créature qui ne pèche pas. C'étaient des âmes murées à ce monde avec une seule porte qui ne s'ouvrait jamais que pour laisser sortir la vérité.

En apercevant la sœur, son premier mouvement fut de se retirer.

Cependant il y avait aussi un autre devoir qui le tenait, et qui le poussait impérieusement en sens inverse. Son second mouvement fut de rester, et de hasarder au moins une question.

C'était cette sœur Simplice qui n'avait menti de sa vie. Javert le savait, et la vénérait particulièrement à cause de cela.

— Ma sœur, dit-il, êtes-vous seule dans cette chambre?

Il y eut un moment affreux pendant lequel la pauvre portière se sentit défaillir.

La sœur leva les yeux et répondit :

— Oui.

— Ainsi, reprit Javert, excusez-moi si j'insiste, c'est mon
devoir, vous n'avez pas vu ce soir une personne, un homme.
Il s'est évadé, nous le cherchons, — ce nommé Jean Valjean,
vous ne l'avez pas vu?

La sœur répondit : — Non.

Elle mentit. Elle mentit deux fois de suite, coup sur coup,
sans hésiter, rapidement, comme on se dévoue [1].

— Pardon, dit Javert, et il se retira en saluant profondément.

Ô sainte fille! vous n'êtes plus de ce monde depuis beaucoup d'années; vous avez rejoint dans la lumière vos sœurs
les vierges et vos frères les anges; que ce mensonge vous soit
compté dans le paradis [2]!

L'affirmation de la sœur fut pour Javert quelque chose
de si décisif qu'il ne remarqua même pas la singularité de cette
bougie qu'on venait de souffler et qui fumait sur la table.

Une heure après, un homme, marchant à travers les arbres
et les brumes, s'éloignait rapidement de Montreuil-sur-mer
dans la direction de Paris. Cet homme était Jean Valjean. Il a
été établi, par le témoignage de deux ou trois rouliers qui
l'avaient rencontré, qu'il portait un paquet et qu'il était vêtu
d'une blouse. Où avait-il pris cette blouse? On ne l'a jamais su.
Cependant un vieux ouvrier était mort quelques jours auparavant à l'infirmerie de la fabrique, ne laissant que sa blouse.
C'était peut-être celle-là.

Un dernier mot sur Fantine.

Nous avons tous une mère, la terre. On rendit Fantine à
cette mère.

Le curé crut bien faire, et fit bien peut-être,[3] en réservant,
sur ce que Jean Valjean avait laissé, le plus d'argent possible
aux pauvres. Après tout, de qui s'agissait-il? d'un forçat et
d'une fille publique. C'est pourquoi il simplifia l'enterrement
de Fantine, et le réduisit à ce strict nécessaire qu'on appelle
la fosse commune.

Fantine fut donc enterrée dans ce coin gratis du cimetière qui
est à tous et à personne, et où l'on perd les pauvres. Heureusement Dieu sait où retrouver l'âme. On coucha Fantine dans
les ténèbres parmi les premiers os venus; elle subit la pro-
miscuité des cendres. Elle fut jetée à la fosse publique. Sa
tombe ressembla à son lit [4].

DEUXIÈME PARTIE

COSETTE

LIVRE PREMIER

WATERLOO [1]

I

CE QU'ON RENCONTRE EN VENANT DE NIVELLES

L'an dernier (1861), par une belle matinée de mai, un passant, celui qui raconte cette histoire [2], arrivait de Nivelles et se dirigeait vers La Hulpe. Il allait à pied. Il suivait, entre deux rangées d'arbres, une large chaussée pavée ondulant sur des collines qui viennent l'une après l'autre, soulèvent la route et la laissent retomber, et font là comme des vagues énormes. Il avait dépassé Lillois et Bois-Seigneur-Isaac. Il apercevait, à l'ouest, le clocher d'ardoise de Braine-l'Alleud qui a la forme d'un vase renversé. Il venait de laisser derrière lui un bois sur une hauteur, et, à l'angle d'un chemin de traverse, à côté d'une espèce de potence vermoulue portant l'inscription : *Ancienne barrière n° 4,* un cabaret ayant sur sa façade cet écriteau : *Au quatre vents. Echabeau, café de particulier* [3].

Un demi-quart de lieue plus loin que ce cabaret, il arriva au fond d'un petit vallon où il y a de l'eau qui passe sous une arche pratiquée dans le remblai de la route. Le bouquet d'arbres, clair-semé mais très vert, qui emplit le vallon d'un côté de la chaussée, s'éparpille de l'autre dans les prairies et s'en va avec grâce et comme en désordre vers Braine-l'Alleud.

Il y avait là, à droite, au bord de la route, une auberge, une charrette à quatre roues devant la porte, un grand faisceau de perches à houblon, une charrue, un tas de broussailles sèches près d'une haie vive, de la chaux qui fumait dans un trou carré, une échelle le long d'un vieux hangard à cloisons de paille. Une jeune fille sarclait dans un champ où une grande affiche jaune, probablement du spectacle forain de quelque kermesse, volait au vent. A l'angle de l'auberge, à côté d'une mare où naviguait une flottille de canards, un sentier mal pavé s'enfonçait dans les broussailles. Ce passant y entra.

Au bout d'une centaine de pas, après avoir longé un mur du quinzième siècle surmonté d'un pignon aigu à briques contrariées, il se trouva en présence d'une grande porte de pierre cintrée, avec imposte rectiligne, dans le grave style de Louis XIV, accostée de deux médaillons planes. Une façade sévère dominait cette porte; un mur perpendiculaire à la façade venait presque toucher la porte et la flanquait d'un brusque angle droit. Sur le pré devant la porte gisaient trois herses à travers lesquelles poussaient pêle-mêle toutes les fleurs de mai. La porte était fermée. Elle avait pour clôture deux battants décrépits ornés d'un vieux marteau rouillé.

Le soleil était charmant; les branches avaient ce doux frémissement de mai qui semble venir des nids plus encore que du vent. Un brave petit oiseau, probablement amoureux, vocalisait éperdument dans un grand arbre.

Le passant se courba et considéra dans la pierre à gauche, au bas du pied-droit de la porte, une assez large excavation circulaire ressemblant à l'alvéole d'une sphère. En ce moment les battants s'écartèrent et une paysanne sortit.

Elle vit le passant et aperçut ce qu'il regardait.

— C'est un boulet français qui a fait ça, lui dit-elle.

Et elle ajouta :

— Ce que vous voyez là, plus haut, dans la porte, près d'un clou, c'est le trou d'un gros biscayen. Le biscayen n'a pas traversé le bois.

— Comment s'appelle cet endroit-ci? demanda le passant.

— Hougomont, dit la paysanne.

Le passant se redressa. Il fit quelques pas et s'en alla regarder au-dessus des haies. Il aperçut à l'horizon à travers les arbres une espèce de monticule et sur ce monticule quelque chose qui, de loin, ressemblait à un lion.

Il était dans le champ de bataille de Waterloo.

II

HOUGOMONT

HOUGOMONT, ce fut là un lieu funèbre, le commencement
de l'obstacle, la première résistance que rencontra à Waterloo
ce grand bûcheron[1] de l'Europe qu'on appelait Napoléon;
le premier nœud sous le coup de hache.

C'était un château, ce n'est plus qu'une ferme. Hougomont, pour l'antiquaire, c'est *Hugomons*[2]. Ce manoir fut bâti
par Hugo, sire de Somerel, le même qui dota la sixième
chapellenie de l'abbaye de Villers.

Le passant poussa la porte, coudoya sous un porche une
vieille calèche, et entra dans la cour.

La première chose qui le frappa dans ce préau, ce fut une
porte du seizième siècle qui y simule une arcade, tout étant
tombé autour d'elle. L'aspect monumental naît souvent de la
ruine. Auprès de l'arcade s'ouvre dans un mur une autre porte
avec claveaux du temps de Henri IV, laissant voir les arbres
d'un verger. A côté de cette porte un trou à fumier, des
pioches et des pelles, quelques charrettes, un vieux puits avec
sa dalle et son tourniquet de fer, un poulain qui saute, un
dindon qui fait la roue, une chapelle que surmonte un petit
clocher, un poirier en fleur en espalier sur le mur de la chapelle, voilà cette cour dont la conquête fut un rêve de Napoléon. Ce coin de terre, s'il eût pu le prendre, lui eût peut-être
donné le monde[3]. Des poules y éparpillent du bec la poussière.
On entend un grondement; c'est un gros chien qui montre les
dents et qui remplace les anglais.

Les anglais là ont été admirables. Les quatre compagnies des
gardes de Cooke y ont tenu tête pendant sept heures à l'acharnement d'une armée.

Hougomont, vu sur la carte, en plan géométral, bâtiments
et enclos compris, présente une espèce de rectangle irrégulier
dont un angle aurait été entaillé. C'est à cet angle qu'est la
porte méridionale, gardée par ce mur qui la fusille à bout
portant. Hougomont a deux portes : la porte méridionale,
celle du château, et la porte septentrionale, celle de la ferme.

Napoléon envoya contre Hougomont son frère Jérôme; les divisions Guilleminot, Foy et Bachelu s'y heurtèrent, presque tous le corps de Reille y fut employé et y échoua, les boulets de Kellermann s'épuisèrent sur cet héroïque pan de mur. Ce ne fut pas trop de la brigade Bauduin pour forcer Hougomont au nord, et la brigade Soye ne put que l'entamer au sud, sans le prendre.

Les bâtiments de la ferme bordent la cour au sud. Un morceau de la porte nord, brisée par les français, pend accroché au mur. Ce sont quatre planches clouées sur deux traverses, et où l'on distingue les balafres de l'attaque.

La porte septentrionale, enfoncée par les français, et à laquelle on a mis une pièce pour remplacer le panneau suspendu à la muraille, s'entre-bâille au fond du préau; elle est coupée carrément dans un mur, de pierre en bas, de brique en haut, qui ferme la cour au nord. C'est une simple porte charretière comme il y en a dans toutes les métairies, deux larges battants faits de planches rustiques; au-delà, des prairies. La dispute de cette entrée a été furieuse. On a longtemps vu sur le montant de la porte toutes sortes d'empreintes de mains sanglantes. C'est là que Bauduin fut tué.

L'orage du combat est encore dans cette cour; l'horreur y est visible; le bouleversement de la mêlée s'y est pétrifié; cela vit, cela meurt; c'était hier. Les murs agonisent, les pierres tombent, les brèches crient; les trous sont des plaies; les arbres penchés et frissonnants semblent faire effort pour s'enfuir.

Cette cour, en 1815, était plus bâtie qu'elle ne l'est aujourd'hui. Des constructions qu'on a depuis jetées bas y faisaient des redans, des angles et des coudes d'équerre.

Les anglais s'y étaient barricadés; les français y pénétrèrent, mais ne purent s'y maintenir. A côté de la chapelle, une aile du château, le seul débris qui reste du manoir d'Hougomont, se dresse écroulée, on pourrait dire éventrée. Le château servit de donjon, la chapelle servit de blockhaus. On s'y extermina. Les français, arquebusés de toutes parts, de derrière les murailles, du haut des greniers, du fond des caves, par toutes les croisées, par tous les soupiraux, par toutes les fentes des pierres, apportèrent des fascines et mirent le feu aux murs et aux hommes; la mitraille eut pour réplique l'incendie.

On entrevoit dans l'aile ruinée, à travers des fenêtres garnies de barreaux de fer, les chambres démantelées d'un corps de logis en brique; les gardes anglaises étaient embusquées dans ces chambres; la spirale de l'escalier, crevassé du rez-de-chaussée jusqu'au toit, apparaît comme l'intérieur d'un coquillage brisé. L'escalier a deux étages; les anglais, assiégés dans l'escalier, et massés sur les marches supérieures, avaient coupé les marches inférieures[1]. Ce sont de larges dalles de pierre bleue qui font un monceau dans les orties. Une dizaine de marches tiennent encore au mur; sur la première est entaillée l'image d'un trident. Ces degrés inaccessibles sont solides dans leurs alvéoles. Tout le reste ressemble à une mâchoire édentée. Deux vieux arbres sont là; l'un est mort, l'autre est blessé au pied, et reverdit en avril. Depuis 1815, il s'est mis à pousser à travers l'escalier.

On s'est massacré dans la chapelle. Le dedans, redevenu calme, est étrange. On n'y a plus dit la messe depuis le carnage. Pourtant l'autel y est resté, un autel de bois grossier adossé à un fond de pierre brute. Quatre murs lavés au lait de chaux, une porte vis-à-vis l'autel, deux petites fenêtres cintrées, sur la porte un grand crucifix de bois, au-dessus du crucifix un soupirail carré bouché d'une botte de foin, dans un coin, à terre, un vieux châssis vitré tout cassé, telle est cette chapelle. Près de l'autel est clouée une statue en bois de sainte-Anne, du quinzième siècle; la tête de l'enfant Jésus a été emportée par un biscaïen. Les français, maîtres un moment de la chapelle, puis délogés, l'ont incendiée. Les flammes ont rempli cette masure; elle a été fournaise; la porte a brûlé, le plancher a brûlé, le Christ en bois n'a pas brûlé. Le feu lui a rongé les pieds dont on ne voit plus que les moignons noircis, puis s'est arrêté. Miracle, au dire des gens du pays. L'enfant Jésus, décapité, n'a pas été aussi heureux que le Christ.

Les murs sont couverts d'inscriptions. Près des pieds du Christ on lit ce nom : *Henquinez.* Puis ces autres : *Conde de Rio Maïor. Marques y Marquesa de Almagro (Habana).* Il y a des noms français avec des points d'exclamation, signes de colère. On a reblanchi le mur en 1849. Les nations s'y insultaient.

C'est à la porte de cette chapelle qu'a été ramassé un cadavre qui tenait une hache à la main. Ce cadavre était le sous-lieutenant Legros.

On sort de la chapelle, et à gauche, on voit un puits. Il y en a deux dans cette cour. On demande : pourquoi n'y a-t-il pas de seau et de poulie à celui-ci? C'est qu'on n'y puise plus d'eau. Pourquoi n'y puise-t-on plus d'eau? Parce qu'il est plein de squelettes.

Le dernier qui ait tiré de l'eau de ce puits se nommait Guillaume Van Kylsom. C'était un paysan qui habitait Hougomont et y était jardinier. Le 18 juin 1815, sa famille prit la fuite et s'alla cacher dans les bois.

La forêt autour de l'abbaye de Villers abrita pendant plusieurs jours et plusieurs nuits toutes ces malheureuses populations dispersées. Aujourd'hui encore de certains vestiges reconnaissables, tels que de vieux troncs d'arbres brûlés, marquent la place de ces pauvres bivouacs tremblants au fond des halliers.

Guillaume Van Kylsom demeura à Hougomont « pour garder le château » et se blottit dans une cave. Les anglais l'y découvrirent. On l'arracha de sa cachette, et, à coups de plat de sabre, les combattants se firent servir par cet homme effrayé. Ils avaient soif; ce Guillaume leur portait à boire[1]. C'est à ce puits qu'il puisait l'eau. Beaucoup burent là leur dernière gorgée. Ce puits, où burent tant de morts, devait mourir lui aussi.

Après l'action, on eut une hâte, enterrer les cadavres. La mort a une façon à elle de harceler la victoire, et elle fait suivre la gloire par la peste. Le typhus est une annexe du triomphe. Ce puits était profond, on en fit un sépulcre. On y jeta trois cents morts. Peut-être avec trop d'empressement. Tous étaient-ils morts? la légende dit non. Il paraît que, la nuit qui suivit l'ensevelissement, on entendit sortir du puits des voix faibles qui appelaient.

Ce puits est isolé au milieu de la cour. Trois murs mi-partis pierre et brique, repliés comme les feuilles d'un paravent et simulant une tourelle carrée, l'entourent de trois côtés. Le quatrième côté est ouvert. C'est par là qu'on puisait l'eau. Le mur du fond a une façon d'œil-de-bœuf informe, peut-être un trou d'obus. Cette tourelle avait un plafond dont il ne reste que les poutres. La ferrure de soutènement du mur de droite dessine une croix. On se penche, et l'œil se perd dans un profond cylindre de brique qu'emplit un entassement de ténèbres. Tout autour du puits, le bas des murs disparaît dans les orties.

Ce puits n'a point pour devanture la large dalle bleue qui

sert de tablier à tous les puits de Belgique. La dalle bleue y est remplacée par une traverse à laquelle s'appuient cinq ou six difformes tronçons de bois noueux et ankylosés qui ressemblent à de grands ossements. Il n'a plus ni seau, ni chaîne, ni poulie; mais il a encore la cuvette de pierre qui servait de déversoir. L'eau des pluies s'y amasse, et de temps en temps un oiseau des forêts voisines vient y boire et s'envole [1].

Une maison dans cette ruine, la maison de la ferme, est encore habitée. La porte de cette maison donne sur la cour. A côté d'une jolie plaque de serrure gothique il y a sur cette porte une poignée de fer à trèfles, posée de biais. Au moment où le lieutenant hanovrien Wilda saisissait cette poignée pour se réfugier dans la ferme, un sapeur français lui abattit la main d'un coup de hache.

La famille qui occupe la maison a pour grand-père l'ancien jardinier Van Kylsom, mort depuis longtemps. Une femme en cheveux gris vous dit : — J'étais là. J'avais trois ans. Ma sœur, plus grande, avait peur et pleurait. On nous a emportées dans les bois. J'étais dans les bras de ma mère. On se collait l'oreille à terre pour écouter. Moi, j'imitais le canon, et je faisais *boum, boum* [2].

Une porte de la cour, à gauche, nous l'avons dit, donne dans le verger.

Le verger est terrible.

Il est en trois parties, on pourrait presque dire en trois actes. La première partie est un jardin, la deuxième est le verger, la troisième est un bois. Ces trois parties ont une enceinte commune, du côté de l'entrée des bâtiments du château et de la ferme, à gauche une haie, à droite un mur, au fond un mur. Le mur de droite est en brique, le mur du fond est en pierre. On entre dans le jardin d'abord. Il est en contre-bas, planté de groseilliers, encombré de végétations sauvages, fermé d'un terrassement monumental en pierre de taille avec balustres à double renflement. C'était un jardin seigneurial dans ce premier style français qui a précédé Lenôtre; ruine et ronce aujourd'hui. Les pilastres sont surmontés de globes qui semblent des boulets de pierre. On compte encore quarante-trois [3] balustres sur leurs dés; les autres sont couchés dans l'herbe. Presque tous ont des éraflures de mousqueterie. Un balustre brisé est posé sur l'étrave comme une jambe cassée.

C'est dans ce jardin, plus bas que le verger, que six voltigeurs du 1er léger, ayant pénétré là et n'en pouvant plus sortir, pris et traqués comme des ours dans leur fosse, acceptèrent le combat avec deux compagnies hanovriennes, dont une était armée de carabines. Les hanovriens bordaient ces balustres et tiraient d'en haut. Ces voltigeurs, ripostant d'en bas, six contre deux cents, intrépides, n'ayant pour abri que les groseilliers, mirent un quart d'heure à mourir.

On monte quelques marches, et du jardin on passe dans le verger proprement dit. Là, dans ces quelques toises carrées, quinze cents hommes tombèrent en moins d'une heure. Le mur semble prêt à recommencer le combat. Les trente-huit meurtrières percées par les anglais à des hauteurs irrégulières, y sont encore. Devant la seizième sont couchées deux tombes anglaises en granit. Il n'y a de meurtrières qu'au mur sud; l'attaque principale venait de là. Ce mur est caché au dehors par une grande haie vive; les français arrivèrent, croyant n'avoir affaire qu'à la haie, la franchirent, et trouvèrent ce mur, obstacle et embuscade, les gardes anglaises derrière, les trente-huit meurtrières faisant feu à la fois, un orage de mitraille et de balles; et la brigade Soye s'y brisa. Waterloo commença ainsi.

Le verger pourtant fut pris. On n'avait pas d'échelles, les français grimpèrent avec les ongles. On se battit corps à corps sous les arbres. Toute cette herbe a été mouillée de sang. Un bataillon de Nassau, sept cents hommes, fut foudroyé là. Au dehors le mur, contre lequel furent braqués les deux batteries de Kellermann, est rongé par la mitraille.

Ce verger est sensible comme un autre au mois de mai. Il a ses boutons d'or et ses pâquerettes, l'herbe y est haute, des chevaux de charrue y paissent, des cordes de crin où sèche du linge traversent les intervalles des arbres et font baisser la tête aux passants, on marche dans cette friche et le pied enfonce dans les trous de taupes. Au milieu de l'herbe on remarque un tronc déraciné, gisant, verdissant. Le major Blackman s'y est adossé pour expirer. Sous un grand arbre voisin est tombé le général allemand Duplat, d'une famille française réfugiée à la révocation de l'édit de Nantes. Tout à côté se penche un vieux pommier malade pansé avec un bandage de paille et de terre glaise. Presque tous les pommiers tombent de vieillesse. Il n'y en a pas un qui n'ait sa balle ou son biscayen. Les squelettes d'arbres morts abondent dans ce verger. Les corbeaux volent dans les branches, au fond il y a un bois plein de violettes.

Bauduin tué, Foy blessé, l'incendie, le massacre, le carnage, un ruisseau fait de sang anglais, de sang allemand et de sang français, furieusement mêlés, un puits comblé de cadavres, le régiment de Nassau et le régiment de Brunswick détruits, Duplat tué, Blackman tué, les gardes anglaises mutilées, vingt bataillons français, sur les quarante du corps de Reille, décimés, trois mille hommes, dans cette seule masure de Hougomont, sabrés, écharpés, égorgés, fusillés, brûlés; et tout cela pour qu'aujourd'hui un paysan dise à un voyageur : *Monsieur, donnez-moi trois francs; si vous aimez, je vous expliquerai la chose de Waterloo!*[1]

III

LE 18 JUIN 1815[2]

RETOURNONS en arrière, c'est un des droits du narrateur, et replaçons-nous en l'année 1815, et même un peu avant l'époque où commence l'action racontée dans la première partie de ce livre.

S'il n'avait pas plu dans la nuit du 17 au 18 juin 1815, l'avenir de l'Europe était changé. Quelques gouttes d'eau de plus ou de moins ont fait pencher Napoléon. Pour que Waterloo fût la fin d'Austerlitz, la providence n'a eu besoin que d'un peu de pluie, et un nuage traversant le ciel à contre-sens de la saison a suffi pour l'écroulement d'un monde[3].

La bataille de Waterloo, et ceci a donné à Blücher le temps d'arriver, n'a pu commencer qu'à onze heures et demie. Pourquoi? Parce que la terre était mouillée. Il a fallu attendre un peu de raffermissement pour que l'artillerie pût manœuvrer.

Napoléon était officier d'artillerie, et il s'en ressentait. Le fond de ce prodigieux capitaine, c'était l'homme qui, dans le rapport au Directoire sur Aboukir, disait : *Tel de nos boulets a tué six hommes*. Tous ses plans de bataille sont faits pour le projectile. Faire converger l'artillerie sur un point donné, c'était là sa clef de victoire. Il traitait la stratégie du général ennemi comme une citadelle, et il la battait en brèche. Il accablait le point faible de mitraille; il nouait et dénouait les batailles avec le canon. Il y avait du tir dans son génie. Enfoncer les carrés, pulvériser les régiments, rompre les lignes, broyer et disperser les masses, tout pour lui était là, frapper, frapper, frapper sans cesse, et il confiait cette besogne au boulet. Méthode redoutable, et qui, jointe au génie, a fait invincible pendant quinze ans ce sombre athlète du pugilat de la guerre.

Le 18 juin 1815, il comptait d'autant plus sur l'artillerie qu'il avait pour lui le nombre. Wellington n'avait que cent cinquante-neuf bouches à feu; Napoléon en avait deux cent quarante.

Supposez la terre sèche, l'artillerie pouvant rouler, l'action commençait à six heures du matin. La bataille était gagnée et finie à deux heures, trois heures avant la péripétie prussienne.

Quelle quantité de faute y a-t-il de la part de Napoléon dans la perte de cette bataille? le naufrage est-il imputable au pilote?

Le déclin physique évident de Napoléon se compliquait-il à cette époque d'une certaine diminution intérieure? les vingt ans de guerre avaient-ils usé la lame comme le fourreau, l'âme comme le corps? le vétéran se faisait-il fâcheusement sentir dans le capitaine? en un mot, ce génie, comme beaucoup d'historiens considérables l'ont cru, s'éclipsait-il? entrait-il en frénésie pour se déguiser à lui-même son affaiblissement? commençait-il à osciller sous l'égarement d'un souffle d'aventure? devenait-il, chose grave dans un général, inconscient du péril? dans cette classe de grands hommes matériels qu'on peut appeler les géants de l'action, y a-t-il un âge pour la myopie du génie? La vieillesse n'a pas de prise sur les génies de l'idéal; pour les Dantes et les Michel-Anges, vieillir, c'est croître; pour les Annibals et les Bonapartes, est-ce décroître? Napoléon avait-il perdu le sens direct de la victoire? en était-il à ne plus reconnaître l'écueil, à ne plus deviner le piège, à ne plus discerner le bord croulant des abîmes? manquait-il du flair des catastrophes? lui qui jadis savait toutes les routes du triomphe et qui, du haut de son char d'éclairs, les indiquait d'un doigt souverain, avait-il maintenant cet ahurissement sinistre de mener aux précipices son tumultueux attelage de légions? était-il pris, à quarante-six ans, d'une folie suprême?

ce cocher titanique du destin n'était-il plus qu'un immense casse-cou?

Nous ne le pensons point.

Son plan de bataille était, de l'aveu de tous, un chef-d'œuvre. Aller droit au centre de la ligne alliée, faire un trou dans l'ennemi, le couper en deux, pousser la moitié britannique sur Hal et la moitié prussienne sur Tongres, faire de Wellington et de Blücher deux tronçons, enlever Mont-Saint-Jean, saisir Bruxelles, jeter l'allemand dans le Rhin et l'anglais dans la mer. Tout cela, pour Napoléon, étant dans cette bataille. Ensuite on verrait.

Il va sans dire que nous ne prétendons pas faire ici l'histoire de Waterloo; une des scènes génératrices du drame que nous racontons se rattache à cette bataille; mais cette histoire n'est pas notre sujet; cette histoire d'ailleurs est faite, et faite magistralement, à un point de vue par Napoléon, à l'autre point de vue par toute une pléiade d'historiens*. Quant à nous, nous laissons les historiens aux prises; nous ne sommes qu'un témoin à distance, un passant dans la plaine, un chercheur penché sur cette terre pétrie de chair humaine, prenant peut-être des apparences pour des réalités; nous n'avons pas le droit de tenir tête, au nom de la science, à un ensemble de faits où il y a sans doute du mirage, nous n'avons ni la pratique militaire ni la compétence stratégique qui autorisent un système; selon nous, un enchaînement de hasards domine à Waterloo les deux capitaines; et quand il s'agit du destin, ce mystérieux accusé, nous jugeons comme le peuple, ce juge naïf[1].

IV

A[2]

CEUX qui veulent se figurer nettement la bataille de Waterloo n'ont qu'à coucher sur le sol par la pensée un A majuscule. Le jambage gauche de l'A est la route de Nivelles, le jambage droit est la route de Genappe, la corde de l'A

* Walter Scott, Lamartine, Vaulabelle, Charras, Quinet, Thiers.

est le chemin creux d'Ohain à Brainc-l'Alleud. Le sommet de l'A est Mont-Saint-Jean, là est Wellington; la pointe gauche inférieure est Hougomont, là est Reille avec Jérôme Bonaparte; la pointe droite inférieure est la Belle-Alliance, là est Napoléon. Un peu au-dessous du point où la corde de l'A rencontre et coupe le jambage droit est la Haie-Sainte. Au milieu de cette corde est le point précis où s'est dit le mot final de la bataille. C'est là qu'on a placé le lion, symbole involontaire du duprême héroïsme de la garde impériale.

Le triangle compris au sommet de l'A, entre les deux jambages et la corde, est le plateau de Mont-Saint-Jean. La dispute de ce plateau fut toute la bataille.

Les ailes des deux armées s'étendent à droite et à gauche des deux routes de Genappe et de Nivelles; d'Erlon faisant face à Picton, Reille faisant face à Hill.

Derrière la pointe de l'A, derrière le plateau de Mont-Saint-Jean, est la forêt de Soignes.

Quant à la plaine en elle-même, qu'on se représente un vaste terrain ondulant; chaque pli domine le pli suivant, et toutes les ondulations montent vers Mont-Saint-Jean, et y aboutissent à la forêt.

Deux troupes ennemies sur un champ de bataille sont deux lutteurs. C'est un bras-le-corps. L'une cherche à faire glisser l'autre. On se cramponne à tout; un buisson est un point d'appui; un angle de mur est un épaulement; faute d'une bicoque où s'adosser, un régiment lâche pied; un ravalement de la plaine, un mouvement de terrain, un sentier transversal à propos, un bois, un ravin, peuvent arrêter le talon de ce colosse qu'on appelle une armée et l'empêcher de reculer. Qui sort du champ est battu. De là, pour le chef responsable, la nécessité d'examiner la moindre touffe d'arbres et d'approfondir le moindre relief.

Les deux généraux avaient attentivement étudié la plaine de Mont-Saint-Jean, dite aujourd'hui plaine de Waterloo. Dès l'année précédente, Wellington, avec une sagacité prévoyante, l'avait examinée comme un en-cas de grande bataille. Sur ce terrain et pour ce duel, le 18 juin, Wellington avait le bon côté, Napoléon le mauvais. L'armée anglaise était en haut, l'armée française en bas.

Esquisser ici l'aspect de Napoléon, à cheval, sa lunette à la

main, sur la hauteur de Rossomme, à l'aube du 18 juin 1815,
cela est presque de trop. Avant qu'on le montre, tout le monde
l'a vu. Ce profil calme sous le petit chapeau de l'école de
Brienne, cet uniforme vert, le revers blanc cachant la plaque,
la redingote grise cachant les épaulettes, l'angle du cordon
rouge sous le gilet, la culotte de peau, le cheval blanc avec sa
housse de velours pourpre ayant aux coins des N couronnées
et des aigles, les bottes à l'écuyère sur des bas de soie, les
éperons d'argent, l'épée de Marengo, toute cette figure du
dernier césar est debout dans les imaginations, acclamée des
uns, sévèrement regardée par les autres.

Cette figure a été longtemps toute dans la lumière; cela
tenait à un certain obscurcissement légendaire que la plupart
des héros dégagent et qui voile toujours plus ou moins longtemps la vérité; mais aujourd'hui l'histoire et le jour se font.

Cette clarté, l'histoire, est impitoyable; elle a cela d'étrange
et de divin que, toute lumière qu'elle est, et précisément parce
qu'elle est lumière, elle met souvent de l'ombre là où l'on
voyait des rayons; du même homme elle fait deux fantômes
différents, et l'un attaque l'autre, et en fait justice, et les
ténèbres du despote luttent avec l'éblouissement du capitaine.
De là une mesure plus vraie dans l'appréciation définitive des
peuples. Babylone violée diminue Alexandre; Rome enchaînée
diminue César; Jérusalem tuée diminue Titus. La tyrannie
suit le tyran. C'est un malheur pour un homme de laisser
derrière lui de la nuit qui a sa forme.

v

LE *QUID OBSCURUM* DES BATAILLES

Tout le monde connaît la première phase de cette bataille;
début trouble, incertain, hésitant, menaçant pour les deux
armées, mais pour les anglais plus encore que pour les français.

Il avait plu toute la nuit; la terre était défoncée par l'averse;
l'eau s'était çà et là amassée dans les creux de la plaine comme
dans des cuvettes; sur de certains points les équipages du train
en avaient jusqu'à l'essieu; les sous-ventrières des attelages

dégouttaient de boue liquide; si les blés et les seigles couchés
par cette cohue de charrois en marche n'eussent comblé les
ornières et fait litière sous les roues, tout mouvement, particulièrement dans les vallons du côté de Papelotte, eût été
impossible.

L'affaire commença tard; Napoléon, nous l'avons expliqué,
avait l'habitude de tenir toute l'artillerie dans sa main comme
un pistolet, visant tantôt tel point, tantôt tel autre de la bataille,
et il avait voulu attendre que les batteries attelées pussent
rouler et galoper librement; il fallait pour cela que le soleil
parût et séchât le sol. Mais le soleil ne parut pas. Ce n'était plus
le rendez-vous d'Austerlitz. Quand le premier coup de canon
fut tiré, le général anglais Colville regarda à sa montre et
constata qu'il était onze heures trente-cinq minutes.

L'action s'engagea avec furie, plus de furie peut-être que
l'empereur n'eût voulu, par l'aile gauche française sur Hougomont. En même temps Napoléon attaqua le centre en précipitant la brigade Quiot sur la Haie-Sainte, et Ney poussa
l'aile droite française contre l'aile gauche anglaise qui
s'appuyait sur Papelotte.

L'attaque sur Hougomont avait quelque simulation; attirer
là Wellington, le faire pencher à gauche, tel était le plan. Ce
plan eût réussi, si les quatre compagnies des gardes anglaises
et les braves belges de la division Perponcher n'eussent solidement gardé la position, et Wellington, au lieu de s'y masser,
put se borner à y envoyer pour tout renfort quatre autres
compagnies de gardes et un bataillon de Brunswick.

L'attaque de l'aile droite française sur Papelotte était à fond;
culbuter la gauche anglaise, couper la route de Bruxelles,
barrer le passage aux prussiens possibles, forcer Mont-Saint-
Jean, refouler Wellington sur Hougomont, de là sur Braine-
l'Alleud, de là sur Hal, rien de plus net. A part quelques
incidents, cette attaque réussit. Papelotte fut pris; la Haie-
Sainte fut enlevée.

Détail à noter. Il y avait dans l'infanterie anglaise, particulièrement dans la brigade de Kempt, force recrues. Ces
jeunes soldats, devant nos redoutables fantassins, furent vail-
lants; leur inexpérience se tira intrépidement d'affaire; ils firent
surtout un excellent service de tirailleurs; le soldat en tirailleur,
un peu livré à lui-même, devient pour ainsi dire son propre
général; ces recrues montrèrent quelque chose de l'invention

et de la furie françaises. Cette infanterie novice eut de la verve. Ceci déplut à Wellington.

Après la prise de la Haie-Sainte, la bataille vacilla.

Il y a dans cette journée, de midi à quatre heures, un intervalle obscur; le milieu de cette bataille est presque indistinct et participe du sombre de la mêlée. Le crépuscule s'y fait. On aperçoit de vastes fluctuations dans cette brume, un mirage vertigineux, l'attirail de guerre d'alors presque inconnu aujourd'hui, les colbacks à flamme, les sabretaches flottantes, les buffleteries croisées, les gibernes à grenade, les dolmans des hussards, les bottes rouges à mille plis, les lourds shakos enguirlandés de torsades, l'infanterie presque noire de Brunswick mêlée a l'infanterie écarlate d'Angleterre, les soldats anglais ayant aux entournures pour épaulettes de gros bourrelets blancs circulaires, les chevau-légers hanovriens avec leur casque de cuir oblong à bandes de cuivre et à crinières de crins rouges, les écossais aux genoux nus et aux plaids quadrillés, les grandes guêtres blanches de nos grenadiers, des tableaux, non des lignes stratégiques, ce qu'il faut à Salvator Rosa, non ce qu'il faut à Gribeauval [1].

Une certaine quantité de tempête se mêle toujours à une bataille. *Quid obscurum, quid divinum* [2]. Chaque historien trace un peu le linéament qui lui plaît dans ces pêle-mêle. Quelle que soit la combinaison des généraux, le choc des masses armées a d'incalculables reflux; dans l'action, les deux plans des deux chefs entrent l'un dans l'autre et se déforment l'un par l'autre. Tel point du champ de bataille dévore plus de combattants que tel autre, comme ces sols plus ou moins spongieux qui boivent plus ou moins vite l'eau qu'on y jette. On est obligé de reverser là plus de soldats qu'on ne voudrait. Dépenses qui sont l'imprévu [3]. La ligne de bataille flotte et serpente comme un fil, les traînées de sang ruissellent illogiquement, les fronts des armées ondoient, les régiments entrant ou sortant font des caps ou des golfes, tous ces écueils remuent continuellement les uns devant les autres; où était l'infanterie, l'artillerie arrive; où était l'artillerie, accourt la cavalerie; les bataillons sont des fumées. Il y avait là quelque chose, cherchez, c'est disparu; les éclaircies se déplacent; les plis sombres avancent et reculent; une sorte de vent du sépulcre pousse, refoule, enfle et disperse ces multitudes tragiques. Qu'est-ce qu'une mêlée? une oscillation. L'immobilité d'un plan mathématique exprime une minute et non une journée. Pour peindre une bataille, il faut de ces puissants peintres qui aient du chaos dans le pinceau; Rembrandt vaut mieux que Van Der Meulen. Van Der Meulen, exact à midi, ment à trois heures. La géométrie trompe; l'ouragan seul est vrai. C'est ce qui donne à Folard le droit de contredire Polybe. Ajoutons qu'il y a toujours un certain instant où la bataille dégénère en combat, se particularise, et s'éparpille en d'innombrables faits de détails qui, pour emprunter l'expression de Napoléon lui-même, « appartiennent plutôt à la biographie des régiments qu'à l'histoire de l'armée ». L'historien, en ce cas, a le droit évident de résumé. Il ne peut que saisir les contours principaux de la lutte, et il n'est donné à aucun narrateur, si consciencieux qu'il soit, de fixer absolument la forme de ce nuage horrible qu'on appelle une bataille.

Ceci, qui est vrai de tous les grands chocs armés, est particulièrement applicable à Waterloo.

Toutefois, dans l'après-midi, à un certain moment, la bataille se précisa.

VI

QUATRE HEURES DE L'APRÈS-MIDI

Vers quatre heures, la situation de l'armée anglaise était grave. Le prince d'Orange commandait le centre, Hill l'aile droite, Picton l'aile gauche. Le prince d'Orange, éperdu et intrépide, criait aux hollando-belges : *Nassau! Brunswick! jamais en arrière!* Hill, affaibli, venait s'adosser à Wellington, Picton était mort. Dans la même minute où les anglais avaient enlevé aux français le drapeau du 105ᵉ de ligne, les français avaient tué aux anglais le général Picton d'une balle à travers la tête. La bataille, pour Wellington, avait deux points d'appui, Hougomont et la Haie-Sainte; Hougomont tenait encore, mais brûlait; la Haie-Sainte était prise. Du bataillon allemand qui la défendait, quarante-deux hommes seulement survivaient; tous les officiers, moins cinq, étaient morts ou pris. Trois mille combattants s'étaient massacrés dans cette grange. Un sergent des gardes anglaises, le premier boxeur de l'Angleterre, réputé par ses compagnons invulnérable, y avait été tué par un petit tambour français. Baring était délogé, Alten était sabré. Plusieurs drapeaux étaient perdus, dont un de la division Alten, et un du bataillon de Lunebourg porté par un prince de la famille de Deux-Ponts. Les écossais gris n'existaient plus; les gros dragons de Ponsonby étaient hachés. Cette vaillante cavalerie avait plié sous les lanciers de Bro et sous les cuirassiers de Travers; de douze cents chevaux il en restait six cents; des trois lieutenants-colonels, deux étaient à terre, Hamilton blessé, Mater tué. Ponsonby était tombé, troué de sept coups de lance. Gordon était mort, Marsh était mort. Deux divisions, la cinquième et la sixième, étaient détruites.

Hougomont entamé, la Haie-Sainte prise, il n'y avait plus qu'un nœud, le centre. Ce nœud-là tenait toujours. Wellington le renforça. Il y appela Hill qui était à Merbe-Braine, il y appela Chassé qui était à Braine-l'Alleud.

Le centre de l'armée anglaise, un peu concave, très dense et très compact, était fortement situé. Il occupait le plateau de Mont-Saint-Jean, ayant derrière lui le village et devant lui la pente, assez âpre alors. Il s'adossait à cette forte maison de pierre, qui était à cette époque un bien domanial de Nivelles et qui marque l'intersection des routes, masse du seizième siècle si robuste que les boulets y ricochaient sans l'entamer. Tout autour du plateau, les anglais avaient taillé çà et là les haies, fait des embrasures dans les aubépines, mis une gueule de canon entre deux branches, crénelé les buissons. Leur artillerie était en embuscade sous les broussailles. Ce travail punique, incontestablement autorisé par la guerre qui admet le piège, était si bien fait que Haxo, envoyé par l'empereur à neuf heures du matin pour reconnaître les batteries ennemies, n'en avait rien vu, et était revenu dire à Napoléon qu'il n'y avait pas d'obstacle, hors les deux barricades barrant les routes de Nivelles et de Genappe. C'était le moment où la moisson est haute; sur la lisière du plateau, un bataillon de la brigade Kempt, le 95e, armé de carabines, était couché dans les grands blés.

Ainsi assuré et contre-buté, le centre de l'armée anglo-hollandaise était en bonne posture.

Le péril de cette position était la forêt de Soignes, alors contiguë au champ de bataille et coupée par les étangs de Groenendael et de Boitsfort. Une armée n'eût pu y reculer sans se dissoudre; les régiments s'y fussent tout de suite désagrégés. L'artillerie s'y fût perdue dans les marais. La retraite, selon l'opinion de plusieurs hommes du métier, contestée par d'autres, il est vrai, eût été là un sauve-qui-peut.

Wellington ajouta à ce centre une brigade de Chassé, ôtée à l'aile droite, et une brigade de Wincke, ôtée à l'aile gauche, plus la division Clinton. A ses anglais, aux régiments de Halkett, à la brigade de Mitchell, aux gardes de Maitland, il donna comme épaulements et contre-forts l'infanterie de Brunswick, le contingent de Nassau, les hanovriens de Kielmansegge et les allemands d'Ompteda. Cela lui mit sous la main vingt-six bataillons. *L'aile droite,* comme dit Charras, *fut rabattue derrière le centre.* Une batterie énorme était masquée par des sacs à terre à l'endroit où est aujourd'hui ce qu'on appelle « le musée de Waterloo ». Wellington avait en outre dans un pli de terrain les dragons-gardes de Somerset, quatorze cents chevaux. C'était l'autre moitié de cette cavalerie anglaise, si justement célèbre. Ponsonby détruit, restait Somerset.

La batterie, qui, achevée, eût été presque une redoute, était disposée derrière un mur de jardin très bas, revêtu à la hâte d'une chemise de sacs de sable et d'un large talus de terre. Cet ouvrage n'était pas fini; on n'avait pas eu le temps de le palissader.

Wellington, inquiet, mais impassible, était à cheval, et y demeura toute la journée dans la même attitude, un peu en avant du vieux moulin de Mont-Saint-Jean, qui existe encore, sous un orme qu'un anglais, depuis, vandale enthousiaste, a acheté deux cents francs, scié et emporté[1]. Wellington fut là froidement héroïque. Les boulets pleuvaient. L'aide de camp Gordon venait de tomber à côté de lui. Lord Hill, lui montrant un obus qui éclatait, lui dit : — Mylord, quelles sont vos instructions, et quels ordres nous laissez-vous, si vous vous faites tuer? — *De faire comme moi,* répondit Wellington. A Clinton, il dit laconiquement : — *Tenir ici jusqu'au dernier homme.* — La journée visiblement tournait mal. Wellington criait à ses anciens compagnons de Talavera, de Vittoria et de Salamanque : — *Boys* (garçons)! *est-ce qu'on peut songer à lâcher pied? pensez à la vieille Angleterre!*

Vers quatre heures, la ligne anglaise s'ébranla en arrière. Tout à coup on ne vit plus sur la crête du plateau que l'artillerie et les tirailleurs, le reste disparut; les régiments, chassés par les obus et les boulets français, se replièrent dans le fond que coupe encore aujourd'hui le sentier de service de la ferme de Mont-Saint-Jean, un mouvement rétrograde se fit, le front de bataille anglais se déroba, Wellington recula. — Commencement de retraite! cria Napoléon.

VII

NAPOLÉON DE BELLE HUMEUR

L'EMPEREUR, quoique malade et gêné à cheval par une souffrance locale, n'avait jamais été de si bonne humeur que ce jour-là. Depuis le matin, son impénétrabilité souriait. Le 18 juin 1815, cette âme profonde, masquée de marbre, rayonnait aveuglément. L'homme qui avait été sombre à Austerlitz fut gai à Waterloo. Les plus grands prédestinés font de ces contre-sens. Nos joies sont de l'ombre[1]. Le suprême sourire est à Dieu.

Ridet Cæsar, Pompeius flebit, disaient les légionnaires de la légion Fulminatrix. Pompée cette fois ne devait pas pleurer, mais il est certain que César riait.

Dès la veille, la nuit, à une heure, explorant à cheval, sous l'orage et sous la pluie, avec Bertrand, les collines qui avoisinent Rossomme, satisfait de voir la longue ligne des feux anglais illuminant tout l'horizon de Frischemont à Braine-l'Alleud, il lui avait semblé que le destin, assigné par lui à jour fixe sur ce champ de Waterloo, était exact; il avait arrêté son cheval, et était demeuré quelque temps immobile, regardant les éclairs, écoutant le tonnerre, et on avait entendu ce fataliste jeter dans l'ombre cette parole mystérieuse : « Nous sommes d'accord. » Napoléon se trompait. Ils n'étaient plus d'accord.

Il n'avait pas pris une minute de sommeil, tous les instants de cette nuit-là avaient été marqués pour lui par une joie. Il avait parcouru toute la ligne des grand'gardes, en s'arrêtant çà et là pour parler aux vedettes. A deux heures et demie, près du bois d'Hougomont, il avait entendu le pas d'une colonne en marche; il avait cru un moment à la reculade de Wellington. Il avait dit à Bertrand : *C'est l'arrière-garde anglaise qui s'ébranle pour décamper. Je ferai prisonniers les six mille anglais qui viennent d'arriver à Ostende.* Il causait avec expansion; il avait retrouvé cette verve du débarquement du 1er mars, quand il montrait au grand-maréchal le paysan enthousiaste du golfe Juan, en s'écriant : — *Eh bien, Bertrand, voilà déjà du renfort!* La nuit du 17 au 18 juin, il raillait Wellington. — *Ce petit anglais a besoin d'une leçon,* disait Napoléon. La pluie redoublait; il tonnait pendant que l'empereur parlait.

A trois heures et demie du matin, il avait perdu une illusion; des officiers envoyés en reconnaissance lui avaient annoncé que l'ennemi ne faisait aucun mouvement. Rien ne bougeait; pas un feu de bivouac n'était éteint. L'armée anglaise dormait. Le silence était profond sur la terre; il n'y avait de bruit que dans le ciel. A quatre heures, un paysan lui avait été amené par les coureurs; ce paysan avait servi de guide à une brigade de cavalerie anglaise, probablement la brigade Vivian, qui allait prendre position au village d'Ohian, à l'extrême gauche. A cinq heures, deux déserteurs belges lui avaient rapporté qu'ils venaient de quitter leur régiment, et que l'armée anglaise attendait la bataille. — *Tant mieux!* s'était écrié Napoléon. *J'aime encore mieux les culbuter que les refouler.*

Le matin, sur la berge qui fait l'angle du chemin de Plancenoit, il avait mis pied à terre dans la boue, s'était fait apporter de la ferme de Rossomme une table de cuisine et une chaise de paysan, s'était assis, avec une botte de paille pour tapis, et avait déployé sur la table la carte du champ de bataille, en disant à Soult : *Joli échiquier!*

Par suite des pluies de la nuit, les convois de vivres, empêtrés dans des routes défoncées, n'avaient pu arriver le matin, le soldat n'avait pas dormi, était mouillé, et était à jeun; cela n'avait pas empêché Napoléon de crier allègrement à Ney : *Nous avons quatrevingt-dix chances sur cent.* A huit heures, on avait apporté le déjeuner de l'empereur. Il y avait invité plusieurs généraux. Tout en déjeunant, on avait raconté que Wellington était l'avant-veille au bal à Bruxelles, chez la duchesse de Richmond, et Soult, rude homme de guerre avec une figure d'archevêque, avait dit : *Le bal, c'est aujourd'hui.* L'empereur avait plaisanté Ney qui disait : *Wellington ne sera pas assez simple pour attendre votre majesté.* C'était là d'ailleurs sa manière. *Il badinait volontiers,* dit Fleury de Chaboulon. *Le fond de son caractère était une humeur enjouée,* dit Gourgaud. *Il abondait en plaisanteries, plutôt bizarres que spirituelles,* dit Benjamin Constant. Ces gaîtés de géant valent la peine qu'on y insiste. C'est lui qui avait appelé ses grenadiers « les grognards »; il leur pinçait l'oreille, il leur tirait la moustache. *L'empereur ne faisait que nous faire des niches;* ceci est un mot de l'un d'eux. Pendant le mystérieux trajet de l'île d'Elbe en France, le 27 février, en pleine mer, le brick de guerre français le *Zéphir* ayant rencontré le brick l'*Inconstant* où Napoléon était caché et ayant demandé à l'*Inconstant* des nouvelles de Napoléon, l'empereur, qui avait encore en ce moment-là à son chapeau la cocarde blanche et amarante semée d'abeilles, adoptée par lui à l'île d'Elbe, avait pris en riant le porte-voix et avait répondu lui-même : *L'empereur se porte bien.* Qui rit de la sorte est en familiarité avec les événements. Napoléon avait eu plusieurs accès de ce rire pendant le déjeuner de Waterloo. Après le déjeuner il s'était recueilli un quart d'heure, puis deux généraux s'étaient assis sur la botte de paille, une plume à la main, une feuille de papier sur le genou, et l'empereur leur avait dicté l'ordre de bataille.

A neuf heures, à l'instant où l'armée française, échelonnée et mise en mouvement sur cinq colonnes, s'était déployée, les divisions sur deux lignes, l'artillerie entre les brigades, musique en tête, battant aux champs, avec les roulements des tambours et les sonneries des trompettes, puissante, vaste, joyeuse, mer de casques, de sabres et de bayonnettes sur l'horizon, l'empereur, ému, s'était écrié à deux reprises : Magnifique! magnifique!

De neuf heures à dix heures et demie, toute l'armée, ce qui semble incroyable, avait pris position et s'était rangée sur six lignes, formant, pour répéter l'expression de l'empereur, « la figure de six V ». Quelques instants après la formation du front de bataille, au milieu de ce profond silence de commencement d'orage qui précède les mêlées, voyant défiler les trois batteries de douze, détachées sur son ordre des trois corps de d'Erlon, de Reille et de Lobau, et destinées à commencer l'action en battant Mont-Saint-Jean où est l'intersection des routes de Nivelles et de Genappe, l'empereur avait frappé sur l'épaule de Haxo en lui disant : *Voilà vingt-quatre belles filles, général.*

Sûr de l'issue, il avait encouragé d'un sourire, à son passage devant lui, la compagnie de sapeurs du premier corps, désignée par lui pour se barricader dans Mont-Saint-Jean, sitôt le village enlevé. Toute cette sérénité n'avait été traversée que par un mot de pitié hautaine; en voyant à sa gauche, à un endroit où il y a aujourd'hui une grande tombe, se masser avec leurs chevaux superbes ces admirables écossais gris, il avait dit : *C'est dommage*.

Puis il était monté à cheval, s'était porté en avant de Rossomme, et avait choisi pour observatoire une étroite croupe de gazon à droite de la route de Genappe à Bruxelles, qui fut sa seconde station pendant la bataille. La troisième station, celle de sept heures du soir, entre la Belle-Alliance et la Haie-Sainte, est redoutable; c'est un tertre assez élevé qui existe encore et derrière lequel la garde était massée dans une déclivité de la plaine. Autour de ce tertre, les boulets ricochaient sur le pavé de la chaussée jusqu'à Napoléon. Comme à Brienne, il avait sur sa tête le sifflement des balles et des biscayens. On a ramassé, presque à l'endroit où étaient les pieds de son cheval, des boulets vermoulus, de vieilles lames de sabre et des projectiles informes, mangés de rouille. *Scabra rubigine*[1]. Il y a quelques années, on y a déterré un obus de soixante, encore chargé, dont la fusée s'était brisée au ras de la bombe. C'est à cette dernière station que l'empereur disait à son guide Lacoste, paysan hostile, effaré, attaché à la selle d'un hussard, se retournant à chaque paquet de mitraille, et tâchant de se cacher derrière lui : — *Imbécile! c'est honteux, tu vas te faire tuer dans le dos*. Celui qui écrit ces lignes a trouvé lui-même dans le talus friable de ce tertre, en creusant le sable, les restes du col d'une bombe désagrégés par l'oxyde de quarante-six années[2], et de vieux tronçons de fer qui cassaient comme des bâtons de sureau entre ses doigts.

Les ondulations des plaines diversement inclinées où eut lieu la rencontre de Napoléon et de Wellington ne sont plus, personne ne l'ignore, ce qu'elles étaient le 18 juin 1815. En prenant à ce champ funèbre de quoi lui faire un monument, on lui a ôté son relief réel, et l'histoire, déconcertée, ne s'y reconnaît plus. Pour le glorifier, on l'a défiguré. Wellington, deux ans après, revoyant Waterloo, s'est écrié : *On m'a changé mon champ de bataille*. Là où est aujourd'hui la grosse pyramide de terre surmontée du lion, il y avait une crête qui, vers la route de Nivelles, s'abaissait en rampe praticable, mais qui, du côté de la chaussée de Genappe, était presque un escarpement. L'élévation de cet escarpement peut encore être mesurée aujourd'hui par la hauteur des deux tertres des deux grandes sépultures qui encaissent la route de Genappe à Bruxelles; l'une, le tombeau anglais, à gauche; l'autre, le tombeau alle-

mand, à droite. Il n'y a point de tombeau français. Pour la
France, toute cette plaine est sépulcre [1]. Grâce aux mille et mille
charretées de terre employées à la butte de cent cinquante
pieds de haut et d'un demi-mille de circuit, le plateau de
Mont-Saint-Jean est aujourd'hui accessible en pente douce;
le jour de la bataille, surtout du côté de la Haie-Sainte, il était
d'un abord âpre et abrupt. Le versant là était si incliné que
les canons anglais ne voyaient pas au-dessous d'eux la ferme
située au fond du vallon, centre du combat. Le 18 juin 1815,
les pluies avaient encore raviné cette roideur, la fange compli-
quait la montée, et non seulement on gravissait, mais on s'em-
bourbait. Le long de la crête du plateau courait une sorte de
fossé impossible à deviner pour un observateur lointain.

Qu'était-ce que ce fossé? Disons-le. Braine-l'Alleud est un
village de Belgique, Ohain en est un autre. Ces villages, cachés
tous les deux dans des courbes de terrain, sont joints par un
chemin d'une lieue et demie environ qui traverse une plaine à
niveau ondulant, et souvent entre et s'enfonce dans des collines
comme un sillon, ce qui fait que sur divers points cette route
est un ravin. En 1815, comme aujourd'hui, cette route coupait
la crête du plateau de Mont-Saint-Jean entre les deux chaussées
de Genappe et de Nivelles; seulement, elle est aujourd'hui de
plain-pied avec la plaine; elle était alors chemin creux [2]. On lui
a pris ses deux talus pour la butte-monument. Cette route
était et est encore une tranchée dans la plus grande partie de
son parcours; tranchée creuse quelquefois d'une douzaine de
pieds et dont les talus trop escarpés s'écroulaient çà et là, surtout en hiver, sous les averses. Des accidents y arrivaient. La
route était si étroite à l'entrée de Braine-l'Alleud qu'un passant
y avait été broyé par un chariot, comme le constate une croix
de pierre debout près du cimetière qui donne le nom du
mort, *Monsieur Bernard Debrye, marchand à Bruxelles,* et la date de
l'accident, *février 1637*[*]. Elle était si profonde sur le plateau du

---

* Voici l'inscription :

DOM
CY A ÉTÉ ÉCRASÉ
PAR MALHEUR
SOUS UN CHARIOT
MONSIEUR BERNARD
DE BRYE MARCHAND
À BRUXELLE LE (illisible)
FEBVRIER 1637

Mont-Saint-Jean qu'un paysan, Mathieu Nicaise, y avait été écrasé en 1783 par un éboulement du talus, comme le constatait une autre croix de pierre dont le faîte a disparu dans les défrichements, mais dont le piédestal renversé est encore visible aujourd'hui sur la pente du gazon à gauche de la chaussée entre la Haie-Sainte et la ferme de Mont-Saint-Jean.

Un jour de bataille, ce chemin creux dont rien n'avertissait, bordant la crête de Mont-Saint-Jean, fossé au sommet de l'escarpement, ornière cachée dans les terres, était invisible, c'est-à-dire terrible.

VIII

L'EMPEREUR FAIT UNE QUESTION AU GUIDE LACOSTE

Donc, le matin de Waterloo, Napoléon était content.

Il avait raison; le plan de bataille conçu par lui, nous l'avons constaté, était en effet admirable.

Une fois la bataille engagée, ses péripéties très diverses, la résistance d'Hougomont, la ténacité de la Haie-Sainte, Bauduin tué, Foy mis hors de combat, la muraille inattendue où s'était brisée la brigade Soye, l'étourderie fatale de Guilleminot n'ayant ni pétards ni sacs à poudre, l'embourbement des batteries, les quinze pièces sans escorte culbutées par Uxbridge dans un chemin creux, le peu d'effet des bombes tombant dans les lignes anglaises, s'y enfouissant dans le sol détrempé par les pluies et ne réussissant qu'à y faire des volcans de boue, de sorte que la mitraille se changeait en éclaboussure, l'inutilité de la démonstration de Piré sur Braine-l'Alleud, toute cette cavalerie, quinze escadrons, à peu près annulée, l'aile droite anglaise mal inquiétée, l'aile gauche mal entamée, l'étrange malentendu de Ney massant, au lieu de les échelonner, les quatre divisions du premier corps, des épaisseurs de vingt-sept rangs et des fronts de deux cents hommes livrés de la sorte à la mitraille, l'effrayante trouée des boulets dans ces masses, les colonnes d'attaque désunies, la batterie d'écharpe brusquement démasquée sur leur flanc, Bourgeois, Donzelot et

Durutte compromis, Quiot repoussé, le lieutenant Vieux, cet hercule sorti de l'école polytechnique, blessé au moment où il enfonçait à coups de hache la porte de la Haie-Sainte sous le feu plongeant de la barricade anglaise barrant le coude de la route de Genappe à Bruxelles, la division Marcognet, prise entre l'infanterie et la cavalerie, fusillée à bout portant dans les blés par Best et Pack, sabrée par Ponsonby; sa batterie de sept pièces enclouée, le prince de Saxe-Weimar tenant et gardant, malgré le comte d'Erlon, Frischemont et Smohain, le drapeau du 105ᵉ pris, le drapeau du 45ᵉ pris, ce hussard noir prussien arrêté par les coureurs de la colonne volante de trois cents chasseurs battant l'estrade entre Wavre et Plancenoit, les choses inquiétantes que ce prisonnier avait dites, le retard de Grouchy, les quinze cents hommes tués en moins d'une heure dans le verger d'Hougomont, les dix-huit cents hommes couchés en moins de temps autour de la Haie-Sainte, tous ces incidents orageux, passant comme les nuées de la bataille devant Napoléon, avaient à peine troublé son regard et n'avaient point assombri cette face impériale de la certitude. Napoléon était habitué à regarder la guerre fixement; il ne faisait jamais chiffre à chiffre l'addition poignante du détail; les chiffres lui importaient peu, pourvu qu'ils donnassent ce total : victoire; que les commencements s'égarassent, il ne s'en alarmait point, lui qui se croyait maître et possesseur de la fin; il savait attendre, se supposant hors de question, et il traitait le destin d'égal à égal. Il paraissait dire au sort : tu n'oserais pas.

Mi-parti lumière et ombre, Napoléon se sentait protégé dans le bien et toléré dans le mal. Il avait, ou croyait avoir pour lui, une connivence, on pourrait presque dire une complicité des événements, équivalente à l'antique invulnérabilité.

Pourtant, quand on a derrière soi la Bérésina, Leipsick et Fontainebleau, il semble qu'on pourrait se défier de Waterloo. Un mystérieux froncement de sourcil devient visible au fond du ciel [1].

Au moment où Wellington rétrograda, Napoléon tressaillit. Il vit subitement le plateau de Mont-Saint-Jean se dégarnir et le front de l'armée anglaise disparaître. Elle se ralliait, mais se dérobait. L'empereur se souleva à demi sur ses étriers. L'éclair de la victoire passa dans ses yeux.

Wellington acculé à la forêt de Soignes et détruit, c'était le terrassement définitif de l'Angleterre par la France; c'était Crécy, Poitiers, Malplaquet et Ramillies vengés. L'homme de Marengo raturait Azincourt.

L'empereur alors, méditant la péripétie terrible, promena une dernière fois sa lunette sur tous les points du champ de bataille. Sa garde, l'arme au pied derrière lui, l'observait d'en bas avec une sorte de religion. Il songeait; il examinait les versants, notait les pentes, scrutait le bouquet d'arbres, le carré de seigles, le sentier; il semblait compter chaque buisson. Il regarda avec quelque fixité les barricades anglaises des deux chaussées, deux larges abatis d'arbres, celle de la chaussée de Genappe au-dessus de la Haie-Sainte, armée de deux canons, les seuls de toute l'artillerie anglaise qui vissent le fond du champ de bataille, et celle de la chaussée de Nivelles où étincelaient des bayonnettes hollandaises de la brigade Chassé. Il remarqua près de cette barricade la vieille chapelle de Saint-Nicolas peinte en blanc qui est à l'angle de la traverse vers Braine-l'Alleud. Il se pencha et parla à demi-voix au guide Lacoste. Le guide fit un signe de tête négatif, probablement perfide.

L'empereur se redressa et se recueillit.

Wellington avait reculé. Il ne restait plus qu'à achever ce recul par un écrasement.

Napoléon, se retournant brusquement, expédia une estafette à franc étrier à Paris pour y annoncer que la bataille était gagnée.

Napoléon était un de ces génies d'où sort le tonnerre.

Il venait de trouver son coup de foudre.

Il donna l'ordre aux cuirassiers de Milhaud d'enlever le plateau de Mont-Saint-Jean.

IX

L'INATTENDU

Ils étaient trois mille cinq cents. Ils faisaient un front d'un quart de lieue. C'étaient des hommes géants sur des chevaux colosses[1]. Ils étaient vingt-six escadrons; et ils avaient derrière eux, pour les appuyer, la division de Lefebvre-Desnouettes, les cent six gendarmes d'élite, les chasseurs de la garde, onze cent quatrevingt-dix-sept hommes, et les lanciers de la garde, huit cent quatrevingts lances. Ils portaient le casque sans crins et la cuirasse de fer battu, avec les pistolets d'arçon dans les fontes et le long sabre-épée. Le matin toute l'armée les avait admirés quand, à neuf heures, les clairons sonnant, toutes les musiques chantant *Veillons au salut de l'empire,* ils étaient venus, colonne épaisse, une de leurs batteries à leur flanc, l'autre à leur centre, se déployer sur deux rangs entre la chaussée de Genappe et Frischemont, et prendre leur place de bataille dans cette puissante deuxième ligne, si savamment composée par Napoléon, laquelle, ayant à son extrémité de gauche les cuirassiers de Kellermann et à son extrémité de droite les cuirassiers de Milhaud, avait, pour ainsi dire, deux ailes de fer.

L'aide de camp Bernard leur porta l'ordre de l'empereur. Ney tira son épée et prit la tête. Les escadrons énormes s'ébranlèrent.

Alors on vit un spectacle formidable.

Toute cette cavalerie, sabres levés, étendards et trompettes au vent, formée en colonne par division, descendit, d'un même mouvement et comme un seul homme, avec la précision d'un bélier de bronze qui ouvre une brèche, la colline de la Belle-Alliance, s'enfonça dans le fond redoutable où tant d'hommes déjà étaient tombés, y disparut dans la fumée, puis, sortant de cette ombre, reparut de l'autre côté du vallon, toujours compacte et serrée, montant au grand trot, à travers un nuage de mitraille crevant sur elle, l'épouvantable pente de boue du plateau de Mont-Saint-Jean. Ils montaient, graves, menaçants, imperturbables; dans les intervalles de la mousqueterie et de l'artillerie, on entendait ce piétinement colossal. Étant deux divisions, ils étaient deux colonnes; la division Wathier avait la droite, la division Delord avait la gauche. On croyait voir de loin s'allonger vers la crête du plateau deux immenses couleuvres d'acier. Cela traversa la bataille comme un prodige.

Rien de semblable ne s'était vu depuis la prise de la grande redoute de la Moskowa par la grosse cavalerie; Murat y manquait, mais Ney s'y retrouvait. Il semblait que cette masse était devenue monstre et n'eût qu'une âme. Chaque escadron ondulait et se gonflait comme un anneau du polype. On les apercevait à travers une vaste fumée déchirée çà et là. Pêle-mêle de casques, de cris, de sabres, bondissement orageux des croupes des chevaux dans le canon et la fanfare, tumulte discipliné et terrible ; là-dessus les cuirasses, comme les écailles sur l'hydre.

Ces récits semblent d'un autre âge. Quelque chose de pareil à cette vision apparaissait sans doute dans les vieilles épopées orphiques racontant les hommes-chevaux, les antiques hippanthropes, ces titans à face humaine et à poitrail équestre dont le galop escalada l'Olympe, horribles, invulnérables, sublimes ; dieux et bêtes[1].

Bizarre coïncidence numérique, vingt-six bataillons allaient recevoir ces vingt-six escadrons. Derrière la crête du plateau, à l'ombre de la batterie masquée, l'infanterie anglaise, formée en treize carrés, deux bataillons par carré, et sur deux lignes, sept sur la première, six sur la seconde, la crosse à l'épaule, couchant en joue ce qui allait venir, calme, muette, immobile, attendait. Elle ne voyait pas les cuirassiers et les cuirassiers ne la voyaient pas. Elle écoutait monter cette marée d'hommes. Elle entendait le grossissement du bruit des trois mille chevaux, le frappement alternatif et symétrique des sabots au grand trot, le froissement des cuirasses, le cliquetis des sabres, et une sorte de grand souffle farouche. Il y eut un silence redoutable, puis, subitement, une longue file de bras levés brandissant des sabres apparut au-dessus de la crête, et les casques, et les trompettes, et les étendards, et trois mille têtes à moustaches grises criant : vive l'empereur ! toute cette cavalerie déboucha sur la plateau, et ce fut comme l'entrée d'un tremblement de terre.

Tout à coup, chose tragique, à la gauche des anglais, à notre droite, la tête de colonne des cuirassiers se cabra avec une clameur effroyable. Parvenus au point culminant de la crête, effrénés, tout à leur furie et à leur course d'extermination sur les carrés et les canons, les cuirassiers venaient d'apercevoir entre eux et les anglais un fossé, une fosse. C'était le chemin creux d'Ohain[2].

L'instant fut épouvantable. Le ravin était là, inattendu, béant, à pic sous les pieds des chevaux, profond de deux toises entre son double talus ; le second rang y poussa le premier, et le troisième y poussa le second ; les chevaux se dressaient, se rejetaient en arrière, tombaient sur la croupe, glissaient les quatre pieds en l'air, pilant et bouleversant les cavaliers, aucun moyen de reculer, toute la colonne n'était plus qu'un projectile, la force acquise pour écraser les anglais écrasa les français, le ravin inexorable ne pouvait se rendre que comblé, cavaliers et chevaux y roulèrent pêle-mêle se broyant les uns les autres, ne faisant qu'une chair dans ce gouffre, et, quand cette fosse fut pleine d'hommes vivants, on marcha dessus et le reste passa. Presque un tiers de la brigade Dubois croula dans cet abîme.

Ceci commença la perte de la bataille.

Une tradition locale, qui exagère évidemment, dit que deux mille chevaux et quinze cents hommes furent ensevelis dans le chemin creux d'Ohain. Ce chiffre vraisemblablement comprend tous les autres cadavres qu'on jeta dans ce ravin le lendemain du combat.

Notons en passant que c'était cette brigade Dubois, si funestement éprouvée, qui, une heure auparavant, chargeant à part, avait enlevé le drapeau du bataillon de Lunebourg.

Napoléon, avant d'ordonner cette charge des cuirassiers de Milhaud, avait scruté le terrain, mais n'avait pu voir ce chemin creux qui ne faisait pas même une ride à la surface du plateau. Averti pourtant et mis en éveil par la petite chapelle blanche qui en marque l'angle sur la chaussée de Nivelles, il avait fait, probablement sur l'éventualité d'un obstacle, une question au guide Lacoste. Le guide avait répondu non. On pourrait presque dire que de ce signe de tête d'un paysan est sortie la catastrophe de Napoléon.

D'autres fatalités encore devaient surgir.

Était il possible que Napoléon gagnât cette bataille? nous répondons non. Pourquoi? A cause de Wellington? à cause de Blücher? Non. A cause de Dieu.

Bonaparte vainqueur à Waterloo, ceci n'était plus dans la loi du dix neuvième siècle [1]. Une autre série de faits se préparait, où Napoléon n'avait plus de place. La mauvaise volonté des événements s'était annoncée de longue date.

Il était temps que cet homme vaste tombât.

L'excessive pesanteur de cet homme dans la destinée humaine troublait l'équilibre. Cet individu comptait à lui seul plus que le groupe universel. Ces pléthores de toute la vitalité humaine concentrée dans une seule tête, le monde montant au cerveau d'un homme, cela serait mortel à la civilisation si cela durait. Le moment était venu pour l'incorruptible équité suprême d'aviser. Probablement les principes et les éléments, d'où dépendent les gravitations régulières dans l'ordre moral comme dans l'ordre matériel, se plaignaient. Le sang qui fume, le trop-plein des cimetières, les mères en larmes, ce sont des plaidoyers redoutables. Il y a, quand la terre souffre d'une surcharge, de mystérieux gémissements de l'ombre, que l'abîme entend [1].

Napoléon avait été dénoncé dans l'infini, et sa chute était décidée.

Il gênait Dieu.

Waterloo n'est point une bataille; c'est le changement de front de l'univers.

x

LE PLATEAU DE MONT-SAINT-JEAN

En même temps que le ravin, la batterie s'était démasquée.

Soixante canons et les treize carrés foudroyèrent les cuirassiers à bout portant. L'intrépide général Delord fit le salut militaire à la batterie anglaise.

Toute l'artillerie volante anglaise était rentrée au galop dans les carrés. Les cuirassiers n'eurent pas même un temps d'arrêt. Le désastre du chemin creux les avait décimés, mais non découragés. C'étaient de ces hommes qui, diminués de nombre, grandissent de cœur.

La colonne Wathier seule avait souffert du désastre; la colonne Delord, que Ney avait fait obliquer à gauche, comme s'il pressentait l'embûche, était arrivée entière.

Les cuirassiers se ruèrent sur les carrés anglais.

Ventre à terre, brides lâchées, sabre aux dents, pistolets au poing, telle fut l'attaque.

Il y a des moments dans les batailles où l'âme durcit l'homme jusqu'à changer le soldat en statue, et où toute cette chair se fait granit. Les bataillons anglais, éperdument assaillis, ne bougèrent pas.

Alors ce fut effrayant.

Toutes les faces des carrés anglais furent attaquées à la fois. Un tournoiement frénétique les enveloppa. Cette froide infanterie demeura impassible. Le premier rang, genou en terre, recevait les cuirassiers sur les bayonnettes, le second rang les fusillait; derrière le second rang les canonniers chargeaient les pièces, le front du carré s'ouvrait, laissait passer une éruption de mitraille et se refermait. Les cuirassiers répondaient par l'écrasement. Leurs grands chevaux se cabraient, enjambaient les rangs, sautaient par-dessus les bayonnettes et tombaient, gigantesques, au milieu de ces quatre murs vivants. Les boulets faisaient des trouées dans les cuirassiers, les cuirassiers faisaient des brèches dans les carrés. Des files d'hommes disparaissaient broyées sous les chevaux. Les bayonnettes s'enfonçaient dans les ventres de ces centaures. De là une difformité de blessures qu'on n'a pas vue peut-être ailleurs. Les carrés, rongés par cette cavalerie forcenée, se rétrécissaient sans broncher. Inépuisables en mitraille, ils faisaient explosion au milieu des assaillants. La figure de ce combat était monstrueuse. Ces carrés n'étaient plus des bataillons, c'étaient des cratères; ces cuirassiers n'étaient plus une cavalerie, c'était une tempête. Chaque carré était un volcan attaqué par un nuage; la lave combattait la foudre.

Le carré extrême de droite, le plus exposé de tous, étant en l'air, fut presque anéanti dès les premiers chocs. Il était formé du 75e régiment de highlanders. Le joueur de cornemuse au centre, pendant qu'on s'exterminait autour de lui, baissant dans une inattention profonde son œil mélancolique plein du reflet des forêts et des lacs, assis sur un tambour, son pibroch sous le bras, jouait les airs de la montagne. Ces écossais mouraient en pensant au Ben Lothian, comme les grecs en se souvenant d'Argos. Le sabre d'un cuirassier, abattant le pibroch et le bras qui le portait, fit cesser le chant en tuant le chanteur.

Les cuirassiers, relativement peu nombreux, amoindris par la catastrophe du ravin, avaient là contre eux presque toute l'armée anglaise, mais ils se multipliaient, chaque homme valant dix. Cependant quelques bataillons hanovriens plièrent. Wellington le vit, et songea à sa cavalerie. Si Napoléon, en ce moment-là même, eût songé à son infanterie, il eût gagné la bataille. Cet oubli fut sa grande faute fatale.

Tout à coup les cuirassiers, assaillants, se sentirent assaillis. La cavalerie anglaise était sur leur dos. Devant eux les carrés, derrière eux Somerset; Somerset, c'étaient les quatorze cents dragons-gardes. Somerset avait à sa droite Dornberg avec les chevau-légers allemands, et à sa gauche Trip avec les carabiniers belges; les cuirassiers, attaqués en flanc et en tête, en avant et en arrière, par l'infanterie et par la cavalerie, durent faire face de tous les côtés. Que leur importait ? ils étaient tourbillon. La bravoure devint inexprimable.

En outre, ils avaient derrière eux la batterie toujours tonnante. Il fallait cela pour que ces hommes fussent blessés dans le dos. Une de leurs cuirasses, trouée à l'omoplate gauche d'un biscayen, est dans la collection dite musée de Waterloo.

Pour de tels français, il ne fallait pas moins que de tels anglais.

Ce ne fut plus une mêlée, ce fut une ombre, une furie, un vertigineux emportement d'âmes et de courages, un ouragan d'épées éclairs. En un instant les quatorze cents dragons-gardes ne furent plus que huit cents ; Fuller, leur lieutenant-colonel, tomba mort. Ney accourut avec les lanciers et les chasseurs de Lefebvre-Desnouettes. Le plateau de Mont-Saint-Jean fut pris, repris, pris encore. Les cuirassiers quittaient la cavalerie pour retourner à l'infanterie, ou, pour mieux dire, toute cette cohue formidable se colletait sans que l'un lâchât l'autre. Les carrés tenaient toujours. Il y eut douze assauts. Ney eut quatre chevaux tués sous lui. La moitié des cuirassiers resta sur le plateau. Cette lutte dura deux heures.

L'armée anglaise en fut profondément ébranlée. Nul doute que, s'ils n'eussent été affaiblis dans leur premier choc par le désastre du chemin creux, les cuirassiers n'eussent culbuté le centre et décidé la victoire. Cette cavalerie extraordinaire pétrifia Clinton qui avait vu Talavera et Badajoz. Wellington, aux trois quarts vaincu, admirait héroïquement. Il disait à demi-voix : sublime[*] !

Les cuirassiers anéantirent sept carrés sur treize, prirent ou enclouèrent soixante pièces de canon, et enlevèrent aux régiments anglais six drapeaux, que trois cuirassiers et trois chasseurs de la garde allèrent porter à l'empereur devant la ferme de la Belle-Alliance.

La situation de Wellington avait empiré. Cette étrange bataille était comme un duel entre deux blessés acharnés qui, chacun de leur côté, tout en combattant et en se résistant toujours, perdent tout leur sang. Lequel des deux tombera le premier ?

La lutte du plateau continuait.

Jusqu'où sont allés les cuirassiers ? personne ne saurait le dire. Ce qui est certain, c'est que, le lendemain de la bataille, un cuirassier et son cheval furent trouvés morts dans la charpente de la bascule du pesage des voitures à Mont-Saint-Jean,

---

[*] *Splendid !* mot textuel.

au point même où s'entrecoupent et se rencontrent les quatre routes de Nivelles, de Genappe, de La Hulpe et de Bruxelles. Ce cavalier avait percé les lignes anglaises. Un des hommes qui ont relevé ce cadavre vit encore à Mont-Saint-Jean. Il se nomme Dehaze. Il avait alors dix-huit ans.

Wellington se sentait pencher. La crise était proche.

Les cuirassiers n'avaient point réussi, en ce sens que le centre n'était pas enfoncé. Tout le monde ayant le plateau, personne ne l'avait, et en somme il restait pour la plus grande part aux anglais. Wellington avait le village et la plaine culminante; Ney n'avait que la crête et la pente. Des deux côtés on semblait enraciné dans ce sol funèbre.

Mais l'affaiblissement des anglais paraissait irrémédiable. L'hémorragie de cette armée était horrible. Kempt, à l'aile gauche, réclamait du renfort. — *Il n'y en a pas,* répondait Wellington, *qu'il se fasse tuer!* — Presque à la même minute, rapprochement singulier qui peint l'épuisement des deux armées, Ney demandait de l'infanterie à Napoléon, et Napoléon s'écriait : *De l'infanterie! où veut-il que j'en prenne? Veut-il que j'en fasse?*

Pourtant l'armée anglaise était la plus malade. Les poussées furieuses de ces grands escadrons à cuirasses de fer et à poitrines d'acier avaient broyé l'infanterie. Quelques hommes autour d'un drapeau marquaient la place d'un régiment, tel bataillon n'était plus commandé que par un capitaine ou par un lieutenant; la division Alten, déjà si maltraitée à la Haie-Sainte, était presque détruite; les intrépides belges de la brigade Van Kluze jonchaient les seigles le long de la route de Nivelles; il ne restait presque rien de ces grenadiers hollandais qui, en 1811, mêlés en Espagne à nos rangs, combattaient Wellington, et qui, en 1815, ralliés aux anglais, combattaient Napoléon. La perte en officiers était considérable. Lord Uxbridge, qui le lendemain fit enterrer sa jambe, avait le genou fracassé. Si, du côté des français, dans cette lutte des cuirassiers, Delord, Lhéritier, Colbert, Dnop, Travers et Blancard étaient hors de combat, du côté des anglais, Alten était blessé, Barne était blessé, Delancey était tué, Van Merlen était tué, Ompteda était tué, tout l'état-major de Wellington était décimé, et l'Angleterre avait le pire partage dans ce sanglant équilibre. Le 2ᵉ régiment des gardes à pied avait perdu cinq lieutenants-colonels, quatre capitaines et trois enseignes; le premier bataillon du 30ᵉ d'infanterie avait perdu vingt-quatre officiers et cent douze soldats; le 79ᵉ montagnards avait vingt-quatre officiers blessés, dix-huit officiers morts, quatre cent cinquante soldats tués. Les hussards hanovriens de Cumberland, un régiment tout entier, ayant à sa tête son colonel Hacke, qui devait plus tard être jugé et cassé, avaient tourné bride devant la mêlée et étaient en fuite dans la forêt de Soignes, semant la déroute jusqu'à Bruxelles. Les charrois, les prolonges, les bagages, les fourgons pleins de blessés, voyant les français gagner du terrain et s'approcher de la forêt, s'y précipitaient; les hollandais, sabrés par la cavalerie française, criaient : alarme! De Vert-Coucou jusqu'à Groenendael, sur une longueur de près de deux lieues dans la direction de Bruxelles, il y avait, au dire des témoins qui existent encore, un encombrement de fuyards. Cette panique fut telle qu'elle gagna le prince de Condé à Malines et Louis XVIII à Gand. A l'exception de la faible réserve échelonnée derrière l'ambulance établie dans la ferme de Mont-Saint-Jean et des brigades Vivian et Vandeleur qui flanquaient l'aile gauche, Wellington n'avait plus de cavalerie. Nombre de batteries gisaient démontées. Ces faits sont avoués par Siborne; et Pringle, exagérant le désastre, va jusqu'à dire que l'armée anglo-hollandaise était réduite à trente-quatre mille hommes. Le duc-de-fer demeurait calme, mais ses lèvres avaient blêmi. Le commissaire autrichien Vincent, le commissaire espagnol Alava, présents à la bataille dans l'état-major anglais, croyaient le duc perdu. A cinq heures, Wellington tira sa montre, et on l'entendit murmurer ce mot sombre : *Blücher, ou la nuit!*

Ce fut vers ce moment-là qu'une ligne lointaine de bayonnettes étincela sur les hauteurs du côté de Frischemont.

Ici est la péripétie de ce drame géant.

XI

MAUVAIS GUIDE A NAPOLÉON, BON GUIDE A BULOW

On connaît la poignante méprise de Napoléon; Grouchy espéré, Blücher survenant¹; la mort au lieu de la vie.

La destinée a de ces tournants; on s'attendait au trône du monde; on aperçoit Sainte-Hélène.

Si le petit pâtre[1], qui servait de guide à Bülow, lieutenant de Blücher, lui eût conseillé de déboucher de la forêt au-dessus de Frischemont plutôt qu'au-dessous de Plancenoit, la forme du dix-neuvième siècle eût peut-être été différente. Napoléon eût gagné la bataille de Waterloo. Par tout autre chemin qu'au-dessous de Plancenoit, l'armée prussienne aboutissait à un ravin infranchissable à l'artillerie, et Bülow n'arrivait pas.

Or, une heure de retard, c'est le général prussien Muffling qui le déclare, et Blücher n'aurait plus trouvé Wellington debout; « la bataille était perdue ».

Il était temps, on le voit, que Bülow arrivât. Il avait du reste été fort retardé. Il avait bivouaqué à Dion-le-Mont et était parti dès l'aube. Mais les chemins étaient impraticables et ses divisions s'étaient embourbées. Les ornières venaient au moyeu des canons. En outre, il avait fallu passer la Dyle sur l'étroit pont de Wavre; la rue menant au pont avait été incendiée par les français; les caissons et les fourgons de l'artillerie, ne pouvant passer entre deux rangs de maisons en feu, avaient dû attendre que l'incendie fût éteint. Il était midi que l'avant-garde de Bülow n'avait pu encore atteindre Chapelle-Saint-Lambert.

L'action, commencée deux heures plus tôt, eût été finie à quatre heures, et Blücher serait tombé sur la bataille gagnée par Napoléon. Tels sont ces immenses hasards, proportionnés à un infini qui nous échappe.

Dès midi, l'empereur, le premier, avec sa longue-vue, avait aperçu à l'extrême horizon quelque chose qui avait fixé son attention. Il avait dit : — Je vois là-bas un nuage qui me paraît être des troupes. Puis il avait demandé au duc de Dalmatie : — Soult, que voyez-vous vers Chapelle-Saint-Lambert? — Le maréchal braquant sa lunette avait répondu : — Quatre ou cinq mille hommes, sire. Évidemment Grouchy. — Cependant cela restait immobile dans la brume. Toutes les lunettes de l'état-major avaient étudié « le nuage » signalé par l'empereur. Quelques-uns avaient dit : Ce sont des colonnes qui font halte. La plupart avaient dit : Ce sont des arbres. La vérité est que le nuage ne remuait pas. L'empereur avait détaché en reconnaissance vers ce point obscur la division de cavalerie légère de Domon.

Bülow en effet n'avait pas bougé. Son avant-garde était très faible, et ne pouvait rien. Il devait attendre le gros du corps d'armée, et il avait l'ordre de se concentrer avant d'entrer en ligne; mais à cinq heures, voyant le péril de Wellington, Blücher ordonna à Bülow d'attaquer et dit ce mot remarquable : « Il faut donner de l'air à l'armée anglaise. »

Peu après, les divisions Losthin, Hiller, Hacke et Ryssel se déployaient devant le corps de Lobau, la cavalerie du prince Guillaume de Prusse débouchait du bois de Paris, Plancenoit était en flammes, et les boulets prussiens commençaient à pleuvoir jusque dans les rangs de la garde en réserve derrière Napoléon.

XII

LA GARDE

On sait le reste : l'irruption d'une troisième armée, la bataille disloquée, quatrevingt-six bouches à feu tonnant tout à coup, Pirch Ier survenant avec Bülow, la cavalerie de Zieten menée par Blücher en personne, les français refoulés, Marcognet balayé du plateau d'Ohain, Durutte délogé de Papelotte, Donzelot et Quiot reculant, Lobau pris en écharpe, une nouvelle bataille se précipitant à la nuit tombante sur nos régiments démantelés, toute la ligne anglaise reprenant l'offensive et poussée en avant, la gigantesque trouée faite dans l'armée française, la mitraille anglaise et la mitraille prussienne s'entr'aidant, l'extermination, le désastre de front, le désastre en flanc, la garde entrant en ligne sous cet épouvantable écroulement.

Comme elle sentait qu'elle allait mourir, elle cria : vive l'empereur! L'histoire n'a rien de plus émouvant que cette agonie éclatant en acclamations.

Le ciel avait été couvert toute la journée. Tout à coup, en ce moment-là même, il était huit heures du soir, les nuages de l'horizon s'écartèrent et laissèrent passer, à travers les ormes de la route de Nivelles, la grande rougeur sinistre du soleil qui se couchait. On l'avait vu se lever à Austerlitz.

Chaque bataillon de la garde, pour ce dénouement, était commandé par un général. Friant, Michel, Roguet, Harlet, Mallet, Poret de Morvan, étaient là. Quand les hauts bonnets des grenadiers de la garde avec la large plaque à l'aigle apparurent, symétriques, alignés, tranquilles, superbes, dans la brume de cette mêlée, l'ennemi sentit le respect de la France; on crut voir vingt victoires entrer sur le champ de bataille, ailes déployées, et ceux qui étaient vainqueurs, s'estimant vaincus, reculèrent; mais Wellington cria : *Debout, gardes, et visez juste!* le régiment rouge des gardes anglaises, couché derrière les haies, se leva, une nuée de mitraille cribla le drapeau tricolore frissonnant autour de nos aigles, tous se ruèrent, et le suprême carnage commença. La garde impériale sentit dans l'ombre l'armée lâchant pied autour d'elle, et le vaste ébranlement de la déroute, elle entendit le sauve qui peut! qui avait remplacé le vive l'empereur! et, avec la fuite derrière elle, elle continua d'avancer, de plus en plus foudroyée et mourant davantage à chaque pas qu'elle faisait. Il n'y eut point d'hésitants ni de timides. Le soldat dans cette troupe était aussi héros que le général. Pas un homme ne manqua au suicide.

Ney, éperdu, grand de toute la hauteur de la mort acceptée, s'offrait à tous les coups dans cette tourmente. Il eut là son cinquième cheval tué sous lui. En sueur, la flamme aux yeux, l'écume aux lèvres, l'uniforme déboutonné, une de ses épaulettes à demi coupée par le coup de sabre d'un horse-guard, sa plaque de grand-aigle bosselée par une balle, sanglant, fangeux, magnifique, une épée cassée à la main, il disait : *Venez voir comment meurt un maréchal de France sur le champ de bataille!* Mais en vain; il ne mourut pas. Il était hagard et indigné. Il jetait à Drouet d'Erlon cette question : *Est-ce que tu ne te fais pas tuer, toi?* Il criait au milieu de toute cette artillerie écrasant une poignée d'hommes : — *Il n'y a donc rien pour moi! Oh! je voudrais que tous ces boulets anglais m'entrassent dans le ventre!* — Tu étais réservé à des balles françaises, infortuné!

XIII

LA CATASTROPHE

La déroute derrière la garde fut lugubre.

L'armée plia brusquement de tous les côtés à la fois, de Hougomont, de la Haie-Sainte, de Papelotte, de Plancenoit.

Le cri Trahison! fut suivi du cri Sauve-qui-peut! Une armée qui se débande, c'est un dégel. Tout fléchit, se fêle, craque, flotte, roule, tombe, se heurte, se hâte, se précipite. Désagrégation inouïe. Ney emprunte un cheval, saute dessus, et, sans chapeau, sans cravate, sans épée, se met en travers de la chaussée de Bruxelles, arrêtant à la fois les anglais et les français. Il tâche de retenir l'armée, il la rappelle, il l'insulte, il se cramponne à la déroute. Il est débordé. Les soldats le fuient, en criant : *Vive le maréchal Ney!* Deux régiments de Durutte vont et viennent effarés et comme ballottés entre le sabre des uhlans et la fusillade des brigades de Kempt, de Best, de Pack et de Rylandt; la pire des mêlées, c'est la déroute; les amis s'entre-tuent pour fuir; les escadrons et les bataillons se brisent et se dispersent les uns contre les autres, énorme écume de la bataille. Lobau à une extrémité comme Reille à l'autre sont roulés dans le flot. En vain Napoléon fait des murailles avec ce qui lui reste de la garde; en vain il dépense à un dernier effort ses escadrons de service. Quiot recule devant Vivian, Kellermann devant Vandeleur, Lobau devant Bülow, Morand devant Pirch, Domon et Subervic devant le prince Guillaume de Prusse. Guyot, qui a mené à la charge les escadrons de l'empereur, tombe sous les pieds des dragons anglais. Napoléon court au galop le long des fuyards, les harangue, presse, menace, supplie. Toutes ces bouches qui criaient le matin vive l'empereur, restent béantes; c'est à peine si on le connaît. La cavalerie prussienne, fraîche venue, s'élance, vole, sabre, taille, hache, tue, extermine. Les attelages se ruent, les canons se sauvent; les soldats du train détellent les caissons et en prennent les chevaux pour s'échapper; des fourgons culbutés les quatre roues en l'air entravent la route et sont des occasions de massacre. On s'écrase, on se foule, on marche sur les morts et sur les vivants. Les bras sont éperdus. Une multitude vertigineuse emplit les routes, les sentiers, les ponts, les plaines, les collines, les vallées, les bois, encombrés par cette évasion de quarante mille hommes. Cris, désespoir, sacs et fusils jetés dans les seigles, passages frayés à coups d'épée, plus de camarades, plus d'officiers, plus de généraux, une inexprimable épouvante. Zieten sabrant la France à son aise. Les lions devenus chevreuils. Telle fut cette fuite.

A Genappe, on essaya de se retourner, de faire front, d'enrayer. Lobau rallia trois cents hommes. On barricada l'entrée du village; mais à la première volée de la mitraille prussienne, tout se remit à fuir, et Lobau fut pris. On voit encore aujourd'hui cette volée de mitraille empreinte sur le vieux pignon d'une masure en brique à droite de la route, quelques minutes avant d'entrer à Genappe. Les prussiens s'élancèrent dans Genappe, furieux sans doute d'être si peu vainqueurs. La poursuite fut monstrueuse. Blücher ordonna l'extermination. Roguet avait donné ce lugubre exemple de menacer de mort tout grenadier français qui lui amènerait un prisonnier prussien. Blücher dépassa Roguet. Le général de la jeune garde, Duhesme, acculé sur la porte d'une auberge de Genappe, rendit son épée à un hussard de la Mort qui prit l'épée et tua le prisonnier. La victoire s'acheva par l'assassinat des vaincus. Punissons, puisque nous sommes l'histoire : le vieux Blücher se déshonora. Cette férocité mit le comble au désastre. La déroute désespérée traversa Genappe, traversa les Quatre-Bras, traversa Gosselies, traversa Frasnes, traversa Charleroi, traversa Thuin, et ne s'arrêta qu'à la frontière. Hélas! et qui donc fuyait de la sorte? la grande armée.

Ce vertige, cette terreur, cette chute en ruine de la plus haute bravoure qui ait jamais étonné l'histoire, est-ce que cela est sans cause? Non. L'ombre d'une droite énorme se projette sur Waterloo. C'est la journée du destin. La force au dessus de l'homme a donné ce jour-là. De là le pli épouvanté des têtes; de là toutes ces grandes âmes rendant leur épée. Ceux qui avaient vaincu l'Europe sont tombés terrassés, n'ayant plus rien à dire ni à faire, sentant dans l'ombre une présence terrible. *Hoc erat in fatis*[1]. Ce jour-là, la perspective du genre humain a changé. Waterloo, c'est le gond du dix-neuvième siècle[2]. La disparition du grand homme était nécessaire à l'avènement du grand siècle. Quelqu'un à qui on ne réplique pas s'en est chargé. La panique des héros s'explique. Dans la bataille de Waterloo, il y a plus que du nuage, il y a du météore. Dieu a passé.

A la nuit tombante, dans un champ près de Genappe, Bernard et Bertrand saisirent par un pan de sa redingote et arrêtèrent un homme hagard, pensif, sinistre, qui, entraîné jusque-là par le courant de la déroute, venait de mettre pied à terre, avait passé sous son bras la bride de son cheval, et, l'œil égaré, s'en retournait seul vers Waterloo. C'était Napoléon essayant encore d'aller en avant, immense somnambule de ce rêve écroulé[3].

XIV

LE DERNIER CARRÉ

Quelques carrés de la garde, immobiles dans le ruissellement de la déroute comme des rochers dans de l'eau qui coule, tinrent jusqu'à la nuit. La nuit venant, la mort aussi, ils attendirent cette ombre double, et, inébranlables, s'en laissèrent envelopper. Chaque régiment, isolé des autres et n'ayant plus de lien avec l'armée rompue de toutes parts, mourait pour son compte. Ils avaient pris position, pour faire cette dernière action, les uns sur les hauteurs de Rossomme, les autres dans la plaine de Mont-Saint-Jean. Là, abandonnés, vaincus, terribles, ces carrés sombres agonisaient formidablement. Ulm, Wagram, Iéna, Friedland, mouraient en eux.

Au crépuscule, vers neuf heures du soir, au bas du plateau de Mont-Saint-Jean, il en restait un. Dans ce vallon funeste, au pied de cette pente gravie par les cuirassiers, inondée maintenant par les masses anglaises, sous les feux convergents de l'artillerie ennemie victorieuse, sous une effroyable densité de projectiles, ce carré luttait. Il était commandé par un officier obscur nommé Cambronne. A chaque décharge, le carré diminuait, et ripostait. Il répliquait à la mitraille par la fusillade, rétrécissant continuellement ses quatre murs. De loin les fuyards, s'arrêtant par moment essoufflés, écoutaient dans les ténèbres ce sombre tonnerre décroissant.

Quand cette légion ne fut plus qu'une poignée, quand leur drapeau ne fut plus qu'une loque, quand leurs fusils épuisés de balles ne furent plus que des bâtons, quand le tas de cadavres fut plus grand que le groupe vivant, il y eut parmi les vainqueurs une sorte de terreur sacrée autour de ces mourants sublimes, et l'artillerie anglaise, reprenant haleine, fit silence. Ce fut une espèce de répit. Ces combattants avaient autour d'eux comme un fourmillement de spectres, des silhouettes d'hommes à cheval, le profil noir des canons, le ciel blanc aperçu à travers les roues et les affûts; la colossale tête de mort que les héros entrevoient toujours dans la fumée au fond de la bataille, s'avançait sur eux et les regardait. Ils

purent entendre dans l'ombre crépusculaire qu'on chargeait
les pièces, les mèches allumées pareilles à des yeux de tigre
dans la nuit firent un cercle autour de leurs têtes, tous les
boute-feu des batteries anglaises s'approchèrent des canons,
et alors, ému, tenant la minute suprême suspendue au-dessus
de ces hommes, un général anglais, Colville selon les uns,
Maitland selon les autres, leur cria : Braves français, rendez-
vous ! Cambronne répondit : Merde [1] !

XV

CAMBRONNE

Le lecteur français voulant être respecté, le plus beau mot
peut-être qu'un français ait jamais dit ne peut lui être répété.
Défense de déposer du sublime dans l'histoire.

A nos risques et périls, nous enfreignons cette défense.

Donc, parmi tous ces géants, il y eut un titan, Cambronne.

Dire ce mot, et mourir ensuite. Quoi de plus grand ! car
c'est mourir que de le vouloir, et ce n'est pas la faute de cet
homme, si, mitraillé, il a survécu.

L'homme qui a gagné la bataille de Waterloo, ce n'est pas
Napoléon en déroute, ce n'est pas Wellington pliant à quatre
heures, désespéré à cinq, ce n'est pas Blücher qui ne s'est
point battu; l'homme qui a gagné la bataille de Waterloo,
c'est Cambronne.

Foudroyer d'un tel mot le tonnerre qui vous tue, c'est
vaincre.

Faire cette réponse à la catastrophe, dire cela au destin,
donner cette base au lion futur [2], jeter cette réplique à la pluie
de la nuit, au mur traître de Hougomont, au chemin creux
d'Ohain, au retard de Grouchy, à l'arrivée de Blücher, être
l'ironie dans le sépulcre, faire en sorte de rester debout après
qu'on sera tombé, noyer dans deux syllabes la coalition européenne, offrir aux rois ces latrines déjà connues des césars,
faire du dernier des mots le premier en y mêlant l'éclair de la

France, clore insolemment Waterloo par le mardi gras, compléter Léonidas par Rabelais, résumer cette victoire dans une parole suprême impossible à prononcer, perdre le terrain et garder l'histoire, après ce carnage avoir pour soi les rieurs, c'est immense.

C'est l'insulte à la foudre. Cela atteint la grandeur eschylienne.

Le mot de Cambronne fait l'effet d'une fracture[1]. C'est la fracture d'une poitrine par le dédain; c'est le trop-plein de l'agonie qui fait explosion. Qui a vaincu? Est-ce Wellington? Non. Sans Blücher il était perdu. Est-ce Blücher? Non. Si Wellington n'eût pas commencé, Blücher n'aurait pu finir. Ce Cambronne, ce passant de la dernière heure, ce soldat ignoré, cet infiniment petit de la guerre, sent qu'il y a là un mensonge, un mensonge dans une catastrophe, redoublement poignant, et, au moment où il en éclate de rage, on lui offre cette dérision, la vie! Comment ne pas bondir?

Ils sont là, tous les rois de l'Europe, les généraux heureux, les Jupiters tonnants, ils ont cent mille soldats victorieux, et derrière les cent mille, un million, leurs canons, mèche allumée, sont béants, ils ont sous leurs talons la garde impériale et la grande armée, ils viennent d'écraser Napoléon, et il ne reste plus que Cambronne; il n'y a plus pour protester que ce ver de terre. Il protestera. Alors il cherche un mot comme on cherche une épée. Il lui vient de l'écume, et cette écume, c'est le mot. Devant cette victoire prodigieuse et médiocre, devant cette victoire sans victorieux, ce désespéré se redresse; il en subit l'énormité, mais il en constate le néant; et il fait plus que cracher sur elle; et sous l'accablement du nombre, de la force et de la matière, il trouve à l'âme une expression, l'excrément. Nous le répétons. Dire cela, faire cela, trouver cela, c'est être le vainqueur.

L'esprit des grands jours entra dans cet homme inconnu à cette minute fatale. Cambronne trouve le mot de Waterloo comme Rouget de l'Isle trouve la Marseillaise, par visitation du souffle d'en haut. Un effluve de l'ouragan divin se détache et vient passer à travers ces hommes, et ils tressaillent, et l'un chante le chant suprême et l'autre pousse le cri terrible. Cette parole du dédain titanique, Cambronne ne la jette pas seulement à l'Europe au nom de l'empire, ce serait peu; il la jette au passé au nom de la révolution. On l'entend, et l'on reconnaît dans Crambronne la vieille âme des géants. Il semble que c'est Danton qui parle ou Kléber qui rugit.

Au mot de Cambronne, la voix anglaise répondit : feu! les batteries flamboyèrent, la colline trembla, de toutes ces bouches d'airain sortit un dernier vomissement de mitraille, épouvantable, une vaste fumée, vaguement blanchie du lever de la lune, roula, et quand la fumée se dissipa, il n'y avait plus rien. Ce reste formidable était anéanti; la garde était morte. Les quatre murs de la redoute vivante gisaient, à peine distinguait-on çà et là un tressaillement parmi les cadavres; et c'est ainsi que les légions françaises, plus grandes que les légions romaines, expirèrent à Mont-Saint-Jean sur la terre mouillée de pluie et de sang, dans les blés sombres, à l'endroit où passe maintenant, à quatre heures du matin, en sifflant et en fouettant gaîment son cheval, Joseph, qui fait le service de la malle-poste de Nivelles[1].

XVI

QUOT LIBRAS IN DUCE?[2]

La bataille de Waterloo est une énigme. Elle est aussi obscure pour ceux qui l'ont gagnée que pour celui qui l'a perdue. Pour Napoléon, c'est une panique[*]. Blücher n'y voit que du feu; Wellington n'y comprend rien. Voyez les rapports. Les bulletins sont confus, les commentaires sont embrouillés. Ceux-ci balbutient, ceux-là bégayent. Jomini partage la bataille de Waterloo en quatre moments; Muffling la coupe en trois péripéties; Charras, quoique sur quelques points nous ayons une autre appréciation que lui, a seul saisi de son fier coup d'œil les linéaments caractéristiques de cette catastrophe du génie humain aux prises avec le hasard divin. Tous les autres historiens ont un certain éblouissement, et dans cet éblouissement ils tâtonnent. Journée fulgurante, en effet,

---

[*] « Une bataille terminée, une journée finie, de fausses mesures réparées, de plus grands succès assurés pour le lendemain, tout fut perdu par un moment de terreur panique. »

(Napoléon. *Dictées de Sainte-Hélène.*)

écroulement de la monarchie militaire qui, à la grande stupeur des rois, a entraîné tous les royaumes, chute de la force, déroute de la guerre.

Dans cet événement, empreint de nécessité surhumaine, la part des hommes n'est rien.

Retirer Waterloo à Wellington et à Blücher, est-ce ôter quelque chose à l'Angleterre et à l'Allemagne? Non. Ni cette illustre Angleterre ni cette auguste Allemagne ne sont en question dans le problème de Waterloo. Grâce au ciel, les peuples sont grands en dehors des lugubres aventures de l'épée. Ni l'Allemagne, ni l'Angleterre, ni la France, ne tiennent dans un fourreau. Dans cette époque où Waterloo n'est qu'un cliquetis de sabres, au-dessus de Blücher l'Allemagne a Gœthe et au-dessus de Wellington l'Angleterre a Byron[1]. Un vaste lever d'idées est propre à notre siècle, et dans cette aurore l'Angleterre et l'Allemagne ont leur lueur magnifique. Elles sont majestueuses par ce qu'elles pensent. L'élévation de niveau qu'elles apportent à la civilisation leur est intrinsèque; il vient d'elles-mêmes, et non d'un accident. Ce qu'elles ont d'agrandissement au dix-neuvième siècle n'a point Waterloo pour source. Il n'y a que les peuples barbares qui aient des crues subites après une victoire. C'est la vanité passagère des torrents enflés d'un orage. Les peuples civilisés, surtout au temps où nous sommes, ne se haussent ni ne s'abaissent par la bonne ou mauvaise fortune d'un capitaine. Leur poids spécifique dans le genre humain résulte de quelque chose de plus qu'un combat. Leur honneur, Dieu merci, leur dignité, leur lumière, leur génie, ne sont pas des numéros que les héros et les conquérants, ces joueurs, peuvent mettre à la loterie des batailles. Souvent bataille perdue, progrès conquis. Moins de gloire, plus de liberté. Le tambour se tait, la raison prend la parole. C'est le jeu à qui perd gagne. Parlons donc de Waterloo froidement des deux côtés. Rendons au hasard ce qui est au hasard et à Dieu ce qui est à Dieu[2]. Qu'est-ce que Waterloo? Une victoire? Non. Un quine.

Quine gagné par l'Europe, payé par la France.

Ce n'était pas beaucoup la peine de mettre là un lion.

Waterloo du reste est la plus étrange rencontre qui soit dans l'histoire. Napoléon et Wellington. Ce ne sont pas des ennemis, ce sont des contraires. Jamais Dieu, qui se plaît aux antithèses, n'a fait un plus saisissant contraste et une confrontation plus

extraordinaire. D'un côté la précision, la prévision, la géométrie, la prudence, la retraite assurée, les réserves ménagées, un
sang-froid opiniâtre, une méthode imperturbable, la stratégie
qui profite du terrain, la tactique qui équilibre les bataillons,
le carnage tiré au cordeau, la guerre réglée montre en main,
rien laissé volontairement au hasard, le vieux courage classique,
la correction absolue; de l'autre l'intuition, la divination,
l'étrangeté militaire, l'instinct surhumain, le coup d'œil flam-
boyant, on ne sait quoi qui regarde comme l'aigle et qui frappe
comme la foudre, un art prodigieux dans une impétuosité
dédaigneuse, tous les mystères d'une âme profonde, l'association avec le destin, le fleuve, la plaine, la forêt, la colline,
sommés et en quelque sorte forcés d'obéir, le despote allant
jusqu'à tyranniser le champ de bataille, la foi à l'étoile mêlée
à la science stratégique, la grandissant, mais la troublant.
Wellington était le Barême de la guerre, Napoléon en était le
Michel-Ange; et cette fois le génie fut vaincu par le calcul.

Des deux côtés on attendait quelqu'un. Ce fut le calculateur
exact qui réussit. Napoléon attendait Grouchy; il ne vint pas.
Wellington attendait Blücher; il vint.

Wellington, c'est la guerre classique qui prend sa revanche.
Bonaparte, à son aurore, l'avait rencontrée en Italie, et superbe-
ment battue. La vieille chouette avait fui devant le jeune vautour. L'ancienne tactique avait été non seulement foudroyée,
mais scandalisée. Qu'était-ce que ce corse de vingt-six ans, que
signifiait cet ignorant splendide qui, ayant tout contre lui, rien
pour lui, sans vivres, sans munitions, sans canons, sans souliers, presque sans armée, avec une poignée d'hommes contre
des masses, se ruait sur l'Europe coalisée, et gagnait absurde-
ment des victoires dans l'impossible? D'où sortait ce forcené
foudroyant qui, presque sans reprendre haleine, et avec le
même jeu de combattants dans la main, pulvérisait l'une après
l'autre les cinq armées de l'empereur d'Allemagne, culbutant
Beaulieu sur Alvinzi, Wurmser sur Beaulieu, Mélas sur
Wurmser, Mack sur Mélas? Qu'était-ce que ce nouveau venu
de la guerre ayant l'effronterie d'un astre? L'école académique
militaire l'excommuniait en lâchant pied. De là une implacable
rancune du vieux césarisme contre le nouveau, du sabre correct
contre l'épée flamboyante, et de l'échiquier contre le génie[1].
Le 18 juin 1815, cette rancune eut le dernier mot, et au-dessous
de Lodi, de Montebello, de Montenotte, de Mantoue, de

Marengo, d'Arcole, elle écrivit : Waterloo. Triomphe des médiocres, doux aux majorités. Le destin consentit à cette ironie. A son déclin, Napoléon retrouva devant lui Wurmser jeune.

Pour avoir Wurmser en effet, il suffit de blanchir les cheveux de Wellington.

Waterloo est une bataille du premier ordre gagnée par un capitaine du second.

Ce qu'il faut admirer dans la bataille de Waterloo, c'est l'Angleterre, c'est la fermeté anglaise, c'est la résolution anglaise, c'est le sang anglais; ce que l'Angleterre a eu là de superbe, ne lui en déplaise, c'est elle-même. Ce n'est pas son capitaine, c'est son armée.

Wellington, bizarrement ingrat, déclare dans une lettre à lord Bathurst que son armée, l'armée qui a combattu le 18 juin 1815, était une « détestable armée ». Qu'en pense cette sombre mêlée d'ossements enfouis sous les sillons de Waterloo?

L'Angleterre a été trop modeste vis-à-vis de Wellington. Faire Wellington si grand, c'est faire l'Angleterre petite. Wellington n'est qu'un héros comme un autre. Ces écossais gris, ces horse-guards, ces régiments de Maitland et de Mitchell, cette infanterie de Pack et de Kempt, cette cavalerie de Ponsonby et de Somerset, ces highlanders jouant du pibroch sous la mitraille, ces bataillons de Rylandt, ces recrues toutes fraîches qui savaient à peine manier le mousquet tenant tête aux vieilles bandes d'Essling et de Rivoli, voilà ce qui est grand. Wellington a été tenace, ce fut là son mérite, et nous ne le lui marchandons pas, mais le moindre de ses fantassins et de ses cavaliers a été tout aussi solide que lui. L'iron-soldier vaut l'iron-duke. Quant à nous, toute notre glorification va au soldat anglais, à l'armée anglaise, au peuple anglais. Si trophée il y a, c'est à l'Angleterre que le trophée est dû. La colonne de Waterloo serait plus juste si au lieu de la figure d'un homme, elle élevait dans la nue la statue d'un peuple.

Mais cette grande Angleterre s'irritera de ce que nous disons ici. Elle a encore, après son 1688 et notre 1789, l'illusion féodale. Elle croit à l'hérédité et à la hiérarchie. Ce peuple, qu'aucun ne dépasse en puissance et en gloire, s'estime comme nation, non comme peuple. En tant que peuple, il se subordonne volontiers et prend un lord pour une tête. Workman, il se laisse dédaigner; soldat, il se laisse bâtonner. On se souvient qu'à la bataille d'Inkermann un sergent qui, à ce qu'il paraît, avait sauvé l'armée, ne put être mentionné par lord Raglan, la hiérarchie militaire anglaise ne permettant de citer dans un rapport aucun héros au-dessous du grade d'officier.

Ce que nous admirons par-dessus tout, dans une rencontre du genre de celle de Waterloo, c'est la prodigieuse habileté du hasard. Pluie nocturne, mur de Hougomont, chemin creux d'Ohain, Grouchy sourd au canon, guide de Napoléon qui le trompe, guide de Bülow qui l'éclaire; tout ce cataclysme est merveilleusement conduit.

Au total, disons-le, il y eut à Waterloo plus de massacre que de bataille.

Waterloo est de toutes les batailles rangées celle qui a le plus petit front sur un tel nombre de combattants. Napoléon, trois quarts de lieue, Wellington, une demi-lieue; soixante-douze mille combattants de chaque côté. De cette épaisseur vint le carnage.

On a fait ce calcul et établi cette proportion : Perte d'hommes : à Austerlitz, français, quatorze pour cent, russes, trente pour cent; autrichiens, quarante-quatre pour cent. A Wagram, français, treize pour cent; autrichiens, quatorze. A la Moskowa, français, trente-sept pour cent; russes, quarante-quatre. A Bautzen, français, treize pour cent; russes et prussiens, quatorze. A Waterloo, français, cinquante-six pour cent; alliés, trente et un. Total pour Waterloo, quarante et un pour cent. Cent quarante-quatre mille combattants; soixante mille morts.

Le champ de Waterloo aujourd'hui a le calme qui appartient à la terre, support impassible de l'homme, et il ressemble à toutes les plaines.

La nuit pourtant une espèce de brume visionnaire s'en dégage, et si quelque voyageur s'y promène, s'il regarde, s'il écoute, s'il rêve comme Virgile devant les funestes plaines de Philippes, l'hallucination de la catastrophe le saisit. L'effrayant 18 juin revit; la fausse colline-monument s'efface, ce lion quelconque se dissipe, le champ de bataille reprend sa réalité; des lignes d'infanterie ondulent dans la plaine, des galops furieux traversent l'horizon; le songeur effaré voit l'éclair des sabres, l'étincelle des bayonnettes, le flamboiement des bombes, l'entre-croisement monstrueux des tonnerres; il entend, comme un râle au fond d'une tombe, la clameur vague de la bataille fantôme; ces ombres, ce sont les grenadiers; ces lueurs,

ce sont les cuirassiers; ce squelette, c'est Napoléon; ce squelette, c'est Wellington; tout cela n'est plus et se heurte et
combat encore; et les ravins s'empourprent, et les arbres
frissonnent, et il y a de la furie jusque dans les nuées, et,
dans les ténèbres, toutes ces hauteurs farouches, Mont-Saint-
Jean, Hougomont, Frischemont, Papelotte, Plancenoit, appa-
raissent confusément couronnées de tourbillons de spectres
s'exterminant[1].

XVII

FAUT-IL TROUVER BON WATERLOO ?

Il existe une école libérale très respectable qui ne hait point
Waterloo. Nous n'en sommes pas. Pour nous, Waterloo n'est
que la date stupéfaite de la liberté. Qu'un tel aigle sorte d'un
tel œuf, c'est à coup sûr l'inattendu.

Waterloo, si l'on se place au point de vue culminant de la
question, est intentionnellement une victoire contre-révolu-
tionnaire. C'est l'Europe contre la France, c'est Pétersbourg,
Berlin et Vienne contre Paris, c'est le *statu quo* contre l'initiative, c'est le 14 juillet 1789 attaqué à travers le 20 mars 1815,
c'est le branle-bas des monarchies contre l'indomptable émeute
française. Éteindre enfin ce vaste peuple en éruption depuis
vingt-six ans, tel était le rêve. Solidarité des Brunswick, des
Nassau, des Romanoff, des Hohenzollern, des Habsbourg,
avec les Bourbons. Waterloo porte en croupe le droit divin.
Il est vrai que, l'empire ayant été despotique, la royauté, par
la réaction naturelle des choses, devait forcément être libérale,
et qu'un ordre constitutionnel à contre-cœur est sorti de
Waterloo, au grand regret des vainqueurs. C'est que la révolution ne peut être vraiment vaincue, et qu'étant providentielle
et absolument fatale, elle reparaît toujours, avant Waterloo,
dans Bonaparte jetant bas les vieux trônes, après Waterloo,
dans Louis XVIII octroyant et subissant la Charte. Bonaparte
met un postillon sur le trône de Naples et un sergent sur le
trône de Suède[2], employant l'inégalité à démontrer l'égalité;
Louis XVIII à Saint-Ouen contresigne la déclaration des droits

de l'homme. Voulez-vous vous rendre compte de ce que c'est que la révolution, appelez-la Progrès; et voulez-vous vous rendre compte de ce que c'est que le progrès, appelez-le Demain. Demain fait irrésistiblement son œuvre, et il la fait dès aujourd'hui. Il arrive toujours à son but, étrangement. Il emploie Wellington à faire de Foy, qui n'était qu'un soldat, un orateur. Foy tombe à Hougomont et se relève à la tribune. Ainsi procède le progrès. Pas de mauvais outil pour cet ouvrier-là. Il ajuste à son travail divin, sans se déconcerter, l'homme qui a enjambé les Alpes, et le bon vieux malade chancelant du père Elysée[1]. Il se sert du podagre comme du conquérant; du conquérant au dehors, du podagre au dedans. Waterloo, en coupant court à la démolition des trônes européens par l'épée, n'a eu d'autre effet que de faire continuer le travail révolutionnaire d'un autre côté. Les sabreurs ont fini, c'est le tour des penseurs. Le siècle que Waterloo voulait arrêter a marché dessus et a poursuivi sa route. Cette victoire sinistre a été vaincue par la liberté.

En somme, et incontestablement, ce qui triomphait à Waterloo, ce qui souriait derrière Wellington, ce qui lui apportait tous les bâtons de maréchal de l'Europe, y compris, dit-on, le bâton de maréchal de France, ce qui roulait joyeusement les brouettées de terre pleine d'ossements pour élever la butte du lion, ce qui a triomphalement écrit sur ce piédestal cette date : *18 juin 1815*, ce qui encourageait Blücher sabrant la déroute, ce qui du haut du plateau de Mont-Saint-Jean se penchait sur la France comme sur une proie, c'était la contre-révolution. C'est la contre-révolution qui murmurait ce mot infâme : démembrement. Arrivée à Paris, elle a vu le cratère de près, elle a senti que cette cendre lui brûlait les pieds, et elle s'est ravisée. Elle est revenue au bégayement d'une charte.

Ne voyant dans Waterloo que ce qui est dans Waterloo. De liberté intentionnelle, point. La contre-révolution était involontairement libérale, de même que, par un phénomène correspondant, Napoléon était involontairement révolutionnaire. Le 18 juin 1815, Robespierre à cheval fut désarçonné.

XVIII[1]

RECRUDESCENCE DU DROIT DIVIN

Fin de la dictature. Tout un système d'Europe croula.

L'empire s'affaissa dans une ombre qui ressembla à celle du monde romain expirant. On revit de l'abîme comme au temps des barbares. Seulement la barbarie de 1815, qu'il faut nommer de son petit nom, la contre-révolution, avait peu d'haleine, s'essoufla vite, et resta court. L'empire, avouons-le, fut pleuré, et pleuré par des yeux héroïques. Si la gloire est dans le glaive fait sceptre, l'empire avait été la gloire même. Il avait répandu sur la terre toute la lumière que la tyrannie peut donner; lumière sombre. Disons plus : lumière obscure. Comparée au vrai jour, c'est de la nuit. Cette disparition de la nuit fit l'effet d'une éclipse.

Louis XVIII rentra dans Paris. Les danses en rond du 8 juillet effacèrent les enthousiasmes du 20 mars[2]. Le corse devint l'antithèse du béarnais. Le drapeau du dôme des Tuileries fut blanc. L'exil trôna. La table de sapin de Hartwell prit place devant le fauteuil fleurdelysé de Louis XIV. On parla de Bouvines et de Fontenoy comme d'hier, Austerlitz ayant vieilli. L'autel et le trône fraternisèrent majestueusement. Une des formes les plus incontestées du salut de la société au dix-neuvième siècle s'établit sur la France et sur le continent. L'Europe prit la cocarde blanche. Trestaillon fut célèbre[3]. La devise *non pluribus impar* reparut dans des rayons de pierre figurant un soleil sur la façade de la caserne du quai d'Orsay. Où il y avait eu une garde impériale, il y eut une maison rouge. L'arc du carrousel, tout chargé de victoires mal portées, dépaysé dans ces nouveautés, un peu honteux peut-être de Marengo et d'Arcole, se tira d'affaire avec la statue du duc d'Angoulême. Le cimetière de la Madeleine, redoutable fosse commune de 93, se couvrit de marbre et de jaspe, les os de Louis XVI et de Marie-Antoinette étant dans cette poussière. Dans le fossé de Vincennes, un cippe sépulcral sortit de terre, rappelant que le duc d'Enghien était mort dans le mois même où Napoléon avait été couronné. Le pape Pie VII, qui avait fait ce sacre très près de cette mort, bénit tranquillement la chute comme il avait béni l'élévation. Il y eut à Schœnbrunn une petite ombre âgée de quatre ans qu'il fut séditieux d'appeler le roi de Rome. Et ces choses se sont faites, et ces rois ont repris leurs trônes, et le maître de l'Europe a été mis dans une cage, et l'ancien régime est devenu le nouveau, et toute l'ombre et toute la lumière de la terre ont changé de place, parce que, dans l'après-midi d'un jour d'été, un pâtre a dit à un prussien dans un bois : passez par ici et non par là !

Ce 1815 fut une sorte d'avril lugubre. Les vieilles réalités malsaines et vénéneuses se couvrirent d'apparences neuves. Le mensonge épousa 1789, le droit divin se masqua d'une charte, les fictions se firent constitutionnelles, les préjugés, les superstitions et les arrière pensées, avec l'article 14[1] au cœur, se vernirent de libéralisme. Changement de peau des serpents.

L'homme avait été à la fois agrandi et amoindri par Napoléon. L'idéal, sous ce règne de la matière splendide, avait reçu le nom étrange d'idéologie. Grave imprudence d'un grand homme, tourner en dérision l'avenir. Les peuples cependant, cette chair à canon si amoureuse du canonnier, le cherchaient des yeux. Où est-il ? Que fait-il ? Napoléon est mort, disait un passant à un invalide de Marengo et de Waterloo. — *Lui mort !* s'écria ce soldat, *vous le connaissez bien !* Les imaginations déifiaient cet homme terrassé. Le fond de l'Europe, après Waterloo, fut ténébreux. Quelque chose d'énorme resta longtemps vide par l'évanouissement de Napoléon.

Les rois se mirent dans ce vide. La vieille Europe en profita pour se reformer. Il y eut une Sainte-Alliance. Belle-Alliance, avait dit d'avance le champ fatal de Waterloo.

En présence et en face de cette antique Europe refaite, les linéaments d'une France nouvelle s'ébauchèrent. L'avenir, raillé par l'empereur, fit son entrée. Il avait sur le front cette étoile, Liberté. Les yeux ardents des jeunes générations se tournèrent vers lui. Chose singulière, on s'éprit en même temps de cet avenir, Liberté, et de ce passé, Napoléon. La défaite avait grandi le vaincu. Bonaparte tombé semblait plus haut que Napoléon debout. Ceux qui avaient triomphé eurent peur. L'Angleterre le fit garder par Hudson Lowe et la France le fit guetter par Montchenu. Ses bras croisés devinrent l'inquiétude des trônes. Alexandre le nommait : mon insomnie. Cet effroi venait de la quantité de révolution qu'il avait en lui. C'est ce qui explique et excuse le libéralisme bonapartiste. Ce fantôme donnait le tremblement au vieux monde. Les rois régnèrent mal à leur aise, avec le rocher de Sainte-Hélène à l'horizon.

Pendant que Napoléon agonisait à Longwood, les soixante mille hommes tombés dans le champ de Waterloo pourrirent tranquillement, et quelque chose de leur paix se répandit dans le monde. Le congrès de Vienne en fit les traités de 1815, et l'Europe nomma cela la restauration.

Voilà ce que c'est que Waterloo.

Mais qu'importe à l'infini? toute cette tempête, tout ce nuage, cette guerre, puis cette paix, toute cette ombre, ne troubla pas un moment la lueur de l'œil immense devant lequel un puceron sautant d'un brin d'herbe à l'autre égale l'aigle volant de clocher en clocher aux tours de Notre-Dame.

XIX

LE CHAMP DE BATAILLE LA NUIT

Revenons, c'est une nécessité de ce livre, sur ce fatal champ de bataille[1].

Le 18 juin 1815, c'était pleine lune. Cette clarté favorisa la poursuite féroce de Blücher, dénonça les traces des fuyards, livra cette masse désastreuse à la cavalerie prussienne acharnée, et aida au massacre. Il y a parfois dans les catastrophes de ces tragiques complaisances de la nuit.

Après le dernier coup de canon tiré, la plaine de Mont-Saint-Jean resta déserte.

Les anglais occupèrent le campement des français, c'est la constatation habituelle de la victoire; coucher dans le lit du vaincu. Ils établirent leur bivouac au delà de Rossomme. Les prussiens, lâchés sur la déroute, poussèrent en avant. Wellington alla au village de Waterloo rédiger son rapport à lord Bathurst.

Si jamais le *sic vos non vobis* a été applicable, c'est à coup sûr à ce village de Waterloo. Waterloo n'a rien fait, et est resté à une demi-lieue de l'action. Mont-Saint-Jean a été canonné, Hougomont a été brûlé, Papelotte a été brûlé, Plancenoit a été brûlé, la Haie-Sainte a été prise d'assaut, la Belle-Alliance a vu l'embrassement des deux vainqueurs; on sait à peine ces noms, et Waterloo qui n'a point travaillé dans la bataille en a tout l'honneur.

Nous ne sommes pas de ceux qui flattent la guerre; quand l'occasion s'en présente, nous lui disons ses vérités. La guerre a d'affreuses beautés que nous n'avons point cachées; elle a aussi, convenons-en, quelques laideurs. Une des plus surprenantes, c'est le prompt dépouillement des morts après la victoire. L'aube qui suit une bataille se lève toujours sur des cadavres nus.

Qui fait cela? Qui souille ainsi le triomphe? Quelle est cette hideuse main furtive qui se glisse dans la poche de la victoire? Quels sont ces filous faisant leur coup derrière la gloire? Quelques philosophes, Voltaire entre autres, affirment que ce sont précisément ceux-là qui ont fait la gloire. Ce sont les mêmes, disent-ils, il n'y a pas de rechange, ceux qui sont debout pillent ceux qui sont à terre. Le héros du jour est le vampire de la nuit. On a bien le droit, après tout, de détrousser un peu un cadavre dont on est l'auteur. Quant à nous, nous ne le croyons pas. Cueillir des lauriers et voler les souliers d'un mort, cela nous semble impossible à la même main.

Ce qui est certain, c'est que, d'ordinaire, après les vainqueurs viennent les voleurs. Mais mettons le soldat, surtout le soldat contemporain, hors de cause.

Toute armée a une queue, et c'est là ce qu'il faut accuser. Des êtres chauves-souris, mi-partis brigands et valets, toutes les espèces de vespertilio qu'engendre ce crépuscule qu'on appelle la guerre, des porteurs d'uniformes qui ne combattent pas, de faux malades, des éclopés redoutables, des cantiniers interlopes trottant, quelquefois avec leurs femmes, sur de petites charrettes et volant ce qu'ils revendent, des mendiants s'offrant pour guides aux officiers, des goujats, des maraudeurs, les armées en marche autrefois, — nous ne parlons pas du temps présent, — traînaient tout cela, si bien que, dans la langue spéciale [1], cela s'appelait « les traînards ». Aucune armée ni aucune nation n'étaient responsables de ces êtres; ils parlaient italien et suivaient les allemands; ils parlaient français et suivaient les anglais.

C'est par un de ces misérables, traînard espagnol qui parlait

français, que le marquis de Fervacques, trompé par son bara-
gouin picard, et le prenant pour un des nôtres, fut tué en
traître et volé sur le champ de bataille même, dans la nuit
qui suivit la victoire de Cerisoles. De la maraude naissait le
maraud. La détestable maxime : *vivre sur l'ennemi,* produisait
cette lèpre, qu'une forte discipline pouvait seule guérir. Il y a
des renommées qui trompent ; on ne sait pas toujours pourquoi
de certains généraux, grands d'ailleurs, ont été si populaires.
Turenne était adoré de ses soldats parce qu'il tolérait le
pillage ; le mal permis fait partie de la bonté ; Turenne était si
bon qu'il a laissé mettre à feu et à sang le Palatinat. On voyait
à la suite des armées moins ou plus de maraudeurs selon que le
chef était plus ou moins sévère. Hoche et Marceau n'avaient
point de traînards ; Wellington, nous lui rendons volontiers
cette justice, en avait peu.

Pourtant, dans la nuit du 18 au 19 juin, on dépouilla les
morts. Wellington fut rigide ; ordre de passer par les armes
quiconque serait pris en flagrant délit ; mais la rapine est
tenace. Les maraudeurs volaient dans un coin du champ de
bataille pendant qu'on les fusillait dans l'autre.

La lune était sinistre sur cette plaine.

Vers minuit, un homme rôdait, ou plutôt rampait, du
côté du chemin creux d'Ohain. C'était, selon toute apparence,
un de ceux que nous venons de caractériser [1], ni anglais, ni
français, ni paysan, ni soldat, moins homme que goule, attiré
par le flair des morts, ayant pour victoire le vol, venant déva-
liser Waterloo. Il était vêtu d'une blouse qui était un peu une
capote, il était inquiet et audacieux, il allait devant lui et
regardait derrière lui. Qu'était-ce que cet homme [2] ? La nuit
probablement en savait plus sur son compte que le jour. Il
n'avait point de sac, mais évidemment de larges poches sous sa
capote. De temps en temps, il s'arrêtait, examinait la plaine
autour de lui comme pour voir s'il n'était pas observé, se
penchait brusquement, dérangeait à terre quelque chose de
silencieux et d'immobile, puis se redressait et s'esquivait. Son
glissement, ses attitudes, son geste rapide et mystérieux le
faisaient ressembler à ces larves crépusculaires qui hantent les
ruines et que les anciennes légendes normandes appellent les
Alleurs.

De certains échassiers nocturnes font de ces silhouettes dans
les marécages.

Un regard qui eût sondé attentivement toute cette brume eût pu remarquer, à quelque distance, arrêté et comme caché derrière la masure qui borde sur la chaussée de Nivelles l'angle de la route de Mont-Saint-Jean à Braine-l'Alleud, une façon de petit fourgon de vivandier à coiffe d'osier goudronnée, attelé d'une haridelle affamée broutant l'ortie à travers son mors, et dans ce fourgon une espèce de femme assise sur des coffres et des paquets. Peut-être y avait-il un lien entre ce fourgon et ce rôdeur.

L'obscurité était sereine. Pas un nuage au zénith. Qu'importe que la terre soit rouge, la lune reste blanche. Ce sont là les indifférences du ciel. Dans les prairies, des branches d'arbre cassées par la mitraille mais non tombées et retenues par l'écorce se balançaient doucement au vent de la nuit. Une haleine, presque une respiration, remuait les broussailles. Il y avait dans l'herbe des frissons qui ressemblaient à des départs d'âmes[1].

On entendait vaguement au loin aller et venir les patrouilles et les rondes-major du campement anglais.

Hougomont et la Haie-Sainte continuaient de brûler, faisant, l'un à l'ouest, l'autre à l'est, deux grosses flammes auxquelles venait se rattacher, comme un collier de rubis dénoué ayant à ses extrémités deux escarboucles, le cordon de feux du bivouac anglais étalé en demi-cercle immense sur les collines de l'horizon.

Nous avons dit la catastrophe du chemin d'Ohain. Ce qu'avait été cette mort pour tant de braves, le cœur s'épouvante d'y songer.

Si quelque chose est effroyable, s'il existe une réalité qui dépasse le rêve, c'est ceci : vivre, voir le soleil, être en pleine possession de la force virile, avoir la santé et la joie, rire vaillamment, courir vers une gloire qu'on a devant soi, éblouissante, se sentir dans la poitrine un poumon qui respire, un cœur qui bat, une volonté qui raisonne, parler, penser, espérer, aimer, avoir une mère, avoir une femme, avoir des enfants, avoir la lumière, et tout à coup, le temps d'un cri, en moins d'une minute, s'effondrer dans un abîme, tomber, rouler, écraser, être écrasé, voir des épis de blé, des fleurs, des feuilles, des branches, ne pouvoir se retenir à rien, sentir son sabre inutile, des hommes sous soi, des chevaux sur soi, se débattre en vain, les os brisés par quelque ruade dans les ténèbres,

sentir un talon qui vous fait jaillir les yeux, mordre avec rage
des fers de chevaux, étouffer, hurler, se tordre, être là-dessous,
et se dire : tout à l'heure j'étais un vivant[1] !

Là où avait râlé ce lamentable désastre, tout faisait silence
maintenant. L'encaissement du chemin creux était comble de
chevaux et de cavaliers inextricablement amoncelés. Enche-
vêtrement terrible. Il n'y avait plus de talus. Les cadavres nive-
laient la route avec la plaine et venaient au ras du bord comme
un boisseau d'orge bien mesuré. Un tas de morts dans la partie
haute, une rivière de sang dans la partie basse; telle était cette
route le soir du 18 juin 1815. Le sang coulait jusque sur la
chaussée de Nivelles et s'y extravasait en une large mare devant
l'abatis d'arbres qui barrait la chaussée, à un endroit qu'on
montre encore. C'est, on s'en souvient, au point opposé, vers
la chaussée de Genappe, qu'avait eu lieu l'effondrement des
cuirassiers. L'épaisseur des cadavres se proportionnait à la
profondeur du chemin creux. Vers le milieu, à l'endroit où il
devenait plane, là où avait passé la division Delord, la couche
des morts s'amincissait.

Le rôdeur nocturne, que nous venons de faire entrevoir au
lecteur, allait de ce côté. Il furetait cette immense tombe. Il
regardait. Il passait on ne sait quelle hideuse revue des morts.
Il marchait les pieds dans le sang.

Tout à coup il s'arrêta.

A quelques pas devant lui, dans le chemin creux, au point
où finissait le monceau des morts, de dessous cet amas d'hommes et de chevaux, sortait une main ouverte, éclairée par la
lune.

Cette main avait au doigt quelque chose qui brillait, et qui
était un anneau d'or.

L'homme se courba, demeura un moment accroupi, et quand
il se releva, il n'y avait plus d'anneau à cette main.

Il ne se releva pas précisément; il resta dans une attitude
fauve et effarouchée, tournant le dos au tas de morts, scrutant
l'horizon, à genoux, tout l'avant du corps portant sur ses deux
index appuyés à terre, la tête guettant par-dessus le bord
du chemin creux. Les quatre pattes du chacal conviennent à
de certaines actions.

Puis, prenant son parti, il se dressa.

En ce moment il eut un soubresaut. Il sentit que par derrière
on le tenait.

Il se retourna; c'était la main ouverte qui s'était refermée et qui avait saisi le pan de sa capote.

Un honnête homme eût eu peur. Celui-ci se mit à rire.

— Tiens, dit-il, ce n'est que le mort. J'aime mieux un revenant qu'un gendarme.

Cependant la main défaillit et le lâcha. L'effort s'épuise vite dans la tombe.

— Ah! çà! reprit le rôdeur, est-il vivant, ce mort? Voyons donc.

Il se pencha de nouveau, fouilla le tas, écarta ce qui faisait obstacle, saisit la main, empoigna le bras, dégagea la tête, tira le corps, et quelques instants après il traînait dans l'ombre du chemin creux un homme inanimé, au moins évanoui. C'était un cuirassier, un officier, un officier même d'un certain rang; une grosse épaulette d'or sortait de dessous la cuirasse; cet officier n'avait plus de casque. Un furieux coup de sabre balafrait son visage où l'on ne voyait que du sang. Du reste, il ne semblait pas qu'il eût de membre cassé, et par quelque hasard heureux, si ce mot est possible ici, les morts s'étaient arc-boutés au-dessus de lui de façon à le garantir de l'écrasement. Ses yeux étaient fermés.

Il avait sur sa cuirasse la croix d'argent de la légion d'honneur.

Le rôdeur arracha cette croix qui disparut dans un des gouffres qu'il avait sous sa capote.

Après quoi, il tâta le gousset de l'officier, y sentit une montre et la prit. Puis il fouilla le gilet, y trouva une bourse et l'empocha.

Comme il en était à cette phase des secours qu'il portait à ce mourant, l'officier ouvrit les yeux.

— Merci, dit-il faiblement.

La brusquerie des mouvements de l'homme qui le maniait, la fraîcheur de la nuit, l'air respiré librement, l'avaient tiré de sa léthargie.

Le rôdeur ne répondit point. Il leva la tête. On entendait un bruit de pas dans la plaine; probablement quelque patrouille qui approchait.

L'officier murmura, car il y avait encore de l'agonie dans sa voix :

— Qui a gagné la bataille?

— Les anglais, répondit le rôdeur.

L'officier reprit :

— Cherchez dans mes poches. Vous y trouverez une bourse et une montre. Prenez-les.

C'était déjà fait.

Le rôdeur exécuta le semblant demandé, et dit :

— Il n'y a rien.

— On m'a volé, reprit l'officier; j'en suis fâché. C'eût été pour vous [1].

Les pas de la patrouille devenaient de plus en plus distincts.

— Voici qu'on vient, dit le rôdeur, faisant le mouvement d'un homme qui s'en va.

L'officier, soulevant péniblement le bras, le retint :

— Vous m'avez sauvé la vie. Qui êtes-vous?

Le rôdeur répondit vite et bas :

— J'étais comme vous de l'armée française. Il faut que je vous quitte. Si l'on me prenait, on me fusillerait. Je vous ai sauvé la vie. Tirez-vous d'affaire maintenant.

— Quel est votre grade?

— Sergent.

— Comment vous appelez-vous?

— Thénardier [2].

— Je n'oublierai pas ce nom, dit l'officier. Et vous, retenez le mien. Je me nomme Pontmercy.

LIVRE DEUXIÈME

LE VAISSEAU L'*ORION*

I

LE NUMÉRO 24601 DEVIENT LE NUMÉRO 9430[1]

JEAN VALJEAN avait été repris.

On nous saura gré de passer rapidement sur des détails douloureux. Nous nous bornons à transcrire deux entrefilets
publiés par les journaux du temps, quelques mois après les
évènements surprenants accomplis à Montreuil-sur-mer.

Ces articles sont un peu sommaires. On se souvient qu'il
n'existait pas encore à cette époque de *Gazette des Tribunaux*.

Nous empruntons le premier au *Drapeau blanc*. Il est daté du
25 juillet 1823 :

« — Un arrondissement du Pas-de-Calais vient d'être le
théâtre d'un événement peu ordinaire. Un homme étranger
au département et nommé M. Madeleine avait relevé depuis
quelques années, grâce à des procédés nouveaux, une ancienne
industrie locale, la fabrication des jais et des verroteries noires.
Il y avait fait sa fortune, et, disons-le, celle de l'arrondissement. En reconnaissance de ses services, on l'avait nommé
maire. La police a découvert que ce M. Madeleine n'était autre
qu'un ancien forçat en rupture de ban, condamné en 1796
pour vol, et nommé Jean Valjean. Jean Valjean a été réintégré au
bagne. Il paraît qu'avant son arrestation il avait réussi à retirer

de chez M. Laffitte une somme de plus d'un demi-million qu'il y avait placée, et qu'il avait, du reste, très légitimement, dit-on, gagnée dans son commerce. On n'a pu savoir où Jean Valjean avait caché cette somme depuis sa rentrée au bagne de Toulon. »

Le deuxième article, un peu plus détaillé, est extrait du *Journal de Paris,* même date.

« — Un ancien forçat libéré, nommé Jean Valjean, vient de comparaître devant la cour d'assises du Var dans des circonstances faites pour appeler l'attention. Ce scélérat était parvenu à tromper la vigilance de la police; il avait changé de nom et avait réussi à se faire nommer maire d'une de nos petites villes du nord. Il avait établi dans cette ville un commerce assez considérable. Il a été enfin démasqué et arrêté, grâce au zèle infatigable du ministère public. Il avait pour concubine une fille publique qui est morte de saisissement au moment de son arrestation. Ce misérable, qui est doué d'une force herculéenne, avait trouvé moyen de s'évader; mais, trois ou quatre jours après son évasion, la police mit de nouveau la main sur lui, à Paris même, au moment où il montait dans une de ces petites voitures qui font le trajet de la capitale au village de Montfermeil (Seine-et-Oise). On dit qu'il avait profité de l'intervalle de ces trois ou quatre jours de liberté pour rentrer en possession d'une somme considérable placée par lui chez un de nos principaux banquiers. On évalue cette somme à six ou sept cent mille francs. A en croire l'acte d'accusation, il l'aurait enfouie en un lieu connu de lui seul et l'on n'a pas pu la saisir. Quoi qu'il en soit, le nommé Jean Valjean vient d'être traduit aux assises du département du Var comme accusé d'un vol de grand chemin commis à main armée, il y a huit ans environ, sur la personne d'un de ces honnêtes enfants qui, comme l'a dit le patriarche de Ferney en vers immortels,

« ... De Savoie arrivent tous les ans
« Et dont la main légèrement essuie
« Ces longs canaux engorgés par la suie [1].

« Ce bandit a renoncé à se défendre. Il a été établi, par l'habile et éloquent organe du ministère public, que le vol avait été commis de complicité, et que Jean Valjean faisait partie d'une bande de voleurs dans le midi. En conséquence Jean Valjean, déclaré coupable, a été condamné à la peine de mort. Ce criminel avait refusé de se pourvoir en cassation. Le roi, dans son inépuisable clémence, a daigné commuer sa peine en celle des travaux forcés à perpétuité. Jean Valjean a été immédiatement dirigé sur le bagne de Toulon. »

On n'a pas oublié que Jean Valjean avait à Montreuil-sur-mer des habitudes religieuses. Quelques journaux, entre autres le *Constitutionnel,* présentèrent cette commutation comme un triomphe du parti prêtre.

Jean Valjean changea de chiffre au bagne. Il s'appela 9 430 [1].

Du reste, disons-le pour n'y plus revenir, avec M. Madeleine la prospérité de Montreuil-sur-mer disparut; tout ce qu'il avait prévu dans sa nuit de fièvre et d'hésitation se réalisa; lui de moins, ce fut en effet l'*âme de moins.* Après sa chute, il se fit à Montreuil-sur-mer ce partage égoïste des grandes existences tombées, ce fatal dépècement des choses florissantes qui s'accomplit tous les jours obscurément dans la communauté humaine et que l'histoire n'a remarqué qu'une fois, parce qu'il s'est fait après la mort d'Alexandre. Les lieutenants se couronnent rois; les contre-maîtres s'improvisèrent fabricants. Les rivalités envieuses surgirent. Les vastes ateliers de M. Madeleine furent fermés; les bâtiments tombèrent en ruine, les ouvriers se dispersèrent. Les uns quittèrent le pays, les autres quittèrent le métier. Tout se fit désormais en petit, au lieu de se faire en grand; pour le lucre, au lieu de se faire pour le bien. Plus de centre; la concurrence partout, et l'acharnement. M. Madeleine dominait tout, et dirigeait. Lui tombé, chacun tira à soi; l'esprit de lutte succéda à l'esprit d'organisation, l'âpreté à la cordialité, la haine de l'un contre l'autre à la bienveillance du fondateur pour tous; les fils noués par M. Madeleine se brouillèrent et se rompirent; on falsifia les procédés, on avilit les produits, on tua la confiance; les débouchés diminuèrent, moins de commandes; le salaire baissa, les ateliers chômèrent, la faillite vint. Et puis plus rien pour les pauvres. Tout s'évanouit [2].

L'état lui-même s'aperçut que quelqu'un avait été écrasé [3] quelque part. Moins de quatre ans après l'arrêt de la cour d'assises constatant au profit du bagne l'identité de M. Madeleine et de Jean Valjean, les frais de perception de l'impôt étaient doublés dans l'arrondissement de Montreuil-sur-mer, et M. de Villèle en faisait l'observation à la tribune au mois de février 1827.

II

OÙ ON LIRA DEUX VERS QUI SONT PEUT-ÊTRE DU DIABLE

AVANT d'aller plus loin, il est à propos de raconter avec quelque détail un fait singulier qui se passa vers la même époque à Montfermeil et qui n'est peut-être pas sans coïncidence avec certaines conjectures du ministère public.

Il y a dans le pays de Montfermeil une superstition très ancienne, d'autant plus curieuse et d'autant plus précieuse qu'une superstition populaire dans le voisinage de Paris est comme un aloès en Sibérie. Nous sommes de ceux qui respectent tout ce qui est à l'état de plante rare. Voici donc la superstition de Montfermeil. On croit que le diable a, de temps immémorial, choisi la forêt pour y cacher ses trésors. Les bonnes femmes affirment qu'il n'est pas rare de rencontrer, à la chute du jour, dans les endroits écartés du bois, un homme noir, ayant la mine d'un charretier ou d'un bûcheron, chaussé de sabots, vêtu d'un pantalon et d'un sarrau de toile, et reconnaissable en ce qu'au lieu de bonnet ou de chapeau il a deux immenses cornes sur la tête. Ceci doit le rendre reconnaissable en effet. Cet homme est habituellement occupé à creuser un trou. Il y a trois manières de tirer parti de cette rencontre. La première, c'est d'aborder l'homme et de lui parler. Alors on s'aperçoit que cet homme est tout bonnement un paysan, qu'il paraît noir parce qu'on est au crépuscule, qu'il ne creuse pas le moindre trou, mais qu'il coupe de l'herbe pour ses vaches, et que ce qu'on avait pris pour des cornes n'est autre chose qu'une fourche à fumier qu'il porte sur son dos et dont les dents, grâce à la perspective du soir, semblaient lui sortir de la tête. On rentre chez soi, et l'on meurt dans la semaine.

La seconde manière, c'est de l'observer, d'attendre qu'il ait creusé son trou, qu'il l'ait refermé et qu'il s'en soit allé; puis de courir bien vite à la fosse, de la rouvrir et d'y prendre le « trésor » que l'homme noir y a nécessairement déposé. En ce cas, on meurt dans le mois. Enfin la troisième manière, c'est de ne point parler à l'homme noir, de ne point le regarder, et de s'enfuir à toutes jambes. On meurt dans l'année.

Comme les trois manières ont leurs inconvénients, la seconde, qui offre du moins quelques avantages, entre autres celui de posséder un trésor, ne fût-ce qu'un mois, est la plus généralement adoptée. Les hommes hardis, que toutes les chances tentent, ont donc, assez souvent, à ce qu'on assure, rouvert les trous creusés par l'homme noir et essayé de voler le diable. Il paraît que l'opération est médiocre. Du moins, s'il faut en croire la tradition et en particulier les deux vers énigmatiques en latin barbare qu'a laissés sur ce sujet un mauvais moine normand, un peu sorcier, appelé Tryphon. Ce Tryphon est enterré à l'abbaye de Saint-Georges de Bocherville près Rouen, et il naît des crapauds sur sa tombe.

On fait donc des efforts énormes, ces fosses-là sont ordinairement très creuses, on sue, on fouille, on travaille toute une nuit, car c'est la nuit que cela se fait, on mouille sa chemise, on brûle sa chandelle, on ébrèche sa pioche, et lorsqu'on est arrivé enfin au fond du trou, lorsqu'on met la main sur « le trésor », que trouve-t-on? qu'est-ce que c'est que le trésor du diable? Un sou, parfois un écu, une pierre, un squelette, un cadavre saignant, quelquefois un spectre plié en quatre comme une feuille de papier dans un portefeuille, quelquefois rien. C'est ce que semblent annoncer aux curieux indiscrets les vers de Tryphon :

> Fodit, et in fossa thesauros condit opaca,
> As, nummos, lapides, cadaver, simulacra, nihilque.

Il paraît que de nos jours on y trouve aussi, tantôt une poire à poudre avec des balles, tantôt un vieux jeu de cartes gras et roussi qui a évidemment servi aux diables. Tryphon n'enregistre point ces deux dernières trouvailles, attendu que Tryphon vivait au douzième siècle et qu'il ne semble point que le diable ait eu l'esprit d'inventer la poudre avant Roger Bacon et les cartes avant Charles VI.

Du reste, si l'on joue avec ces cartes, on est sûr de perdre tout ce qu'on possède; et quant à la poudre qui est dans la poire, elle a la propriété de vous faire éclater votre fusil à la figure.

Or, fort peu de temps après l'époque où il sembla au ministère public que le forçat libéré Jean Valjean, pendant son évasion de quelques jours, avait rôdé autour de Montfermeil, on remarqua dans ce même village qu'un certain vieux cantonnier appelé Boulatruelle avait « des allures » dans le bois. On croyait savoir dans le pays que ce Boulatruelle avait été au bagne; il était soumis à de certaines surveillances de police, et, comme il ne trouvait d'ouvrage nulle part, l'administration l'employait au rabais[1] comme cantonnier sur le chemin de traverse de Gagny à Lagny.

Ce Boulatruelle était un homme vu de travers par les gens de l'endroit, trop respectueux, trop humble, prompt à ôter son bonnet à tout le monde, tremblant et souriant devant les gendarmes, probablement affilié à des bandes, disait-on, suspect d'embuscade au coin des taillis à la nuit tombante. Il n'avait que cela pour lui qu'il était ivrogne.

Voici ce qu'on croyait avoir remarqué :

Depuis quelque temps, Boulatruelle quittait de fort bonne heure sa besogne d'empierrement et d'entretien de la route et s'en allait dans la forêt avec sa pioche. On le rencontrait vers le soir dans les clairières les plus désertes, dans les fourrés les plus sauvages, ayant l'air de chercher quelque chose, quelquefois creusant des trous. Les bonnes femmes qui passaient le prenaient d'abord pour Belzébuth, puis elles reconnaissaient Boulatruelle, et n'étaient guère plus rassurées. Ces rencontres paraissaient contrarier vivement Boulatruelle. Il était visible qu'il cherchait à se cacher, et qu'il y avait un mystère dans ce qu'il faisait.

On disait dans le village : — C'est clair que le diable a fait quelque apparition. Boulatruelle l'a vu, et cherche. Au fait, il est fichu pour empoigner le magot de Lucifer. — Les voltairiens ajoutaient : Sera-ce Boulatruelle qui attrapera le diable, ou le diable qui attrapera Boulatruelle? — Les vieilles femmes faisaient beaucoup de signes de croix.

Cependant les manèges de Boulatruelle dans le bois cessèrent, et il reprit régulièrement son travail de cantonnier. On parla d'autre chose.

Quelques personnes toutefois étaient restées curieuses, pensant qu'il y avait probablement dans ceci, non point les fabuleux trésors de la légende, mais quelque bonne aubaine, plus sérieuse et plus palpable que les billets de banque du diable, et dont le cantonnier avait sans doute surpris à moitié le secret. Les plus « intrigués » étaient le maître d'école et le gargotier Thénardier, lequel était l'ami de tout le monde et n'avait point dédaigné de se lier avec Boulatruelle.

— Il a été aux galères? disait Thénardier. Eh! mon Dieu! on ne sait ni qui y est, ni qui y sera[1].

Un soir le maître d'école affirmait qu'autrefois la justice se serait enquise de ce que Boulatruelle allait faire dans le bois, et qu'il aurait bien fallu qu'il parlât, et qu'on l'aurait mis à la torture au besoin, et que Boulatruelle n'aurait point résisté, par exemple, à la question de l'eau. — Donnons-lui la question du vin, dit Thénardier.

On se mit à quatre et l'on fit boire le vieux cantonnier. Boulatruelle but énormément, et parla peu. Il combina, avec un art admirable et dans une proportion magistrale, la soif d'un goinfre avec la discrétion d'un juge. Cependant, à force de revenir à la charge, et de rapprocher et de presser les quelques paroles obscures qui lui échappaient, voici ce que le Thénardier et le maître d'école crurent comprendre :

Boulatruelle, un matin, en se rendant au point du jour à son ouvrage, aurait été surpris de voir dans un coin du bois, sous une broussaille, une pelle et une pioche, *comme qui dirait cachées*. Cependant il aurait pensé que c'étaient probablement la pelle et la pioche du père Six-Fours, le porteur d'eau, et il n'y aurait plus songé. Mais le soir du même jour, il aurait vu, sans pouvoir être vu lui-même, étant masqué par un gros arbre, se diriger de la route vers le plus épais du bois « un particulier qui n'était pas du tout du pays, et que lui, Boulatruelle, connaissait très bien ». Traduction par Thénardier : *un camarade du bagne*. Boulatruelle s'était obstinément refusé à dire le nom. Ce particulier portait un paquet, quelque chose de carré, comme une grande boîte ou un petit coffre. Surprise de Boulatruelle. Ce ne serait pourtant qu'au bout de sept ou huit minutes que l'idée de suivre « le particulier » lui serait venue. Mais il était trop tard, le particulier était déjà dans le fourré, la nuit s'était faite, et Boulatruelle n'avait pu le rejoindre. Alors il avait pris le parti d'observer la lisière du bois. « Il

faisait lune. » Deux ou trois heures après, Boulatruelle avait vu
ressortir du taillis son particulier portant maintenant, non plus
le petit coffre-malle, mais une pioche et une pelle. Boulatruelle
avait laissé passer le particulier et n'avait pas eu l'idée de l'aborder, parce qu'il s'était dit que l'autre était trois fois plus fort
que lui, et armé d'une pioche, et l'assommerait probablement
en le reconnaissant et en se voyant reconnu. Touchante effu-
sion de deux vieux camarades qui se retrouvent. Mais la pelle
et la pioche avaient été un trait de lumière pour Boulatruelle;
il avait couru à la broussaille du matin, et n'y avait plus trouvé
ni pelle ni pioche. Il en avait conclu que son particulier, entré
dans le bois, y avait creusé un trou avec la pioche, avait enfoui
le coffre, et avait refermé le trou avec la pelle. Or, le coffre était
trop petit pour contenir un cadavre, donc il contenait de l'argent. De là ses recherches. Boulatruelle avait exploré, sondé
et fureté toute la forêt, et fouillé partout où la terre lui avait
paru fraîchement remuée. En vain.

Il n'avait rien « déniché ». Personne n'y pensa plus dans
Montfermeil. Il y eut seulement quelques braves commères qui
dirent : Tenez pour certain que le cantonnier de Gagny n'a pas
fait tout ce triquemaque pour rien; il est sûr que le diable est
venu.

III

QU'IL FALLAIT QUE LA CHAÎNE DE LA MANILLE
EÛT SUBI UN CERTAIN TRAVAIL PRÉPARATOIRE
POUR ÊTRE AINSI BRISÉE D'UN COUP DE MARTEAU

Vers la fin d'octobre de cette même année 1823, les habitants
de Toulon virent rentrer dans leur port, à la suite d'un gros
temps et pour réparer quelques avaries, le vaisseau l'*Orion* qui
a été plus tard employé à Brest comme vaisseau-école et qui
faisait alors partie de l'escadre de la Méditerranée.

Ce bâtiment, tout éclopé qu'il était, car la mer l'avait mal-
mené, fit de l'effet en entrant dans la rade. Il portait je ne sais
plus quel pavillon qui lui valut un salut réglementaire de onze
coups de canon, rendus par lui coup pour coup; total : vingt-

deux. On a calculé qu'en salves, politesses royales et militaires, échanges de tapages courtois, signaux d'étiquette, formalités de rades et de citadelles, levers et couchers de soleil salués tous les jours par toutes les forteresses et tous les navires de guerre, ouvertures et fermetures de portes, etc., etc., le monde civilisé tirait à poudre par toute la terre, toutes les vingt-quatre heures, cent cinquante mille coups de canon inutiles. A six francs le coup de canon, cela fait neuf cent mille francs par jour, trois cents millions par an, qui s'en vont en fumée. Ceci n'est qu'un détail. Pendant ce temps-là les pauvres meurent de faim[1].

L'année 1823 était ce que la restauration a appelé « l'époque de la guerre d'Espagne ».

Cette guerre contenait beaucoup d'événements dans un seul, et force singularités. Une grosse affaire de famille pour la maison de Bourbon; la branche de France secourant et protégeant la branche de Madrid, c'est-à-dire faisant acte d'aînesse; un retour apparent à nos traditions nationales compliqué de servitude et de sujétion aux cabinets du nord; M. le duc d'Angoulême, surnommé par les feuilles libérales *le héros d'Andujar*, comprimant, dans une attitude triomphale un peu contrariée par son air paisible, le vieux terrorisme fort réel du saint-office aux prises avec le terrorisme chimérique des libéraux; les sansculottes ressuscités au grand effroi des douairières sous le nom de *descamisados;* le monarchisme faisant obstacle au progrès qualifié anarchie; les théories de 89 brusquement interrompues dans la sape; un holà européen intimé à l'idée française faisant son tour du monde; à côté du fils de France généralissime, le prince de Carignan, depuis Charles-Albert, s'enrôlant dans cette croisade des rois contre les peuples comme volontaire avec des épaulettes de grenadier en laine rouge; les soldats de l'empire se remettant en campagne, mais après huit années de repos, vieillis, tristes, et sous la cocarde blanche; le drapeau tricolore agité à l'étranger par une héroïque poignée de français comme le drapeau blanc l'avait été à Coblentz trente ans auparavant; les moines mêlés à nos troupiers; l'esprit de liberté et de nouveauté mis à la raison par les bayonnettes; les principes matés à coups de canon; la France défaisant par ses armes ce qu'elle avait fait par son esprit; du reste, les chefs ennemis vendus, les soldats hésitant, les villes assiégées par des millions; point de périls militaires et pourtant des explosions possibles, comme dans toute mine surprise et envahie; peu de sang versé, peu d'honneur conquis, de la honte pour quelques-uns, de la gloire pour personne; telle fut cette guerre, faite par des princes qui descendaient de Louis XIV et conduite par des généraux qui sortaient de Napoléon. Elle eut ce triste sort de ne rappeler ni la grande guerre ni la grande politique.

Quelques faits d'armes furent sérieux; la prise du Trocadéro, entre autres, fut une belle action militaire; mais en somme, nous le répétons, les trompettes de cette guerre rendent un son fêlé, l'ensemble fut suspect, l'histoire approuve la France dans sa difficulté d'acceptation de ce faux triomphe. Il parut évident que certains officiers espagnols chargés de la résistance cédèrent trop aisément, l'idée de corruption se dégagea de la victoire; il sembla qu'on avait plutôt gagné les généraux que les batailles, et le soldat vainqueur rentra humilié. Guerre diminuante en effet où l'on put lire *Banque de France* dans les plis du drapeau.

Des soldats de la guerre de 1808, sur lesquels s'était formidablement écroulée Saragosse, fronçaient le sourcil en 1823 devant l'ouverture facile des citadelles, et se prenaient à regretter Palafox. C'est l'humeur de la France d'aimer encore mieux avoir devant elle Rostopchine que Ballesteros.

A un point de vue plus grave encore, et sur lequel il convient d'insister aussi, cette guerre, qui froissait en France l'esprit militaire, indignait l'esprit démocratique. C'était une entreprise d'asservissement. Dans cette campagne, le but du soldat français, fils de la démocratie, était la conquête d'un joug pour autrui. Contre-sens hideux. La France est faite pour réveiller l'âme des peuples, non pour l'étouffer. Depuis 1792, toutes les révolutions de l'Europe sont la révolution française; la liberté rayonne de France. C'est là un fait solaire. Aveugle qui ne le voit pas! c'est Bonaparte qui l'a dit.

La guerre de 1823, attentat à la généreuse nation espagnole, était donc en même temps un attentat à la révolution française. Cette voie de fait monstrueuse, c'était la France qui la commettait; de force; car, en dehors des guerres libératrices, tout ce que font les armées, elles le font de force. Le mot *obéissance passive*[1] l'indique. Une armée est un étrange chef-d'œuvre de combinaison où la force resulte d'une somme énorme d'impuissance. Ainsi s'explique la guerre, faite par l'humanité contre l'humanité malgré l'humanité.

Quant aux Bourbons, la guerre de 1823 leur fut fatale. Ils la prirent pour un succès. Ils ne virent point quel danger il y a à faire tuer une idée par une consigne. Ils se méprirent dans leur naïveté au point d'introduire dans leur établissement comme élément de force l'immense affaiblissement d'un crime. L'esprit de guet-apens entra dans leur politique. 1830 germa dans 1823. La campagne d'Espagne devint dans leurs conseils un argument pour les coups de force et pour les aventures de droit divin. La France, ayant rétabli *el rey neto* en Espagne, pouvait bien rétabli le roi absolu chez elle. Ils tombèrent dans cette redoutable erreur de prendre l'obéissance du soldat pour le consentement de la nation. Cette confiance-là perd les trônes. Il ne faut s'endormir, ni à l'ombre d'un mancenillier, ni à l'ombre d'une armée.

Revenons au navire l'*Orion*.

Pendant les opérations de l'armée commandée par le prince généralissime, une escadre croisait dans la Méditerranée. Nous venons de dire que l'*Orion* était de cette escadre et qu'il fut ramené par des événements de mer dans le port de Toulon.

La présence d'un vaisseau de guerre dans un port a je ne sais quoi qui appelle et qui occupe la foule. C'est que cela est grand, et que la foule aime ce qui est grand.

Un vaisseau de ligne est une des plus magnifiques rencontres qu'ait le génie de l'homme avec la puissance de la nature.

Un vaisseau de ligne est composé à la fois de ce qu'il y a de plus lourd et de ce qu'il y a de plus léger, parce qu'il a affaire en même temps aux trois formes de la substance, au solide, au liquide, au fluide, et qu'il doit lutter contre toutes les trois. Il a onze griffes de fer pour saisir le granit au fond de la mer, et plus d'ailes et plus d'antennes que la bigaille pour prendre le vent dans les nuées. Son haleine sort par ses cent vingt canons comme par des clairons énormes, et répond fièrement à la foudre. L'océan cherche à l'égarer dans l'effrayante similitude de ses vagues, mais le vaisseau a son âme, sa boussole, qui le conseille et lui montre toujours le nord. Dans les nuits noires ses fanaux suppléent aux étoiles. Ainsi, contre le vent il a la corde et la toile, contre l'eau le bois, contre le rocher le fer, le cuivre et le plomb, contre l'ombre la lumière, contre l'immensité une aiguille.

Si l'on veut se faire une idée de toutes ces proportions gigantesques dont l'ensemble constitue le vaisseau de ligne, on n'a qu'à entrer sous une des cales couvertes, à six étages, des

ports de Brest ou de Toulon. Les vaisseaux en construction sont
là sous cloche, pour ainsi dire. Cette poutre colossale, c'est une
vergue; cette grosse colonne de bois couchée à terre à perte de
vue, c'est le grand mât. A le prendre de sa racine dans la cale
à sa cime dans la nuée, il est long de soixante toises, et il a trois
pieds de diamètre à sa base. Le grand mât anglais s'élève à deux
cent dix-sept pied au-dessus de la ligne de flottaison. La
marine de nos pères employait des câbles, la nôtre emploie
des chaînes. Le simple tas de chaînes d'un vaisseau de cent
canons a quatre pieds de haut, vingt pieds de large, huit pieds
de profondeur. Et pour faire ce vaisseau, combien faut-il de
bois? Trois mille stères. C'est une forêt qui flotte.

Et encore, qu'on le remarque bien, il ne s'agit ici que du
bâtiment militaire d'il y a quarante ans, du simple navire à
voiles; la vapeur, alors dans l'enfance, a depuis ajouté de
nouveaux miracles à ce prodige qu'on appelle le vaisseau de
guerre. A l'heure qu'il est, par exmple, le navire mixte à
hélice est une machine surprenante traînée par une voilure
de trois mille mètres carrés de surface et par une chaudière
de la force de deux mille cinq cents chevaux.

Sans parler de ces merveilles nouvelles, l'ancien navire de
Christophe Colomb et de Ruyter est un des grands chefs-
d'œuvre de l'homme. Il est inépuisable en force comme l'infini
en souffles, il emmagasine le vent dans sa voile, il est précis
dans l'immense diffusion des vagues, il flotte et il règne.

Il vient une heure pourtant où la rafale brise comme une
paille cette vergue de soixante pieds de long, où le vent ploie
comme un jonc ce mât de quatre cents pieds de haut, où cette
ancre qui pèse dix milliers se tord dans la gueule de la vague
comme l'hameçon d'un pêcheur dans la mâchoire d'un bro-
chet, où ces canons monstrueux poussent des rugissements
plaintifs et inutiles que l'ouragan emporte dans le vide et dans
la nuit, où toute cette puissance et toute cette majesté s'abî-
ment dans une puissance et dans une majesté supérieures[1].

Toutes les fois qu'une force immense se déploie pour aboutir
à une immense faiblesse, cela fait rêver les hommes. De là, dans
les ports, les curieux qui abondent, sans qu'ils s'expliquent
eux-mêmes parfaitement pourquoi, autour de ces merveilleuses
machines de guerre et de navigation.

Tous les jours donc, du matin au soir, les quais, les musoirs
et les jetées du port de Toulon étaient couverts d'une quàntité

d'oisifs et de badauds, comme on dit à Paris, ayant pour affaire de regarder l'*Orion*.

L'*Orion* était un navire malade depuis longtemps. Dans ses navigations antérieures, des couches épaisses de coquillages s'étaient amoncelées sur sa carène au point de lui faire perdre la moitié de sa marche; on l'avait mis à sec l'année précédente pour gratter ces coquillages, puis il avait repris la mer. Mais ce grattage avait altéré les boulonnages de la carène. A la hauteur des Baléares, le bordé s'était fatigué et ouvert, et, comme le vaigrage ne se faisait pas alors en tôle, le navire avait fait de l'eau. Un violent coup d'équinoxe était survenu, qui avait défoncé à bâbord la poulaine et un sabord et endommagé le porte-haubans de misaine[1]. A la suite de ces avaries, l'*Orion* avait regagné Toulon.

Il était mouillé près de l'Arsenal. Il était en armement et on le réparait. La coque n'avait pas été endommagée à tribord, mais quelques bordages y étaient décloués çà et là, selon l'usage, pour laisser pénétrer de l'air dans la carcasse.

Un matin la foule qui le contemplait fut témoin d'un accident[2].

L'équipage était occupé à enverguer les voiles. Le gabier chargé de prendre l'empointure du grand hunier tribord perdit l'équilibre. On le vit chanceler, la multitude amassée sur le quai de l'Arsenal jeta un cri, la tête emporta le corps, l'homme tourna autour de la vergue, les mains étendues vers l'abîme; il saisit, au passage, le faux marchepied d'une main d'abord, puis de l'autre, et il y resta suspendu. La mer était au-dessous de lui à une profondeur vertigineuse. La secousse de sa chute avait imprimé au faux marchepied un violent mouvement d'escarpolette. L'homme allait et venait au bout de cette corde comme la pierre d'une fronde.

Aller à son secours, c'était courir un risque effrayant. Aucun des matelots, tous pêcheurs de la côte nouvellement levés pour le service, n'osait s'y aventurer. Cependant le malheureux gabier se fatiguait; on ne pouvait voir son angoisse sur son visage, mais on distinguait dans tous ses membres son épuisement. Ses bras se tendaient dans un tiraillement horrible. Chaque effort qu'il faisait pour remonter ne servait qu'à augmenter les oscillations du faux marchepied. Il ne criait pas de peur de perdre de la force. On n'attendait plus que la minute où il lâcherait la corde et par instants toutes les têtes se détournaient afin de ne pas le voir passer. Il y a des moments où un bout de corde, une perche, une branche d'arbre, c'est la vie même, et c'est une chose affreuse de voir un être vivant s'en détacher et tomber comme un fruit mûr[1].

Tout à coup, on aperçut un homme qui grimpait dans le gréement avec l'agilité d'un chat-tigre. Cet homme était vêtu de rouge, c'était un forçat; il avait un bonnet vert, c'était un forçat à vie. Arrivé à la hauteur de la hune, un coup de vent emporta son bonnet et laissa voir une tête toute blanche; ce n'était pas un jeune homme.

Un forçat en effet, employé à bord avec une corvée du bagne, avait dès le premier moment couru à l'officier de quart et au milieu du trouble et de l'hésitation de l'équipage, pendant que tous les matelots tremblaient et reculaient, il avait demandé à l'officier la permission de risquer sa vie pour sauver le gabier. Sur un signe affirmatif de l'officier, il avait rompu d'un coup de marteau la chaîne rivée à la manille de son pied, puis il avait pris une corde, et s'était élancé dans les haubans. Personne ne remarqua en cet instant-là avec quelle facilité cette chaîne fut brisée. Ce ne fut que plus tard qu'on s'en souvint.

En un clin d'œil il fut sur la vergue. Il s'arrêta quelques secondes et parut la mesurer du regard. Ces secondes, pendant lesquelles le vent balançait le gabier à l'extrémité d'un fil, semblèrent des siècles à ceux qui regardaient. Enfin le forçat leva les yeux au ciel, et fit un pas en avant. La foule respira. On le vit parcourir la vergue en courant. Parvenu à la pointe, il y attacha un bout de la corde qu'il avait apportée, et laissa pendre l'autre bout, puis il se mit à descendre avec les mains le long de cette corde, et alors ce fut une inexprimable angoisse, au lieu d'un homme suspendu sur le gouffre, on en vit deux.

On eût dit une araignée venant saisir une mouche; seulement ici l'araignée apportait la vie et non la mort.[2] Dix mille regards étaient fixés sur ce groupe. Pas un cri, pas une parole, le même frémissement fronçait tous les sourcils. Toutes les bouches retenaient leur haleine, comme si elles eussent craint d'ajouter le moindre souffle au vent qui secouait les deux misérables.

Cependant le forçat était parvenu à s'affaler près du matelot. Il était temps; une minute de plus, l'homme, épuisé et désespéré, se laissait tomber dans l'abîme; le forçat l'avait amarré solidement avec la corde à laquelle il se tenait d'une main pendant qu'il travaillait de l'autre. Enfin on le vit remonter sur la vergue et y haler le matelot; il le soutint là un instant pour lui laisser reprendre des forces, puis il le saisit dans ses bras et le porta, en marchant sur la vergue jusqu'au chouquet, et de là dans la hune où il le laissa dans les mains de ses camarades.

A cet instant la foule applaudit; il y eut de vieux argousins de chiourme qui pleurèrent, les femmes s'embrassaient sur le quai, et l'on entendit toutes les voix crier avec une sorte de fureur attendrie : La grâce de cet homme![1]

Lui, cependant, s'était mis en devoir de redescendre immédiatement pour rejoindre sa corvée. Pour être plus promptement arrivé, il se laissa glisser dans le gréement et se mit à courir sur une basse vergue. Tous les yeux le suivaient. A un certain moment, on eut peur; soit qu'il fût fatigué, soit que la tête lui tournât, on crut le voir hésiter et chanceler. Tout à coup la foule poussa un grand cri, le forçat venait de tomber à la mer.

La chute était périlleuse. La frégate l'*Algésiras* était mouillée auprès de l'*Orion,* et le pauvre galérien était tombé entre les deux navires[2]. Il était à craindre qu'il ne glissât sous l'un ou sous l'autre. Quatre hommes se jetèrent en hâte dans une embarcation. La foule les encourageait, l'anxiété était de nouveau dans toutes les âmes. L'homme n'était pas remonté à la surface. Il avait disparu dans la mer sans y faire un pli, comme s'il fût tombé dans une tonne d'huile. On sonda, on plongea. Ce fut en vain. On chercha jusqu'au soir; on ne retrouva pas même le corps[3].

Le lendemain, le journal de Toulon imprimait ces quelques lignes : — « 17 novembre 1823. — Hier, un forçat, de corvée à « bord de l'*Orion,* en revenant de porter secours à un matelot, « est tombé à la mer et s'est noyé. On n'a pu retrouver son « cadavre. On présume qu'il se sera engagé sous les pilotis de la « pointe de l'Arsenal. Cet homme était écroué sous le n° 9 430 « et se nommait Jean Valjean[4]. »

LIVRE TROISIÈME

ACCOMPLISSEMENT DE LA PROMESSE
FAITE À LA MORTE[1]

I

LA QUESTION DE L'EAU À MONTFERMEIL

MONTFERMEIL[2] est situé entre Livry et Chelles, sur la lisière méridionale de ce haut plateau qui sépare l'Ourcq de la Marne. Aujourd'hui c'est un assez gros bourg orné, toute l'année, de villas en plâtre, et, le dimanche, de bourgeois épanouis. En 1823, il n'y avait à Montfermeil ni tant de maisons blanches ni tant de bourgeois satisfaits. Ce n'était qu'un village dans les bois. On y rencontrait bien çà et là quelques maisons de plaisance du dernier siècle, reconnaissables à leur grand air, à leurs balcons en fer tordu et à ces longues fenêtres dont les petits carreaux font sur le blanc des volets fermés toutes sortes de verts différents. Mais Montfermeil n'en était pas moins un village. Les marchands de drap retirés et les agréés en villégiature ne l'avaient pas encore découvert. C'était un endroit paisible et charmant, qui n'était sur la route de rien; on y vivait à bon marché de cette vie paysanne si abondante et si facile. Seulement l'eau y était rare à cause de l'élévation du plateau.

Il fallait aller la chercher assez loin. Le bout du village qui est du côté de Gagny puisait son eau aux magnifiques étangs qu'il y a là dans les bois; l'autre bout, qui entoure l'église et qui est du côté de Chelles, ne trouvait d'eau potable qu'à une petite source à mi-côte, près de la route de Chelles, à environ un quart d'heure de Montfermeil.

C'était donc une assez rude besogne pour chaque ménage que cet approvisionnement de l'eau. Les grosses maisons, l'aristocratie, la gargote Thénardier en faisait partie, payaient un liard par seau d'eau à un bonhomme dont c'était l'état et qui gagnait à cette entreprise des eaux de Montfermeil environ huit sous par jour [1]; mais ce bonhomme ne travaillait que jusqu'à sept heures du soir l'été et jusqu'à cinq heures l'hiver, et une fois la nuit venue, une fois les volets des rez-de-chaussée clos, qui n'avait pas d'eau à boire en allait chercher ou s'en passait.

C'était là la terreur de ce pauvre être que le lecteur n'a peut-être pas oublié, de la petite Cosette. On se souvient que Cosette était utile aux Thénardier de deux manières, ils se faisaient payer par la mère et ils se faisaient servir par l'enfant. Aussi quand la mère cessa tout à fait de payer, on vient de lire pourquoi dans les chapitres précédents, les Thénardier gardèrent Cosette. Elle leur remplaçait une servante. En cette qualité, c'était elle qui courait chercher de l'eau quand il en fallait. Aussi l'enfant, fort épouvantée de l'idée d'aller à la source la nuit, avait-elle grand soin que l'eau ne manquât jamais à la maison.

La Noël [2] de l'année 1823 fut particulièrement brillante à Montfermeil. Le commencement de l'hiver avait été doux; il n'avait encore ni gelé ni neigé. Des bateleurs venus de Paris avaient obtenu de M. le maire la permission de dresser leurs baraques dans la grande rue du village, et une bande de marchands ambulants avait, sous la même tolérance, construit ses échoppes sur la place de l'église et jusque dans la ruelle du Boulanger, où était située, on s'en souvient peut-être, la gargote des Thénardier. Cela emplissait les auberges et les cabarets, et donnait à ce petit pays tranquille une vie bruyante et joyeuse. Nous devons même dire, pour être fidèle historien, que parmi les curiosités étalées sur la place, il y avait une ménagerie dans laquelle d'affreux paillasses, vêtus de loques et venus on ne sait d'où, montraient en 1823 aux paysans de Montfermeil un de ces effrayants vautours du Brésil que notre Muséum royal ne possède que depuis 1845, et qui ont pour œil une cocarde tricolore. Les naturalistes appellent, je crois, cet oiseau Caracara Polyborus; il est de l'ordre des apicides et de la famille des vautouriens. Quelques bons vieux soldats bonapartistes retirés dans le village allaient voir cette bête avec dévotion. Les bateleurs donnaient la cocarde tricolore comme un phénomène unique et fait exprès par le bon Dieu pour leur ménagerie.

Dans la soirée même de Noël, plusieurs hommes, rouliers et colporteurs, étaient attablés et buvaient autour de quatre ou cinq chandelles dans la salle basse de l'auberge Thénardier. Cette salle ressemblait à toutes les salles de cabaret; des tables, des brocs d'étain, des bouteilles, des buveurs, des fumeurs; peu de lumière, beaucoup de bruit. La date de l'année 1823 était pourtant indiquée par les deux objets à la mode alors dans la classe bourgeoise qui étaient sur une table, savoir un kaléidoscope et une lampe de fer-blanc moiré. La Thénardier surveillait le souper qui rôtissait devant un bon feu clair; le mari Thénardier buvait avec ses hôtes et parlait politique.

Outre les causeries politiques, qui avaient pour objets principaux la guerre d'Espagne et M. le duc d'Angoulême, on entendait dans le brouhaha des parenthèses toutes locales comme celles-ci :

— Du côté de Nanterre et de Suresnes le vin a beaucoup donné. Où l'on comptait sur dix pièces on en a eu douze. Cela a beaucoup juté sous le pressoir. — Mais le raisin ne devait pas être mûr? — Dans ces pays-là il ne faut pas qu'on vendange mûr. Si l'on vendange mûr, le vin tourne au gras sitôt le printemps. — C'est donc tout petit vin? — C'est des vins encore plus petits que par ici. Il faut qu'on vendange vert.

Etc. —

Ou bien, c'était un meunier qui s'écriait :

— Est-ce que nous sommes responsables de ce qu'il y a dans les sacs? Nous y trouvons un tas de petites graines que nous ne pouvons pas nous amuser à éplucher, et qu'il faut bien laisser passer sous les meules; c'est l'ivraie, c'est la luzette, la nielle, la vesce, le chènevis, la gaverolle, la queue-de-renard, et une foule d'autres drogues, sans compter les cailloux qui abondent dans de certains blés, surtout dans les blés bretons. Je n'ai pas l'amour de moudre du blé breton, pas plus que les scieurs de long de scier des poutres où il y a des clous. Jugez de la mauvaise poussière que tout cela fait dans le rendement. Après quoi on se plaint de la farine. On a tort. La farine n'est pas notre faute.

Dans un entre-deux de fenêtres, un faucheur, attablé avec

un propriétaire qui faisait prix pour un travail de prairie à faire au printemps, disait :

— Il n'y a point de mal que l'herbe soit mouillée. Elle se coupe mieux. La rousée est bonne, monsieur. C'est égal, cette herbe-là, votre herbe, est jeune et bien difficile encore. Que voilà qui est si tendre, que voilà qui plie devant la planche de fer.

Etc. —

Cosette était à sa place ordinaire, assise sur la traverse de la table de cuisine près de la cheminée. Elle était en haillons, elle avait ses pieds nus dans des sabots, et elle tricotait à la lueur du feu des bas de laine destinés aux petites Thénardier. Un tout jeune chat jouait sous les chaises. On entendait rire et jaser dans une pièce voisine deux fraîches voix d'enfants; c'était Éponine et Azelma.

Au coin de la cheminée, un martinet était suspendu à un clou[1].

Par intervalles, le cri d'un très jeune enfant, qui était quelque part dans la maison, perçait au milieu du bruit du cabaret. C'était un petit garçon que la Thénardier avait eu un des hivers précédents, — « sans savoir pourquoi, disait-elle, effet du froid, » — et qui était âgé d'un peu plus de trois ans. La mère l'avait nourri, mais ne l'aimait pas. Quand la clameur acharnée du mioche devenait trop importune : — Ton fils piaille, disait Thénardier, va donc voir ce qu'il veut. — Bah! répondait la mère, il m'ennuie. — Et le petit abandonné continuait de crier dans les ténèbres[2].

II

DEUX PORTRAITS COMPLÉTÉS

On n'a encore aperçu dans ce livre les Thénardier que de profil; le moment est venu de tourner autour de ce couple et de le regarder sous toutes ses faces.

Thénardier venait de dépasser ses cinquante ans; madame Thénardier touchait à la quarantaine, qui est la cinquantaine de la femme; de façon qu'il y avait équilibre d'âge entre la femme et le mari.

Les lecteurs ont peut-être, dès sa première apparition, conservé quelque souvenir de cette Thénardier grande, blonde, rouge, grasse, charnue, carrée, énorme et agile; elle tenait, nous l'avons dit, de la race de ces sauvagesses colosses qui se cambrent dans les foires avec des pavés pendus à leur chevelure. Elle faisait tout dans le logis, les lits, les chambres, la lessive, la cuisine, la pluie, le beau temps, le diable. Elle avait pour tout domestique Cosette; une souris au service d'un éléphant. Tout tremblait au son de sa voix, les vitres, les meubles et les gens. Son large visage, criblé de taches de rousseur, avait l'aspect d'une écumoire. Elle avait de la barbe. C'était l'idéal d'un fort de la halle habillé en fille. Elle jurait splendidement; elle se vantait de casser une noix d'un coup de poing. Sans les romans qu'elle avait lus, et qui, par moments, faisaient bizarrement reparaître la mijaurée sous l'ogresse, jamais l'idée ne fût venue à personne de dire d'elle : c'est une femme. Cette Thénardier était comme le produit de la greffe d'une donzelle sur une poissarde. Quand on l'entendait parler, on disait : C'est un gendarme; quand on la regardait boire, on disait : C'est un charretier; quand on la voyait manier Cosette, on disait : C'est le bourreau. Au repos, il lui sortait de la bouche une dent[1].

Le Thénardier était un homme petit, maigre, blême, anguleux, osseux, chétif, qui avait l'air malade et qui se portait à merveille; sa fourberie commençait là. Il souriait habituellement par précaution, et était poli à peu près avec tout le monde, même avec le mendiant auquel il refusait un liard. Il avait le regard d'une fouine et la mine d'un homme de lettres. Il ressemblait beaucoup aux portraits de l'abbé Delille. Sa coquetterie consistait à boire avec les rouliers. Personne n'avait jamais pu le griser. Il fumait dans une grosse pipe. Il portait une blouse et sous sa blouse un vieil habit noir. Il avait des prétentions à la littérature et au matérialisme. Il y avait des noms qu'il prononçait souvent, pour appuyer les choses quelconques qu'il disait, Voltaire, Raynal, Parny, et, chose bizarre, saint-Augustin. Il affirmait avoir « un système »[2]. Du reste fort escroc. Un filousophe. Cette nuance existe. On se souvient qu'il prétendait avoir servi; il contait avec quelque luxe qu'à Waterloo, étant sergent dans un 6e ou un 9e léger quelconque, il avait, seul contre un escadron de hussards de la Mort, couvert de son corps et sauvé à travers la mitraille « un général dangereusement blessé ». De là, venait, pour son mur, sa flamboyante enseigne, et, pour son auberge, dans le pays, le nom de « cabaret du sergent de Waterloo ». Il était libéral, classique et bonapartiste. Il avait souscrit pour le champ d'Asile. On disait dans le village qu'il avait étudié pour être prêtre.

Nous croyons qu'il avait simplement étudié en Hollande pour être aubergiste. Ce gredin de l'ordre composite était, selon les probabilités, quelque flamand de Lille en Flandre, français à Paris, belge à Bruxelles, commodément à cheval sur deux frontières. Sa prouesse à Waterloo, on la connaît. Comme on voit, il l'exagérait un peu. Le flux et le reflux, le méandre, l'aventure, était l'élément de son existence; conscience déchirée entraîne vie décousue; et vraisemblablement, à l'orageuse époque du 18 juin 1815, Thénardier appartenait à cette variété de cantiniers maraudeurs dont nous avons parlé, battant l'estrade, vendant à ceux-ci, volant ceux-là, et roulant en famille, homme, femme et enfants, dans quelque carriole boiteuse, à la suite des troupes en marche, avec l'instinct de se rattacher toujours à l'armée victorieuse. Cette campagne faite, ayant, comme il le disait, « du quibus », il était venu ouvrir gargote à Montfermeil.

Ce quibus, composé des bourses et des montres, des bagues d'or et des croix d'argent récoltées au temps de la moisson dans les sillons ensemencés de cadavres, ne faisait pas un gros total et n'avait pas mené bien loin ce vivandier passé gargotier.

Thénardier avait ce je ne sais quoi de rectiligne dans le geste qui, avec un juron, rappelle la caserne et, avec un signe de croix, le séminaire. Il était beau parleur. Il se laissait croire savant. Néanmoins, le maître d'école avait remarqué qu'il faisait — « des cuirs ». Il composait la carte à payer des voyageurs avec supériorité, mais des yeux exercés y trouvaient parfois des fautes d'orthographe. Thénardier était sournois, gourmand, flâneur et habile. Il ne dédaignait pas ses servantes, ce qui faisait que sa femme n'en avait plus. Cette géante était jalouse. Il lui semblait que ce petit homme maigre et jaune devait être l'objet de la convoitise universelle.

Thénardier, par-dessus tout, homme d'astuce et d'équilibre, était un coquin du genre tempéré. Cette espèce est la pire; l'hypocrisie s'y mêle.

Ce n'est pas que Thénardier ne fût dans l'occasion capable de colère au moins autant que sa femme; mais cela était très rare, et dans ces moments-là, comme il en voulait au genre

humain tout entier, comme il avait en lui une profonde fournaise de haine, comme il était de ces gens qui se vengent perpétuellement, qui accusent tout ce qui passe devant eux de tout
ce qui est tombé sur eux, et qui sont toujours prêts à jeter sur
le premier venu, comme légitime grief, le total des déceptions,
des banqueroutes et des calamités de leur vie, comme tout ce
levain se soulevait en lui et lui bouillonnait dans la bouche et
dans les yeux, il était épouvantable. Malheur à qui passait sous
sa fureur alors!

Outre toutes ses autres qualités, Thénardier était attentif et
pénétrant, silencieux ou bavard à l'occasion, et toujours avec
une haute intelligence. Il avait quelque chose du regard des
marins accoutumés à cligner des yeux dans les lunettes d'approche. Thénardier était un homme d'état.

Tout nouveau venu qui entrait dans la gargote disait en
voyant la Thénardier : Voilà le maître de la maison. Erreur.
Elle n'était même pas la maîtresse. Le maître et la maîtresse,
c'était le mari. Elle faisait, il créait. Il dirigeait tout par une
sorte d'action magnétique invisible et continuelle. Un mot lui
suffisait, quelquefois un signe; le mastodonte obéissait. Le
Thénardier était pour la Thénardier, sans qu'elle s'en rendît
trop compte, une espèce d'être particulier et souverain. Elle
avait les vertus de sa façon d'être; jamais, eût-elle été en dissen-
timent sur un détail avec « monsieur Thénardier », hypothèse
du reste inadmissible, elle n'eût donné publiquement tort
à son mari, sur quoi que ce soit. Jamais elle n'eût commis
« devant des étrangers » cette faute que font si souvent les
femmes, et qu'on appelle, en langage parlementaire : découvrir la couronne. Quoique leur accord n'eût pour résultat que
le mal, il y avait de la contemplation dans la soumission de la
Thénardier à son mari. Cette montagne de bruit et de chair se
mouvait sous le petit doigt de ce despote frêle. C'était, vu par
son côté nain et grotesque, cette grande chose universelle :
l'adoration de la matière pour l'esprit; car de certaines laideurs ont leur raison d'être dans les profondeurs mêmes de la
beauté éternelle [1]. Il y avait de l'inconnu dans Thénardier; de
là l'empire absolu de cet homme sur cette femme. A de certains
moments, elle le voyait comme une chandelle allumée; dans
d'autres, elle le sentait comme une griffe.

Cette femme était une créature formidable qui n'aimait que
ses enfants et ne craignait que son mari. Elle était mère parce

qu'elle était mammifère. Du reste, sa maternité s'arrêtait à ses filles, et, comme on le verra, ne s'étendait pas jusqu'aux garçons. Lui, l'homme, n'avait qu'une pensée : s'enrichir.

Il n'y réussissait point. Un digne théâtre manquait à ce grand talent ; Thénardier à Montfermeil se ruinait, si la ruine est possible à zéro ; en Suisse ou dans les Pyrénées, ce sans-le-sou serait devenu millionnaire. Mais où le sort attache l'aubergiste, il faut qu'il broute.

On comprend que le mot *aubergiste* est employé ici dans un sens restreint, et qui ne s'étend pas à une classe entière.

En cette même année 1823, Thénardier était endetté d'environ quinze cents francs de dettes criardes, ce qui le rendait soucieux.

Quelle que fût envers lui l'injustice opiniâtre de la destinée, le Thénardier était un des hommes qui comprenaient le mieux, avec le plus de profondeur et de la façon la plus moderne, cette chose qui est une vertu chez les peuples barbares et une marchandise chez les peuples civilisés, l'hospitalité. Du reste braconnier admirable et cité pour son coup de fusil. Il avait un certain rire froid et paisible qui était particulièrement dangereux.

Ses théories d'aubergiste jaillissaient quelquefois de lui par éclairs. Il avait des aphorismes professionnels qu'il insérait dans l'esprit de sa femme. — « Le devoir de l'aubergiste, lui disait-il un jour violemment et à voix basse, c'est de vendre au premier venu du fricot, du repos, de la lumière, du feu, des draps sales, de la bonne, des puces, du sourire ; d'arrêter les passants, de vider les petites bourses et d'alléger honnêtement les grosses, d'abriter avec respect les familles en route, de râper l'homme, de plumer la femme, d'éplucher l'enfant ; de coter la fenêtre ouverte, la fenêtre fermée, le coin de la cheminée, le fauteuil, la chaise, le tabouret, l'escabeau, le lit de plume, le matelas et la botte de paille ; de savoir de combien l'ombre use le miroir et de tarifer cela, et, par les cinq cent mille diables, de faire tout payer au voyageur, jusqu'aux mouches que son chien mange ! » [1]

Cet homme et cette femme, c'était ruse et rage mariés ensemble, attelage hideux et terrible.

Pendant que le mari ruminait et combinait, la Thénardier, elle, ne pensait pas aux créanciers absents, n'avait souci d'hier ni de demain, et vivait avec emportement, toute dans la minute.

Tels étaient ces deux êtres. Cosette était entre eux, subissant leur double pression, comme une créature qui serait à la fois broyée par une meule et déchiquetée par une tenaille. L'homme et la femme avaient chacun une manière différente; Cosette était rouée de coups, cela venait de la femme; elle allait pieds nus l'hiver, cela venait du mari.

Cosette montait, descendait, lavait, brossait, frottait, balayait, courait, trimait, haletait, remuait des choses lourdes, et, toute chétive, faisait les grosses besognes. Nulle pitié; une maîtresse farouche, un maître venimeux. La gargote Thénardier était comme une toile où Cosette était prise et tremblait. L'idéal de l'oppression était réalisé par cette domesticité sinistre. C'était quelque chose comme la mouche servante des araignées[1].

La pauvre enfant, passive, se taisait.

Quand elles se trouvent ainsi, dès l'aube, toutes petites, toutes nues, parmi les hommes, que se passe-t-il dans ces âmes qui viennent de quitter Dieu?[2]

III

IL FAUT DU VIN AUX HOMMES
ET DE L'EAU AUX CHEVAUX

Il était arrivé quatre nouveaux voyageurs.

Cosette songeait tristement; car, quoiqu'elle n'eût que huit ans, elle avait déjà tant souffert qu'elle rêvait avec l'air lugubre d'une vieille femme[3].

Elle avait la paupière noire d'un coup de poing que la Thénardier lui avait donné, ce qui faisait dire de temps en temps à la Thénardier : — Est-elle laide avec son pochon sur l'œil![4]

Cosette pensait donc qu'il était nuit, très nuit, qu'il avait fallu remplir à l'improviste les pots et les carafes dans les chambres des voyageurs survenus, et qu'il n'y avait plus d'eau dans la fontaine.

Ce qui la rassurait un peu, c'est qu'on ne buvait pas beaucoup d'eau dans la maison Thénardier. Il ne manquait pas là de gens qui avaient soif; mais c'était de cette soif qui s'adresse plus volontiers au broc qu'à la cruche. Qui eût demandé un verre d'eau parmi ces verres de vin eût semblé un sauvage à tous ces hommes. Il y eut pourtant un moment où l'enfant trembla : la Thénardier souleva le couvercle d'une casserole qui bouillait sur le fourneau, puis saisit un verre et s'approcha vivement de la fontaine. Elle tourna le robinet, l'enfant avait levé la tête et suivait tous ses mouvements. Un maigre filet d'eau coula du robinet et remplit le verre à moitié. — Tiens, dit-elle, il n'y a plus d'eau! puis elle eut un moment de silence.

L'enfant ne respirait pas.

— Bah, reprit la Thénardier en examinant le verre à demi plein, il y en aura assez comme cela.

Cosette se remit à son travail, mais pendant plus d'un quart d'heure elle sentit son cœur sauter comme un gros flocon dans sa poitrine.

Elle comptait les minutes qui s'écoulaient ainsi, et eût bien voulu être au lendemain matin.

De temps en temps, un des buveurs regardait dans la rue et s'exclamait : — Il fait noir comme dans un four! — ou : — Il faut être chat pour aller dans la rue sans lanterne à cette heure-ci! — Et Cosette tressaillait.

Tout à coup, un des marchands colporteurs logés dans l'auberge entra, et dit d'une voix dure :

— On n'a pas donné à boire à mon cheval[1].

— Si fait vraiment, dit la Thénardier.

— Je vous dis que non, la mère, reprit le marchand.

Cosette était sortie de dessous la table.

— Oh! si! monsieur! dit-elle, le cheval a bu, il a bu dans le seau, plein le seau, et même que c'est moi qui lui ai porté à boire, et je lui ai parlé.

Cela n'était pas vrai. Cosette mentait.

— En voilà une qui est grosse comme le poing et qui ment gros comme la maison, s'écria le marchand. Je te dis qu'il n'a pas bu, petite drôlesse! Il a une manière de souffler quand il n'a pas bu que je connais bien.

Cosette persista, et ajouta d'une voix enrouée par l'angoisse et qu'on entendait à peine :

— Et même qu'il a bien bu![2]

— Allons, reprit le marchand avec colère, ce n'est pas tout ça, qu'on donne à boire à mon cheval et que cela finisse!

Cosette rentra sous la table.

— Au fait, c'est juste, dit la Thénardier, si cette bête n'a pas bu, il faut qu'elle boive.

Puis, regardant autour d'elle :

— Eh bien, où est donc cette autre?

Elle se pencha et découvrit Cosette blottie à l'autre bout de la table, presque sous les pieds des buveurs.

— Vas-tu venir? cria la Thénardier.

Cosette sortit de l'espèce de trou où elle s'était cachée. La Thénardier reprit :

— Mademoiselle Chien-faute-de-nom[1], va porter à boire à ce cheval.

— Mais, madame, dit Cosette faiblement, c'est qu'il n'y a pas d'eau.

La Thénardier ouvrit toute grande la porte de la rue.

— Eh bien, va en chercher!

Cosette baissa la tête, et alla prendre un seau vide qui était au coin de la cheminée.

Ce seau était plus grand qu'elle, et l'enfant aurait pu s'asseoir dedans et y tenir à l'aise.

La Thénardier se remit à son fourneau, et goûta avec une cuillère de bois ce qui était dans la casserole, tout en grommelant :

— Il y en a à la source. Ce n'est pas plus malin que ça. Je crois que j'aurais mieux fait de passer mes oignons.

Puis elle fouilla dans un tiroir où il y avait des sous, du poivre et des échalotes.

— Tiens, mamzelle Crapaud, ajouta-t-elle, en revenant tu prendras un gros pain chez le boulanger. Voilà une pièce-quinze-sous.

Cosette avait une petite poche de côté à son tablier; elle prit la pièce sans dire un mot, et la mit dans cette poche.

Puis elle resta immobile, le seau à la main, la porte ouverte devant elle. Elle semblait attendre qu'on vînt à son secours.

— Va donc! cria la Thénardier.

Cosette sortit. La porte se referma.

IV

ENTRÉE EN SCÈNE D'UNE POUPÉE

La file de boutiques en plein vent qui partait de l'église se
développait, on s'en souvient, jusqu'à l'auberge Thénardier.
Ces boutiques, à cause du passage prochain des bourgeois
allant à la messe de minuit, étaient toutes illuminées de chandelles brûlant dans des entonnoirs de papier, ce qui, comme le
disait le maître d'école de Montfermeil attablé en ce moment
chez Thénardier, faisait « un effet magique ». En revanche, on
ne voyait pas une étoile au ciel [1].

La dernière de ces baraques, établie précisément en face de la
porte des Thénardier, était une boutique de bimbeloterie,
toute reluisante de clinquants, de verroteries et de choses
magnifiques en fer-blanc. Au premier rang, et en avant, le
marchand avait placé, sur un fond de serviettes blanches, une
immense poupée haute de près de deux pieds qui était vêtue
d'une robe de crêpe rose avec des épis d'or sur la tête et qui
avait de vrais cheveux [2] et des yeux en émail. Tout le jour, cette
merveille avait été étalée à l'ébahissement des passants de moins
de dix ans, sans qu'il se fût trouvé à Montfermeil une mère
assez riche, ou assez prodigue, pour la donner à son enfant.
Éponine et Azelma avaient passé des heures à la contempler,
et Cosette elle-même, furtivement, il est vrai, avait osé la
regarder.

Au moment où Cosette sortit, son seau à la main, si morne et
si accablée qu'elle fût, elle ne put s'empêcher de lever les yeux
sur cette prodigieuse poupée, vers *la dame,* comme elle l'appelait. La pauvre enfant s'arrêta pétrifiée. Elle n'avait pas encore
vu cette poupée de près. Toute cette boutique lui semblait un
palais; cette poupée n'était pas une poupée, c'était une vision.
C'étaient la joie, la splendeur, la richesse, le bonheur, qui
apparaissaient dans une sorte de rayonnement chimérique à ce
malheureux petit être englouti si profondément dans une
misère funèbre et froide [3]. Cosette mesurait avec cette sagacité
naïve et triste de l'enfance l'abîme qui la séparait de cette
poupée. Elle se disait qu'il fallait être reine ou au moins prin-

cesse pour avoir une « chose » comme cela. Elle considérait cette belle robe rose, ces beaux cheveux lisses, et elle pensait : Comme elle doit être heureuse, cette poupée-là ! [1] Ses yeux ne pouvaient se détacher de cette boutique fantastique. Plus elle regardait, plus elle s'éblouissait. Elle croyait voir le paradis. Il y avait d'autres poupées derrière la grande qui lui paraissaient des fées et des génies. Le marchand qui allait et venait au fond de sa baraque lui faisait un peu l'effet d'être le Père éternel.

Dans cette adoration, elle oubliait tout, même la commission dont elle était chargée. Tout à coup, la voix rude de la Thénardier la rappela à la réalité : — Comment, péronnelle, tu n'es pas partie ! Attends ! je vais à toi ! Je vous demande un peu ce qu'elle fait là ! Petit monstre, va !

La Thénardier avait jeté un coup d'œil dans la rue et aperçu Cosette en extase.

Cosette s'enfuit emportant son seau et faisant les plus grands pas qu'elle pouvait.

V

LA PETITE TOUTE SEULE [2]

COMME l'auberge Thénardier était dans cette partie du village qui est près de l'église, c'était à la source du bois du côté de Chelles que Cosette devait aller puiser de l'eau.

Elle ne regarda plus un seul étalage de marchand. Tant qu'elle fut dans la ruelle du Boulanger et dans les environs de l'église, les boutiques illuminées éclairaient le chemin, mais bientôt la dernière lueur de la dernière baraque disparut. La pauvre enfant se trouva dans l'obscurité. Elle s'y enfonça. Seulement, comme une certaine émotion la gagnait, tout en marchant elle agitait le plus qu'elle pouvait l'anse du seau. Cela faisait un bruit qui lui tenait compagnie.

Plus elle cheminait, plus les ténèbres devenaient épaisses. Il n'y avait plus personne dans les rues. Pourtant, elle rencontra une femme qui se retourna en la voyant passer, et qui resta immobile, marmottant entre ses lèvres : Mais où peut donc aller cet enfant? Est-ce que c'est un enfant-garou? Puis la femme reconnut Cosette. — Tiens, dit-elle, c'est l'Alouette[1]!

Cosette traversa ainsi le labyrinthe de rues tortueuses et désertes qui termine du côté de Chelles le village de Montfermeil. Tant qu'elle eut des maisons et même seulement des murs des deux côtés de son chemin, elle alla assez hardiment. De temps en temps, elle voyait le rayonnement d'une chandelle à travers la fente d'un volet, c'était de la lumière et de la vie, il y avait là des gens, cela la rassurait. Cependant, à mesure qu'elle avançait, sa marche se ralentissait comme machinalement. Quand elle eut passé l'angle de la dernière maison, Cosette s'arrêta. Aller au delà de la dernière boutique, cela avait été difficile; aller plus loin que la dernière maison, cela devenait impossible. Elle posa le seau à terre, plongea sa main dans ses cheveux et se mit à se gratter lentement la tête, geste propre aux enfants terrifiés et indécis. Ce n'était plus Montfermeil, c'étaient les champs. L'espace noir et désert était devant elle. Elle regarda avec désespoir cette obscurité où il n'y avait plus personne, où il y avait des bêtes, où il y avait peut-être des revenants. Elle regarda bien, et elle entendit les bêtes qui marchaient dans l'herbe, et elle vit distinctement les revenants qui remuaient dans les arbres. Alors elle ressaisit le seau, la peur lui donna de l'audace : — Bah! dit-elle, je lui dirai qu'il n'y avait plus d'eau! Et elle rentra résolument dans Montfermeil.

A peine eut-elle fait cent pas qu'elle s'arrêta encore, et se remit à se gratter la tête. Maintenant, c'était la Thénardier qui lui apparaissait; la Thénardier hideuse avec sa bouche d'hyène et la colère flamboyante dans les yeux. L'enfant jeta un regard lamentable en avant et en arrière. Que faire? que devenir? où aller? Devant elle le spectre de la Thénardier; derrière elle tous les fantômes de la nuit et des bois. Ce fut devant la Thénardier qu'elle recula. Elle reprit le chemin de la source et se mit à courir. Elle sortit du village en courant, elle entra dans le bois en courant, ne regardant plus rien, n'écoutant plus rien. Elle n'arrêta sa course que lorsque la respiration lui manqua, mais elle n'interrompit point sa marche. Elle allait devant elle, éperdue.

Tout en courant, elle avait envie de pleurer.

Le frémissement nocturne de la forêt l'enveloppait tout entière. Elle ne pensait plus, elle ne voyait plus. L'immense nuit faisait face à ce petit être. D'un côté, toute l'ombre; de l'autre, un atome.

Il n'y avait que sept ou huit minutes de la lisière du bois à la source. Cosette connaissait le chemin pour l'avoir fait bien souvent le jour. Chose étrange, elle ne se perdit pas. Un reste d'instinct la conduisait vaguement. Elle ne jetait cependant les yeux ni à droite ni à gauche, de crainte de voir des choses dans les branches et dans les broussailles. Elle arriva ainsi à la source.

C'était une étroite cuve naturelle creusée par l'eau dans un sol glaiseux, profonde d'environ deux pieds, entourée de mousses et de ces grandes herbes gaufrées qu'on appelle collerettes de Henri IV, et pavée de quelques grosses pierres. Un ruisseau s'en échappait avec un petit bruit tranquille.

Cosette ne prit pas le temps de respirer. Il faisait très noir, mais elle avait l'habitude de venir à cette fontaine. Elle chercha de la main gauche dans l'obscurité un jeune chêne incliné sur la source qui lui servait ordinairement de point d'appui, rencontra une branche, s'y suspendit, se pencha et plongea le seau dans l'eau. Elle était dans un moment si violent que ses forces étaient triplées. Pendant qu'elle était ainsi penchée, elle ne fit pas attention que la poche de son tablier se vidait dans la source. La pièce de quinze sous tomba dans l'eau. Cosette ne la vit ni ne l'entendit tomber[1]. Elle retira le seau presque plein et le posa sur l'herbe.

Cela fait, elle s'aperçut qu'elle était épuisée de lassitude. Elle eût bien voulu repartir tout de suite; mais l'effort de remplir le seau avait été tel qu'il lui fut impossible de faire un pas. Elle fut bien forcée de s'asseoir. Elle se laissa tomber sur l'herbe et y demeura accroupie.

Elle ferma les yeux, puis elle les rouvrit, sans savoir pourquoi, mais ne pouvant faire autrement.

A côté d'elle l'eau agitée dans le seau faisait des cercles qui ressemblaient à des serpents de feu blanc.

Au-dessus de sa tête, le ciel était couvert de vastes nuages noirs qui étaient comme des pans de fumée. Le tragique masque de l'ombre semblait se pencher vaguement sur cet enfant.

Jupiter se couchait dans les profondeurs.

L'enfant regardait d'un œil égaré cette grosse étoile qu'elle ne connaissait pas et qui lui faisait peur. La planète, en effet, était en ce moment très près de l'horizon et traversait une épaisse couche de brume qui lui donnait une rougeur horrible. La brume, lugubrement emprourprée, élargissait l'astre. On eût dit une plaie lumineuse.

Un vent froid soufflait de la plaine. Le bois était ténébreux, sans aucun froissement de feuilles, sans aucune de ces vagues et fraîches lueurs de l'été. De grands branchages s'y dressaient affreusement. Des buissons chétifs et difformes sifflaient dans les clairières. Les hautes herbes fourmillaient sous la bise comme des anguilles. Les ronces se tordaient comme de longs bras armés de griffes cherchant à prendre des proies; quelques bruyères sèches, chassées par le vent, passaient rapidement et avaient l'air de s'enfuir avec épouvante devant quelque chose qui arrivait. De tous les côtés il y avait des étendues lugubres.

L'obscurité est vertigineuse. Il faut à l'homme de la clarté. Quiconque s'enfonce dans le contraire du jour se sent le cœur serré. Quand l'œil voit noir, l'esprit voit trouble. Dans l'éclipse, dans la nuit, dans l'opacité fuligineuse, il y a de l'anxiété, même pour les plus forts. Nul ne marche seul la nuit dans la forêt sans tremblement. Ombres et arbres, deux épaisseurs redou-tables. Une réalité chimérique apparaît dans la profondeur indistincte. L'inconcevable s'ébauche à quelques pas de vous avec une netteté spectrale. On voit flotter, dans l'espace ou dans son propre cerveau, on ne sait quoi de vague et d'insai sissable comme les rêves des fleurs endormies. Il y a des atti-tudes farouches sur l'horizon. On aspire les effluves du grand vide noir. On a peur et envie de regarder derrière soi. Les cavités de la nuit, les choses devenues hagardes, des profils taciturnes qui se dissipent quand on avance, des échevellements obscurs, des touffes irritées, des flaques livides, le lugubre reflété dans le funèbre, l'immensité sépulcrale du silence, les êtres inconnus possibles, des penchements de branches mystérieux, d'effrayants torses d'arbres, de longues poignées d'herbes frémissantes, on est sans défense contre tout cela. Pas de hardiesse qui ne tressaille et qui ne sente le voisinage de l'angoisse. On éprouve quelque chose de hideux comme si l'âme s'amalgamait à l'ombre. Cette pénétration des ténèbres est inexprimablement sinistre dans un enfant.

Les forêts sont des apocalypses; et le battement d'ailes d'une petite âme fait un bruit d'agonie sous leur voûte mons-trueuse.

Sans se rendre compte de ce qu'elle éprouvait, Cosette se sentait saisir par cette énormité noire de la nature. Ce n'était plus seulement de la terreur qui la gagnait, c'était quelque chose de plus terrible même que la terreur. Elle frissonnait. Les expressions manquent pour dire ce qu'avait d'étrange ce frisson qui la glaçait jusqu'au fond du cœur. Son œil était devenu farouche. Elle croyait sentir qu'elle ne pourrait peut-être pas s'empêcher de revenir là à la même heure le lendemain.

Alors, par une sorte d'instinct, pour sortir de cet état singulier qu'elle ne comprenait pas, mais qui l'effrayait, elle se mit à compter à haute voix un, deux, trois, quatre, jusqu'à dix, et, quand elle eut fini, elle recommença. Cela lui rendit la perception vraie des choses qui l'entouraient. Elle sentit le froid à ses mains qu'elle avait mouillées en puisant de l'eau. Elle se leva. La peur lui était revenue, une peur naturelle et insurmontable. Elle n'eut plus qu'une pensée, s'enfuir; s'enfuir à toutes jambes, à travers bois, à travers champs, jusqu'aux maisons, jusqu'aux fenêtres, jusqu'aux chandelles allumées. Son regard tomba sur le seau qui était devant elle. Tel était l'effroi que lui inspirait la Thénardier qu'elle n'osa pas s'enfuir sans le seau d'eau. Elle saisit l'anse à deux mains. Elle eut de la peine à soulever le seau.

Elle fit ainsi une douzaine de pas, mais le seau était plein, il était lourd, elle fut forcée de le reposer à terre. Elle respira un instant, puis elle enleva l'anse de nouveau, et se remit à marcher, cette fois un peu plus longtemps. Mais il fallut s'arrêter encore. Après quelques secondes de repos, elle repartit. Elle marchait penchée en avant, la tête baissée, comme une vieille; le poids du seau tendait et roidissait ses bras maigres; l'anse de fer achevait d'engourdir et de geler ses petites mains mouillées; de temps en temps elle était forcée de s'arrêter, et chaque fois qu'elle s'arrêtait l'eau froide qui débordait du seau tombait sur ses jambes nues. Cela se passait au fond d'un bois, la nuit, en hiver, loin de tout regard humain; c'était un enfant de huit ans. Il n'y avait que Dieu en ce moment qui voyait cette chose triste.

Et sans doute sa mère, hélas!

Car il est des choses qui font ouvrir les yeux aux mortes dans leur tombeau [1].

Elle soufflait avec une sorte de râlement douloureux; des

sanglots lui serraient la gorge, mais elle n'osait pas pleurer, tant elle avait peur de la Thénardier, même loin. C'était son habitude de se figurer toujours que la Thénardier était là.

Cependant elle ne pouvait pas faire beaucoup de chemin de la sorte, et elle allait bien lentement. Elle avait beau diminuer la durée des stations et marcher entre chaque le plus longtemps possible. Elle pensait avec angoisse qu'il lui faudrait plus d'une heure pour retourner ainsi à Montfermeil et que la Thénardier la battrait. Cette angoisse se mêlait à son épouvante d'être seule dans le bois la nuit. Elle était harassée de fatigue et n'était pas encore sortie de la forêt. Parvenue près d'un vieux châtaignier qu'elle connaissait, elle fit une dernière halte plus longue que les autres pour se bien reposer, puis elle rassembla toutes ses forces, reprit le seau et se remit à marcher courageusement. Cependant le pauvre petit être désespéré ne put s'empêcher de s'écrier : O mon Dieu! mon Dieu[1]!

En ce moment, elle sentit tout à coup que le seau ne pesait plus rien. Une main, qui lui parut énorme, venait de saisir l'anse et la soulevait vigoureusement[2]. Elle leva la tête. Une grande forme noire, droite et debout, marchait auprès d'elle dans l'obscurité. C'était un homme qui était arrivé derrière elle et qu'elle n'avait pas entendu venir. Cet homme, sans dire un mot, avait empoigné l'anse du seau qu'elle portait.

Il y a des instincts pour toutes les rencontres de la vie. L'enfant n'eut pas peur.

VI

QUI PEUT-ÊTRE PROUVE L'INTELLIGENCE DE BOULATRUELLE

DANS l'après-midi de cette même journée de Noël 1823, un homme se promena assez longtemps dans la partie la plus déserte du boulevard de l'Hôpital à Paris. Cet homme avait l'air de quelqu'un qui cherche un logement, et semblait s'arrêter de préférence aux plus modestes maisons de cette lisière délabrée du faubourg Saint-Marceau.

On verra plus loin que cet homme avait en effet loué une chambre dans ce quartier isolé.

Cet homme, dans son vêtement comme dans toute sa personne, réalisait le type de ce qu'on pourrait nommer le mendiant de bonne compagnie, l'extrême misère combinée avec l'extrême propreté. C'est là un mélange assez rare qui inspire aux cœurs intelligents ce double respect qu'on éprouve pour celui qui est très pauvre et pour celui qui est très digne. Il avait un chapeau rond fort vieux et fort brossé, une redingote râpée jusqu'à la corde en gros drap jaune d'ocre, couleur qui n'avait rien de trop bizarre à cette époque, un grand gilet à poches de forme séculaire, des culottes noires devenues grises aux genoux, des bas de laine noire et d'épais souliers à boucles de cuivre. On eût dit un ancien précepteur de bonne maison revenu de l'émigration. A ses cheveux tout blancs, à son front ridé, à ses lèvres livides, à son visage où tout respirait l'accablement et la lassitude de la vie, on lui eût supposé beaucoup plus de soixante ans. A sa démarche ferme, quoique lente, à la vigueur singulière empreinte dans tous ses mouvements, on lui en eût donné à peine cinquante. Les rides de son front étaient bien placées, et eussent prévenu en sa faveur quelqu'un qui l'eût observé avec attention. Sa lèvre se contractait avec un pli étrange, qui semblait sévère et qui était humble. Il y avait au fond de son regard on ne sait quelle sérénité lugubre. Il portait de la main gauche un petit paquet noué dans un mouchoir; de la droite il s'appuyait sur une espèce de bâton coupé dans une haie. Ce bâton avait été travaillé avec quelque soin, et n'avait pas trop méchant air; on avait tiré parti des nœuds, et on lui avait figuré un pommeau de corail avec de la cire rouge; c'était un gourdin, et cela semblait une canne.

Il y a peu de passants sur ce boulevard, surtout l'hiver. Cet homme, sans affectation pourtant, paraissait les éviter plutôt que les chercher.

A cette époque le roi Louis XVIII allait presque tous les jours à Choisy-le-Roi. C'était une de ses promenades favorites. Vers deux heures, presque invariablement, on voyait la voiture et la cavalcade royale passer ventre à terre sur le boulevard de l'Hôpital.

Cela tenait lieu de montre et d'horloge aux pauvresses du quartier qui disaient : — Il est deux heures, le voilà qui s'en retourne aux Tuileries.

Et les uns accouraient, et les autres se rangeaient; car un roi qui passe, c'est toujours un tumulte. Du reste l'apparition et la disparition de Louis XVIII faisaient un certain effet dans les rues de Paris. Cela était rapide, mais majestueux. Ce roi impotent avait le goût du grand galop; ne pouvant marcher, il voulait courir; ce cul-de-jatte se fût fait volontiers traîner par l'éclair. Il passait, pacifique et sévère, au milieu des sabres nus. Sa berline massive, toute dorée, avec de grosses branches de lys peintes sur les panneaux, roulait bruyamment. A peine avait-on le temps d'y jeter un coup d'œil. On voyait dans l'angle du fond à droite, sur des coussins capitonnés de satin blanc, une face large, ferme et vermeille, un front frais poudré à l'oiseau royal, un œil fier, dur et fin, un sourire de lettré, deux grosses épaulettes à torsades flottantes sur un habit bourgeois, la toison d'or, la croix de Saint-Louis, la croix de la légion d'honneur, la plaque d'argent du saint-esprit, un gros ventre et un large cordon bleu; c'était le roi. Hors de Paris, il tenait son chapeau à plumes blanches sur ses genoux emmaillottés de hautes guêtres anglaises; quand il rentrait dans la ville, il mettait son chapeau sur sa tête, saluant peu. Il regardait froidement le peuple, qui le lui rendait. Quand il parut pour la première fois dans le quartier Saint-Marceau, tout son succès fut ce mot d'un faubourien à son camarade : « C'est ce gros-là qui est le gouvernement. »

Cet infaillible passage du roi à la même heure était donc l'événement quotidien du boulevard de l'Hôpital.

Le promeneur à la redingote jaune n'était évidemment pas du quartier, et probablement pas de Paris, car il ignorait ce détail. Lorsqu'à deux heures la voiture royale, entourée d'un escadron de gardes du corps galonnés d'argent, déboucha sur le boulevard, après avoir tourné la Salpêtrière, il parut surpris et presque effrayé. Il n'y avait que lui dans la contre-allée, il se rangea vivement derrière un angle du mur d'enceinte, ce qui n'empêcha pas M. le duc d'Havré de l'apercevoir. M. le duc d'Havré, comme capitaine des gardes de service ce jour-là, était assis dans la voiture vis-à-vis du roi. Il dit à sa majesté : Voilà un homme d'assez mauvaise mine [1]. Des gens de police, qui éclairaient le passage du roi, le remarquèrent également, et l'un d'eux reçut l'ordre de le suivre. Mais l'homme s'enfonça dans les petites rues solitaires du faubourg, et comme le jour commençait à baisser, l'agent perdit sa trace, ainsi que cela est constaté par un rapport adressé le soir même à M. le comte Anglès, ministre d'état, préfet de police.

Quand l'homme à la redingote jaune eut dépisté l'agent, il doubla le pas, non sans s'être retourné bien des fois pour s'assurer qu'il n'était pas suivi. A quatre heures un quart, c'est-à-dire à la nuit close, il passait devant le théâtre de la Porte Saint-Martin où l'on donnait ce jour-là *les deux Forçats.* Cette affiche, éclairée par les réverbères du théâtre, le frappa, car, quoiqu'il marchât vite, il s'arrêta pour la lire. Un instant après, il était dans le cul-de-sac de la Planchette, et il entrait au *Plat d'étain,* où était alors le bureau de la voiture de Lagny. Cette voiture partait à quatre heures et demie. Les chevaux étaient attelés, et les voyageurs, appelés par le cocher, escaladaient en hâte le haut escalier de fer du coucou.

L'homme demanda :

— Avez-vous une place ?

— Une seule, à côté de moi, sur le siège, dit le cocher.

— Je la prends.

— Montez.

Cependant, avant de partir, le cocher jeta un coup d'œil sur le costume médiocre du voyageur, sur la petitesse de son paquet, et se fit payer[1].

— Allez-vous jusqu'à Lagny ? demanda le cocher.

— Oui, dit l'homme.

Le voyageur paya jusqu'à Lagny.

On partit. Quand on eut passé la barrière, le cocher essaya de nouer la conversation, mais le voyageur ne répondait que par monosyllabes[2]. Le cocher prit le parti de siffler et de jurer après ses chevaux.

Le cocher s'enveloppa de son manteau. Il faisait froid. L'homme ne paraissait pas y songer. On traversa ainsi Gournay et Neuilly-sur-Marne.

Vers six heures du soir on était à Chelles. Le cocher s'arrêta pour laisser souffler ses chevaux, devant l'auberge à rouliers installée dans les vieux bâtiments de l'abbaye royale.

— Je descends ici, dit l'homme.

Il prit son paquet et son bâton, et sauta à bas de la voiture.

Un instant après, il avait disparu.

Il n'était pas entré dans l'auberge.

Quand, au bout de quelques minutes, la voiture repartit

pour Lagny, elle ne le rencontra pas dans la grande rue de Chelles.

Le cocher se tourna vers les voyageurs de l'intérieur.

— Voilà, dit-il, un homme qui n'est pas d'ici, car je ne le connais pas. Il a l'air de n'avoir pas le sou; cependant il ne tient pas à l'argent; il paye pour Lagny, et il ne va que jusqu'à Chelles. Il est nuit, toutes les maisons sont fermées, il n'entre pas à l'auberge, et on ne le retrouve plus. Il s'est donc enfoncé dans la terre.

L'homme ne s'était pas enfoncé dans la terre, mais il avait arpenté en hâte dans l'obscurité la grande rue de Chelles; puis il avait pris à gauche avant d'arriver à l'église le chemin vicinal qui mène à Montfermeil, comme quelqu'un qui eût connu le pays et qui y fût déjà venu.

Il suivit ce chemin rapidement. A l'endroit où il est coupé par l'ancienne route bordée d'arbres qui va de Gagny à Lagny, il entendit venir des passants. Il se cacha précipitamment dans un fossé, et y attendit que les gens qui passaient se fussent éloignés. La précaution était d'ailleurs presque superflue, car, comme nous l'avons déjà dit, c'était une nuit de décembre très noire. On voyait à peine deux ou trois étoiles au ciel[1].

C'est à ce point-là que commence la montée de la colline. L'homme ne rentra pas dans le chemin de Montfermeil; il prit à droite, à travers champs, et gagna à grands pas le bois.

Quand il fut dans le bois, il ralentit sa marche, et se mit à regarder soigneusement tous les arbres, avançant pas à pas, comme s'il cherchait et suivait une route mystérieuse connue de lui seul. Il y eut un moment où il parut se perdre et où il s'arrêta indécis. Enfin il arriva, de tâtonnements en tâtonnements, à une clairière où il y avait un monceau de grosses pierres blanchâtres. Il se dirigea vivement vers ces pierres et les examina avec attention à travers la brume de la nuit, comme s'il les passait en revue. Un gros arbre, couvert de ces excroissances qui sont les verrues de la végétation, était à quelques pas du tas de pierres. Il alla à cet arbre, et promena sa main sur l'écorce du tronc, comme s'il cherchait à reconnaître et à compter toutes les verrues.

Vis-à-vis de cet arbre, qui était un frêne, il y avait un châtaignier malade·d'une décortication, auquel on avait mis pour pansement une bande de zinc clouée. Il se haussa sur la pointe des pieds et toucha cette bande de zinc.

Puis il piétina pendant quelque temps sur le sol dans l'espace compris entre l'arbre et les pierres, comme quelqu'un qui s'assure que la terre n'a pas été fraîchement remuée.

Cela fait, il s'orienta et reprit sa marche à travers le bois. C'était cet homme qui venait de rencontrer Cosette.

En cheminant par le taillis dans la direction de Montfermeil, il avait aperçu cette petite ombre qui se mouvait avec un gémissement, qui déposait un fardeau à terre, puis le reprenait, et se remettait à marcher. Il s'était approché et avait reconnu que c'était un tout jeune enfant chargé d'un énorme seau d'eau. Alors il était allé à l'enfant, et avait pris silencieusement l'anse du seau[1].

VII

COSETTE CÔTE À CÔTE DANS L'OMBRE AVEC L'INCONNU[2]

COSETTE, nous l'avons dit, n'avait pas eu peur.

L'homme lui adressa la parole. Il parlait d'une voix grave et presque basse.

— Mon enfant, c'est bien lourd pour vous ce que vous portez là.

Cosette leva la tête et répondit :

— Oui, monsieur.

— Donnez, reprit l'homme. Je vais vous le porter.

Cosette lâcha le seau. L'homme se mit à cheminer près d'elle.

— C'est très lourd en effet, dit-il entre ses dents. Puis il ajouta :

— Petite, quel âge as-tu?

— Huit ans, monsieur.

— Et viens-tu de loin comme cela?

— De la source qui est dans le bois.

— Et est-ce loin où tu vas?

— A un bon quart d'heure d'ici.

L'homme resta un moment sans parler, puis il dit brusquement :

— Tu n'as donc pas de mère?

— Je ne sais pas, répondit l'enfant.

Avant que l'homme eût eu le temps de reprendre la parole, elle ajouta :

— Je ne crois pas. Les autres en ont. Moi, je n'en ai pas.

Et après un silence, elle reprit :

— Je crois que je n'en ai jamais eu [1].

L'homme s'arrêta, il posa le seau à terre, se pencha et mit ses deux mains sur les deux épaules de l'enfant, faisant effort pour la regarder et voir son visage dans l'obscurité.

La figure maigre et chétive de Cosette se dessinait vaguement à la lueur livide du ciel.

— Comment t'appelles-tu? dit l'homme.

— Cosette.

L'homme eut comme une secousse électrique. Il la regarda encore, puis il ôta ses mains de dessus les épaules de Cosette, saisit le seau, et se remit à marcher.

Au bout d'un instant il demanda :

— Petite, où demeures-tu?

— A Montfermeil, si vous connaissez.

— C'est là que nous allons?

— Oui, monsieur.

Il fit encore une pause, puis recommença :

— Qui est-ce donc qui t'a envoyée à cette heure chercher de l'eau dans le bois?

— C'est madame Thénardier.

L'homme repartit d'un ton de voix qu'il voulait s'efforcer de rendre indifférent, mais où il y avait pourtant un tremblement singulier :

— Qu'est-ce qu'elle fait, ta madame Thénardier?

— C'est ma bourgeoise, dit l'enfant. Elle tient l'auberge.

— L'auberge? dit l'homme. Eh bien, je vais aller y loger cette nuit. Conduis-moi.

— Nous y allons, dit l'enfant.

L'homme marchait assez vite. Cosette le suivait sans peine. Elle ne sentait plus la fatigue. De temps en temps, elle levait les yeux vers cet homme avec une sorte de tranquillité et d'abandon inexprimable. Jamais on ne lui avait appris à se tourner vers la providence et à prier. Cependant elle sentait en elle quelque chose qui ressemblait à de l'espérance et à de la joie et qui s'en allait vers le ciel [2].

Quelques minutes s'écoulèrent. L'homme reprit :

— Est-ce qu'il n'y a pas de servante chez madame Thénardier?

— Non, monsieur.

— Est-ce que tu es seule?

— Oui, monsieur.

Il y eut encore une interruption. Cosette éleva la voix :

— C'est-à-dire il y a deux petites filles.

— Quelles petites filles?

— Ponine et Zelma.

L'enfant simplifiait de la sorte les noms romanesques chers à la Thénardier.

— Qu'est-ce que c'est que Ponine et Zelma?

— Ce sont les demoiselles de madame Thénardier. Comme qui dirait ses filles.

— Et que font-elles, celles-là?

— Oh! dit l'enfant, elles ont de belles poupées, des choses où il y a de l'or, tout plein d'affaires. Elles jouent, elles s'amusent.

— Toute la journée?

— Oui, monsieur.

— Et toi?

— Moi, je travaille.

— Toute la journée?

L'enfant leva ses grands yeux où il y avait une larme qu'on ne voyait pas à cause de la nuit, et répondit doucement :

— Oui, monsieur.

Elle poursuivit après un intervalle de silence :

— Des fois, quand j'ai fini l'ouvrage et qu'on veut bien, je m'amuse aussi.

— Comment t'amuses-tu?

— Comme je peux. On me laisse. Mais je n'ai pas beaucoup de joujoux. Ponine et Zelma ne veulent pas que je joue avec leurs poupées. Je n'ai qu'un petit sabre en plomb, pas plus long que ça.

L'enfant montrait son petit doigt.

— Et qui ne coupe pas?

— Si, monsieur, dit l'enfant, ça coupe la salade et les têtes de mouches.

Ils atteignirent le village; Cosette guida l'étranger dans les rues. Ils passèrent devant la boulangerie, mais Cosette ne

songea pas au pain qu'elle devait rapporter. L'homme avait
cessé de lui faire des questions et gardait maintenant un silence
morne. Quand ils eurent laissé l'église derrière eux, l'homme,
voyant toutes ces boutiques en plein vent, demanda à Cosette :

— C'est donc la foire ici?

— Non, monsieur, c'est Noël.

Comme ils approchaient de l'auberge, Cosette lui toucha
le bras timidement.

— Monsieur?

— Quoi, mon enfant?

— Nous voilà tout près de la maison.

— Eh bien?

— Voulez-vous me laisser reprendre le seau à présent?

— Pourquoi?

— C'est que, si madame voit qu'on me l'a porté, elle me
battra.

L'homme lui remit le seau. Un instant après, ils étaient à
la porte de la gargote.

VIII

DÉSAGRÉMENT DE RECEVOIR CHEZ SOI UN PAUVRE QUI EST PEUT-ÊTRE UN RICHE

Cosette ne put s'empêcher de jeter un regard de côté à la
grande poupée toujours étalée chez le bimbelotier, puis elle
frappa. La porte s'ouvrit. La Thénardier parut une chandelle
à la main.

— Ah! c'est toi, petite gueuse! Dieu merci, tu y as mis le
temps! elle se sera amusée, la drôlesse!

— Madame, dit Cosette toute tremblante, voilà un monsieur
qui vient loger.

La Thénardier remplaça bien vite sa mine bourrue par sa
grimace aimable, changement à vue propre aux aubergistes, et
chercha avidement des yeux le nouveau venu.

— C'est monsieur? dit-elle.

— Oui, madame, répondit l'homme en portant la main à
son chapeau.

Les voyageurs riches ne sont pas si polis. Ce geste et l'inspection du costume et du bagage de l'étranger que la Thénardier passa en revue d'un coup d'œil firent évanouir la grimace aimable et reparaître la mine bourrue. Elle reprit sèchement :

— Entrez, bonhomme.

Le « bonhomme »[1] entra. La Thénardier lui jeta un second coup d'œil, examina particulièrement sa redingote qui était absolument râpée et son chapeau qui était un peu défoncé, et consulta d'un hochement de tête, d'un froncement de nez et d'un clignement d'yeux, son mari, lequel buvait toujours avec les rouliers. Le mari répondit par cette imperceptible agitation de l'index qui, appuyé du gonflement des lèvres, signifie en pareil cas : débine complète. Sur ce, la Thénardier s'écria :

— Ah ! çà, brave homme, je suis bien fâchée, mais c'est que je n'ai plus de place.

— Mettez-moi où vous voudrez, dit l'homme, au grenier, à l'écurie. Je payerai comme si j'avais une chambre[2].

— Quarante sous.

— Quarante sous. Soit.

— A la bonne heure.

— Quarante sous ! dit un roulier bas à la Thénardier, mais ce n'est que vingt sous.

— C'est quarante sous pour lui, répliqua la Thénardier du même ton. Je ne loge pas des pauvres à moins.

— C'est vrai, ajouta le mari avec douceur, ça gâte une maison d'y avoir de ce monde-là.

Cependant l'homme, après avoir laissé sur un banc son paquet et son bâton, s'était assis à une table où Cosette s'était empressée de poser une bouteille de vin et un verre. Le marchand qui avait demandé le seau d'eau était allé lui-même le porter à son cheval. Cosette avait repris sa place sous la table de cuisine et son tricot.

L'homme, qui avait à peine trempé ses lèvres dans le verre de vin qu'il s'était versé, considérait l'enfant avec une attention étrange.

Cosette était laide[3]. Heureuse, elle eût peut-être été jolie. Nous avons déjà esquissé cette petite figure sombre. Cosette était maigre et blême ; elle avait près de huit ans, on lui en eût donné à peine six[4]. Ses grands yeux enfoncés dans une sorte d'ombre profonde étaient presque éteints à force d'avoir pleuré. Les coins de sa bouche avaient cette courbe de l'angoisse habituelle, qu'on observe chez les condamnés et chez les malades désespérés. Ses mains étaient, comme sa mère l'avait deviné, « perdues d'engelures ». Le feu qui l'éclairait en ce moment faisait saillir les angles de ses os et rendait sa maigreur affreusement visible. Comme elle grelottait toujours, elle avait pris l'habitude de serrer ses deux genoux l'un contre l'autre. Tout son vêtement n'était qu'un haillon qui eût fait pitié l'été et qui faisait horreur l'hiver. Elle n'avait sur elle que de la toile trouée; pas un chiffon de laine. On voyait sa peau çà et là, et l'on y distinguait partout des taches bleues ou noires qui indiquaient les endroits où la Thénardier l'avait touchée. Ses jambes nues étaient rouges et grêles. Le creux de ses clavicules était à faire pleurer. Toute la personne de cette enfant, son allure, son attitude, le son de sa voix, ses intervalles entre un mot et l'autre, son regard, son silence, son moindre geste, exprimaient et traduisaient une seule idée : la crainte.

La crainte était répandue sur elle; elle en était pour ainsi dire couverte; la crainte ramenait ses coudes contre ses hanches, retirait ses talons sous ses jupes, lui faisait tenir le moins de place possible, ne lui laissait de souffle que le nécessaire, et était devenue ce qu'on pourrait appeler son habitude de corps, sans variation possible que d'augmenter. Il y avait au fond de sa prunelle un coin étonné où était la terreur.

Cette crainte était telle qu'en arrivant, toute mouillée comme elle était, Cosette n'avait pas osé s'aller sécher au feu et s'était remise silencieusement à son travail.

L'expression du regard de cette enfant de huit ans était habituellement si morne et parfois si tragique qu'il semblait, à de certains moments, qu'elle fût en train de devenir une idiote ou un démon.

Jamais, nous l'avons dit, elle n'avait su ce que c'est que prier, jamais elle n'avait mis le pied dans une église. — Est-ce que j'ai le temps? disait la Thénardier.

L'homme à la redingote jaune ne quittait pas Cosette des yeux.

Tout à coup la Thénardier s'écria :

— A propos! et ce pain?

Cosette, selon sa coutume toutes les fois que la Thénardier élevait la voix, sortit bien vite de dessous la table.

Elle avait complètement oublié ce pain. Elle eut recours à l'expédient des enfants toujours effrayés. Elle mentit.

— Madame, le boulanger était fermé.

— Il fallait cogner.

— J'ai cogné, madame.

— Eh bien?

— Il n'a pas ouvert.

— Je saurai demain si c'est vrai, dit la Thénardier, et si tu mens, tu auras une fière danse. En attendant, rends-moi la pièce-quinze-sous.

Cosette plongea sa main dans la poche de son tablier, et devint verte. La pièce de quinze sous n'y était plus.

— Ah ça! dit la Thénardier, m'as-tu entendue?

Cosette retourna la poche, il n'y avait rien. Qu'est-ce que cet argent pouvait être devenu? La malheureuse petite ne trouva pas une parole. Elle était pétrifiée.

— Est-ce que tu l'as perdue, la pièce-quinze-sous? râla la Thénardier, ou bien est-ce que tu veux me la voler?

En même temps elle allongea le bras vers le martinet suspendu à la cheminée.

Ce geste redoutable rendit à Cosette la force de crier :.

— Grâce! madame! madame! je ne le ferai plus.

La Thénardier détacha le martinet.

Cependant l'homme à la redingote jaune avait fouillé dans le gousset de son gilet, sans qu'on eût remarqué ce mouvement. D'ailleurs les autres voyageurs buvaient ou jouaient aux cartes et ne faisaient attention à rien.

Cosette se pelotonnait avec angoisse dans l'angle de la cheminée, tâchant de ramasser et de dérober ses pauvres membres demi-nus. La Thénardier leva le bras.

— Pardon, madame, dit l'homme, mais tout à l'heure j'ai vu quelque chose qui est tombé de la poche du tablier de cette petite et qui a roulé. C'est peut-être cela.

En même temps il se baissa et parut chercher à terre un instant.

— Justement. Voici, reprit-il en se relevant.

Et il tendit une pièce d'argent à la Thénardier.

— Oui, c'est cela, dit-elle.

Ce n'était pas cela, car c'était une pièce de vingt sous, mais la Thénardier y trouvait du bénéfice. Elle mit la pièce dans sa poche, et se borna à jeter un regard farouche à l'enfant en disant : — Que cela ne t'arrive plus, toujours!

Cosette rentra dans ce que la Thénardier appelait « sa

niche », et son grand œil, fixé sur le voyageur inconnu, commença à prendre une expression qu'il n'avait jamais eue. Ce n'était encore qu'un naïf étonnement, mais une sorte de confiance stupéfaite s'y mêlait.

— A propos, voulez-vous souper? demanda la Thénardier au voyageur.

Il ne répondit pas. Il semblait songer profondément.

— Qu'est-ce que c'est que cet homme-là? dit-elle entre ses dents. C'est quelque affreux pauvre. Cela n'a pas le sou pour souper. Me payera-t-il mon logement seulement? Il est bien heureux tout de même qu'il n'ait pas eu l'idée de voler l'argent qui était à terre.

Cependant une porte s'était ouverte et Éponine et Azelma étaient entrées.

C'étaient vraiment deux jolies petites filles, plutôt bourgeoises que paysannes, très charmantes, l'une avec ses tresses châtaines bien lustrées, l'autre avec ses longues nattes noires tombant derrière le dos, toutes deux vives, propres, grasses, fraîches et saines à réjouir le regard. Elles étaient chaudement vêtues, mais avec un tel art maternel, que l'épaisseur des étoffes n'ôtait rien à la coquetterie de l'ajustement. L'hiver était prévu sans que le printemps fût effacé. Ces deux petites dégageaient de la lumière. En outre, elles étaient régnantes. Dans leur toilette, dans leur gaîté, dans le bruit qu'elles faisaient, il y avait de la souveraineté. Quand elles entrèrent, la Thénardier leur dit d'un ton grondeur, qui était plein d'adoration : — Ah! vous voilà donc, vous autres!

Puis, les attirant dans ses genoux l'une après l'autre, lissant leurs cheveux, renouant leurs rubans, et les lâchant ensuite avec cette douce façon de secouer qui est propre aux mères, elle s'écria : Sont-elles fagotées!

Elles vinrent s'asseoir au coin du feu. Elles avaient une poupée qu'elles tournaient et retournaient sur leurs genoux avec toutes sortes de gazouillements joyeux. De temps en temps, Cosette levait les yeux de son tricot, et les regardait jouer d'un air lugubre.

Éponine et Azelma ne regardaient pas Cosette. C'était pour elles comme le chien. Ces trois petites filles n'avaient pas vingt-quatre ans à elles trois, et elles représentaient déjà toute la société des hommes; d'un côté l'envie, de l'autre le dédain [1].

La poupée des sœurs Thénardier était très fanée et très

vieille et toute cassée, mais elle n'en paraissait pas moins admirable à Cosette, qui de sa vie n'avait eu une poupée, *une vraie poupée,* pour nous servir d'une expression que tous les enfants comprendront[1].

Tout à coup la Thénardier, qui continuait d'aller et de venir dans la salle, s'aperçut que Cosette avait des distractions et qu'au lieu de travailler elle s'occupait des petites qui jouaient.

— Ah! je t'y prends! cria-t-elle. C'est comme cela que tu travailles! Je vais te faire travailler à coups de martinet, moi.

L'étranger, sans quitter sa chaise, se tourna vers la Thénardier.

— Madame, dit-il en souriant d'un air presque craintif, bah! laissez-la jouer!

De la part de tout voyageur qui eût mangé une tranche de gigot et bu deux bouteilles de vin à son souper et qui n'eût pas eu l'air d'*un affreux pauvre,* un pareil souhait eût été un ordre. Mais qu'un homme qui avait ce chapeau se permît d'avoir un désir et qu'un homme qui avait cette redingote se permît d'avoir une volonté, c'est ce que la Thénardier ne crut pas devoir tolérer. Elle repartit aigrement :

— Il faut qu'elle travaille, puisqu'elle mange. Je ne la nourris pas à rien faire.

— Qu'est-ce qu'elle fait donc? reprit l'étranger de cette voix douce qui contrastait si étrangement avec ses habits de mendiant et ses épaules de portefaix.

La Thénardier daigna répondre :

— Des bas, s'il vous plaît. Des bas pour mes petites filles qui n'en ont pas, autant dire, et qui vont tout à l'heure pieds nus.

L'homme regarda les pauvres pieds rouges de Cosette, et continua :

— Quand aura-t-elle fini cette paire de bas?

— Elle en a encore au moins pour trois ou quatre grands jours, la paresseuse.

— Et combien peut valoir cette paire de bas, quand elle sera faite?

La Thénardier lui jeta un coup d'œil méprisant.

— Au moins trente sous.

— La donneriez-vous pour cinq francs? reprit l'homme.

— Pardieu! s'écria avec un gros rire un roulier qui écoutait, cinq francs? Je crois fichtre bien! cinq balles!

Le Thénardier crut devoir prendre la parole.

— Oui, monsieur, si c'est votre fantaisie, on vous donnera cette paire de bas pour cinq francs. Nous ne savons rien refuser aux voyageurs.

— Il faudrait payer tout de suite, dit la Thénardier avec sa façon brève et péremptoire.

— J'achète cette paire de bas, répondit l'homme, et, ajouta-t-il en tirant de sa poche une pièce de cinq francs qu'il posa sur la table, — je la paye.

Puis il se tourna vers Cosette.

— Maintenant ton travail est à moi. Joue, mon enfant[1].

Le roulier fut si ému de la pièce de cinq francs, qu'il laissa là son verre et accourut.

— C'est pourtant vrai! cria-t-il en l'examinant. Une vraie roue de derrière![2] et pas fausse!

Le Thénardier approcha et mit silencieusement la pièce dans son gousset.

La Thénardier n'avait rien à répliquer. Elle se mordit les lèvres, et son visage prit une expression de haine.

Cependant Cosette tremblait. Elle se risqua à demander :

— Madame, est-ce que c'est vrai? est-ce que je peux jouer?

— Joue! dit la Thénardier d'une voix terrible.

— Merci, madame, dit Cosette.

Et pendant que sa bouche remerciait la Thénardier, toute sa petite âme remerciait le voyageur.

Le Thénardier s'était remis à boire. Sa femme lui dit à l'oreille :

— Qu'est-ce que ça peut être que cet homme jaune?

— J'ai vu, répondit souverainement Thénardier, des millionnaires qui avaient des redingotes comme cela.

Cosette avait laissé là son tricot, mais elle n'était pas sortie de sa place. Cosette bougeait toujours le moins possible. Elle avait pris dans une boîte derrière elle quelques vieux chiffons et son petit sabre de plomb.

Éponine et Azelma ne faisaient aucune attention à ce qui se passait. Elles venaient d'exécuter une opération fort importante; elles s'étaient emparées du chat. Elles avaient jeté la poupée à terre, et Éponine, qui était l'aînée, emmaillottait le petit chat, malgré ses miaulements et ses contorsions, avec une foule de nippes et de guenilles rouges et bleues. Tout en faisant ce grave et difficile travail, elle disait à sa sœur dans ce doux et adorable langage des enfants dont la grâce, pareille à la splendeur de l'aile des papillons, s'en va quand on veut la fixer :

— Vois-tu, ma sœur, cette poupée-là est plus amusante que l'autre. Elle remue, elle crie, elle est chaude. Vois-tu, ma sœur, jouons avec. Ce serait ma petite fille. Je serais une dame. Je viendrais te voir et tu la regarderais. Peu à peu tu verrais ses moustaches, et cela t'étonnerait. Et puis tu verrais ses oreilles, et puis tu verrais sa queue, et cela t'étonnerait. Et tu me dirais : Ah! mon Dieu! et je te dirais : Oui, madame, c'est une petite fille que j'ai comme ça. Les petites filles sont comme ça à présent.

Azelma écoutait Éponine avec admiration.

Cependant, les buveurs s'étaient mis à chanter une chanson obscène dont ils riaient à faire trembler le plafond. Le Thénardier les encourageait et les accompagnait.

Comme les oiseaux font un nid avec tout, les enfants font une poupée avec n'importe quoi. Pendant qu'Éponine et Azelma emmaillottaient le chat, Cosette de son côté avait emmaillotté le sabre. Cela fait, elle l'avait couché sur ses bras, et elle chantait doucement pour l'endormir.

La poupée est un des plus impérieux besoins et en même temps un des plus charmants instincts de l'enfance féminine. Soigner, vêtir, parer, habiller, déshabiller, rhabiller, enseigner, un peu gronder, bercer, dorloter, endormir, se figurer que quelque chose est quelqu'un, tout l'avenir de la femme est là[1]. Tout en rêvant et tout en jasant, tout en faisant de petits trousseaux et de petites layettes, tout en cousant de petites robes, de petits corsages et de petites brassières, l'enfant devient jeune fille, la jeune fille devient grande fille, la grande fille devient femme. Le premier enfant continue la dernière poupée[2].

Une petite fille sans poupée est à peu près aussi malheureuse et tout à fait aussi impossible qu'une femme sans enfant.

Cosette s'était donc fait une poupée avec le sabre.

La Thénardier, elle, s'était rapprochée de l'*homme jaune.*
— Mon mari a raison, pensait-elle, c'est peut-être monsieur Laffitte[3]. Il y a des riches si farces !

Elle vint s'accouder à sa table.

— Monsieur... dit-elle.

A ce mot *monsieur,* l'homme se retourna. La Thénardier ne l'avait encore appelé que *brave homme* ou *bonhomme.*

— Voyez-vous, monsieur, poursuivit-elle en prenant son air douceâtre qui était encore plus fâcheux à voir que son air féroce, je veux bien que l'enfant joue, je ne m'y oppose pas, mais c'est bon pour une fois, parce que vous êtes généreux. Voyez-vous, cela n'a rien. Il faut que cela travaille.

— Elle n'est donc pas à vous, cette enfant? demanda l'homme.

— Oh mon Dieu non, monsieur! c'est une petite pauvre que nous avons recueillie comme cela, par charité. Une espèce d'enfant imbécile. Elle doit avoir de l'eau dans la tête. Elle a la tête grosse, comme vous voyez. Nous faisons pour elle ce que nous pouvons, car nous ne sommes pas riches. Nous avons beau écrire à son pays, voilà six mois qu'on ne nous répond plus. Il faut croire que sa mère est morte.

— Ah! dit l'homme, et il retomba dans sa rêverie.

— C'était une pas grand'chose que cette mère, ajouta la Thénardier. Elle abandonnait son enfant.

Pendant toute cette conversation, Cosette, comme si un instinct l'eût avertie qu'on parlait d'elle, n'avait pas quitté des yeux la Thénardier. Elle écoutait vaguement. Elle entendait çà et là quelques mots.

Cependant les buveurs, tous ivres aux trois quarts, répétaient leur refrain immonde avec un redoublement de gaîté. C'était une gaillardise de haut goût où étaient mêlés la Vierge et l'enfant Jésus. La Thénardier était allée prendre sa part des éclats de rire. Cosette, sous la table, regardait le feu qui se réverbérait dans son œil fixe; elle s'était remise à bercer l'espèce de maillot qu'elle avait fait, et, tout en le berçant, elle chantait à voix basse : Ma mère est morte! ma mère est morte! ma mère est morte!

Sur de nouvelles insistances de l'hôtesse, l'homme jaune, « le millionnaire », consentit enfin à souper.

— Que veut monsieur?

— Du pain et du fromage, dit l'homme.

— Décidément c'est un gueux, pensa la Thénardier.

Les ivrognes chantaient toujours leur chanson, et l'enfant, sous la table, chantait aussi la sienne.

Tout à coup Cosette s'interrompit. Elle venait de se retourner et d'apercevoir la poupée des petites Thénardier qu'elles avaient quittée pour le chat et laissée à terre à quelques pas de la table de cuisine.

Alors elle laissa tomber le sabre emmaillotté qui ne lui suffisait qu'à demi, puis elle promena lentement ses yeux autour de la salle. La Thénardier parlait bas à son mari, et comptait de la monnaie, Ponine et Zelma jouaient avec le chat, les voyageurs mangeaient, ou buvaient, ou chantaient, aucun regard n'était fixé sur elle. Elle n'avait pas un moment à perdre. Elle sortit de dessous la table en rampant sur ses genoux et sur ses mains, s'assura encore une fois qu'on ne la guettait pas, puis se glissa vivement jusqu'à la poupée, et la saisit. Un instant après elle était à sa place, assise, immobile, tournée seulement de manière à faire de l'ombre sur la poupée qu'elle tenait dans ses bras. Ce bonheur de jouer avec une poupée était tellement rare pour elle qu'il avait toute la violence d'une volupté.

Personne ne l'avait vue, excepté le voyageur, qui mangeait lentement son maigre souper.

Cette joie dura près d'un quart d'heure.

Mais, quelque précaution que prît Cosette, elle ne s'apercevait pas qu'un des pieds de la poupée — *passait,* — et que le feu de la cheminée l'éclairait très vivement. Ce pied rose et lumineux qui sortait de l'ombre frappa subitement le regard d'Azelma qui dit à Éponine : — Tiens! ma sœur!

Les deux petites filles s'arrêtèrent, stupéfaites. Cosette avait osé prendre la poupée!

Éponine se leva, et, sans lâcher le chat, alla vers sa mère et se mit à la tirer par sa jupe.

— Mais laisse-moi donc! dit la mère. Qu'est-ce que tu me veux?

— Mère, dit l'enfant, regarde donc!

Et elle désignait du doigt Cosette.

Cosette, elle, tout entière aux extases de la possession, ne voyait et n'entendait plus rien.

Le visage de la Thénardier prit cette expression particulière qui se compose du terrible mêlé aux riens de la vie et qui a fait nommer ces sortes de femmes : mégères.

Cette fois, l'orgueil blessé exaspérait encore sa colère. Cosette avait franchi tous les intervalles, Cosette avait attenté à la poupée de « ces demoiselles ».

Une czarine qui verrait un mougick essayer le grand cordon bleu de son impérial fils n'aurait pas une autre figure.

Elle cria d'une voix que l'indignation enrouait :

— Cosette!

Cosette tressaillit comme si la terre eût tremblé sous elle. Elle se retourna.

— Cosette! répéta la Thénardier.

Cosette prit la poupée et la posa doucement à terre avec une sorte de vénération mêlée de désespoir. Alors, sans la quitter des yeux, elle joignit les mains, et, ce qui est effrayant à dire dans un enfant de cet âge, elle se les tordit[1]; puis, ce que n'avait pu lui arracher aucune des émotions de la journée, ni la course dans le bois, ni la pesanteur du seau d'eau, ni la perte de l'argent, ni la vue du martinet, ni même la sombre parole qu'elle avait entendu dire à la Thénardier, — elle pleura. Elle éclata en sanglots.

Cependant le voyageur s'était levé.

— Qu'est-ce donc? dit-il à la Thénardier.

— Vous ne voyez pas? dit la Thénardier en montrant du doigt le corps du délit qui gisait aux pieds de Cosette.

— Hé bien, quoi? reprit l'homme.

— Cette gueuse, répondit la Thénardier, s'est permis de toucher à la poupée des enfants!

— Tout ce bruit pour cela! dit l'homme. Eh bien, quand elle jouerait avec cette poupée?

— Elle y a touché avec ses mains sales! poursuivit la Thénardier, avec ses affreuses mains!

Ici Cosette redoubla ses sanglots.

— Te tairas-tu! cria la Thénardier.

L'homme alla droit à la porte de la rue, l'ouvrit et sortit.

Dès qu'il fut sorti, la Thénardier profita de son absence pour allonger sous la table à Cosette un grand coup de pied qui fit jeter à l'enfant les hauts cris.

La porte se rouvrit, l'homme reparut, il portait dans ses deux mains la poupée fabuleuse dont nous avons parlé, et que tous les marmots du village contemplaient depuis le matin, et il la posa debout devant Cosette en disant :

— Tiens, c'est pour toi.

Il faut croire que, depuis plus d'une heure qu'il était là, au milieu de sa rêverie, il avait confusément remarqué cette boutique de bimbeloterie éclairée de lampions et de chandelles si splendidement qu'on l'apercevait à travers la vitre du cabaret comme une illumination.

Cosette leva les yeux, elle avait vu venir l'homme à elle avec cette poupée comme elle eût vu venir le soleil, elle entendit ces paroles inouïes : *c'est pour toi,* elle le regarda, elle regarda la poupée, puis elle recula lentement, et s'alla cacher tout au fond sous la table dans le coin du mur.

Elle ne pleurait plus, elle ne criait plus, elle avait l'air de ne plus oser respirer.

La Thénardier, Éponine, Azelma étaient autant de statues. Les buveurs eux-mêmes s'étaient arrêtés. Il s'était fait un silence solennel dans tout le cabaret.

La Thénardier, pétrifiée et muette, recommençait ses conjectures : — Qu'est-ce que c'est que ce vieux ? est-ce un pauvre ? est-ce un millionnaire ? C'est peut-être les deux, c'est-à-dire un voleur [1].

La face du mari Thénardier offrit cette ride expressive qui accentue la figure humaine chaque fois que l'instinct dominant y apparaît avec toute sa puissance bestiale. Le gargotier considérait tour à tour la poupée et le voyageur ; il semblait flairer cet homme comme il eût flairé un sac d'argent. Cela ne dura que le temps d'un éclair. Il s'approcha de sa femme et lui dit bas :

— Cette machine coûte au moins trente francs [2]. Pas de bêtises. A plat ventre devant l'homme.

Les natures grossières ont cela de commun avec les natures naïves qu'elles n'ont pas de transitions.

— Eh bien, Cosette, dit la Thénardier d'une voix qui voulait être douce et qui était toute composée de ce miel aigre des méchantes femmes, est-ce que tu ne prends pas ta poupée ?

Cosette se hasarda à sortir de son trou.

— Ma petite Cosette, reprit le Thénardier d'un air caressant, monsieur te donne une poupée. Prends-la. Elle est à toi.

Cosette considérait la poupée merveilleuse avec une sorte de terreur. Son visage était encore inondé de larmes, mais ses yeux commençaient à s'emplir, comme le ciel au crépuscule du matin, des rayonnements étranges de la joie. Ce qu'elle éprouvait en ce moment-là était un peu pareil à ce qu'elle eût ressenti si on lui eût dit brusquement : Petite, vous êtes la reine de France.

Il lui semblait que si elle touchait à cette poupée, le tonnerre en sortirait.

Ce qui était vrai jusqu'à un certain point, car elle se disait que la Thénardier gronderait, — et la battrait.

Pourtant l'attraction l'emporta. Elle finit par s'approcher, et murmura timidement en se tournant vers la Thénardier :

— Est-ce que je peux, madame?

Aucune expression ne saurait rendre cet air à la fois désespéré, épouvanté et ravi.

— Pardi! fit la Thénardier, c'est à toi. Puisque monsieur te la donne.

— Vrai, monsieur? reprit Cosette, est-ce que c'est vrai? c'est à moi, la dame?

L'étranger paraissait avoir les yeux pleins de larmes. Il semblait être à ce point d'émotion où l'on ne parle pas pour ne pas pleurer. Il fit un signe de tête à Cosette, et mit la main de « la dame » dans sa petite main.

Cosette retira vivement sa main, comme si celle de *la dame* la brûlait, et se mit à regarder le pavé. Nous sommes forcé d'ajouter qu'en cet instant-là elle tirait la langue d'une façon démesurée [1]. Tout à coup elle se retourna et saisit la poupée avec emportement.

— Je l'appellerai Catherine [2], dit-elle.

Ce fut un moment bizarre que celui où les haillons de Cosette rencontrèrent et étreignirent les rubans et les fraîches mousselines roses de la poupée.

— Madame, reprit-elle, est-ce que je peux la mettre sur une chaise?

— Oui, mon enfant, répondit la Thénardier.

Maintenant c'étaient Éponine et Azelma qui regardaient Cosette avec envie.

Cosette posa Catherine sur une chaise, puis s'assit à terre devant elle, et demeura immobile, sans dire un mot, dans l'attitude de la contemplation.

— Joue donc, Cosette, dit l'étranger.

— Oh! je joue, répondit l'enfant.

Cet étranger, cet inconnu qui avait l'air d'une visite que la providence faisait à Cosette, était en ce moment-là ce que la Thénardier haïssait le plus au monde. Pourtant il fallait se contraindre. C'était plus d'émotions qu'elle n'en pouvait supporter, si habituée qu'elle fût à la dissimulation par la copie qu'elle tâchait de faire de son mari dans toutes ses actions. Elle se hâta d'envoyer ses filles coucher, puis elle demanda à l'homme jaune *la permission* d'y envoyer aussi Cosette, — *qui a bien fatigué aujourd'hui,* ajouta-t-elle d'un air maternel. Cosette s'alla coucher emportant Catherine entre ses bras.

La Thénardier allait de temps en temps à l'autre bout de la salle où était son homme, *pour se soulager l'âme,* disait-elle. Elle échangeait avec son mari quelques paroles d'autant plus furieuses qu'elle n'osait les dire haut :

— Vieille bête! qu'est-ce qu'il a donc dans le ventre? Venir nous déranger ici! vouloir que ce petit monstre joue! lui donner des poupées! donner des poupées de quarante francs à une chienne que je donnerais moi pour quarante sous! Encore un peu il lui dirait votre majesté comme à la duchesse de Berry! Y a-t-il du bon sens? il est donc enragé, ce vieux mystérieux-là?

— Pourquoi? C'est tout simple [1], répliquait le Thénardier. Si ça l'amuse! Toi, ça t'amuse que la petite travaille, lui, ça l'amuse qu'elle joue. Il est dans son droit. Un voyageur, ça fait ce que ça veut quand ça paye. Si ce vieux est un philanthrope, qu'est-ce que ça te fait? Si c'est un imbécile, ça ne te regarde pas. De quoi te mêles-tu, puisqu'il a de l'argent?

Langage de maître et raisonnement d'aubergiste qui n'admettaient ni l'un ni l'autre la réplique.

L'homme s'était accoudé sur la table et avait repris son attitude de rêverie. Tous les autres voyageurs, marchands et rouliers, s'étaient un peu éloignés et ne chantaient plus. Ils le considéraient à distance avec une sorte de crainte respectueuse. Ce particulier si pauvrement vêtu, qui tirait de sa poche les roues de derrière avec tant d'aisance et qui prodiguait des poupées gigantesques à de petites souillons en sabots, était certainement un bonhomme magnifique et redoutable.

Plusieurs heures s'écoulèrent. La messe de minuit était dite, le réveillon était fini, les buveurs s'en étaient allés, le cabaret était fermé, la salle basse était déserte, le feu s'était éteint, l'étranger était toujours à la même place et dans la même posture. De temps en temps il changeait le coude sur lequel il s'appuyait. Voilà tout. Mais il n'avait pas dit un mot depuis que Cosette n'était plus là [2].

Les Thénardier seuls, par convenance et par curiosité, étaient restés dans la salle. — Est-ce qu'il va passer la nuit comme ça? grommelait la Thénardier. Comme deux heures du matin sonnaient, elle se déclara vaincue et dit à son mari : — Je vais me coucher. Fais-en ce que tu voudras. — Le mari s'assit à une table dans un coin, alluma une chandelle et se mit à lire le *Courrier français.*

Une bonne heure se passa ainsi. Le digne aubergiste avait lu au moins trois fois le *Courrier français,* depuis la date du numéro jusqu'au nom de l'imprimeur. L'étranger ne bougeait pas.

Le Thénardier remua, toussa, cracha, se moucha, fit craquer sa chaise. Aucun mouvement de l'homme. — Est-ce qu'il dort? pensa Thénardier. — L'homme ne dormait pas, mais rien ne pouvait l'éveiller.

Enfin Thénardier ôta son bonnet, s'approcha doucement, et s'aventura à dire :

— Est-ce que monsieur ne va pas reposer?

Ne va pas se coucher lui eût semblé excessif et familier. *Reposer* sentait le luxe et était du respect. Ces mots-là ont la propriété mystérieuse et admirable de gonfler le lendemain matin le chiffre de la carte à payer. Une chambre où l'on *couche* coûte vingt sous; une chambre où l'on *repose* coûte vingt francs.

— Tiens! dit l'étranger, vous avez raison. Où est votre écurie?

— Monsieur, fit le Thénardier avec un sourire, je vais conduire monsieur.

Il prit la chandelle, l'homme prit son paquet et son bâton, et Thénardier le mena dans une chambre au premier qui était d'une rare splendeur, toute meublée en acajou avec un lit-bateau et des rideaux de calicot rouge.

— Qu'est-ce que c'est que cela? dit le voyageur.

— C'est notre propre chambre de noce, dit l'aubergiste. Nous en habitons une autre, mon épouse et moi. On n'entre ici que trois ou quatre fois dans l'année.

— J'aurais autant aimé l'écurie, dit l'homme brusquement.

Le Thénardier n'eut pas l'air d'entendre cette réflexion peu obligeante.

Il alluma deux bougies de cire toutes neuves qui figuraient sur la cheminée. Un assez bon feu flambait dans l'âtre.

Il y avait sur cette cheminée, sous un bocal, une coiffure de femme en fils d'argent et en fleurs d'oranger.

— Et ceci, qu'est-ce que c'est? reprit l'étranger.

— Monsieur, dit le Thénardier, c'est le chapeau de mariée de ma femme.

Le voyageur regarda l'objet d'un regard qui semblait dire : il y a donc eu un moment où ce monstre a été une vierge!

Du reste le Thénardier mentait. Quand il avait pris à bail

cette bicoque pour en faire une gargote, il avait trouvé cette chambre ainsi garnie, et avait acheté ces meubles et brocanté ces fleurs d'oranger, jugeant que cela ferait une ombre gracieuse sur « son épouse », et qu'il en résulterait pour sa maison ce que les anglais appellent de la respectabilité.

Quand le voyageur se retourna, l'hôte avait disparu. Le Thénardier s'était éclipsé discrètement, sans oser dire bonsoir, ne voulant pas traiter avec une cordialité irrespectueuse un homme qu'il se proposait d'écorcher royalement le lendemain matin.

L'aubergiste se retira dans sa chambre. Sa femme était couchée, mais elle ne dormait pas. Quand elle entendit le pas de son mari, elle se tourna et lui dit :

— Tu sais que je flanque demain Cosette à la porte.

Le Thénardier répondit froidement :

— Comme tu y vas!

Ils n'échangèrent pas d'autres paroles, et quelques minutes après leur chandelle était éteinte.

De son côté le voyageur avait déposé dans un coin son bâton et son paquet. L'hôte parti, il s'assit sur un fauteuil et resta quelque temps pensif. Puis il ôta ses souliers, prit une des deux bougies, souffla l'autre, poussa la porte et sortit de la chambre, regardant autour de lui comme quelqu'un qui cherche. Il traversa un corridor et parvint à l'escalier. Là il entendit un petit bruit très doux qui ressemblait à une respiration d'enfant. Il se laissa conduire par ce bruit et arriva à une espèce d'enfoncement triangulaire pratiqué sous l'escalier ou pour mieux dire formé par l'escalier même. Cet enfoncement n'était autre chose que le dessous des marches. Là, parmi toutes sortes de vieux paniers et de vieux tessons, dans la poussière et dans les toiles d'araignée, il y avait un lit; si l'on peut appeler lit une paillasse trouée jusqu'à montrer la paille et une couverture trouée jusqu'à laisser voir la paillasse [1]. Point de draps. Cela était posé à terre sur le carreau. Dans ce lit Cosette dormait.

L'homme s'approcha, et la considéra.

Cosette dormait profondément. Elle était tout habillée. L'hiver elle ne se déshabillait pas pour avoir moins froid.

Elle tenait serrée contre elle la poupée dont les grands yeux ouverts brillaient dans l'obscurité. De temps en temps elle poussait un grand soupir comme si elle allait se réveiller, et elle étreignait la poupée dans ses bras presque convulsivement. Il n'y avait à côté de son lit qu'un de ses sabots.

Une porte ouverte près du galetas de Cosette laissait voir une assez grande chambre sombre. L'étranger y pénétra. Au fond, à travers une porte vitrée, on apercevait deux petits lits jumeaux très blancs. C'étaient ceux d'Azelma et d'Éponine. Derrière ces lits disparaissait à demi un berceau d'osier sans rideaux où dormait le petit garçon qui avait crié toute la soirée[1].

L'étranger conjectura que cette chambre communiquait avec celle des époux Thénardier. Il allait se retirer quand son regard rencontra la cheminée; une de ces vastes cheminées d'auberge où il y a toujours un si petit feu, quand il y a du feu, et qui sont si froides à voir. Dans celle-là il n'y avait pas de feu, il n'y avait pas même de cendre; ce qui y était attira pourtant l'attention du voyageur. C'étaient deux petits souliers d'enfant de forme coquette et de grandeur inégale; le voyageur se rappela la gracieuse et immémoriale coutume des enfants qui déposent leur chaussure dans la cheminée le jour de Noël pour y attendre dans les ténèbres quelque étincelant cadeau de leur bonne fée. Éponine et Azelma n'avaient eu garde d'y manquer, et elles avaient mis chacune un de leurs souliers dans la cheminée.

Le voyageur se pencha.

La fée, c'est-à-dire la mère, avait déjà fait sa visite, et l'on voyait reluire dans chaque soulier une belle pièce de dix sous toute neuve.

L'homme se relevait et allait s'en aller lorsqu'il aperçut au fond, à l'écart, dans le coin le plus obscur de l'âtre, un autre objet. Il regarda, et reconnut un sabot, un affreux sabot de bois le plus grossier, à demi brisé et tout couvert de cendre et de boue desséchée. C'était le sabot de Cosette. Cosette, avec cette touchante confiance des enfants qui peut être trompée toujours sans se décourager jamais, avait mis, elle aussi, son sabot dans la cheminée.

C'est une chose sublime et douce que l'espérance dans un enfant qui n'a jamais connu que le désespoir.

Il n'y avait rien dans ce sabot.

L'étranger fouilla dans son gilet, se courba, et mit dans le sabot de Cosette un louis d'or.

Puis il regagna sa chambre à pas de loup.

IX

THÉNARDIER À LA MANŒUVRE

LE lendemain matin, deux heures au moins avant le jour, le mari Thénardier, attablé près d'une chandelle dans la salle basse du cabaret, une plume à la main, composait la carte du voyageur à la redingote jaune.

La femme debout, à demi courbée sur lui, le suivait des yeux. Ils n'échangeaient pas une parole. C'était, d'un côté, une méditation profonde, de l'autre, cette admiration religieuse avec laquelle on regarde naître et s'épanouir une merveille de l'esprit humain. On entendait un bruit dans la maison; c'était l'Alouette qui balayait l'escalier[1].

Après un bon quart d'heure et quelques ratures, le Thénardier produisit ce chef-d'œuvre :

NOTE DU MONSIEUR DU N° 1.

Souper	fr.	3
Chambre	»	10
Bougie	»	5
Feu	»	4
Service	»	1
TOTAL	fr.	23

Service était écrit *servisse*.

— Vingt-trois francs! s'écria la femme avec un enthousiasme mêlé de quelque hésitation.

Comme tous les grands artistes, le Thénardier n'était pas content.

— Peuh! fit-il.

C'était l'accent de Castlereagh rédigeant au congrès de Vienne la carte à payer de la France.

— Monsieur Thénardier, tu as raison, il doit bien cela, murmura la femme qui songeait à la poupée donnée à Cosette en présence de ses filles, c'est juste, mais c'est trop. Il ne voudra pas payer.

Le Thénardier fit son rire froid, et dit :

— Il payera.

Ce rire était la signification suprême de la certitude et de l'autorité. Ce qui était dit ainsi devait être. La femme n'insista point. Elle se mit à ranger les tables; le mari marchait de long en large dans la salle. Un moment après il ajouta :

— Je dois bien quinze cents francs, moi!

Il alla s'asseoir au coin de la cheminée, méditant, les pieds sur les cendres chaudes.

— Ah çà! reprit la femme, tu n'oublies pas que je flanque Cosette à la porte aujourd'hui? Ce monstre! elle me mange le cœur avec sa poupée! J'aimerais mieux épouser Louis XVIII que de la garder un jour de plus à la maison.

Le Thénardier alluma sa pipe et répondit entre deux bouffées :

— Tu remettras la carte à l'homme.

Puis il sortit.

Il était à peine hors de la salle que le voyageur y entra.

Le Thénardier reparut sur-le-champ derrière lui et demeura immobile dans la porte entre-bâillée, visible seulement pour sa femme.

L'homme jaune portait à la main son bâton et son paquet.

— Levé si tôt! dit la Thénardier, est-ce que monsieur nous quitte déjà?

Tout en parlant ainsi, elle tournait d'un air embarrassé la carte dans ses mains et y faisait des plis avec ses ongles. Son visage dur offrait une nuance qui ne lui était pas habituelle, la timidité et le scrupule.

Présenter une pareille note à un homme qui avait si parfaitement l'air d'« un pauvre », cela lui paraissait malaisé.

Le voyageur semblait préoccupé et distrait. Il répondit :

— Oui, madame. Je m'en vais.

— Monsieur, reprit-elle, n'avait donc pas d'affaires à Montfermeil?

— Non. Je passe par ici. Voilà tout. — Madame, ajouta-t-il, qu'est-ce que je dois?

La Thénardier, sans répondre, lui tendit la carte pliée.

L'homme déplia le papier, le regarda, mais son attention était visiblement ailleurs.

— Madame, reprit-il, faites-vous de bonnes affaires dans ce Montfermeil?

— Comme cela, monsieur, répondit la Thénardier stupéfaite de ne point voir d'autre explosion.

Elle poursuivit d'un accent élégiaque et lamentable :

— Oh! monsieur, les temps sont bien durs! et puis nous
avons si peu de bourgeois dans nos endroits! C'est tout petit
monde, voyez-vous. Si nous n'avions pas par-ci par-là des
voyageurs généreux et riches comme monsieur! Nous avons
tant de charges. Tenez, cette petite nous coûte les yeux de
la tête.

— Quelle petite?

— Eh bien, la petite, vous savez! Cosette! l'Alouette, comme
on dit dans le pays!

— Ah! dit l'homme.

Elle continua :

— Sont-ils bêtes, ces paysans, avec leurs sobriquets! elle
a plutôt l'air d'une chauve-souris que d'une alouette. Voyez-
vous, monsieur, nous ne demandons pas la charité, mais nous
ne pouvons pas la faire. Nous ne gagnons rien, et nous avons
gros à payer. La patente, les impositions, les portes et fenêtres, les centimes! Monsieur sait que le gouvernement demande
un argent terrible! Et puis j'ai mes filles, moi. Je n'ai pas
besoin de nourrir l'enfant des autres.

L'homme reprit, de cette voix qu'il s'efforçait de rendre
indifférente et dans laquelle il y avait un tremblement :

— Et si l'on vous en débarrassait?

— De qui? de la Cosette?

— Oui.

La face rouge et violente de la gargotière s'illumina d'un
épanouissement hideux.

— Ah, monsieur! mon bon monsieur! prenez-la, gardez-la,
emmenez-la, emportez-la, sucrez-la, truffez-la, buvez-la,
mangez-la, et soyez béni de la bonne sainte Vierge et de tous
les saints du paradis!

— C'est dit.

— Vrai? vous l'emmenez?

— Je l'emmène.

— Tout de suite?

— Tout de suite. Appelez l'enfant.

— Cosette! cria la Thénardier.

— En attendant, poursuivit l'homme, je vais toujours vous
payer ma dépense. Combien est-ce?

Il jeta un coup d'œil sur la carte et ne put réprimer un mouvement de surprise :

— Vingt-trois francs!

Il regarda la gargotière et répéta :

— Vingt-trois francs?

Il y avait dans la prononciation de ces deux mots ainsi répétés l'accent qui sépare le point d'exclamation du point d'interrogation.

La Thénardier avait eu le temps de se préparer au choc. Elle répondit avec assurance :

— Dame oui, monsieur! c'est vingt-trois francs.

L'étranger posa cinq pièces de cinq francs sur la table.

— Allez chercher la petite, dit-il.

En ce moment le Thénardier s'avança au milieu de la salle et dit :

— Monsieur doit vingt-six sous.

— Vingt-six sous! s'écria la femme.

— Vingt sous pour la chambre, reprit le Thénardier froidement, et six sous pour le souper. Quant à la petite, j'ai besoin d'en causer un peu avec monsieur. Laisse-nous, ma femme.

La Thénardier eut un de ces éblouissements que donnent les éclairs imprévus du talent. Elle sentit que le grand acteur entrait en scène, ne répliqua pas un mot, et sortit.

Dès qu'ils furent seuls, le Thénardier offrit une chaise au voyageur. Le voyageur s'assit; le Thénardier resta debout, et son visage prit une singulière expression de bonhomie et de simplicité.

— Monsieur, dit-il, tenez, je vais vous dire. C'est que je l'adore, moi, cette enfant.

L'étranger le regarda fixement.

— Quelle enfant?

Thénardier continua :

— Comme c'est drôle! on s'attache. Qu'est-ce que tout cet argent-là? reprenez donc vos pièces de cent sous. C'est une enfant que j'adore.

— Qui ça? demanda l'étranger.

— Hé, notre petite Cosette! ne voulez-vous pas nous l'emmener? Eh bien, je parle franchement, vrai comme vous êtes un honnête homme, je ne peux pas y consentir. Elle me ferait faute, cette enfant. J'ai vu ça tout petit. C'est vrai qu'elle nous coûte de l'argent, c'est vrai qu'elle a des défauts, c'est vrai que nous ne sommes pas riches, c'est vrai que j'ai payé plus de quatre cents francs en drogues rien que pour une de ses maladies! Mais il faut bien faire quelque chose pour le bon Dieu. Ça n'a ni père ni mère, je l'ai élevée. J'ai du pain pour elle et pour moi. Au fait j'y tiens, à cette enfant. Vous comprenez, on se prend d'affection; je suis une bonne bête, moi; je ne raisonne pas; je l'aime, cette petite; ma femme est vive, mais elle l'aime aussi. Voyez-vous, c'est comme notre enfant. J'ai besoin que ça babille dans la maison.

L'étranger le regardait toujours fixement. Il continua.

— Pardon, excuse, monsieur, mais on ne donne point son enfant comme ça à un passant. Pas vrai que j'ai raison? Après cela, je ne dis pas, vous êtes riche, vous avez l'air d'un bien brave homme, si c'était pour son bonheur? mais il faudrait savoir. Vous comprenez? une supposition que je la laisserais aller et que je me sacrifierais, je voudrais savoir où elle va, je ne voudrais pas la perdre de vue, je voudrais savoir chez qui elle est, pour l'aller voir de temps en temps, qu'elle sache que son bon père nourricier est là, qu'il veille sur elle. Enfin il y a des choses qui ne sont pas possibles. Je ne sais seulement pas votre nom. Vous l'emmèneriez, je dirais: eh bien, l'Alouette? où donc a-t-elle passé? Il faudrait au moins voir quelque méchant chiffon de papier, un petit bout de passeport, quoi!

L'étranger, sans cesser de le regarder de ce regard qui va, pour ainsi dire, jusqu'au fond de la conscience, lui répondit d'un accent grave et ferme :

— Monsieur Thénardier, on n'a pas de passeport pour venir à cinq lieues de Paris. Si j'emmène Cosette, je l'emmènerai, voilà tout. Vous ne saurez pas mon nom, vous ne saurez pas ma demeure, vous ne saurez pas où elle sera, et mon intention est qu'elle ne vous revoie de sa vie. Je casse le fil qu'elle a au pied, et elle s'en va. Cela vous convient-il? Oui ou non.

De même que les démons et les génies reconnaissaient à de certains signes la présence d'un dieu supérieur, le Thénardier comprit qu'il avait affaire à quelqu'un de très fort. Ce fut comme une intuition; il comprit cela avec sa promptitude nette et sagace. La veille, tout en buvant avec les rouliers, tout en fumant, tout en chantant des gaudrioles, il avait passé la soirée à observer l'étranger, le guettant comme un chat et l'étudiant comme un mathématicien. Il l'avait à la fois épié

pour son propre compte, pour le plaisir et par instinct, et
espionné comme s'il eût été payé pour cela. Pas un geste, pas
un mouvement de l'homme à la capote jaune ne lui était
échappé. Avant même que l'inconnu manifestât si clairement
son intérêt pour Cosette, le Thénardier l'avait deviné. Il
avait surpris les regards profonds de ce vieux qui revenaient
toujours à l'enfant. Pourquoi cet intérêt? qu'était-ce que
cet homme? pourquoi, avec tant d'argent dans sa bourse, ce
costume si misérable? Questions qu'il se posait sans pouvoir les
résoudre et qui l'irritaient. Il y avait songé toute la nuit. Ce ne
pouvait être le père de Cosette. Était-ce quelque grand-père?
Alors pourquoi ne pas se faire connaître tout de suite? Quand
on a un droit, on le montre. Cet homme évidemment n'avait
pas de droit sur Cosette. Alors qu'était ce? Le Thénardier se
perdait en suppositions. Il entrevoyait tout, et ne voyait rien.
Quoi qu'il en fût, en entamant la conversation avec l'homme,
sûr qu'il y avait un secret dans tout cela, sûr que l'homme
était intéressé à rester dans l'ombre, il se sentait fort; à la
réponse nette et ferme de l'étranger, quand il vit que ce personnage mystérieux était mystérieux si simplement, il se sentit
faible. Il ne s'attendait à rien de pareil. Ce fut la déroute de ses
conjectures. Il rallia ses idées. Il pesa tout cela en une seconde.
Le Thénardier était un de ces hommes qui jugent d'un coup
d'œil une situation. Il estima que c'était le moment de marcher
droit et vite. Il fit comme les grands capitaines à cet instant
décisif qu'ils savent seuls reconnaître, il démasqua brusquement sa batterie.

— Monsieur, dit-il, il me faut quinze cents francs.

L'étranger prit dans sa poche de côté un vieux portefeuille
en cuir noir, l'ouvrit et en tira trois billets de banque qu'il
posa sur la table. Puis il appuya son large pouce sur ces billets[1],
et dit au gargotier :

— Faites venir Cosette.

Pendant que ceci se passait, que faisait Cosette?

Cosette, en s'éveillant, avait couru à son sabot. Elle y avait
trouvé la pièce d'or. Ce n'était pas un napoléon, c'était une de
ces pièces de vingt francs toutes neuves de la restauration
sur l'effigie desquelles la petite queue prussienne avait remplacé la couronne de laurier. Cosette fut éblouie. Sa destinée
commençait à l'enivrer. Elle ne savait pas ce que c'était qu'une
pièce d'or, elle n'en avait jamais vu, elle la cacha bien vite dans

sa poche comme si elle l'avait volée. Cependant elle sentait que cela était bien à elle, elle devinait d'où ce don lui venait, mais elle éprouvait une sorte de joie pleine de peur. Elle était contente; elle était surtout stupéfaite. Ces choses si magnifiques et si jolies ne lui paraissaient pas réelles. La poupée lui faisait peur, la pièce d'or lui faisait peur. Elle tremblait vaguement devant ces magnificences. L'étranger seul ne lui faisait pas peur. Au contraire, il la rassurait. Depuis la veille, à travers ses étonnements, à travers son sommeil, elle songeait dans son petit esprit d'enfant à cet homme qui avait l'air vieux et pauvre et si triste, et qui était si riche et si bon. Depuis qu'elle avait rencontré ce bonhomme dans le bois, tout était comme changé pour elle. Cosette, moins heureuse que la moindre hirondelle du ciel, n'avait jamais su ce que c'est que de se réfugier à l'ombre de sa mère et sous une aile. Depuis cinq ans, c'est-à-dire aussi loin que pouvaient remonter ses souvenirs, la pauvre enfant frissonnait et grelottait. Elle avait toujours été toute nue sous la bise aigre du malheur, maintenant il lui semblait qu'elle était vêtue. Autrefois son âme avait froid, maintenant elle avait chaud. Elle n'avait plus autant de crainte de la Thénardier. Elle n'était plus seule; il y avait quelqu'un là.

Elle s'était mise bien vite à sa besogne de tous les matins. Ce louis, qu'elle avait sur elle, dans ce même gousset de son tablier d'où la pièce de quinze sous était tombée la veille, lui donnait des distractions. Elle n'osait pas y toucher, mais elle passait des cinq minutes à le contempler, il faut le dire, en tirant la langue. Tout en balayant l'escalier, elle s'arrêtait, et restait là, immobile, oubliant son balai et l'univers entier, occupée à regarder cette étoile briller au fond de sa poche.

Ce fut dans une de ces contemplations que la Thénardier la rejoignit.

Sur l'ordre de son mari, elle l'était allée chercher. Chose inouïe, elle ne lui donna pas une tape et ne lui dit pas une injure.

— Cosette, dit-elle presque doucement, viens tout de suite.

Un instant après, Cosette entrait dans la salle basse.

L'étranger prit le paquet qu'il avait apporté et le dénoua. Ce paquet contenait une petite robe de laine, un tablier, une brassière de futaine, un jupon, un fichu, des bas de laine, des souliers, un vêtement complet pour une fille de huit ans. Tout cela était noir.

— Mon enfant, dit l'homme, prends ceci et va t'habiller bien vite.

Le jour paraissait lorsque ceux des habitants de Montfermeil qui commençaient à ouvrir leurs portes virent passer dans la rue de Paris un bonhomme pauvrement vêtu donnant la main à une petite fille tout en deuil qui portait une grande poupée rose dans ses bras. Ils se dirigeaient du côté de Livry.

C'étaient notre homme et Cosette.

Personne ne connaissait l'homme; comme Cosette n'était plus en guenilles, beaucoup ne la reconnurent pas.

Cosette s'en allait. Avec qui? elle l'ignorait. Où? elle ne savait. Tout ce qu'elle comprenait, c'est qu'elle laissait derrière elle la gargote Thénardier. Personne n'avait songé à lui dire adieu, ni elle à dire adieu à personne[1]. Elle sortait de cette maison haïe et haïssant.

Pauvre doux être dont le cœur n'avait jusqu'à cette heure été que comprimé!

Cosette marchait gravement, ouvrant ses grands yeux et considérant le ciel. Elle avait mis son louis dans la poche de son tablier neuf. De temps en temps elle se penchait et lui jetait un coup d'œil, puis elle regardait le bonhomme. Elle sentait quelque chose comme si elle était près du bon Dieu.

X

QUI CHERCHE LE MIEUX PEUT TROUVER LE PIRE

La Thénardier, selon son habitude, avait laissé faire son mari. Elle s'attendait à de grands évènements. Quand l'homme et Cosette furent partis, le Thénardier laissa s'écouler un grand quart d'heure, puis il la prit à part et lui montra les quinze cents francs.

— Que ça! dit-elle.

C'était la première fois, depuis le commencement de leur ménage, qu'elle osait critiquer un acte du maître.

Le coup porta.

— Au fait, tu as raison, dit-il, je suis un imbécile. Donne-moi mon chapeau.

Il plia les trois billets de banque, les enfonça dans sa poche et sortit en toute hâte, mais il se trompa et prit d'abord à droite. Quelques voisins auxquels il s'informa le remirent sur la trace, l'Alouette et l'homme avaient été vus allant dans la direction de Livry. Il suivit cette indication, marchant à grands pas et monologuant.

— Cet homme est évidemment un million habillé en jaune [1], et moi je suis un animal. Il a d'abord donné vingt sous, puis cinq francs, puis cinquante francs, puis quinze cents francs, toujours aussi facilement. Il aurait donné quinze mille francs. Mais je vais le rattraper.

Et puis ce paquet d'habits préparés d'avance pour la petite, tout cela était singulier; il y avait bien des mystères là-dessous. On ne lâche pas des mystères quand on les tient. Les secrets des riches sont des éponges pleines d'or; il faut savoir les presser. Toutes ces pensées lui tourbillonnaient dans le cerveau.

— Je suis un animal, disait-il.

Quand on est sorti de Montfermeil et qu'on a atteint le coude que fait la route qui va à Livry, on la voit se développer devant soi très loin sur le plateau. Parvenu là, il calcula qu'il devait apercevoir l'homme et la petite. Il regarda aussi loin que sa vue put s'étendre, et ne vit rien. Il s'informa encore. Cependant il perdait du temps. Des passants lui dirent que l'homme et l'enfant qu'il cherchait s'étaient acheminés vers les bois du côté de Gagny. Il se hâta dans cette direction.

Ils avaient de l'avance sur lui, mais un enfant marche lentement, et lui il allait vite. Et puis le pays lui était bien connu.

Tout à coup il s'arrêta et se frappa le front comme un homme qui a oublié l'essentiel, et qui est prêt à revenir sur ses pas.

— J'aurais dû prendre mon fusil! se dit-il.

Thénardier était une de ces natures doubles qui passent quelquefois au milieu de nous à notre insu et qui disparaissent sans qu'on les ait connues parce que la destinée n'en a montré qu'un côté. Le sort de beaucoup d'hommes est de vivre ainsi à demi submergés. Dans une situation calme et plate, Thénardier avait tout ce qu'il fallait pour faire — nous ne disons pas pour être — ce qu'on est convenu d'appeler un honnête commerçant, un bon bourgeois. En même temps, certaines circonstances étant données, certaines secousses venant à soulever sa nature de dessous, il avait tout ce qu'il fallait pour être un scélérat. C'était un boutiquier dans lequel il y avait du monstre. Satan devait par moments s'accroupir dans quelque coin du bouge où vivait Thénardier et rêver devant ce chef-d'œuvre hideux[1].

Après une hésitation d'un instant :

— Bah! pensa-t-il, ils auraient le temps d'échapper!

Et il continua son chemin, allant devant lui rapidement, et presque d'un air de certitude, avec la sagacité du renard flairant une compagnie de perdrix.

En effet, quand il eut dépassé les étangs et traversé obliquement la grande clairière qui est à droite de l'avenue de Bellevue, comme il arrivait à cette allée de gazon qui fait presque le tour de la colline et qui recouvre la voûte de l'ancien canal des eaux de l'abbaye de Chelles, il aperçut au-dessus d'une broussaille un chapeau sur lequel il avait déjà échafaudé bien des conjectures. C'était le chapeau de l'homme. La broussaille était basse. Le Thénardier reconnut que l'homme et Cosette étaient assis là. On ne voyait pas l'enfant à cause de sa petitesse, mais on apercevait la tête de la poupée[2].

Le Thénardier ne se trompait pas. L'homme s'était assis là pour laisser un peu reposer Cosette. Le gargotier tourna la broussaille et apparut brusquement aux regards de ceux qu'il cherchait.

— Pardon excuse, monsieur, dit-il tout essoufflé, mais voici vos quinze cents francs.

En parlant ainsi, il tendait à l'étranger les trois billets de banque.

L'homme leva les yeux.

— Qu'est-ce que cela signifie?

Le Thénardier répondit respectueusement :

— Monsieur, cela signifie que je reprends Cosette.

Cosette frissonna et se serra contre le bonhomme.

Lui, il répondit en regardant le Thénardier dans le fond des yeux et en espaçant toutes ses syllabes :

— Vous-re-pre-nez Cosette?

— Oui, monsieur, je la reprends. Je vais vous dire. J'ai réfléchi. Au fait, je n'ai pas le droit de vous la donner. Je suis un honnête homme, voyez-vous. Cette petite n'est pas à moi, elle est à sa mère. C'est sa mère qui me l'a confiée, je ne puis la remettre qu'à sa mère. Vous me direz : Mais la mère est morte. Bon. En ce cas je ne puis rendre l'enfant qu'à une personne qui m'apporterait un écrit signé de la mère comme quoi je dois remettre l'enfant à cette personne-là. Cela est clair.

L'homme, sans répondre, fouilla dans sa poche et le Thénardier vit reparaître le portefeuille aux billets de banque.

Le gargotier eut un frémissement de joie.

— Bon! pensa-t-il, tenous-nous. Il va me corrompre!

Avant d'ouvrir le portefeuille, le voyageur jeta un coup d'œil autour de lui. Le lieu était absolument désert. Il n'y avait pas une âme dans le bois ni dans la vallée. L'homme ouvrit le portefeuille et en tira, non la poignée de billets de banque qu'attendait Thénardier, mais un simple petit papier qu'il développa et présenta tout ouvert à l'aubergiste en disant :

— Vous avez raison. Lisez.

Le Thénardier prit le papier, et lut :

> *Montreuil-sur-mer, le 25 mars 1823*[1].

« Monsieur Thénardier,

« Vous remettrez Cosette à la personne. On vous payera « toutes les petites choses.

« J'ai l'honneur de vous saluer avec considération.

« FANTINE. »

— Vous connaissez cette signature? reprit l'homme.

C'était bien la signature de Fantine. Le Thénardier la reconnut.

Il n'y avait rien à répliquer. Il sentit deux violents dépits, le dépit de renoncer à la corruption qu'il espérait, et le dépit d'être battu. L'homme ajouta :

— Vous pouvez garder ce papier pour votre décharge.

Le Thénardier se replia en bon ordre.

— Cette signature est assez bien imitée, grommela-t-il entre ses dents. Enfin, soit!

Puis il essaya un effort désespéré.

— Monsieur, dit-il, c'est bon. Puisque vous êtes la personne. Mais il faut me payer « toutes les petites choses ». On me doit gros.

L'homme se dressa debout, et dit en époussetant avec des chiquenaudes sa manche râpée où il y avait de la poussière :

— Monsieur Thénardier, en janvier la mère comptait qu'elle vous devait cent vingt francs; vous lui avez envoyé en février un mémoire de cinq cents francs; vous avez reçu trois cents francs fin février et trois cents francs au commencement de mars. Il s'est écoulé depuis lors neuf mois à quinze francs, prix convenu, cela fait cent trente-cinq francs. Vous aviez reçu cent francs de trop. Reste trente-cinq francs qu'on vous doit. Je viens de vous donner quinze cents francs.

Le Thénardier éprouva ce qu'éprouve le loup au moment où il se sent mordu et saisi par la mâchoire d'acier du piège.

— Quel est-ce diable d'homme? pensa-t-il.

Il fit ce que fait le loup. Il donna une secousse. L'audace lui avait déjà réussi une fois.

— Monsieur-dont-je-ne-sais-pas-le-nom [1], dit-il résolument et mettant cette fois les façons respectueuses de côté, je reprendrai Cosette ou vous me donnerez mille écus.

L'étranger dit tranquillement :

— Viens, Cosette.

Il prit Cosette de la main gauche, et de la droite il ramassa son bâton qui était à terre.

Le Thénardier remarqua l'énormité de la trique et la solitude du lieu.

L'homme s'enfonça dans le bois avec l'enfant, laissant le gargotier immobile et interdit.

Pendant qu'ils s'éloignaient, le Thénardier considérait ses larges épaules un peu voûtées et ses gros poings.

Puis ses yeux, revenant à lui-même, retombaient sur ses bras chétifs et sur ses mains maigres. — Il faut que je sois vraiment bien bête, pensait-il, de n'avoir pas pris mon fusil, puisque j'allais à la chasse!

Cependant l'aubergiste ne lâcha pas prise.

— Je veux savoir où il ira, dit-il. — Et il se mit à les suivre à distance. Il lui restait deux choses dans les mains, une ironie, le chiffon de papier signé *Fantine,* et une consolation, les quinze cents francs.

L'homme emmenait Cosette dans la direction de Livry et de Bondy. Il marchait lentement, la tête baissée, dans une attitude de réflexion et de tristesse. L'hiver avait fait le bois à claire-voie, si bien que le Thénardier ne les perdait pas de vue, tout en restant assez loin. De temps en temps l'homme se retournait et regardait si on ne le suivait pas. Tout à coup il

aperçut Thénardier. Il entra brusquement avec Cosette dans
un taillis où ils pouvaient tous deux disparaître. — Diantre!
dit le Thénardier. — Et il doubla le pas.

L'épaisseur du fourré l'avait forcé de se rapprocher d'eux.
Quand l'homme fut au plus épais, il se retourna. Thénardier
eut beau se cacher dans les branches, il ne put faire que
l'homme ne le vît pas. L'homme lui jeta un coup d'œil inquiet,
puis hocha la tête et reprit sa route. L'aubergiste se remit
à le suivre. Ils firent ainsi deux ou trois cents pas. Tout à coup
l'homme se retourna encore. Il aperçut l'aubergiste. Cette
fois il le regarda d'un air si sombre que le Thénardier jugea
« inutile » d'aller plus loin. Thénardier rebroussa chemin [1].

XI

LE NUMÉRO 9430 REPARAÎT,
ET COSETTE LE GAGNE À LA LOTERIE

JEAN VALJEAN n'était pas mort.

En tombant à la mer, ou plutôt en s'y jetant, il était, comme
on l'a vu, sans fers. Il nagea entre deux eaux jusque sous
un navire au mouillage, auquel était amarrée une embarcation.
Il trouva moyen de se cacher dans cette embarcation jusqu'au
soir. A la nuit, il se jeta de nouveau à la nage, et atteignit la
côte à peu de distance du cap Brun. Là, comme ce n'était
pas l'argent qui lui manquait, il put se procurer des vêtements. Une guinguette aux environs de Balaguier était alors
le vestiaire des forçats évadés, spécialité lucrative. Puis, Jean
Valjean, comme tous ces tristes fugitifs qui tâchent de dépister
le guet de la loi et la fatalité sociale, suivit un itinéraire obscur
et ondulant. Il trouva un premier asile aux Pradeaux, près
Beausset. Ensuite il se dirigea vers le Grand-Villard, près
Briançon, dans les Hautes-Alpes. Fuite tâtonnante et inquiète,
chemin de taupe dont les embranchements sont inconnus.
On a pu, plus tard, retrouver quelque trace [2] de son passage
dans l'Ain sur le territoire de Civrieux, dans les Pyrénées,
à Accons au lieu dit la Grange-de-Doumecq, près du hameau
de Chavailles, et dans les environs de Périgueux, à Brunies,

canton de la Chapelle-Gonaguet. Il gagna Paris. On vient de le voir à Montfermeil.

Son premier soin, en arrivant à Paris, avait été d'acheter des habits de deuil pour une petite fille de sept à huit ans, puis de se procurer un logement. Cela fait, il s'était rendu à Montfermeil.

On se souvient que déjà, lors de sa précédente évasion, il y avait fait, ou dans les environs, un voyage mystérieux dont la justice avait eu quelque lueur.

Du reste on le croyait mort, et cela épaississait l'obscurité qui s'était faite sur lui. A Paris, il lui tomba sous la main un des journaux qui enregistraient le fait. Il se sentit rassuré et presque en paix comme s'il était réellement mort[1].

Le soir même du jour où Jean Valjean avait tiré Cosette des griffes des Thénardier, il rentrait dans Paris. Il y rentrait à la nuit tombante, avec l'enfant, par la barrière de Monceaux. Là il monta dans un cabriolet qui le conduisit à l'esplanade de l'Observatoire. Il y descendit, paya le cocher, prit Cosette par la main, et tous deux, dans la nuit noire, par les rues désertes qui avoisinent l'Ourcine et la Glacière, se dirigèrent vers le boulevard de l'Hôpital.

La journée avait été étrange et remplie d'émotions pour Cosette; on[2] avait mangé derrière des haies du pain et du fromage achetés dans des gargotes isolées, on avait souvent changé de voiture, on avait fait des bouts de chemin à pied, elle ne se plaignait pas, mais elle était fatiguée, et Jean Valjean s'en aperçut à sa main qu'elle tirait davantage en marchant. Il la prit sur son dos; Cosette, sans lâcher Catherine, posa sa tête sur l'épaule de Jean Valjean, et s'y endormit.

LIVRE QUATRIÈME

LA MASURE GORBEAU

I

MAÎTRE GORBEAU

Il y a quarante ans, le promeneur solitaire[1] qui s'aventurait dans les pays perdus de la Salpêtrière et qui montait par le boulevard jusque vers la barrière d'Italie, arrivait à des endroits où l'on eût pu dire que Paris disparaissait. Ce n'était pas la solitude, il y avait des passants; ce n'était pas la campagne, il y avait des maisons et des rues; ce n'était pas une ville, les rues avaient des ornières comme les grandes routes et l'herbe y poussait; ce n'était pas un village, les maisons étaient trop hautes. Qu'était-ce donc[2]? C'était un lieu habité où il n'y avait personne, c'était un lieu désert où il y avait quelqu'un; c'était un boulevard de la grande ville, une rue de Paris, plus farouche la nuit qu'une forêt, plus morne le jour qu'un cimetière.

C'était le vieux quartier du Marché-aux-Chevaux.

Ce promeneur, s'il se risquait au delà des quatre murs caducs de ce Marché-aux-Chevaux, s'il consentait même à dépasser la rue du Petit-Banquier, après avoir laissé à sa droite un courtil gardé par de hautes murailles, puis un pré où se dressaient des meules de tan pareilles à des huttes de castors gigantesques, puis un enclos encombré de bois de charpente avec des tas de souches, de sciures et de copeaux au haut desquels aboyait un gros chien, puis un long mur bas tout en ruine, avec une petite porte noire et en deuil, chargé de mousses qui s'emplissaient de fleurs au printemps, puis, au plus désert, une affreuse bâtisse décrépite sur laquelle on lisait en grosses lettres : DÉFENSE D'AFFICHER, ce promeneur hasardeux atteignait l'angle de la rue des Vignes-Saint-Marcel, latitudes peu connues. Là, près d'une usine et entre deux murs de jardins, on voyait en ce temps-là une masure qui, au premier coup d'œil, semblait petite comme une chaumière et qui en réalité était grande comme une cathédrale. Elle se présentait sur la voie publique de côté, par le pignon; de là son exiguïté apparente. Presque toute la maison était cachée. On n'en apercevait que la porte et une fenêtre.

Cette masure n'avait qu'un étage.

En l'examinant, le détail qui frappait d'abord, c'est que cette porte n'avait jamais pu être que la porte d'un bouge, tandis que cette croisée, si elle eût été coupée dans la pierre de taille au lieu de l'être dans le moellon, aurait pu être la croisée d'un hôtel.

La porte n'était autre chose qu'un assemblage de planches vermoulues grossièrement reliées par des traverses pareilles à des bûches mal équarries. Elle s'ouvrait immédiatement sur un roide escalier à hautes marches, boueux, plâtreux, poudreux, de la même largeur qu'elle, qu'on voyait de la rue monter droit comme une échelle et disparaître dans l'ombre entre deux murs. Le haut de la baie informe que battait cette porte était masqué d'une volige étroite au milieu de laquelle on avait scié un jour triangulaire, tout ensemble lucarne et vasistas quand la porte était fermée. Sur le dedans de la porte un pinceau trempé dans l'encre avait tracé en deux coups de poing le chiffre 52, et au-dessus de la volige le même pinceau avait barbouillé le numéro 50; de sorte qu'on hésitait. Où est-on? Le dessus de la porte dit : au numéro 50; le dedans réplique : non, au numéro 52 [1]. On ne sait quels chiffons couleur de poussière pendaient comme des draperies au vasistas triangulaire.

La fenêtre était large, suffisamment élevée, garnie de persiennes et de châssis à grands carreaux; seulement ces grands carreaux avaient des blessures variées, à la fois cachées et trahies par un ingénieux bandage en papier, et les persiennes, disloquées et descellées, menaçaient plutôt les passants qu'elles ne gardaient les habitants. Les abat-jour horizontaux y manquaient çà et là et étaient naïvement remplacés par des planches clouées perpendiculairement; si bien que la chose commençait en persienne et finissait en volet.

Cette porte qui avait l'air immonde et cette fenêtre qui avait l'air honnête, quoique délabrée, ainsi vues sur la même maison, faisaient l'effet de deux mendiants dépareillés qui iraient ensemble et marcheraient côte à côte, avec deux mines différentes sous les mêmes haillons, l'un ayant toujours été un gueux, l'autre ayant été un gentilhomme.

L'escalier menait à un corps de bâtiment très vaste qui ressemblait à un hangar dont on aurait fait une maison. Ce bâtiment avait pour tube intestinal un long corridor sur lequel s'ouvraient, à droite et à gauche, des espèces de compartiments de dimensions variées, à la rigueur logeables et plutôt semblables à des échoppes qu'à des cellules. Ces chambres prenaient jour sur des terrains vagues des environs. Tout cela était obscur, fâcheux, blafard, mélancolique, sépulcral; traversé, selon que les fentes étaient dans le toit ou dans la porte, par des rayons froids ou par des bises glacées. Une particularité intéressante et pittoresque de ce genre d'habitation, c'est l'énormité des araignées [1].

A gauche de la porte d'entrée, sur le boulevard, à hauteur d'homme, une lucarne qu'on avait murée faisait une niche carrée pleine de pierres que les enfants y jetaient en passant.

Une partie de ce bâtiment a été dernièrement démolie. Ce qui en reste aujourd'hui peut encore faire juger de ce qu'il a été. Le tout, dans son ensemble, n'a guère plus d'une centaine d'années. Cent ans, c'est la jeunesse d'une église et la vieillesse d'une maison. Il semble que le logis de l'homme participe de sa brièveté et le logis de Dieu de son éternité.

Les facteurs de la poste appelaient cette masure le numéro 50-52; mais elle était connue dans le quartier sous le nom de maison Gorbeau.

Disons d'où lui venait cette appellation.

Les collecteurs de petits faits, qui se font des herbiers d'anecdotes et qui piquent dans leur mémoire les dates fugaces avec une épingle, savent qu'il y avait à Paris, au siècle dernier, vers 1770, deux procureurs au Châtelet, appelés, l'un Corbeau, l'autre Renard. Deux noms prévus par La Fontaine. L'occasion était trop belle pour que la basoche n'en fît point gorge chaude. Tout de suite la parodie courut, en vers quelque peu boiteux, les galeries du Palais :

> Maître Corbeau, sur un dossier perché,
> Tenait dans son bec une saisie exécutoire;
> Maître Renard, par l'odeur alléché,
> Lui fit à peu près cette histoire :
> Hé bonjour! etc.

Les deux honnêtes praticiens, gênés par les quolibets et contrariés dans leur port de tête par les éclats de rire qui les suivaient, résolurent de se débarrasser de leurs noms et prirent le parti de s'adresser au roi. La requête fut présentée à Louis XV le jour même où le nonce du pape, d'un côté, et le cardinal de La Roche-Aymon, de l'autre, dévotement agenouillés tous les deux, chaussèrent, en présence de sa majesté, chacun d'une pantoufle les deux pieds nus de madame Du Barry sortant du lit. Le roi, qui riait, continua de rire, passa gaîment les deux évêques aux deux praticiens, et fit à ces robins grâce de leurs noms, ou à peu près. Il fut permis, de par le roi, à maître Corbeau d'ajouter une queue à son initiale et de se nommer Gorbeau; maître Renard fut moins heureux, il ne put obtenir que de mettre un P devant son R et de s'appeler Prenard; si bien que le deuxième nom n'était guère moins ressemblant que le premier.

Or, selon la tradition locale, ce maître Gorbeau avait été propriétaire de la bâtisse numérotée 50-52 boulevard de l'Hôpital. Il était même l'auteur de la fenêtre monumentale.

De là à cette masure le nom de maison Gorbeau[1].

Vis-à-vis le numéro 50-52 se dresse, parmi les plantations du boulevard, un grand orme aux trois quarts mort; presque en face s'ouvre la rue de la barrière des Gobelins, rue alors sans maisons, non pavée, plantée d'arbres mal venus, verte ou fangeuse selon la saison, qui allait aboutir carrément au mur d'enceinte de Paris. Une odeur de couperose sort par bouffées des toits d'une fabrique voisine.

La barrière était tout près. En 1823, le mur d'enceinte existait encore.

Cette barrière elle-même jetait dans l'esprit des figures funestes. C'était le chemin de Bicêtre. C'est par là que, sous l'empire et la restauration, rentraient à Paris les condamnés à mort le jour de leur exécution. C'est là que fut commis vers 1829 ce

mystérieux assassinat dit « de la barrière de Fontainebleau »
dont la justice n'a pu découvrir les auteurs, problème funèbre
qui n'a pas été éclairci, énigme effroyable qui n'a pas été
ouverte. Faites quelques pas, vous trouvez cette fatale rue Crou-
lebarbe où Ulbach poignarda la chevrière d'Ivry au bruit du
tonnerre, comme dans un mélodrame [1]. Quelques pas encore, et
vous arrivez aux abominables ormes étêtés de la barrière Saint-
Jacques, cet expédient des philanthropes cachant l'échafaud,
cette mesquine et honteuse place de Grève d'une société bou-
tiquière et bourgeoise, qui a reculé devant la peine de mort,
n'osant ni l'abolir avec grandeur, ni la maintenir avec autorité.

Il y a trente-sept ans, en laissant à part cette place Saint-
Jacques qui était comme prédestinée et qui a toujours été horrible, le point le plus morne peut-être de tout ce morne boulevard était l'endroit, si peu attrayant encore aujourd'hui, où l'on
rencontrait la masure 50-52.

Les maisons bourgeoises n'ont commencé à poindre là que
vingt-cinq ans plus tard. Le lieu était morose. Aux idées funèbres qui vous y saisissaient, on se sentait entre la Salpêtrière
dont on entrevoyait le dôme et Bicêtre dont on touchait la
barrière; c'est-à-dire entre la folie de la femme et la folie de
l'homme. Si loin que la vue pût s'étendre, on n'apercevait que
les abattoirs, le mur d'enceinte et quelques rares façades d'usines, pareilles à des casernes ou à des monastères; partout des
baraques et des plâtras, de vieux murs noirs comme des lin-
ceuls, des murs neufs blancs comme des suaires; partout des
rangées d'arbres parallèles, des bâtisses tirées au cordeau, des
constructions plates, de longues lignes froides, et la tristesse
lugubre des angles droits. Pas un accident de terrain, pas un
caprice d'architecture, pas un pli. C'était un ensemble glacial,
régulier, hideux. Rien ne serre le cœur comme la symétrie.
C'est que la symétrie, c'est l'ennui, et l'ennui est le fond même
du deuil. Le désespoir bâille. On peut rêver quelque chose de
plus terrible qu'un enfer où l'on souffre, c'est un enfer où
l'on s'ennuierait. Si cet enfer existait, ce morceau du boulevard
de l'Hôpital en eût pu être l'avenue.

Cependant, à la nuit tombante, au moment où la clarté s'en
va, l'hiver surtout, à l'heure où la bise crépusculaire arrache
aux ormes leurs dernières feuilles rousses, quand l'ombre est
profonde et sans étoiles, ou quand la lune et le vent font des

trous dans les nuages, ce boulevard devenait tout à coup effrayant. Les lignes droites s'enfonçaient et se perdaient dans les ténèbres comme des tronçons de l'infini. Le passant ne pouvait s'empêcher de songer aux innombrables traditions patibulaires du lieu. La solitude de cet endroit où il s'était commis tant de crimes avait quelque chose d'affreux. On croyait pressentir des pièges dans cette obscurité, toutes les formes confuses de l'ombre paraissaient suspectes, et les longs creux carrés qu'on apercevait entre chaque arbre semblaient des fosses. Le jour, c'était laid; le soir, c'était lugubre; la nuit, c'était sinistre.

L'été, au crépuscule, on voyait çà et là quelques vieilles femmes, assises au pied des ormes sur des bancs moisis par les pluies. Ces bonnes vieilles mendiaient volontiers.

Du reste ce quartier, qui avait plutôt l'air suranné qu'antique, tendait dès lors à se transformer. Dès cette époque, qui voulait le voir devait se hâter. Chaque jour quelque détail de cet ensemble s'en allait. Aujourd'hui, et depuis vingt ans, l'embarcadère du chemin de fer d'Orléans est là, à côté du vieux faubourg, et le travaille. Partout où l'on place, sur la lisière d'une capitale, l'embarcadère d'un chemin de fer, c'est la mort d'un faubourg et la naissance d'une ville. Il semble qu'autour de ces grands centres du mouvement des peuples, au roulement de ces puissantes machines, au souffle de ces monstrueux chevaux de la civilisation qui mangent du charbon et vomissent du feu, la terre pleine de germes tremble et s'ouvre pour engloutir les anciennes demeures des hommes et laisser sortir les nouvelles. Les vieilles maisons croulent, les maisons neuves montent.

Depuis que la gare du railway d'Orléans a envahi les terrains de la Salpêtrière, les antiques rues étroites qui avoisinent les fossés Saint-Victor et le Jardin des Plantes s'ébranlent, violemment traversées trois ou quatre fois chaque jour par ces courants de diligences, de fiacres et d'omnibus qui, dans un temps donné, refoulent les maisons à droite et à gauche; car il y a des choses bizarres à énoncer qui sont rigoureusement exactes, et de même qu'il est vrai de dire que dans les grandes villes le soleil fait végéter et croître les façades des maisons au midi, il est certain que le passage fréquent des voitures élargit les rues. Les symptômes d'une vie nouvelle sont évidents. Dans ce vieux quartier provincial, aux recoins les plus sauvages, le pavé se montre, les trottoirs commencent à ramper et à s'allonger, même là où il n'y a pas encore de passants. Un matin, matin mémorable, en juillet 1845, on y vit tout à coup fumer les marmites noires du bitume; ce jour-là on put dire que la civilisation était arrivée rue de Lourcine et que Paris était entré dans le faubourg Saint-Marceau.

II

NID POUR HIBOU ET FAUVETTE

Ce fut devant cette masure Gorbeau que Jean Valjean s'arrêta. Comme les oiseaux fauves, il avait choisi le lieu le plus désert pour y faire son nid.

Il fouilla dans son gilet, y prit une sorte de passe-partout, ouvrit la porte, entra, puis la referma avec soin, et monta l'escalier, portant toujours Cosette.

Au haut de l'escalier, il tira de sa poche une autre clef avec laquelle il ouvrit une autre porte. La chambre où il entra et qu'il referma sur-le-champ était une espèce de galetas assez spacieux meublé d'un matelas posé à terre, d'une table et de quelques chaises. Un poêle allumé et dont on voyait la braise. était dans un coin. Le réverbère du boulevard éclairait vaguement cet intérieur pauvre. Au fond il y avait un cabinet avec un lit de sangle. Jean Valjean porta l'enfant sur ce lit et l'y déposa sans qu'elle s'éveillât.

Il battit le briquet, et alluma une chandelle; tout cela était préparé d'avance sur la table; et, comme il l'avait fait la veille, il se mit à considérer Cosette d'un regard plein d'extase où l'expression de la bonté et de l'attendrissement allait presque jusqu'à l'égarement[1]. La petite fille, avec cette confiance tranquille qui n'appartient qu'à l'extrême force et qu'à l'extrême faiblesse, s'était endormie sans savoir avec qui elle était, et continuait de dormir sans savoir où elle était.

Jean Valjean se courba et baisa la main de cette enfant.

Neuf mois auparavant il baisait la main de la mère qui, elle aussi, venait de s'endormir.

Le même sentiment douloureux, religieux, poignant, lui emplissait le cœur.

Il s'agenouilla près du lit de Cosette.

Il faisait grand jour que l'enfant dormait encore. Un rayon pâle du soleil de décembre traversait la croisée du galetas et traînait sur le plafond de longs filandres d'ombre et de lumière. Tout à coup une charrette de carrier, lourdement chargée, qui passait sur la chaussée du boulevard, ébranla la baraque comme un roulement d'orage et la fit trembler du haut en bas.

— Oui, madame! cria Cosette réveillée en sursaut, voilà! voilà!

Et elle se jeta à bas du lit, les paupières encore à demi fermées par la pesanteur du sommeil, étendant le bras vers l'angle du mur.

— Ah! mon Dieu! mon balai! dit-elle.

Elle ouvrit tout à fait les yeux, et vit le visage souriant de Jean Valjean.

— Ah! tiens, c'est vrai! dit l'enfant. Bonjour, monsieur.

Les enfants acceptent tout de suite et familièrement la joie et le bonheur, étant eux-mêmes naturellement bonheur et joie.

Cosette aperçut Catherine au pied de son lit, et s'en empara, et, tout en jouant, elle faisait cent questions à Jean Valjean. — Où elle était? Si c'était grand, Paris? Si madame Thénardier était bien loin? Si elle ne reviendrait pas? etc., etc. Tout à coup elle s'écria: — Comme c'est joli ici!

C'était un affreux taudis; mais elle se sentait libre.

— Faut-il pas que je balaye? reprit-elle enfin.

— Joue, dit Jean Valjean.

La journée se passa ainsi. Cosette, sans s'inquiéter de rien comprendre, était inexprimablement heureuse entre cette poupée et ce bonhomme.

III

DEUX MALHEURS MÊLÉS FONT DU BONHEUR

Le lendemain au point du jour, Jean Valjean était encore près du lit de Cosette. Il attendit là, immobile, et il la regarda se réveiller.

Quelque chose de nouveau lui entrait dans l'âme.

Jean Valjean n'avait jamais rien aimé. Depuis vingt-cinq ans il était seul au monde. Il n'avait jamais été père, amant, mari, ami. Au bagne il était mauvais, sombre, chaste, ignorant et farouche. Le cœur de ce vieux forçat était plein de virginités. Sa sœur et les enfants de sa sœur ne lui avaient laissé qu'un souvenir vague et lointain qui avait fini par s'évanouir presque entièrement. Il avait fait tous ses efforts pour les retrouver, et, n'ayant pu les retrouver, il les avait oubliés. La nature humaine est ainsi faite. Les autres émotions tendres de sa jeunesse, s'il en avait eu, étaient tombées dans un abîme [1].

Quand il vit Cosette, quand il l'eut prise, emportée et délivrée, il sentit se remuer ses entrailles. Tout ce qu'il y avait de passionné et d'affectueux en lui s'éveilla et se précipita vers cet enfant. Il allait près du lit où elle dormait, et il y tremblait de joie; il éprouvait des épreintes comme une mère et il ne savait ce que c'était; car c'est une chose bien obscure et bien douce que ce grand et étrange mouvement d'un cœur qui se met à aimer.

Pauvre vieux cœur tout neuf!

Seulement, comme il avait cinquante-cinq ans et que Cosette en avait huit, tout ce qu'il aurait pu avoir d'amour dans toute sa vie se fondit en une sorte de lueur ineffable.

C'était la deuxième apparition blanche qu'il rencontrait. L'évêque avait fait lever à son horizon l'aube de la vertu; Cosette y faisait lever l'aube de l'amour [2].

Les premiers jours s'écoulèrent dans cet éblouissement.

De son côté, Cosette, elle aussi, devenait autre, à son insu, pauvre petit être! Elle était si petite quand sa mère l'avait quittée qu'elle ne s'en souvenait plus. Comme tous les enfants, pareils aux jeunes pousses de la vigne qui s'accrochent à tout, elle avait essayé d'aimer. Elle n'y avait pu réussir. Tous l'avaient repoussée, les Thénardier, leurs enfants, d'autres enfants. Elle avait aimé le chien, qui était mort. Après quoi, rien n'avait voulu d'elle, ni personne. Chose lugubre à dire, et que nous avons déjà indiquée, à huit ans elle avait le cœur froid. Ce n'était pas sa faute, ce n'était point la faculté d'aimer qui lui manquait; hélas! c'était la possibilité. Aussi, dès le premier jour, tout ce qui sentait et songeait en elle se mit à aimer ce bonhomme. Elle éprouvait ce qu'elle n'avait jamais ressenti, une sensation d'épanouissement.

Le bonhomme ne lui faisait même plus l'effet d'être vieux, ni d'être pauvre. Elle trouvait Jean Valjean beau, de même qu'elle trouvait le taudis joli.

Ce sont là des effets d'aurore, d'enfance, de jeunesse, de joie. La nouveauté de la terre et de la vie y est pour quelque chose. Rien n'est charmant comme le reflet colorant du bonheur sur le grenier. Nous avons tous ainsi dans notre passé un galetas bleu.

La nature, cinquante ans d'intervalle, avaient mis une séparation profonde entre Jean Valjean et Cosette; cette séparation, la destinée la combla. La destinée unit brusquement et fiança avec son irrésistible puissance ces deux existences déracinées, différentes par l'âge, semblables par le deuil. L'une en effet complétait l'autre. L'instinct de Cosette cherchait un père comme l'instinct de Jean Valjean cherchait un enfant. Se rencontrer, ce fut se trouver. Au moment mystérieux où leurs deux mains se touchèrent, elles se soudèrent. Quand ces deux âmes s'aperçurent, elles se reconnurent comme étant le besoin l'une de l'autre et s'embrassèrent étroitement [1].

En prenant les mots dans leur sens le plus compréhensif et le plus absolu, on pourrait dire que, séparés de tout par des murs de tombe, Jean Valjean était le Veuf comme Cosette était l'Orpheline [2]. Cette situation fit que Jean Valjean devint d'une façon céleste le père de Cosette.

Et, en vérité, l'impression mystérieuse produite à Cosette, au fond du bois de Chelles, par la main de Jean Valjean saisissant la sienne dans l'obscurité, n'était pas une illusion, mais une réalité. L'entrée de cet homme dans la destinée de cet enfant avait été l'arrivée de Dieu.

Du reste, Jean Valjean avait bien choisi son asile. Il était là dans une sécurité qui pouvait sembler entière.

La chambre à cabinet qu'il occupait avec Cosette était celle dont la fenêtre donnait sur le boulevard. Cette fenêtre étant unique dans la maison, aucun regard de voisin n'était à craindre, pas plus de côté qu'en face.

Le rez-de-chaussée du numéro 50-52, espèce d'appentis délabré, servait de remise à des maraîchers, et n'avait aucune communication avec le premier. Il en était séparé par le plancher qui n'avait ni trappe ni escalier et qui était comme le diaphragme de la masure. Le premier étage contenait, comme nous l'avons dit, plusieurs chambres et quelques greniers, dont un seulement était occupé par une vieille femme qui faisait le ménage de Jean Valjean. Tout le reste était inhabité.

C'était cette vieille femme, ornée du nom de *principale loca-taire* et en réalité chargée des fonctions de portière, qui lui avait loué ce logis dans la journée de Noël. Il s'était donné à elle pour un rentier ruiné par les bons d'Espagne, qui allait venir demeurer là avec sa petite-fille. Il avait payé six mois d'avance et chargé la vieille de meubler la chambre et le cabinet comme on a vu. C'était cette bonne femme qui avait allumé le poêle et tout préparé le soir de leur arrivée.

Les semaines se succédèrent. Ces deux êtres menaient dans ce taudis misérable une existence heureuse.

Dès l'aube Cosette riait, jasait, chantait. Les enfants ont leur chant du matin comme les oiseaux[1].

Il arrivait quelquefois que Jean Valjean lui prenait sa petite main rouge et crevassée d'engelures et la baisait. La pauvre enfant, accoutumée à être battue, ne savait ce que cela voulait dire, et s'en allait toute honteuse.

Par moments elle devenait sérieuse et elle considérait sa petite robe noire. Cosette n'était plus en guenilles, elle était en deuil. Elle sortait de la misère et elle entrait dans la vie[2].

Jean Valjean s'était mis à lui enseigner à lire. Parfois, tout en faisant épeler l'enfant, il songeait que c'était avec l'idée de faire le mal qu'il avait appris à lire au bagne. Cette idée avait tourné à montrer à lire à un enfant. Alors le vieux galérien souriait du sourire pensif des anges[3].

Il sentait là une préméditation d'en haut, une volonté de quelqu'un qui n'est pas l'homme, et il se perdait dans la rêverie. Les bonnes pensées ont leurs abîmes comme les mauvaises.

Apprendre à lire à Cosette, et la laisser jouer, c'était à peu près là toute la vie de Jean Valjean. Et puis il lui parlait de sa mère et il la faisait prier.

Elle l'appelait : *père*, et ne lui savait pas d'autre nom[4].

Il passait des heures à la contempler habillant et déshabillant sa poupée, et à l'écouter gazouiller. La vie lui paraissait désormais pleine d'intérêt, les hommes lui semblaient bons et justes, il ne reprochait dans sa pensée plus rien à personne, il n'apercevait aucune raison de ne pas vieillir très vieux maintenant que cette enfant l'aimait. Il se voyait tout un avenir éclairé par Cosette comme par une charmante lumière. Les meilleurs ne sont pas exempts d'une pensée égoïste. Par moments il songeait avec une sorte de joie qu'elle serait laide [1].

Ceci n'est qu'une opinion personnelle; mais pour dire notre pensée tout entière, au point où en était Jean Valjean quand il se mit à aimer Cosette, il ne nous est pas prouvé qu'il n'ait pas eu besoin de ce ravitaillement pour persévérer dans le bien [2]. Il venait de voir sous de nouveaux aspects la méchanceté des hommes et la misère de la société, aspects incomplets et qui ne montraient fatalement qu'un côté du vrai, le sort de la femme résumé dans Fantine, l'autorité publique personnifiée dans Javert; il était retourné au bagne, cette fois pour avoir bien fait; de nouvelles amertumes l'avaient abreuvé; le dégoût et la lassitude le reprenaient; le souvenir même de l'évêque touchait peut-être à quelque moment d'éclipse, sauf à reparaître plus tard lumineux et triomphant; mais enfin ce souvenir sacré s'affaiblissait. Qui sait si Jean Valjean n'était pas à la veille de se décourager et de retomber? Il aima, et il redevint fort. Hélas! il n'était guère moins chancelant que Cosette. Il la protégea et elle l'affermit. Grâce à lui, elle put marcher dans la vie; grâce à elle, il put continuer dans la vertu. Il fut le soutien de cet enfant et cet enfant fut son point d'appui. O mystère insondable et divin des équilibres de la destinée ! [3]

IV

LES REMARQUES DE LA PRINCIPALE LOCATAIRE

Jean Valjean avait la prudence de ne sortir jamais le jour. Tous les soirs, au crépuscule, il se promenait une heure ou deux, quelquefois seul, souvent avec Cosette, cherchant les contre-allées du boulevard les plus solitaires, ou entrant dans les églises à la tombée de la nuit. Il allait volontiers à Saint-Médard qui est l'église la plus proche. Quand il n'emmenait pas Cosette, elle restait avec la vieille femme; mais c'était la joie de l'enfant de sortir avec le bonhomme. Elle préférait une heure avec lui même aux tête-à-tête ravissants de Catherine. Il marchait en la tenant par la main et en lui disant des choses douces.

Il se trouva que Cosette était très gaie.

La vieille faisait le ménage et la cuisine et allait aux provisions.

Ils vivaient sobrement, ayant toujours un peu de feu, mais comme des gens très gênés. Jean Valjean n'avait rien changé au mobilier du premier jour; seulement il avait fait remplacer par une porte pleine la porte vitrée du cabinet de Cosette.

Il avait toujours sa redingote jaune, sa culotte noire et son vieux chapeau. Dans la rue on le prenait pour un pauvre. Il arrivait quelquefois que des bonnes femmes se retournaient et lui donnaient un sou. Jean Valjean recevait le sou et saluait profondément. Il arrivait aussi parfois qu'il rencontrait quelque misérable demandant la charité, alors il regardait derrière lui si personne ne le voyait, s'approchait furtivement du malheureux, lui mettait dans la main une pièce de monnaie, souvent une pièce d'argent, et s'éloignait rapidement. Cela avait ses inconvénients. On commençait à le connaître dans le quartier sous le nom du _mendiant qui fait l'aumône_[1].

La vieille _principale locataire,_ créature rechignée, toute pétrie vis-à-vis du prochain de l'attention des envieux[2], examinait beaucoup Jean Valjean, sans qu'il s'en doutât. Elle était un peu sourde, ce qui la rendait bavarde. Il lui restait de son passé deux dents[3], l'une en haut, l'autre en bas, qu'elle cognait toujours l'une contre l'autre. Elle avait fait des questions à Cosette qui, ne sachant rien, n'avait pu rien dire, sinon qu'elle venait de Montfermeil. Un matin, cette guetteuse aperçut Jean Valjean qui entrait, d'un air qui sembla à la commère particulier, dans un des compartiments inhabités de la masure. Elle le suivit du pas d'une vieille chatte, et put l'observer, sans en être vue, par la fente de la porte qui était tout contre. Jean Valjean, pour plus de précaution sans doute, tournait le dos à cette porte. La vieille le vit fouiller dans sa poche et y prendre un étui, des ciseaux et du fil, puis il se mit à découdre la doublure d'un pan de sa redingote et il tira de l'ouverture un morceau de papier jaunâtre qu'il déplia. La vieille reconnut avec épouvante que c'était un billet de mille francs. C'était le second ou le troisième qu'elle voyait depuis qu'elle était au monde. Elle s'enfuit très effrayée[4].

Un moment après, Jean Valjean l'aborda et la pria d'aller lui changer ce billet de mille francs, ajoutant que c'était le semestre de sa rente qu'il avait touché la veille. — Où? pensa la vieille. Il n'est sorti qu'à six heures du soir, et la caisse du gouvernement n'est certainement pas ouverte à cette heure-là. — La vieille alla changer le billet et fit ses conjectures. Ce billet de mille francs, commenté et multiplié, produisit une foule de conversations effarées parmi les commères de la rue des Vignes-Saint-Marcel.

Les jours suivants, il arriva que Jean Valjean, en manches de veste, scia du bois dans le corridor. La vieille était dans la chambre et faisait le ménage. Elle était seule, Cosette étant occupée à admirer le bois qu'on sciait, la vieille vit la redingote accrochée à un clou, et la scruta : la doublure avait été recousue. La bonne femme la palpa attentivement, et crut sentir dans les pans et dans les entournures des épaisseurs de papier. D'autres billets de mille francs sans doute!

Elle remarqua en outre qu'il y avait toutes sortes de choses dans les poches, non seulement les aiguilles, les ciseaux et le fil qu'elle avait vus, mais un gros portefeuille, un très grand couteau, et, détail suspect, plusieurs perruques de couleurs variées. Chaque poche de cette redingote avait l'air d'être une façon d'en-cas pour des évènements imprévus.

Les habitants de la masure atteignirent ainsi les derniers jours de l'hiver.

V

UNE PIÈCE DE CINQ FRANCS QUI TOMBE À TERRE
FAIT DU BRUIT

IL y avait près de Saint-Médard un pauvre qui s'accroupissait sur la margelle d'un puits banal condamné, et auquel Jean Valjean faisait volontiers la charité. Il ne passait guère devant cet homme sans lui donner quelques sous. Parfois il lui parlait. Les envieux de ce mendiant disaient qu'il était *de la police*[1]. C'était un vieux bedeau de soixante-quinze ans qui marmottait continuellement des oraisons.

Un soir que Jean Valjean passait par là, il n'avait pas Cosette avec lui, il aperçut le mendiant à sa place ordinaire sous le réverbère qu'on venait d'allumer. Cet homme, selon son habitude, semblait prier et était tout courbé. Jean Valjean alla à lui et lui mit dans la main son aumône accoutumée. Le mendiant leva brusquement les yeux, regarda fixement Jean Valjean, puis baissa rapidement la tête. Ce mouvement fut comme un éclair, Jean Valjean eut un tressaillement. Il lui sembla qu'il venait d'entrevoir, à la lueur du réverbère, non le visage placide et béat du vieux bedeau, mais une figure effrayante et connue. Il eut l'impression qu'on aurait en se trouvant tout à coup dans l'ombre face à face avec un tigre. Il recula terrifié et pétrifié, n'osant ni respirer, ni parler, ni rester, ni fuir, considérant le mendiant qui avait baissé sa tête couverte d'une loque et paraissait ne plus savoir qu'il était là. Dans ce moment étrange, un instinct, peut-être l'instinct mystérieux de la conservation, fit que Jean Valjean ne prononça pas une parole. Le mendiant avait la même taille, les mêmes guenilles, la même apparence que tous les jours. — Bah!... dit Jean Valjean, je suis fou! je rêve! impossible! — Et il rentra profondément troublé.

C'est à peine s'il osait s'avouer à lui-même que cette figure qu'il avait cru voir était la figure de Javert.

La nuit, en y réfléchissant, il regretta de n'avoir pas questionné l'homme pour le forcer à lever la tête une seconde fois.

Le lendemain à la nuit tombante il y retourna. Le mendiant était à sa place. — Bonjour, bonhomme, dit résolument Jean Valjean en lui donnant un sou. Le mendiant leva la tête, et répondit d'une voix dolente : — Merci, mon bon monsieur. — C'était bien le vieux bedeau.

Jean Valjean se sentit pleinement rassuré. Il se mit à rire. — Où diable ai-je été voir là Javert? pensa-t-il. Ah çà, est-ce que je vais avoir la berlue à présent? — Il n'y songea plus.

Quelques jours après, il pouvait être huit heures du soir, il était dans sa chambre et il faisait épeler Cosette à haute voix, il entendit ouvrir, puis refermer la porte de la masure. Cela lui parut singulier. La vieille, qui seule habitait avec lui la maison, se couchait toujours à la nuit pour ne point user de chandelle. Jean Valjean fit signe à Cosette de se taire. Il entendit qu'on montait l'escalier. A la rigueur ce pouvait être la vieille qui avait pu se trouver malade et aller chez l'apothicaire. Jean Valjean écouta. Le pas était lourd et sonnait comme le pas d'un homme; mais la vieille portait de gros souliers et rien ne ressemble au pas d'un homme comme le pas d'une vieille femme. Cependant Jean Valjean souffla sa chandelle.

Il avait envoyé Cosette au lit en lui disant tout bas : — Couche-toi bien doucement; et, pendant qu'il la baisait au front, les pas s'étaient arrêtés. Jean Valjean demeura en silence, immobile, le dos tourné à la porte, assis sur sa chaise dont il n'avait pas bougé, retenant son souffle dans l'obscurité. Au bout d'un temps assez long, n'entendant plus rien, il se retourna sans faire de bruit, et, comme il levait les yeux vers la porte de sa chambre, il vit une lumière par le trou de la serrure. Cette lumière faisait une sorte d'étoile sinistre dans le noir de la porte et du mur. Il y avait évidemment là quelqu'un qui tenait une chandelle à la main, et qui écoutait.

Quelques minutes s'écoulèrent, et la lumière s'en alla. Seulement il n'entendit plus aucun bruit de pas, ce qui semblait indiquer que celui qui était venu écouter à la porte avait ôté ses souliers.

Jean Valjean se jeta tout habillé sur son lit et ne put fermer l'œil de la nuit.

Au point du jour, comme il s'assoupissait de fatigue, il fut réveillé par le grincement d'une porte qui s'ouvrait à quelque mansarde du fond du corridor, puis il entendit le même pas d'homme qui avait monté l'escalier la veille. Le pas s'approchait. Il se jeta à bas du lit et appliqua son œil au trou de sa serrure, lequel était assez grand, espérant voir au passage l'être quelconque qui s'était introduit la nuit dans la masure et qui avait écouté à sa porte. C'était un homme en effet qui passa, cette fois sans s'arrêter, devant la chambre de Jean Valjean. Le corridor était encore trop obscur pour qu'on pût distinguer son visage; mais quand l'homme arriva à l'escalier, un rayon de la lumière du dehors le fit saillir comme une silhouette, et Jean Valjean le vit de dos complètement. L'homme était de haute taille, vêtu d'une redingote longue, avec un gourdin sous son bras. C'était l'encolure formidable de Javert.

Jean Valjean aurait pu essayer de le revoir par sa fenêtre sur le boulevard. Mais il eût fallu ouvrir cette fenêtre, il n'osa pas.

Il était évident que cet homme était entré avec une clef, et comme chez lui. Qui lui avait donné cette clef? qu'est-ce que cela voulait dire?

A sept heures du matin, quand la vieille vint faire le ménage, Jean Valjean lui jeta un coup d'œil pénétrant, mais il ne l'interrogea pas. La bonne femme était comme à l'ordinaire.

Tout en balayant, elle lui dit :

— Monsieur a peut-être entendu quelqu'un qui entrait cette nuit?

A cet âge et sur ce boulevard, huit heures du soir, c'est la nuit la plus noire.

— A propos, c'est vrai, répondit-il de l'accent le plus naturel. Qui était-ce donc?

— C'est un nouveau locataire, dit la vieille, qu'il y a dans la maison.

— Et qui s'appelle?

— Je ne sais plus trop. Monsieur Dumont ou Daumont. Un nom comme cela.

— Et qu'est-ce qu'il est, ce monsieur Dumont?

La vieille le considéra avec ses petits yeux de fouine, et répondit :

— Un rentier, comme vous.

Elle n'avait peut-être aucune intention. Jean Valjean crut lui en démêler une.

Quand la vieille fut partie, il fit un rouleau d'une centaine de francs qu'il avait dans une armoire et le mit dans sa poche. Quelque précaution qu'il prît dans cette opération pour qu'on ne l'entendît pas remuer de l'argent, une pièce de cent sous sous lui échappa des mains et roula bruyamment sur le carreau[1].

A la brune, il descendit et regarda avec attention de tous les côtés sur le boulevard. Il n'y vit personne. Le boulevard semblait absolument désert. Il est vrai qu'on peut s'y cacher derrière les arbres.

Il remonta.

— Viens, dit-il à Cosette.

Il la prit par la main, et ils sortirent tous deux.

LIVRE CINQUIÈME
À CHASSE NOIRE, MEUTE MUETTE

I

LES ZIGZAGS DE LA STRATÉGIE

Ici, pour les pages qu'on va lire et pour d'autres encore qu'on rencontrera plus tard, une observation est nécessaire.

Voilà bien des années déjà que l'auteur de ce livre, forcé, à regret, de parler de lui, est absent de Paris[1]. Depuis qu'il l'a quitté, Paris s'est transformé. Une ville nouvelle a surgi qui lui est en quelque sorte inconnue. Il n'a pas besoin de dire qu'il aime Paris; Paris est la ville natale de son esprit. Par suite des démolitions et des reconstructions, le Paris de sa jeunesse, ce Paris qu'il a religieusement emporté dans sa mémoire, est à cette heure un Paris d'autrefois. Qu'on lui permette de parler de ce Paris-là comme s'il existait encore. Il est possible que là où l'auteur va conduire les lecteurs en disant : « Dans telle rue il y a telle maison », il n'y ait plus aujourd'hui ni maison ni rue. Les lecteurs vérifieront, s'ils veulent en prendre la peine. Quant à lui, il ignore le Paris nouveau, et il écrit avec le Paris ancien devant les yeux dans une illusion qui lui est précieuse. C'est une douceur pour lui de rêver qu'il reste derrière lui quelque chose de ce qu'il voyait quand il était dans son pays, et que tout ne s'est pas évanoui. Tant qu'on va et vient dans le pays natal, on s'imagine que ces rues vous sont indifférentes, que ces fenêtres, ces toits et ces portes ne vous sont de rien, que ces murs vous sont étrangers, que ces arbres sont les premiers arbres venus, que ces maisons où l'on n'entre pas vous sont inutiles, que ces pavés où l'on marche sont des pierres. Plus tard, quand on n'y est plus, on s'aperçoit que ces rues vous sont chères, que ces toits, ces fenêtres et ces portes vous manquent, que ces murailles vous sont nécessaires, que ces arbres sont vos bien-aimés, que ces maisons où l'on n'entrait pas on y entrait tous les jours, et qu'on a laissé de ses entrailles, de son sang et de son cœur dans ces pavés. Tous ces lieux qu'on ne voit plus, qu'on ne reverra jamais peut-être, et dont on a gardé l'image, prennent un charme douloureux, vous reviennent avec la mélancolie d'une apparition, vous font la terre sainte visible, et sont, pour ainsi dire, la forme même de la France; et on les aime et on les évoque tels qu'ils sont, tels qu'ils étaient, et l'on s'y obstine, et l'on n'y veut rien changer, car on tient à la figure de la patrie comme au visage de sa mère [1].

Qu'il nous soit donc permis de parler du passé au présent. Cela dit, nous prions le lecteur d'en tenir note, et nous continuons.

Jean Valjean avait tout de suite quitté le boulevard et s'était engagé dans les rues, faisant le plus de lignes brisées qu'il pouvait, revenant quelquefois brusquement sur ses pas pour s'assurer qu'il n'était point suivi.

Cette manœuvre est propre au cerf traqué. Sur les terrains où la trace peut s'imprimer, cette manœuvre a, entre autres avantages, celui de tromper les chasseurs et les chiens par le contre-pied. C'est ce qu'en vénerie on appelle *faux rembuchement* [2].

C'était une nuit de pleine lune. Jean Valjean n'en fut pas fâché. La lune, encore très près de l'horizon, coupait dans les rues de grands pans d'ombre et de lumière. Jean Valjean pouvait se glisser le long des maisons et des murs dans le côté sombre et observer le côté clair. Il ne réfléchissait peut-être pas assez que le côté obscur lui échappait. Pourtant, dans toutes les ruelles désertes qui avoisinent la rue de Poliveau, il crut être certain que personne ne venait derrière lui.

Cosette marchait sans faire de questions. Les souffrances des six premières années de sa vie avaient introduit quelque chose de passif dans sa nature. D'ailleurs, et c'est là une remarque sur laquelle nous aurons plus d'une occasion de revenir, elle était habituée, sans trop s'en rendre compte, aux singularités du bonhomme et aux bizarreries de la destinée. Et puis elle se sentait en sûreté, étant avec lui.

Jean Valjean, pas plus que Cosette, ne savait où il allait. Il se confiait à Dieu comme elle se confiait à lui. Il lui semblait qu'il tenait, lui aussi, quelqu'un de plus grand que lui par la main; il croyait sentir un être qui le menait, invisible[1]. Du reste il n'avait aucune idée arrêtée, aucun plan, aucun projet. Il n'était même pas absolument sûr que ce fût Javert, et puis ce pouvait être Javert sans que Javert sût que c'était lui Jean Valjean. N'était-il pas déguisé? ne le croyait-on pas mort? Cependant depuis quelques jours il se passait des choses qui devenaient singulières. Il ne lui en fallait pas davantage. Il était déterminé à ne plus rentrer dans la maison Gorbeau. Comme l'animal chassé du gîte, il cherchait un trou où se cacher, en attendant qu'il en trouvât un où se loger.

Jean Valjean décrivit plusieurs labyrinthes variés dans le quartier Mouffetard, déjà endormi comme s'il avait encore la discipline du moyen-âge et le joug du couvre-feu[2]; il combina de diverses façons, dans des stratégies savantes, la rue Censier et la rue Copeau, la rue du Battoir-Saint-Victor et la rue du Puits-l'Ermite. Il y a par là des logeurs, mais il n'y entrait même pas, ne trouvant point ce qui lui convenait. Par exemple, il ne doutait pas que, si, par hasard, on avait cherché sa piste, on ne l'eût perdue.

Comme onze heures sonnaient à Saint-Étienne du Mont, il traversait la rue de Pontoise devant le bureau du commissaire de police qui est au n° 14. Quelques instants après, l'instinct dont nous parlions plus haut fit qu'il se retourna. En ce moment, il vit distinctement, grâce à la lanterne du commissaire qui les trahissait, trois hommes qui le suivaient d'assez près passer successivement sous cette lanterne dans le côté ténébreux de la rue. L'un de ces trois hommes entra dans l'allée de la maison du commissaire. Celui qui marchait en tête lui parut décidément suspect.

— Viens, enfant, dit-il à Cosette, et il se hâta de quitter la rue de Pontoise.

Il fit un circuit, tourna le passage des Patriarches qui était fermé à cause de l'heure, arpenta la rue de l'Épée-de-Bois et la rue de l'Arbalète et s'enfonça dans la rue des Postes.

Il y a là un carrefour, où est aujourd'hui le collège Rollin et où vient s'embrancher la rue Neuve-Sainte-Geneviève.

(Il va sans dire que la rue Neuve-Sainte-Geneviève est une vieille rue, et qu'il ne passe pas une chaise de poste tous les dix ans rue des Postes. Cette rue des Postes était au treizième siècle habitée par des potiers et son vrai nom est rue des Pots.)

La lune jetait une vive lumière dans ce carrefour. Jean Valjean s'embusqua sous une porte, calculant que si ces hommes le suivaient encore, il ne pourrait manquer de les très bien voir lorsqu'ils traverseraient cette clarté.

En effet, il ne s'était pas écoulé trois minutes que les hommes parurent. Ils étaient maintenant quatre; tous de haute taille, vêtus de longues redingotes brunes, avec des chapeaux ronds, et de gros bâtons à la main. Ils n'étaient pas moins inquiétants par leur grande stature et leurs vastes poings que par leur marche sinistre dans les ténèbres. On eût dit quatre spectres déguisés en bourgeois.

Ils s'arrêtèrent au milieu du carrefour et firent groupe, comme des gens qui se consultent. Ils avaient l'air indécis. Celui qui paraissait les conduire se tourna et désigna vivement de la main droite la direction où s'était engagé Jean Valjean; un autre semblait indiquer avec une certaine obstination la direction contraire. A l'instant où le premier se retourna, la lune éclaira en plein son visage. Jean Valjean reconnut parfaitement Javert.

II

IL EST HEUREUX QUE LE PONT D'AUSTERLITZ PORTE VOITURES

L'INCERTITUDE cessait pour Jean Valjean; heureusement elle durait encore pour ces hommes. Il profita de leur hésitation; c'était du temps perdu pour eux, gagné pour lui. Il sortit de dessous la porte où il s'était tapi, et poussa dans la rue des Postes vers la région du Jardin des Plantes. Cosette commençait à se fatiguer, il la prit dans ses bras, et la porta. Il n'y avait point un passant, et l'on n'avait pas allumé les réverbères à cause de la lune.

Il doubla le pas.

En quelques enjambées, il atteignit la poterie Goblet sur la façade de laquelle le clair de lune faisait très distinctement lisible la vieille inscription :

> *De Goblet fils c'est ici la fabrique ;*
> *Venez choisir des cruches et des brocs,*
> *Des pots à fleurs, des tuyaux, de la brique.*
> *A tout venant le ·Cœur vend des Carreaux.*

Il laissa derrière lui la rue de la Clef, puis la fontaine Saint-Victor, longea le Jardin des Plantes par les rues basses, et arriva au quai. Là il se retourna. Le quai était désert. Les rues étaient désertes. Personne derrière lui. Il respira.

Il gagna le pont d'Austerlitz.

Le péage y existait encore à cette époque.

Il se présenta au bureau du péager, et donna un sou.

— C'est deux sous, dit l'invalide du pont. Vous portez là un enfant qui peut marcher. Payez pour deux.

Il paya, contrarié que son passage eût donné lieu à une observation. Toute fuite doit être un glissement.

Une grosse charrette passait la Seine en même temps que lui et allait comme lui sur la rive droite. Cela lui fut utile. Il put traverser tout le pont dans l'ombre de cette charrette.

Vers le milieu du pont, Cosette, ayant les pieds engourdis, désira marcher. Il la posa à terre et la reprit par la main.

Le pont franchi, il aperçut un peu à droite des chantiers devant lui ; il y marcha. Pour y arriver, il fallait s'aventurer dans un assez large espace découvert et éclairé. Il n'hésita pas. Ceux qui le traquaient étaient évidemment dépistés et Jean Valjean se croyait hors de danger. Cherché, oui ; suivi, non.

Une petite rue, la rue du Chemin-Vert-Saint-Antoine, s'ouvrait entre deux chantiers enclos de murs. Cette rue était étroite, obscure, et comme faite exprès pour lui. Avant d'y entrer, il regarda en arrière.

Du point où il était, il voyait dans toute sa longueur le pont d'Austerlitz.

Quatre ombres venaient d'entrer sur le pont.

Ces ombres tournaient le dos au Jardin des Plantes et se dirigeaient vers la rive droite.

Ces quatre ombres, c'étaient les quatre hommes.

Jean Valjean eut le frémissement de la bête reprise.

Il lui restait une espérance; c'est que ces hommes peut-être n'étaient pas encore entrés sur le pont et ne l'avaient pas aperçu au moment où il avait traversé, tenant Cosette par la main, la grande place éclairée.

En ce cas-là, en s'enfonçant dans la petite rue qui était devant lui, s'il parvenait à atteindre les chantiers, les marais, les cultures, les terrains non bâtis, il pouvait échapper.

Il lui sembla qu'on pouvait se confier à cette petite rue silencieuse. Il y entra.

III

VOIR LE PLAN DE PARIS DE 1727

Au bout de trois cents pas, il arriva à un point où la rue se bifurquait. Elle se partageait en deux rues, obliquant l'une à gauche, l'autre à droite. Jean Valjean avait devant lui comme les deux branches d'un Y[1]. Laquelle choisir?

Il ne balança point, et prit la droite.

Pourquoi?

C'est que la branche gauche allait vers le faubourg, c'est-à-dire vers les lieux habités, et la branche droite vers la campagne, c'est-à-dire vers les lieux déserts.

Cependant ils ne marchaient plus très rapidement. Le pas de Cosette ralentissait le pas de Jean Valjean.

Il se remit à la porter. Cosette appuyait sa tête sur l'épaule du bonhomme et ne disait pas un mot.

Il se retournait de temps en temps et regardait. Il avait soin de se tenir toujours du côté obscur de la rue. La rue était droite derrière lui. Les deux ou trois premières fois qu'il se retourna, il ne vit rien, le silence était profond, il continua sa marche un peu rassuré. Tout à coup, à un certain instant, s'étant retourné, il lui sembla voir dans la partie de la rue où il venait de passer, loin dans l'obscurité, quelque chose qui bougeait.

Il se précipita en avant, plutôt qu'il ne marcha, espérant

trouver quelque ruelle latérale, s'évader par là, et rompre encore une fois sa piste.

Il arriva à un mur.

Ce mur pourtant n'était point une impossibilité d'aller plus loin; c'était une muraille bordant une ruelle transversale à laquelle aboutissait la rue où s'était engagé Jean Valjean.

Ici encore il fallait se décider; prendre à droite ou à gauche.

Il regarda à droite. La ruelle se prolongeait en tronçon entre des constructions qui étaient des hangars ou des granges, puis se terminait en impasse. On voyait distinctement le fond du cul-de-sac; un grand mur blanc.

Il regarda à gauche. La ruelle de ce côté était ouverte, et, au bout de deux cents pas environ, tombait dans une rue dont elle était l'affluent. C'était de ce côté-là qu'était le salut.

Au moment où Jean Valjean songeait à tourner à gauche, pour tâcher de gagner la rue qu'il entrevoyait au bout de la ruelle, il aperçut, à l'angle de la ruelle et de cette rue vers laquelle il allait se diriger, une espèce de statue noire, immobile.

C'était quelqu'un, un homme, qui venait d'être posté là évidemment, et qui, barrant le passage, attendait.

Jean Valjean recula.

Le point de Paris où se trouvait Jean Valjean, situé entre le faubourg Saint-Antoine et la Râpée, est un de ceux qu'ont transformés de fond en comble les travaux récents, enlaidissement selon les uns, transfiguration selon les autres. Les cultures, les chantiers et les vieilles bâtisses se sont effacés. Il y a là aujourd'hui de grandes rues toutes neuves, des arènes, des cirques, des hippodromes, des embarcadères de chemins de fer, une prison, Mazas[1]; le progrès, comme on voit, avec son correctif.

Il y a un demi-siècle, dans cette langue usuelle populaire, toute faite de traditions, qui s'obstine à appeler l'Institut *les Quatre-Nations* et l'Opéra Comique *Feydeau,* l'endroit précis où était parvenu Jean Valjean se nommait *le Petit-Picpus.* La porte Saint-Jacques, la porte Paris, la barrière des Sergents, les Porcherons, la Galiote, les Célestins, les Capucins, le Mail, la Bourbe, l'Arbre-de-Cracovie, la Petite-Pologne, le Petit-Picpus, ce sont les noms du vieux Paris surnageant dans le nouveau. La mémoire du peuple flotte sur ces épaves du passé.

Le Petit-Picpus, qui du reste a existé à peine [1] et n'a jamais été qu'une ébauche de quartier, avait presque l'aspect monacal d'une ville espagnole. Les chemins étaient peu pavés, les rues étaient peu bâties. Excepté les deux ou trois rues dont nous allons parler, tout y était muraille et solitude. Pas une boutique, pas une voiture; à peine çà et là une chandelle allumée aux fenêtres; toute lumière éteinte après dix heures. Des jardins, des couvents, des chantiers, des marais; de rares maisons basses, et de grands murs aussi hauts que les maisons.

Tel était ce quartier au dernier siècle. La révolution l'avait déjà fort rabroué. L'édilité républicaine l'avait démoli, percé, troué. Des dépôts de gravats y avaient été établis. Il y a trente ans, ce quartier disparaissait sous la rature des constructions nouvelles. Aujourd'hui il est biffé tout à fait. Le Petit-Picpus, dont aucun plan actuel n'a gardé trace, est assez clairement indiqué dans le plan de 1727, publié à Paris chez Denis Thierry, rue Saint-Jacques, vis-à-vis la rue du Plâtre, et à Lyon chez Jean Girin, rue Mercière, à la Prudence [2]. Le Petit-Picpus avait ce que nous venons d'appeler un Y de rues, formé par la rue du Chemin-Vert-Saint-Antoine s'écartant en deux branches et prenant à gauche le nom de petite rue Picpus et à droite le nom de rue Polonceau. Les deux branches de l'Y étaient réunies à leur sommet comme par une barre. Cette barre se nommait rue Droit-Mur. La rue Polonceau y aboutissait; la petite rue Picpus passait outre, et montait vers le marché Lenoir. Celui qui, venant de la Seine, arrivait à l'extrémité de la rue Polonceau, avait à sa gauche la rue Droit-Mur, tournant brusquement à angle droit, devant lui la muraille de cette rue, et à sa droite un prolongement tronqué de la rue Droit-Mur, sans issue, appelé le cul-de-sac Genrot.

C'est là qu'était Jean Valjean.

Comme nous venons de le dire, en apercevant la silhouette noire, en vedette à l'angle de la rue Droit-Mur et de la petite rue Picpus, il recula. Nul doute. Il était guetté par ce fantôme.

Que faire?

Il n'était plus temps de rétrograder. Ce qu'il avait vu remuer dans l'ombre à quelque distance derrière lui le moment d'auparavant, c'était sans doute Javert et son escouade. Javert était probablement déjà au commencement de la rue à la fin de laquelle était Jean Valjean. Javert, selon toute apparence, connaissait ce petit dédale, et avait pris ses précautions en envoyant un de ses hommes garder l'issue. Ces conjectures, si ressemblantes à des évidences, tourbillonnèrent tout de suite, comme une poignée de poussière qui s'envole à un vent subit, dans le cerveau douloureux de Jean Valjean. Il examina le cul-de-sac Genrot ; là, barrage. Il examina la petite rue Picpus ; là, une sentinelle. Il voyait cette figure sombre se détacher en noir sur le pavé blanc inondé de lune. Avancer, c'était tomber sur cet homme. Reculer, c'était se jeter dans Javert. Jean Valjean se sentait pris comme dans un filet qui se resserrait lentement. Il regarda le ciel avec désespoir.

IV

LES TÂTONNEMENTS DE L'ÉVASION

POUR comprendre ce qui va suivre, il faut se figurer d'une manière exacte la ruelle Droit-Mur, et en particulier l'angle qu'on laissait à gauche quand on sortait de la rue Polonceau pour entrer dans cette ruelle. La ruelle Droit-Mur était à peu près entièrement bordée à droite jusqu'à la petite rue Picpus par des maisons de pauvre apparence ; à gauche par un seul bâtiment d'une ligne sévère composé de plusieurs corps de logis qui allaient se haussant graduellement d'un étage ou deux à mesure qu'ils approchaient de la petite rue Picpus ; de sorte que ce bâtiment, très élevé du côté de la petite rue Picpus, était assez bas du côté de la rue Polonceau. Là, a l'angle dont nous avons parlé, il s'abaissait au point de n'avoir plus qu'une muraille. Cette muraille n'allait pas aboutir carrément à la rue ; elle dessinait un pan coupé fort en retraite, dérobé par ses deux angles à deux observateurs qui eussent été l'un rue Polonceau, l'autre rue Droit-Mur.

A partir des deux angles du pan coupé, la muraille se prolongeait sur la rue Polonceau jusqu'à une maison qui portait le n° 49 et sur la rue Droit-Mur, où son tronçon était beaucoup plus court, jusqu'au bâtiment sombre dont nous avons parlé et dont elle coupait le pignon, faisant ainsi dans la rue un nouvel angle rentrant. Ce pignon était d'un aspect morne ;

on n'y voyait qu'une seule fenêtre, ou, pour mieux dire, deux volets revêtus d'une feuille de zinc, et toujours fermés.

L'état de lieux que nous dressons ici est d'une rigoureuse exactitude et éveillera certainement un souvenir très précis dans l'esprit des anciens habitants du quartier.

Le pan coupé était entièrement rempli par une chose qui ressemblait à une porte colossale et misérable. C'était un vaste assemblage informe de planches perpendiculaires, celles d'en haut plus larges que celles d'en bas, reliées par de longues lanières de fer transversales. A côté il y avait une porte cochère de dimension ordinaire et dont le percement ne remontait évidemment pas à plus d'une cinquantaine d'années.

Un tilleul montrait son branchage au-dessus du pan coupé, et le mur était couvert de lierre du côté de la rue Polonceau.

Dans l'imminent péril où se trouvait Jean Valjean, ce bâtiment sombre avait quelque chose d'inhabité et de sommaire qui le tentait. Il le parcourut rapidement des yeux. Il se disait que s'il parvenait à y pénétrer, il était peut-être sauvé. Il eut d'abord une idée et une espérance.

Dans la partie moyenne de la devanture de ce bâtiment sur la rue Droit-Mur, il y avait à toutes les fenêtres des divers étages de vieilles cuvettes-entonnoirs en plomb. Les embranchements variés des conduits qui allaient d'un conduit central aboutir à toutes ces cuvettes dessinaient sur la façade une espèce d'arbre. Ces ramifications de tuyaux avec leurs cent coudes imitaient ces vieux ceps de vigne dépouillés qui se tordent sur les devantures des anciennes fermes.

Ce bizarre espalier aux branches de tôle et de fer fut le premier objet qui frappa le regard de Jean Valjean. Il assit Cosette le dos contre une borne en lui recommandant le silence et courut à l'endroit où le conduit venait toucher le pavé. Peut-être y avait-il moyen d'escalader par là et d'entrer dans la maison. Mais le conduit était délabré et hors de service et tenait à peine à son scellement. D'ailleurs toutes les fenêtres de ce logis silencieux étaient grillées d'épaisses barres de fer, même les mansardes du toit. Et puis la lune éclairait pleinement cette façade, et l'homme qui l'observait du bout de la rue aurait vu Jean Valjean faire l'escalade. Enfin que faire de Cosette? comment la hisser au haut d'une maison à trois étages? Il renonça à grimper par le conduit et rampa le long du mur pour rentrer dans la rue Polonceau.

Quand il fut au pan coupé où il avait laissé Cosette, il remarqua que, là, personne ne pouvait le voir. Il échappait, comme nous venons de l'expliquer, à tous les regards, de quelque côté qu'ils vinssent. En outre il était dans l'ombre. Enfin il y avait deux portes. Peut-être pourrait-on les forcer. Le mur au-dessus duquel il voyait le tilleul et le lierre donnait évidemment dans un jardin où il pourrait tout au moins se cacher, quoiqu'il n'y eût pas encore de feuilles aux arbres, et passer le reste de la nuit.

Le temps s'écoulait. Il fallait faire vite.

Il tâta la porte cochère et reconnut tout de suite qu'elle était condamnée au dedans et au dehors.

Il s'approcha de l'autre grande porte avec plus d'espoir. Elle était affreusement décrépite, son immensité même la rendait moins solide, les planches étaient pourries, les ligatures de fer, il n'y en avait que trois, étaient rouillées. Il semblait possible de percer cette clôture vermoulue.

En l'examinant, il vit que cette porte n'était pas une porte. Elle n'avait ni gonds, ni pentures, ni serrure, ni fente au milieu. Les bandes de fer la traversaient de part en part sans solution de continuité. Par les crevasses des planches il entrevit des moellons et des pierres grossièrement cimentés que les passants pouvaient y voir encore il y a dix ans. Il fut forcé de s'avouer avec consternation que cette apparence de porte était simplement le parement en bois d'une bâtisse à laquelle elle était adossée. Il était facile d'arracher une planche, mais on se trouvait face à face avec un mur.

V

QUI SERAIT IMPOSSIBLE AVEC L'ÉCLAIRAGE AU GAZ

En ce moment un bruit sourd et cadencé commença à se faire entendre à quelque distance. Jean Valjean risqua un peu son regard en dehors du coin de la rue. Sept ou huit soldats disposés en peloton venaient de déboucher dans la rue Polonceau. Il voyait briller les bayonnettes. Cela venait vers lui.

Ces soldats, en tête desquels il distinguait la haute stature de Javert, s'avançaient lentement et avec précaution. Ils s'arrêtaient fréquemment. Il était visible qu'ils exploraient tous les recoins des murs et toutes les embrasures de portes et d'allées.

C'était, et ici la conjecture ne pouvait se tromper, quelque patrouille que Javert avait rencontrée et qu'il avait requise.

Les deux acolytes de Javert marchaient dans leurs rangs.

Du pas dont ils marchaient, et avec les stations qu'ils faisaient, il leur fallait environ un quart d'heure pour arriver à l'endroit où se trouvait Jean Valjean. Ce fut un instant affreux. Quelques minutes séparaient Jean Valjean de cet épouvantable précipice qui s'ouvrait devant lui pour la troisième fois. Et le bagne maintenant n'était plus seulement le bagne, c'était Cosette perdue à jamais; c'est-à-dire une vie qui ressemblait au dedans d'une tombe.

Il n'y avait plus qu'une chose possible.

Jean Valjean avait cela de particulier qu'on pouvait dire qu'il portait deux besaces; dans l'une il avait les pensées d'un saint, dans l'autre les redoutables talents d'un forçat. Il fouillait dans l'une ou dans l'autre, selon l'occasion [1].

Entre autres ressources, grâce à ses nombreuses évasions du bagne de Toulon, il était, on s'en souvient, passé maître dans cet art incroyable de s'élever, sans échelles, sans crampons, par la seule force musculaire, en s'appuyant de la nuque, des épaules, des hanches et des genoux, en s'aidant à peine des rares reliefs de la pierre, dans l'angle droit d'un mur, au besoin jusqu'à la hauteur d'un sixième étage; art qui a rendu si effrayant et si célèbre le coin de la cour de la Conciergerie de Paris par où s'échappa, il y a une vingtaine d'années, le condamné Battemolle.

Jean Valjean mesura des yeux la muraille au-dessus de laquelle il voyait le tilleul. Elle avait environ dix-huit pieds de haut. L'angle qu'elle faisait avec le pignon du grand bâtiment était rempli, dans sa partie inférieure, d'un massif de maçonnerie de forme triangulaire, probablement destiné à préserver ce trop commode recoin des stations de ces stercoraires qu'on appelle les passants. Ce remplissage préventif des coins de mur est fort usité à Paris.

Ce massif avait environ cinq pieds de haut. Du sommet de ce massif l'espace à franchir pour arriver sur le mur n'était guère que de quatorze pieds.

Le mur était surmonté d'une pierre plate sans chevron.

La difficulté était Cosette. Cosette, elle, ne savait pas escalader un mur. L'abandonner? Jean Valjean n'y songeait pas. L'emporter était impossible. Toutes les forces d'un homme lui sont nécessaires pour mener à bien ces étranges ascensions. Le moindre fardeau dérangerait son centre de gravité et le précipiterait.

Il aurait fallu une corde. Jean Valjean n'en avait pas. Où trouver une corde à minuit, rue Polonceau? Certes, en cet instant-là, si Jean Valjean avait eu un royaume, il l'eût donné pour une corde[1].

Toutes les situations extrêmes ont leurs éclairs qui tantôt nous aveuglent, tantôt nous illuminent.

Le regard désespéré de Jean Valjean rencontra la potence du réverbère du cul-de-sac Genrot.

A cette époque il n'y avait point de becs de gaz dans les rues de Paris. A la nuit tombante on y allumait des réverbères placés de distance en distance, lesquels montaient et descendaient au moyen d'une corde qui traversait la rue de part en part et qui s'ajustait dans la rainure d'une potence. Le tourniquet où se dévidait cette corde était scellé au-dessous de la lanterne dans une petite armoire de fer dont l'allumeur avait la clef, et la corde elle-même était protégée jusqu'à une certaine hauteur par un étui en métal.

Jean Valjean, avec l'énergie d'une lutte suprême, franchit la rue d'un bond, entra dans le cul-de-sac, fit sauter le pêne de la petite armoire avec la pointe de son couteau, et un instant après il était revenu près de Cosette. Il avait une corde. Ils vont vite en besogne, ces sombres trouveurs d'expédients, aux prises avec la fatalité.

Nous avons expliqué que les réverbères n'avaient pas été allumés cette nuit-là. La lanterne du cul-de-sac Genrot se trouvait donc naturellement éteinte comme les autres, et l'on pouvait passer à côté sans même remarquer qu'elle n'était plus à sa place.

Cependant l'heure, le lieu, l'obscurité, la préoccupation de Jean Valjean, ses gestes singuliers, ses allées et venues, tout cela commençait à inquiéter Cosette. Tout autre enfant qu'elle aurait depuis longtemps jeté les hauts cris. Elle se borna à tirer Jean Valjean par le pan de sa redingote. On entendait toujours de plus en plus distinctement le bruit de la patrouille qui approchait.

— Père, dit-elle tout bas, j'ai peur. Qu'est-ce qui vient donc là?

— Chut! répondit le malheureux homme. C'est la Thénardier.

Cosette tressaillit. Il ajouta :

— Ne dis rien. Laisse-moi faire. Si tu cries, si tu pleures, la Thénardier te guette. Elle vient pour te ravoir.

Alors, sans se hâter, mais sans s'y reprendre à deux fois pour rien, avec une précision ferme et brève, d'autant plus remarquable en un pareil moment que la patrouille et Javert pouvaient survenir d'un instant à l'autre, il défit sa cravate, la passa autour du corps de Cosette sous les aisselles en ayant soin qu'elle ne pût blesser l'enfant, rattacha cette cravate à un bout de la corde au moyen de ce nœud que les gens de mer appellent nœud d'hirondelle, prit l'autre bout de cette corde dans ses dents, ôta ses souliers et ses bas qu'il jeta par-dessus la muraille, monta sur le massif de maçonnerie, et commença à s'élever dans l'angle du mur et du pignon avec autant de solidité et de certitude que s'il eût eu des échelons sous les talons et sous les coudes. Une demi-minute ne s'était pas écoulée qu'il était à genoux sur le mur.

Cosette le considérait avec stupeur, sans dire une parole. La recommandation de Jean Valjean et le nom de la Thénardier l'avaient glacée.

Tout à coup elle entendit la voix de Jean Valjean qui lui criait, tout en restant très basse :

— Adosse-toi au mur.

Elle obéit.

— Ne dis pas un mot et n'aie pas peur, reprit Jean Valjean.

Et elle se sentit enlever de terre.

Avant qu'elle eût eu le temps de se reconnaître, elle était au haut de la muraille.

Jean Valjean la saisit, la mit sur son dos, lui prit ses deux petites mains dans sa main gauche, se coucha à plat ventre et rampa sur le haut du mur jusqu'au pan coupé. Comme il l'avait deviné, il y avait là une bâtisse dont le toit partait du haut de la clôture en bois et descendait fort près de terre, selon un plan assez doucement incliné, en effleurant le tilleul.

Circonstance heureuse, car la muraille était beaucoup plus haute de ce côté que du côté de la rue. Jean Valjean n'apercevait le sol au-dessous de lui que très profondément.

Il venait d'arriver au plan incliné du toit et n'avait pas encore lâché la crête de la muraille lorsqu'un hourvari violent annonça l'arrivée de la patrouille. On entendit la voix tonnante de Javert :

— Fouillez le cul-de-sac! La rue Droit-Mur est gardée, la petite rue Picpus aussi. Je réponds qu'il est dans le cul-de-sac!

Les soldats se précipitèrent dans le cul-de-sac Genrot.

Jean Valjean se laissa glisser le long du toit, tout en soutenant Cosette, atteignit le tilleul et sauta à terre. Soit terreur, soit courage, Cosette n'avait pas soufflé. Elle avait les mains un peu écorchées.

VI

COMMENCEMENT D'UNE ÉNIGME[1]

JEAN VALJEAN se trouvait dans une espèce de jardin fort vaste et d'un aspect singulier; un de ces jardins tristes qui semblent faits pour être regardés l'hiver et la nuit. Ce jardin était d'une forme oblongue, avec une allée de grands peupliers au fond, des futaies assez hautes dans les coins, et un espace sans ombre au milieu, où l'on distinguait un très grand arbre isolé, puis quelques arbres fruitiers tordus et hérissés comme de grosses broussailles, des carrés de légumes, une melonnière dont les cloches brillaient à la lune, et un vieux puisard. Il y avait çà et là des bancs de pierre qui semblaient noirs de mousse. Les allées étaient bordées de petits arbustes sombres, et toutes droites. L'herbe en envahissait la moitié et une moisissure verte couvrait le reste[2].

Jean Valjean avait à côté de lui la bâtisse dont le toit lui avait servi pour descendre, un tas de fagots, et derrière les fagots, tout contre le mur, une statue de pierre dont la face mutilée n'était plus qu'un masque informe qui apparaissait vaguement dans l'obscurité.

La bâtisse était une sorte de ruine où l'on distinguait des chambres démantelées dont une, tout encombrée, semblait servir de hangar.

Le grand bâtiment de la rue Droit-Mur qui faisait retour

sur la petite rue Picpus développait sur ce jardin deux façades en équerre. Ces façades du dedans étaient plus tragiques encore que celles du dehors. Toutes les fenêtres étaient grillées. On n'y entrevoyait aucune lumière. Aux étages supérieurs il y avait des hottes comme aux prisons. L'une de ces façades projetait sur l'autre son ombre qui retombait sur le jardin comme un immense drap noir.

On n'apercevait pas d'autre maison. Le fond du jardin se perdait dans la brume et dans la nuit. Cependant on y distinguait confusément des murailles qui s'entrecoupaient comme s'il y avait d'autres cultures au delà, et les toits bas de la rue Polonceau.

On ne pouvait rien se figurer de plus farouche et de plus solitaire que ce jardin. Il n'y avait personne, ce qui était tout simple à cause de l'heure; mais il ne semblait pas que cet endroit fût fait pour que quelqu'un y marchât, même en plein midi.

Le premier soin de Jean Valjean avait été de retrouver ses souliers et de se rechausser, puis d'entrer dans le hangar avec Cosette. Celui qui s'évade ne se croit jamais assez caché. L'enfant, songeant toujours à la Thénardier, partageait son instinct de se blottir le plus possible.

Cosette tremblait et se serrait contre lui. On entendait le bruit tumultueux de la patrouille qui fouillait le cul-de-sac et la rue, les coups de crosse contre les pierres, les appels de Javert aux mouchards qu'il avait postés, et ses imprécations mêlées de paroles qu'on ne distinguait point.

Au bout d'un quart d'heure, il sembla que cette espèce de grondement orageux commençait à s'éloigner. Jean Valjean ne respirait pas.

Il avait posé doucement sa main sur la bouche de Cosette.

Au reste la solitude où il se trouvait était si étrangement calme que cet effroyable tapage, si furieux et si proche, n'y jetait même pas l'ombre d'un trouble. Il semblait que ces murs fussent bâtis avec ces pierres sourdes dont parle l'Écriture.

Tout à coup, au milieu de ce calme profond, un nouveau bruit s'éleva; un bruit céleste, divin, ineffable, aussi ravissant que l'autre était horrible. C'était un hymne qui sortait des ténèbres, un éblouissement de prière et d'harmonie dans l'obscur et effrayant silence de la nuit; des voix de femmes,

mais des voix composées à la fois de l'accent pur des vierges
et de l'accent naïf des enfants, de ces voix qui ne sont pas
de la terre et qui ressemblent à celles que les nouveau-nés
entendent encore et que les moribonds entendent déjà[1]. Ce chant
venait du sombre édifice qui dominait le jardin. Au moment
où le vacarme des démons s'éloignait, on eût dit un chœur
d'anges qui s'approchait dans l'ombre.

Cosette et Jean Valjean tombèrent à genoux.

Ils ne savaient pas ce que c'était, ils ne savaient pas où ils
étaient, mais ils sentaient tous deux, l'homme et l'enfant, le
pénitent et l'innocent, qu'il fallait qu'ils fussent à genoux[2].

Ces voix avaient cela d'étrange qu'elles n'empêchaient pas
que le bâtiment ne parût désert. C'était comme un chant sur-
naturel dans une demeure inhabitée.

Pendant que ces voix chantaient, Jean Valjean ne songeait
plus à rien. Il ne voyait plus la nuit, il voyait un ciel bleu. Il
lui semblait sentir s'ouvrir ces ailes que nous avons tous au
dedans de nous.

Le chant s'éteignit. Il avait peut-être duré longtemps.
Jean Valjean n'aurait pu le dire. Les heures de l'extase ne sont
jamais qu'une minute.

Tout était retombé dans le silence. Plus rien dans la rue, plus
rien dans le jardin. Ce qui menaçait, ce qui rassurait, tout
s'était évanoui. Le vent froissait dans la crête du mur quelques
herbes sèches qui faisaient un petit bruit doux et lugubre.

VII

SUITE DE L'ÉNIGME

La bise de nuit s'était levée, ce qui indiquait qu'il devait être
entre une et deux heures du matin. La pauvre Cosette ne disait
rien. Comme elle s'était assise à terre à son côté et qu'elle
avait penché sa tête sur lui, Jean Valjean pensa qu'elle s'était
endormie. Il se baissa et la regarda. Cosette avait les yeux tout
grands ouverts et un air pensif qui fit mal à Jean Valjean.

Elle tremblait toujours.

— As-tu envie de dormir? dit Jean Valjean.

— J'ai bien froid, répondit-elle.

Un moment après elle reprit :

— Est-ce qu'elle est toujours là ?

— Qui ? dit Jean Valjean.

— Madame Thénardier.

Jean Valjean avait déjà oublié le moyen dont il s'était servi pour faire garder le silence à Cosette.

— Ah ! dit-il, elle est partie. Ne crains plus rien.

L'enfant soupira comme si un poids se soulevait de dessus sa poitrine.

La terre était humide, le hangar ouvert de toute part, la bise plus fraîche à chaque instant. Le bonhomme ôta sa redingote et en enveloppa Cosette.

— As-tu moins froid ainsi ? dit-il.

— Oh oui, père !

— Eh bien, attends-moi un instant. Je vais revenir.

Il sortit de la ruine, et se mit à longer le grand bâtiment, cherchant quelque abri meilleur. Il rencontra les portes, mais elles étaient fermées. Il y avait des barreaux à toutes les croisées du rez-de-chaussée.

Comme il venait de dépasser l'angle intérieur de l'édifice, il remarqua qu'il arrivait à des fenêtres cintrées, et il y aperçut quelque clarté. Il se haussa sur la pointe du pied et regarda par l'une de ces fenêtres. Elles donnaient toutes dans une salle assez vaste, pavée de larges dalles, coupée d'arcades et de piliers, où l'on ne distinguait rien qu'une petite lueur et de grandes ombres. La lueur venait d'une veilleuse allumée dans un coin. Cette salle était déserte et rien n'y bougeait. Cependant, à force de regarder, il crut voir à terre, sur le pavé, quelque chose qui paraissait couvert d'un linceul et qui ressemblait à une forme humaine. Cela était étendu à plat ventre, la face contre la pierre, les bras en croix, dans l'immobilité de la mort. On eût dit, à une sorte de serpent qui traînait sur le pavé, que cette forme sinistre avait la corde au cou.

Toute la salle baignait dans cette brume des lieux à peine éclairés qui ajoute à l'horreur.

Jean Valjean a souvent dit depuis[1] que, quoique bien des spectacles funèbres eussent traversé sa vie, jamais il n'avait rien vu de plus glaçant et de plus terrible que cette figure énigmatique accomplissant on ne sait quel mystère inconnu dans ce lieu sombre et ainsi entrevue dans la nuit. Il était effrayant de supposer que cela était peut-être mort, et plus effrayant encore de songer que cela était peut-être vivant.

Il eut le courage de coller son front à la vitre et d'épier si cette chose remuerait. Il eut beau rester un temps qui lui parut très long, la forme étendue ne faisait aucun mouvement. Tout à coup il se sentit pris d'une épouvante inexprimable, et il s'enfuit. Il se mit à courir vers le hangar sans oser regarder en arrière. Il lui semblait que s'il tournait la tête il verrait la figure marcher derrière lui à grands pas en agitant les bras[1].

Il arriva à la ruine haletant. Ses genoux pliaient; la sueur lui coulait dans les reins.

Où était-il? qui aurait jamais pu s'imaginer quelque chose de pareil à cette espèce de sépulcre au milieu de Paris? qu'était ce que cette étrange maison? Édifice plein de mystères nocturnes, appelant les âmes dans l'ombre avec la voix des anges et, lorsqu'elles viennent, leur offrant brusquement cette vision épouvantable, promettant d'ouvrir la porte radieuse du ciel et ouvrant la porte horrible du tombeau! Et cela était bien en effet un édifice, une maison qui avait son numéro dans une rue! Ce n'était pas un rêve! Il avait besoin d'en toucher les pierres pour y croire.

Le froid, l'anxiété, l'inquiétude, les émotions de la soirée, lui donnaient une véritable fièvre, et toutes ces idées s'entreheurtaient dans son cerveau.

Il s'approcha de Cosette. Elle dormait.

VIII

L'ÉNIGME REDOUBLE

L'ENFANT avait posé sa tête sur une pierre et s'était endormie.

Il s'assit auprès d'elle et se mit à la considérer. Peu à peu, à mesure qu'il la regardait, il se calmait, et il reprenait possession de sa liberté d'esprit[2].

Il percevait clairement cette vérité, le fond de sa vie désormais, que tant qu'elle serait là, tant qu'il l'aurait près de lui, il n'aurait besoin de rien que pour elle, ni peur de rien qu'à cause d'elle. Il ne sentait même pas qu'il avait très froid, ayant quitté sa redingote pour l'en couvrir.

Cependant, à travers la rêverie où il était tombé, il entendait depuis quelque temps un bruit singulier. C'était comme un grelot qu'on agitait. Ce bruit était dans le jardin. On l'entendait distinctement, quoique faiblement. Cela ressemblait à la petite musique vague que font les clarines des bestiaux la nuit dans les pâturages.

Ce bruit fit retourner Jean Valjean.

Il regarda, et vit qu'il y avait quelqu'un dans le jardin.

Un être qui ressemblait à un homme marchait au milieu des cloches de la melonnière, se levant, se baissant, s'arrêtant, avec des mouvements réguliers, comme s'il traînait ou étendait quelque chose à terre. Cet être paraissait boiter[1].

Jean Valjean tressaillit avec ce tremblement continuel des malheureux. Tout leur est hostile et suspect. Ils se défient du jour parce qu'il aide à les voir et de la nuit parce qu'elle aide à les surprendre. Tout à l'heure il frissonnait de ce que le jardin était désert, maintenant il frissonnait de ce qu'il y avait quelqu'un.

Il retomba des terreurs chimériques aux terreurs réelles. Il se dit que Javert et les mouchards n'étaient peut-être pas partis, que sans doute ils avaient laissé dans la rue des gens en observation, que, si cet homme le découvrait dans ce jardin, il crierait au voleur, et le livrerait. Il prit doucement Cosette endormie dans ses bras et la porta derrière un tas de vieux meubles hors d'usage, dans le coin le plus reculé du hangar. Cosette ne remua pas.

De là il observa les allures de l'être qui était dans la melonnière. Ce qui était bizarre, c'est que le bruit du grelot suivait tous les mouvements de cet homme. Quand l'homme s'approchait, le bruit s'approchait; quand il s'éloignait, le bruit s'éloignait; s'il faisait quelque geste précipité, un trémolo accompagnait ce geste; quand il s'arrêtait, le bruit cessait. Il paraissait évident que le grelot était attaché à cet homme; mais alors qu'est-ce que cela pouvait signifier? qu'était-ce que cet homme auquel une clochette était suspendue comme à un bélier ou à un bœuf?

Tout en se faisant ces questions, il toucha les mains de Cosette. Elles étaient glacées.

— Ah mon Dieu! dit-il.

Il appela à voix basse :

— Cosette!

Elle n'ouvrit pas les yeux.

Il la secoua vivement.

Elle ne s'éveilla pas.

— Serait-elle morte! dit-il, et il se dressa debout, frémissant de la tête aux pieds.

Les idées les plus affreuses lui traversèrent l'esprit pêle-mêle. Il y a des moments où les suppositions hideuses nous assiègent comme une cohue de furies et forcent violemment les cloisons de notre cerveau. Quand il s'agit de ceux que nous aimons, notre prudence invente toutes les folies. Il se souvint que le sommeil peut être mortel en plein air dans une nuit froide.

Cosette, pâle, était retombée étendue à terre à ses pieds sans faire un mouvement.

Il écouta son souffle; elle respirait; mais d'une respiration qui lui paraissait faible et prête à s'éteindre.

Comment la réchauffer? comment la réveiller? Tout ce qui n'était pas ceci s'effaça de sa pensée. Il s'élança éperdu hors de la ruine.

Il fallait absolument qu'avant un quart d'heure Cosette fût devant un feu et dans un lit.

IX

L'HOMME AU GRELOT

Il marcha droit à l'homme qu'il apercevait dans le jardin. Il avait pris à sa main le rouleau d'argent qui était dans la poche de son gilet.

Cet homme baissait la tête et ne le voyait pas venir. En quelques enjambées, Jean Valjean fut à lui.

Jean Valjean l'aborda en criant :

— Cent francs![1]

L'homme fit un soubresaut et leva les yeux.

— Cent francs à gagner, reprit Jean Valjean, si vous me donnez asile pour cette nuit!

La lune éclairait en plein le visage effaré de Jean Valjean.

— Tiens, c'est vous, père Madeleine! dit l'homme.

Ce nom, ainsi prononcé, à cette heure obscure, dans ce lieu inconnu, par cet homme inconnu, fit reculer Jean Valjean.

Il s'attendait à tout, excepté à cela. Celui qui lui parlait était un vieillard courbé et boiteux, vêtu à peu près comme un paysan, qui avait au genou gauche une genouillère de cuir où pendait une assez grosse cloche[1]. On ne distinguait pas son visage qui était dans l'ombre.

Cependant ce bonhomme avait ôté son bonnet, et s'écriait tout tremblant:

— Ah mon Dieu! comment êtes-vous ici, père Madeleine? Par où êtes-vous entré, Dieu Jésus! Vous tombez donc du ciel! Ce n'est pas l'embarras, si vous tombez jamais, c'est de là que vous tomberez. Et comme vous voilà fait! Vous n'avez pas de cravate, vous n'avez pas de chapeau, vous n'avez pas d'habit! Savez-vous que vous auriez fait peur à quelqu'un qui ne vous aurait pas connu? Pas d'habit! Mon Dieu Seigneur, est-ce que les saints deviennent fous à présent? Mais comment donc êtes-vous entré ici?

Un mot n'attendait pas l'autre. Le vieux homme parlait avec une volubilité campagnarde où il n'y avait rien d'inquiétant. Tout cela était dit avec un mélange de stupéfaction et de bonhomie naïve.

— Qui êtes-vous? et qu'est-ce que c'est que cette maison-ci? demanda Jean Valjean.

— Ah, pardieu, voilà qui est fort! s'écria le vieillard, je suis celui que vous avez fait placer ici, et cette maison est celle où vous m'avez fait placer. Comment! vous ne me reconnaissez pas?

— Non, dit Jean Valjean. Et comment se fait-il que vous me connaissiez, vous?

— Vous m'avez sauvé la vie, dit l'homme.

Il se tourna, un rayon de lune lui dessina le profil, et Jean Valjean reconnut le vieux Fauchelevent.

— Ah! dit Jean Valjean, c'est vous? oui, je vous reconnais.

— C'est bien heureux! fit le vieux d'un ton de reproche.

— Et que faites-vous ici? reprit Jean Valjean.

— Tiens! je couvre mes melons donc!

Le vieux Fauchelevent tenait en effet à la main, au moment

où Jean Valjean l'avait accosté, le bout d'un paillasson qu'il était occupé à étendre sur la melonnière. Il en avait déjà ainsi posé un certain nombre depuis une heure environ qu'il était dans le jardin. C'était cette opération qui lui faisait faire les mouvements particuliers observés du hangar par Jean Valjean.

Il continua :

— Je me suis dit : la lune est claire, il va geler. Si je mettais à mes melons leurs carricks? — Et, ajouta-t-il en regardant Jean Valjean avec un gros rire, vous auriez pardieu bien dû en faire autant! Mais comment donc êtes-vous ici?

Jean Valjean, se sentant connu par cet homme, du moins sous son nom de Madeleine, n'avançait plus qu'avec précaution. Il multipliait les questions. Chose bizarre, les rôles semblaient intervertis. C'était lui, intrus, qui interrogeait.

— Et qu'est-ce que c'est que cette sonnette que vous avez au genou?

— Ça? répondit Fauchelevent, c'est pour qu'on m'évite.

— Comment! pour qu'on vous évite?

Le vieux Fauchelevent cligna de l'œil d'un air inexprimable.

— Ah dame! il n'y a que des femmes dans cette maison-ci; beaucoup de jeunes filles. Il paraît que je serais dangereux à rencontrer. La sonnette les avertit. Quand je viens, elles s'en vont.

— Qu'est-ce que c'est que cette maison-ci?

— Tiens! vous savez bien.

— Mais non, je ne sais pas.

— Puisque vous m'y avez fait placer jardinier!

— Répondez-moi comme si je ne savais rien.

— Eh bien, c'est le couvent du Petit-Picpus donc!

Les souvenirs revenaient à Jean Valjean. Le hasard, c'est-à-dire la providence, l'avait jeté précisément dans ce couvent du quartier Saint-Antoine où le vieux Fauchelevent, estropié par la chute de sa charrette, avait été admis sur sa recommandation, il y avait deux ans de cela [1]. Il répéta comme se parlant à lui-même :

— Le couvent du Petit-Picpus!

— Ah çà mais, au fait, reprit Fauchelevent, comment diable avez-vous fait pour y entrer, vous, père Madeleine? Vous avez beau être un saint, vous êtes un homme, et il n'entre pas d'hommes ici.

— Vous y êtes bien.

— Il n'y a que moi.

— Cependant, reprit Jean Valjean, il faut que j'y reste.

— Ah mon Dieu! s'écria Fauchelevent.

Jean Valjean s'approcha du vieillard et lui dit d'une voix grave :

— Père Fauchelevent, je vous ai sauvé la vie.

— C'est moi qui m'en suis souvenu le premier, répondit Fauchelevent.

— Eh bien, vous pouvez faire aujourd'hui pour moi ce que j'ai fait autrefois pour vous.

Fauchelevent prit dans ses vieilles mains ridées et tremblantes les deux robustes mains de Jean Valjean, et fut quelques secondes comme s'il ne pouvait parler. Enfin il s'écria :

— Oh! ce serait une bénédiction du bon Dieu si je pouvais vous rendre un peu cela! Moi! vous sauver la vie! Monsieur le maire, disposez du vieux bonhomme!

Une joie admirable avait comme transfiguré ce vieillard. Un rayon semblait lui sortir du visage.

— Que voulez-vous que je fasse? reprit-il.

— Je vous expliquerai cela. Vous avez une chambre?

— J'ai une baraque isolée, là, derrière la ruine du vieux couvent, dans un recoin que personne ne voit. Il y a trois chambres.

La baraque était en effet si bien cachée derrière la ruine et si bien disposée pour que personne ne la vît, que Jean Valjean ne l'avait pas vue.

— Bien, dit Jean Valjean. Maintenant je vous demande deux choses.

— Lesquelles, monsieur le maire?

— Premièrement, vous ne direz à personne ce que vous savez de moi. Deuxièmement, vous ne chercherez pas à en savoir davantage.

— Comme vous voudrez. Je sais que vous ne pouvez rien faire que d'honnête et que vous avez toujours été un homme du bon Dieu. Et puis d'ailleurs, c'est vous qui m'avez mis ici. Ça vous regarde. Je suis à vous.

— C'est dit. A présent, venez avec moi. Nous allons chercher l'enfant.

— Ah! dit Fauchelevent. Il y a un enfant!

Il n'ajouta pas une parole et suivit Jean Valjean comme un chien suit son maître.

Moins d'une demi-heure après, Cosette, redevenue rose à la flamme d'un bon feu, dormait dans le lit du vieux jardinier. Jean Valjean avait remis sa cravate et sa redingote; le chapeau lancé par-dessus le mur avait été retrouvé et ramassé; pendant que Jean Valjean endossait sa redingote, Fauchelevent avait ôté sa genouillère à clochette, qui maintenant, accrochée à un clou près d'une hotte, ornait le mur. Les deux hommes se chauffaient accoudés sur une table où Fauchelevent avait posé un morceau de fromage, du pain bis, une bouteille de vin et deux verres, et le vieux disait à Jean Valjean en lui posant la main sur le genou :

— Ah! père Madeleine! vous ne m'avez pas reconnu tout de suite! Vous sauvez la vie aux gens, et après vous les oubliez! Oh! c'est mal! eux ils se souviennent de vous! vous êtes un ingrat[1]!

x

OÙ IL EST EXPLIQUÉ COMMENT JAVERT A FAIT BUISSON CREUX[2]

LES événements dont nous venons de voir, pour ainsi dire, l'envers, s'étaient accomplis dans les conditions les plus simples.

Lorsque Jean Valjean, dans la nuit même du jour où Javert l'arrêta près du lit de mort de Fantine, s'échappa de la prison municipale de Montreuil-sur-mer, la police supposa que le forçat évadé avait dû se diriger vers Paris. Paris est un maelstrom où tout se perd, et tout disparaît dans ce nombril du monde comme dans le nombril de la mer. Aucune forêt ne cache un homme comme cette foule. Les fugitifs de toute espèce lé savent. Ils vont à Paris comme à un engloutissement; il y a des engloutissements qui sauvent. La police aussi le sait, et c'est à Paris qu'elle cherche ce qu'elle a perdu ailleurs. Elle y chercha l'ex-maire de Montreuil-sur-mer. Javert fut appelé à Paris afin d'éclairer les perquisitions. Javert en effet aida puissamment à reprendre Jean Valjean. Le zèle et l'intelligence de

Javert en cette occasion furent remarqués de M. Chabouillet, secrétaire de la préfecture sous le comte Anglès. M. Chabouillet, qui du reste avait déjà protégé Javert, fit attacher l'inspecteur de Montreuil-sur-mer à la police de Paris. Là Javert se rendit diversement et, disons-le, quoique le mot semble inattendu pour de pareils services, honorablement utile.

Il ne songeait plus à Jean Valjean, — à ces chiens toujours en chasse le loup d'aujourd'hui fait oublier le loup d'hier, — lorsqu'en décembre 1823 il lut un journal, lui qui ne lisait jamais de journaux; mais Javert, homme monarchique, avait tenu à savoir les détails de l'entrée triomphale du « prince généralissime » à Bayonne. Comme il achevait l'article qui l'intéressait, un nom, le nom de Jean Valjean, au bas d'une page, appela son attention. Le journal annonçait que le forçat Jean Valjean était mort, et publiait le fait en termes si formels que Javert n'en douta pas. Il se borna à dire : *c'est là le bon écrou*[1]. Puis il jeta le journal, et n'y pensa plus.

Quelque temps après il arriva qu'une note de police fut transmise par la préfecture de Seine-et-Oise à la préfecture de police de Paris sur l'enlèvement d'un enfant, qui avait eu lieu, disait-on, avec des circonstances particulières, dans la commune de Montfermeil. Une petite fille de sept à huit ans, disait la note, qui avait été confiée par sa mère à un aubergiste du pays, avait été volée par un inconnu; cette petite répondait au nom de Cosette et était l'enfant d'une fille nommée Fantine, morte à l'hôpital, on ne savait quand ni où. Cette note passa sous les yeux de Javert, et le rendit rêveur.

Le nom de Fantine lui était bien connu. Il se souvenait que Jean Valjean l'avait fait éclater de rire, lui Javert, en lui demandant un répit de trois jours pour aller chercher l'enfant de cette créature. Il se rappela que Jean Valjean avait été arrêté à Paris au moment où il montait dans la voiture de Montfermeil. Quelques indications avaient même fait songer à cette époque que c'était la seconde fois qu'il montait dans cette voiture, et qu'il avait déjà, la veille, fait une première excursion aux environs de ce village, car on ne l'avait point vu dans le village même. Qu'allait-il faire dans ce pays de Montfermeil? on ne l'avait pu deviner. Javert le comprenait maintenant. La fille de Fantine s'y trouvait. Jean Valjean l'allait chercher. Or, cette enfant venait d'être volée par un inconnu.

Quel pouvait être cet inconnu? Serait-ce Jean Valjean? mais Jean Valjean était mort. — Javert, sans rien dire à personne, prit le coucou du Plat-d'étain, cul-de-sac de la Planchette, et fit le voyage de Montfermeil.

Il s'attendait à trouver là un grand éclaircissement; il y trouva une grande obscurité.

Dans les premiers jours, les Thénardier, dépités, avaient jasé. La disparition de l'Alouette avait fait bruit dans le village. Il y avait eu tout de suite plusieurs versions de l'histoire qui avait fini par être un vol d'enfant. De là, la note de police. Cependant, la première humeur passée, le Thénardier, avec son admirable instinct, avait très vite compris qu'il n'est jamais utile d'émouvoir monsieur le procureur du roi, et que ses plaintes à propos de l'*enlèvement* de Cosette auraient pour premier résultat de fixer sur lui Thénardier et sur beaucoup d'affaires troubles qu'il avait l'étincelante prunelle de la justice. La première chose que les hiboux ne veulent pas, c'est qu'on leur apporte une chandelle. Et d'abord, comment se tirerait-il des quinze cents francs qu'il avait reçus? Il tourna court, mit un bâillon à sa femme, et fit l'étonné quand on lui parlait de l'*enfant volé*. Il n'y comprenait rien; sans doute il s'était plaint dans le moment de ce qu'on lui « enlevait » si vite cette chère petite; il eût voulu par tendresse la garder encore deux ou trois jours; mais c'était son « grand-père » qui était venu la chercher le plus naturellement du monde. Il avait ajouté le grand-père, qui faisait bien. Ce fut sur cette histoire que Javert tomba en arrivant à Montfermeil. Le grand-père faisait évanouir Jean Valjean.

Javert pourtant enfonça quelques questions, comme des sondes, dans l'histoire de Thénardier. — Qu'était-ce que ce grand-père, et comment s'appelait-il? — Thénardier répondit avec simplicité : — C'est un riche cultivateur. J'ai vu son passeport. Je crois qu'il s'appelle M. Guillaume Lambert.

Lambert est un nom bonhomme et très rassurant. Javert s'en revint à Paris.

— Le Jean Valjean est bien mort, se dit-il, et je suis un jobard.

Il recommençait à oublier toute cette histoire, lorsque, dans le courant de mars 1824, il entendit parler d'un personnage bizarre qui habitait sur la paroisse de Saint-Médard et qu'on surnommait « le mendiant qui fait l'aumône ». Ce personnage était, disait-on, un rentier dont personne ne savait au juste le nom et qui vivait seul avec une petite fille de huit ans, laquelle ne savait rien elle-même, sinon qu'elle venait de Montfermeil. Montfermeil! ce nom revenait toujours, et fit dresser l'oreille à Javert. Un vieux mendiant mouchard, ancien bedeau, auquel ce personnage faisait la charité, ajoutait quelques autres détails. — Ce rentier était un être très farouche, — ne sortant jamais que le soir, — ne parlant à personne, — qu'aux pauvres quelquefois, — et ne se laissant pas approcher. Il portait une horrible vieille redingote jaune qui valait plusieurs millions, étant toute cousue de billets de banque. — Ceci piqua décidément la curiosité de Javert. Afin de voir ce rentier fantastique de très près sans l'effaroucher, il emprunta un jour au bedeau sa défroque et la place où le vieux mouchard s'accroupissait tous les soirs en nasillant des oraisons et en espionnant à travers la prière.

« L'individu suspect » vint en effet à Javert ainsi travesti, et lui fit l'aumône. En ce moment Javert leva la tête, et la secousse que reçut Jean Valjean en croyant reconnaître Javert, Javert la reçut en croyant reconnaître Jean Valjean.

Cependant l'obscurité avait pu le tromper; la mort de Jean Valjean était officielle; il restait à Javert des doutes, et des doutes graves; et dans le doute Javert, l'homme du scrupule, ne mettait la main au collet de personne.

Il suivit son homme jusqu'à la masure Gorbeau, et fit parler « la vieille », ce qui n'était pas malaisé. La vieille lui confirma le fait de la redingote doublée de millions, et lui conta l'épisode du billet de mille francs. Elle avait vu! elle avait touché! Javert loua une chambre. Le soir même il s'y installa. Il vint écouter à la porte du locataire mystérieux, espérant entendre le son de sa voix, mais Jean Valjean aperçut sa chandelle à travers la serrure et déjoua l'espion en gardant le silence.

Le lendemain Jean Valjean décampait. Mais le bruit de la pièce de cinq francs qu'il laissa tomber fut remarqué de la vieille qui, entendant remuer de l'argent, songea qu'on allait déménager et se hâta de prévenir Javert. A la nuit, lorsque Jean Valjean sortit, Javert l'attendait derrière les arbres du boulevard avec deux hommes.

Javert avait réclamé main-forte à la préfecture, mais il n'avait pas dit le nom de l'individu qu'il espérait saisir. C'était son secret; et il l'avait gardé pour trois raisons : d'abord, parce que la moindre indiscrétion pouvait donner l'éveil à Jean Valjean; ensuite, parce que mettre la main sur un vieux forçat évadé et réputé mort, sur un condamné que les notes de justice avaient jadis classé à jamais *parmi les malfaiteurs de l'espèce la plus dangereuse,* c'était un magnifique succès que les anciens de la police parisienne ne laisseraient certainement pas à un nouveau venu comme Javert, et qu'il craignait qu'on ne lui prît son galérien; enfin, parce que Javert, étant un artiste, avait le goût de l'imprévu. Il haïssait ces succès annoncés qu'on déflore en en parlant longtemps d'avance. Il tenait à élaborer ses chefs-d'œuvre dans l'ombre et à les dévoiler ensuite brusquement.

Javert avait suivi Jean Valjean d'arbre en arbre, puis de coin de rue en coin de rue, et ne l'avait pas perdu de vue un seul instant. Même dans les moments où Jean Valjean se croyait le plus en sûreté, l'œil de Javert était sur lui.

Pourquoi Javert n'arrêtait-il pas Jean Valjean? c'est qu'il doutait encore.

Il faut se souvenir qu'à cette époque la police n'était pas précisément à son aise; la presse libre la gênait. Quelques arrestations arbitraires, dénoncées par les journaux, avaient retenti jusqu'aux chambres, et rendu la préfecture timide. Attenter à la liberté individuelle était un fait grave. Les agents craignaient de se tromper; le préfet s'en prenait à eux; une erreur, c'était la destitution. Se figure-t-on l'effet qu'eût fait dans Paris ce bref entrefilet reproduit par vingt journaux :
— Hier, un vieux grand-père en cheveux blancs, rentier respectable, qui se promenait avec sa petite-fille âgée de huit ans, a été arrêté et conduit au Dépôt de la Préfecture comme forçat évadé! —

Répétons en outre que Javert avait ses scrupules à lui; les recommandations de sa conscience s'ajoutaient aux recommandations du préfet. Il doutait réellement.

Jean Valjean tournait le dos et marchait dans l'obscurité.

La tristesse, l'inquiétude, l'anxiété, l'accablement, ce nouveau malheur d'être obligé de s'enfuir la nuit et de chercher un asile au hasard dans Paris pour Cosette et pour lui, la nécessité de régler son pas sur le pas d'un enfant, tout cela, à son insu même, avait changé la démarche de Jean Valjean et imprimé à son habitude de corps une telle sénilité que la police elle-même, incarnée dans Javert, pouvait s'y tromper, et s'y trompa. L'impossibilité d'approcher de trop près, son costume de vieux précepteur émigré, la déclaration de Thénardier qui le faisait grand-père, enfin la croyance de sa mort au bagne, ajoutaient encore aux incertitudes qui s'épaississaient dans l'esprit de Javert.

Il eut un moment l'idée de lui demander brusquement ses papiers. Mais si cet homme n'était pas Jean Valjean, et si cet homme n'était pas un bon vieux rentier honnête, c'était probablement quelque gaillard profondément et savamment mêlé à la trame obscure des méfaits parisiens, quelque chef de bande dangereux, faisant l'aumône pour cacher ses autres talents, vieille rubrique. Il avait des affidés, des complices, des logis en-cas où il allait se réfugier sans doute. Tous ces détours qu'il faisait dans les rues semblaient indiquer que ce n'était pas un simple bonhomme. L'arrêter trop vite, c'était « tuer la poule aux œufs d'or ». Où était l'inconvénient d'attendre? Javert était bien sûr qu'il n'échapperait pas.

Il cheminait donc assez perplexe, en se posant cent questions sur ce personnage énigmatique.

Ce ne fut qu'assez tard, rue de Pontoise, que, grâce à la vive clarté que jetait un cabaret, il reconnut décidément Jean Valjean.

Il y a dans ce monde deux êtres qui tressaillent profondément : la mère qui retrouve son enfant, et le tigre qui retrouve sa proie. Javert eut ce tressaillement profond.

Dès qu'il eut positivement reconnu Jean Valjean, le forçat redoutable, il s'aperçut qu'ils n'étaient que trois, et il fit demander du renfort au commissaire de police de la rue de Pontoise. Avant d'empoigner un bâton d'épine, on met des gants.

Ce retard et la station au carrefour Rollin pour se concerter avec ses agents faillirent lui faire perdre la piste. Cependant il eut bien vite deviné que Jean Valjean voudrait placer la rivière entre ses chasseurs et lui. Il pencha la tête et réfléchit, comme un limier qui met le nez à terre pour être juste à la voie. Javert, avec sa puissante rectitude d'instinct, alla droit au pont d'Austerlitz. Un mot au péager le mit au fait : — Avez-vous vu un homme avec une petite fille? — Je lui ai fait payer deux sous, répondit le péager. Javert arriva sur le pont à temps pour voir de l'autre côté de l'eau Jean Valjean traverser avec Cosette à la main l'espace éclairé par la lune. Il le vit s'engager dans la rue du Chemin-Vert-Saint-Antoine; il songea au cul-de-sac Genrot disposé là comme une trappe et à l'issue unique de la rue Droit-Mur sur la petite rue Picpus. Il *assura les grands devants,* comme parlent les chasseurs; il envoya en hâte par un détour un de ses agents garder cette issue. Une patrouille, qui rentrait au poste de l'Arsenal, ayant passé, il la requit et s'en fit accompagner. Dans ces parties-là, les soldats sont des atouts. D'ailleurs, c'est le principe que, pour venir à bout d'un sanglier, il faut faire science de veneur et force de chiens. Ces dispositions combinées, sentant Jean Valjean saisi entre l'impasse Genrot à droite, son agent à gauche, et lui Javert derrière, il prit une prise de tabac.

Puis il se mit à jouer. Il eut un moment ravissant et infernal; il laissa aller son homme devant lui, sachant qu'il le tenait, mais désirant reculer le plus possible le moment de l'arrêter, heureux de le sentir pris et de le voir libre, le couvant du regard avec cette volupté de l'araignée qui laisse voleter la mouche et du chat qui laisse courir la souris. La griffe et la serre ont une sensualité monstrueuse; c'est le mouvement obscur de la bête emprisonnée dans leur tenaille. Quel délice que cet étouffement!

Javert jouissait[1]. Les mailles de son filet étaient solidement attachées. Il était sûr du succès; il n'avait plus maintenant qu'à fermer la main.

Accompagné comme il l'était, l'idée même de la résistance était impossible, si énergique, si vigoureux, et si désespéré que fût Jean Valjean.

Javert avança lentement, sondant et fouillant sur son passage tous les recoins de la rue comme les poches d'un voleur.

Quand il arriva au centre de sa toile, il n'y trouva plus la mouche.

On imagine son exaspération.

Il interrogea sa vedette des rues Droit-Mur et Picpus; cet agent, resté imperturbable à son poste, n'avait point vu passer l'homme.

Il arrive quelquefois qu'un cerf est brisé la tête couverte, c'est-à-dire s'échappe, quoique ayant la meute sur le corps, et alors les plus vieux chasseurs ne savent que dire. Duvivier, Ligniville et Desprez restent court. Dans une déconvenue de ce genre, Artonge s'écria : *Ce n'est pas un cerf, c'est un sorcier.*

Javert eût volontiers jeté le même cri.

Son désappointement tint un moment du désespoir et de la fureur.

Il est certain que Napoléon fit des fautes dans la guerre de Russie, qu'Alexandre fit des fautes dans la guerre de l'Inde, que César fit des fautes dans la guerre d'Afrique, que Cyrus fit des fautes dans la guerre de Scythie, et que Javert fit des fautes dans cette campagne contre Jean Valjean [1]. Il eut tort peut-être d'hésiter à reconnaître l'ancien galérien. Le premier coup d'œil aurait dû lui suffire. Il eut tort de ne pas l'appréhender purement et simplement dans la masure. Il eut tort de ne pas l'arrêter quand il le reconnut positivement rue de Pontoise. Il eut tort de se concerter avec ses auxiliaires en plein clair de lune dans le carrefour Rollin ; certes, les avis sont utiles, et il est bon de connaître et d'interroger ceux des chiens qui méritent créance. Mais le chasseur ne saurait prendre trop de précautions quand il chasse des animaux inquiets, comme le loup et le forçat. Javert, en se préoccupant trop de mettre les limiers de meute sur la voie, alarma la bête en lui donnant vent du trait et la fit partir. Il eut tort surtout, dès qu'il eut retrouvé la piste au pont d'Austerlitz, de jouer ce jeu formidable et puéril de tenir un pareil homme au bout d'un fil. Il s'estima plus fort qu'il n'était, et crut pouvoir jouer à la souris avec un lion. En même temps, il s'estima trop faible quand il jugea nécessaire de s'adjoindre du renfort. Précaution fatale, perte d'un temps précieux. Javert commit toutes ces fautes, et n'en était pas moins un des espions les plus savants et les plus corrects qui aient existé. Il était, dans toute la force du terme, ce qu'en vénerie on appelle *un chien sage*. Mais qui est-ce qui est parfait ?

Les grands stratégistes ont leurs éclipses.

Les fortes sottises sont souvent faites, comme les grosses cordes, d'une multitude de brins. Prenez le câble fil à fil, prenez séparément tous les petits motifs déterminants, vous les cassez l'un après l'autre, et vous dites : Ce n'est que cela ! Tressez-les et tordez-les ensemble, c'est une énormité ; c'est Attila qui hésite entre Marcien à l'Orient et Valentinien à l'Occident ; c'est Annibal qui s'attarde à Capoue ; c'est Danton qui s'endort à Arcis-sur-Aube.

Quoi qu'il en soit, au moment même où il s'aperçut que Jean Valjean lui échappait, Javert ne perdit pas la tête. Sûr que le forçat en rupture de ban ne pouvait être bien loin, il établit des guets, il organisa des souricières et des embuscades et battit le quartier toute la nuit. La première chose qu'il vit, ce fut le désordre du réverbère dont la corde était coupée. Indice précieux, qui l'égara pourtant en ce qu'il fit dévier toutes ses recherches vers le cul-de-sac Genrot. Il y a dans ce cul-de-sac des murs assez bas qui donnent sur des jardins dont les enceintes touchent à d'immenses terrains en friche. Jean Valjean avait dû évidemment s'enfuir par là. Le fait est que, s'il eût pénétré un peu plus avant dans le cul-de-sac Genrot, il l'eût fait probablement, et il était perdu. Javert explora ces jardins et ces terrains comme s'il y eût cherché une aiguille.

Au point du jour, il laissa deux hommes intelligents en observation, et il regagna la préfecture de police, honteux comme un mouchard qu'un voleur aurait pris.

NOTES *

L'annotation s'est efforcée de présenter des suggestions pour la lecture et le commentaire du roman. De là trois conséquences. D'une part beaucoup d'indications de pure information n'ont pas été retenues lorsque la compréhension du texte n'en souffrait pas; la consultation des dictionnaires y suppléera dans les autres cas. D'autre part les commentaires susceptibles d'éclairer plusieurs passages ne sont présentés qu'une fois pour éviter les redites; ceci multiplie les renvois d'une note à une autre, avec ce que cela risque de comporter d'agacement — et parfois sans doute de déception — pour le lecteur. Ce procédé enfin a entraîné un déséquilibre de l'annotation, plus longue aux débuts du roman. Mais ce sont, effectivement, les commencements qui fixent les conditions de la lecture pour ce qui suit.

Le lecteur attentif, studieux peut-être, sera donc conduit à aller et venir dans chacun de ces volumes et de l'un à l'autre. Ce roman est aussi fait pour cela. Sans désavouer du tout une lecture cursive attachée à la progression de l'intrigue et au sort des personnages, *Les Misérables* s'offrent également aux vagabondages de la curiosité, à l'examen et à la réflexion, à la myopie fanatique ou à la distraction rêveuse, bref à toutes les formes du travail et du plaisir.

PREMIÈRE PARTIE : *Fantine*

P. 3 1. Dans sa première version, le roman commençait par l'entrée de Jean Valjean à Digne et les développements concernant Mgr Bienvenu étaient un retour en arrière. Le report au

---

* On trouvera à la fin du tome III les Commentaires, dont la Biographie.

début du second livre du chapitre « Le soir d'un jour de marche » isole ce portrait en une grande digression comparable à celles de Waterloo ou de l'égout, ajoutées, elles, à la version initiale.

Faute apparente de technique romanesque, cette disposition fait de Mgr Bienvenu un précurseur de Jean Valjean. Elle pose aussi l'enjeu du livre : la pauvreté, le crime et la pénalité, toute l'histoire politique et sociale du siècle, mais d'abord la religion ou, pour mieux dire, Dieu.

Des *Misères* de 1845-1848 aux *Misérables* de 1862 la différence est là : dans l'approfondissement et la rencontre de la « question sociale » — question apparemment technique — et du « problème du mal » — prétendu métaphysique — en un nouvel objet, la Misère.

Réalité concrète en même temps que quasi-concept, la Misère exige le roman. Il la cerne, l'examine, la résorbe et la retourne en progrès. C'est en quoi il « peut ne pas être inutile ».

2. Très vite les commentateurs, et d'abord la famille, ont reconnu Charles-François Bienvenu de Miollis (1753-1843), évêque de Digne de 1806 à 1838, dans le personnage de Hugo. De fait, il s'était, dès 1834, documenté avec précision sur la famille de ce prélat dont la vie et la carrière offrent beaucoup d'analogies avec celles de Mgr Bienvenu.

Elles n'intéresseraient que la compréhension des mécanismes de la création si Hugo avait voulu les dissimuler. Il laisse, au contraire, M. de Miollis reconnaissable sous M. Myriel et règle par là, d'entrée de jeu, le rapport du texte à la réalité. La dernière phrase du chapitre suivant dénonce ironiquement l'illusion réaliste autant qu'elle la fortifie. Invraisemblable et ressemblant — mais Hugo se garde de dire à quoi —, le portrait relève d'une authenticité qui transgresse l'exactitude.

En Myriel, la religion catholique trouve donc sa vérité au-delà d'elle-même. Principe de dépassement, explicité à propos de Waterloo (pp. 347 et 356), et qui vaut pour tout le livre, occupé non pas à dire le réel mais à l'accomplir selon la formule d'un fragment : « La réalité n'est que la réalité; l'idéal est la vérité. »

P. 7   1. Le texte a déjà accueilli (p. 3) — soi-disant contre sa propre rigueur — des bruits et des rumeurs sur Mgr Bienvenu. L'effet de réel est maintenant porté plus loin par la reproduction d'un document brut, ici fictif mais ailleurs réel. Sur ce procédé, voir note 3, t. III, p. 160.

P. 8 1. L'évêque ne conserve donc que le 10ᵉ de son traitement : dîme inversée. Voir p. 22 « *Je paye ma dîme*, disait-il ».

L'emploi des sommes n'est pas indifférent. Missions, congrégations, institutions proprement religieuses reçoivent 550 livres, les séminaires 1 500, les prisons bénéficient de 1 900 livres, l'enseignement de 3 500 et la charité mange la moitié du budget, plus de 6 000 livres.

Précisons une fois pour toutes que la livre a la même valeur que le franc. Elle ne s'en distingue que par la connotation d'Ancien Régime du vocable — ou par son homophonie avec la chose imprimée.

On appréciera en francs actuels les valeurs indiquées — et soigneusement mesurées : c'est un des points sur lesquels le manuscrit est le plus souvent corrigé — en les multipliant par 25.

P. 11 1. Ce n'est donc pas la nomination impériale — encore moins l'aval pontifical et le sacrement — qui fait Myriel évêque mais, au contraire, son refus des dignités et richesses attachées à son titre. A la manière de l'Église primitive, Myriel est consacré Mgr Bienvenu par les paysans, dans une sorte de baptême populaire.

Baptême de la misère aussi puisqu'il y perd son nom et accède au signe distinctif des misérables, le surnom. (Voir note 1, p. 128). Mais ce surnom n'est que son prénom mérité et ses titres religieux et sociaux n'en sont que corrigés : Myriel n'appartiendra jamais entièrement à la sphère de la misère.

Notons enfin que, dans l'adoption de ce nom nouveau, l'imitation des « pauvres gens » par le narrateur précède celle de l'intéressé, et que la suite de l'intrigue est programmée par le renversement du sens passif de ce surnom à son sens actif.

P. 12 1. Voir note suivante.

P. 15 1. La polyglossie de Mgr Bienvenu est le modèle de celle du roman qui la reproduit. Cette universalité concrète du texte, préoccupation ancienne chez Hugo, est un des traits

caractéristiques des *Misérables*, harmonieuse Babel littéraire
(voir note, t. II, p. 74).

P. 17   1. L'ambition du roman est aussi de rompre cette
« cloison » et de montrer la clarté par ces « brèches fatales ». Il
tente immédiatement de la remplir avec l'évocation de l'échafaud. Celui-ci produit sur Myriel, le juste, un effet comparable
à celui de la justice de Jean Valjean sur Javert : il s'en faut de
peu qu'on puisse voir Mgr Bienvenu « déraillé ».

P. 18   1. J. de Maistre : *Les Soirées de Saint-Pétersbourg*
(1821); C. Beccaria : *Traité des délits et des peines* (1754).

P. 19   1. Ce passage participe au grand combat de Hugo
contre la peine de mort, heureusement achevé avant qu'on fête
le centenaire de sa mort.

La phrase précédente met Myriel à sa juste place; surtout
elle pose la solidarité nécessaire des lois humaines et divines :
chacune n'a de sens que dans leur convergence; une religion
inhumaine serait fausse, une humanité irréligieuse régressive.

2. Trait autobiographique. Il y en a beaucoup d'autres dans
le personnage. Pour avoir consenti à représenter sans honte
son idéal du moi, Hugo a pu devenir le moi idéal de beaucoup
de ses contemporains et de ses lecteurs.

P. 21   1. Voir note 1 t. II, p. 283.

P. 22   1. Ainsi Dieu partage-t-il avec les misérables cette
forme d'anonymat qui résulte de la multiplicité des noms (voir
note p. 128). Dépourvu d'identité personnelle — identité
suppose altérité, c'est la difficulté que résout le dogme de la
Sainte-Trinité —, il est le grand misérable. C'est une des
bases logiques — et théologiques — qui fonde le renversement
de la misère, dépouillement infini, en ciel : infinie plénitude.

P. 25   1. Quelque chose comme la salle du conseil municipal. Siège des libertés bourgeoises, hôpital, logis d'un évêque
qui est un juste, l'histoire de cette maison — comme celle de la
famille de M. Myriel — résume le côté lumineux de l'histoire
des temps modernes. Par antithèse, voir 1, 7, 7; note p. 264.

P. 27   1. Voir note p. 67.

2. « Ceux-là veillent en vain qui gardent la demeure que
Dieu ne garde pas. » Le psaume 127 répond à l'énigme du
titre.

P. 28   1. Troisième rencontre de Myriel avec ceux dont le nom intitule le livre, après le « misérable homme », faux-monnayeur par amour vrai et tué à coups de mensonges, et ce « misérable lié de cordes ». Faussaire, meurtrier, bandit : les misérables sont ceux par qui le scandale obscurcit, et éclaire, la conscience trop limpide du juste.

P. 30   1. Etonnante et profonde casuistique qui ne doit pas faire oublier que Myriel ne rend ce qui leur appartient ni à César ni à Dieu et qu'il s'agit de recel. D'un anticonformisme évangélique Myriel passe à la dissidence morale, bientôt à une sorte de rébellion.

P. 31   1. Polygraphe de la seconde moitié du XVIIIe siècle et du début du XIXe, érudit voltairien, un peu licencieux, antireligieux.

P. 33   1. Equivalent au XIXe siècle de notre *Journal officiel* : publie les débats des Assemblées.

2. Cette philosophie est une preuve *a contrario* du bien-fondé de la foi : il faut être riche et puissant pour pouvoir ne pas croire. Mais quelle foi élaborer qui ne soit pas la dinde du pauvre ?

P. 34   1. Nouvelle substitution d'un document à la narration : voir note 3, t. III, p. 160. Première « restriction » à la perfection de Mgr Bienvenu : domination excessive de cet homme « terrible » sur deux femmes privées de plaisir (le « lieu où les romaines ne vont qu'une nuit » est une allusion aux mesures de limitation de la prostitution légale sous l'Empire), de sécurité, de toute autonomie de pensée, des agréments élémentaires de la vie. Ses opinions royalistes et ce reste de vanité qu'est la fierté nobiliaire sont aussi posés pour la première fois.

P. 38   1. Ce chapitre fit scandale. J. Seebacher (voir Bibliographie) en a donné un brillant commentaire. Ajouté en exil, il équilibre le personnage de Myriel, dont le roman s'écarte progressivement, par une figure qui rencontrera plusieurs échos, de Mabeuf pris pour un conventionnel à Jean Valjean dont l'agonie, moins socratique, est comparable et qui refuse un prêtre en invoquant la présence « probable » de l'évêque mais en disant : « Je ne sais pas ce que j'ai, je vois de la lumière. »

2. Le demi-anonymat de l'initiale accrédite la valeur histori-

que du personnage, dont les conventionnels Grégoire et Sergent furent sans doute les modèles, sans l'exposer aux critiques myopes. Il le parc aussi d'une aura énigmatique, cohérente avec le désintéressement et l'impersonnalité d'un individu réduit à sa fonction dans l'histoire et à sa conscience. Enfin, dans l'économie onomastique du roman, cette lettre, qui précède le H de Hugo, joue avec l'initiale de Gavroche, de Grantaire et, par contraste, de Gillenormand. Voir note t. II, p. 207.

P. 40 1. De même, les ultimes lignes du roman disent de la mort de Jean Valjean : « La chose simplement d'elle-même arriva. »

P. 42 1. En rimant avec celles de la *Préface*, ces formules font voir dans le roman la poursuite de l'œuvre révolutionnaire et, dans le conventionnel exilé, une image de l'auteur. Deux figures idéales de Hugo — et du lecteur s'il y consent — dialoguent ici : celle d'un Candide religieux et charitable, aussi saint que peut l'être Candide, et celle d'un Couthon-Carnot-Robespierre rousseauiste : homme d'action philosophe. L'auteur ne s'identifie à aucune et le lecteur doit se forger entre ces deux statues — et contre elles — son propre idéal de lui-même. Béance et contradiction qui font un appel : procédé constant de la moralisation — du tropisme vers l'idéal — auquel est soumis le lecteur des *Misérables*.

P. 46 1. N'importe quel dictionnaire de noms propres confirmera l'idée : qu'en matière d'atrocités les siècles classiques — le Grand Siècle en particulier — ne le cèdent en rien à la Terreur. L'essentiel est dans la contradiction insurmontable entre le progrès bon et ses moyens parfois exécrables. Elle appelle l'acte de foi du conventionnel et celui de Hugo, explicite dans *Loi de formation du progrès*, écrit en 1857-1858 et recueilli dans *L'Année terrible*.

P. 47 1. Cet article constant de la théologie hugolienne sera complété, contradictoirement, voir t. II, p. 51. L'intérêt de la définition est d'associer une représentation personnelle de Dieu — un « moi », comme tel fini — à un concept abstrait, du moins impersonnel, l'infini. Rien n'est donc moins pensable que ce « moi de l'infini ». La foi de Hugo, prière et contemplation, oscille entre l'abandon à un être qu'on appelait — et

Hugo aussi — « le bon Dieu » et une conscience exigeante, obsédée, pleine de vertige, de l'infini.

P. 48   1. Ainsi le général Hugo épargna-t-il en Italie des couvents de religieuses. Comme lui et comme le conventionnel, Hugo « sauve » le couvent dans l'épisode du Petit-Picpus (II, 6 et 7).

2. Longtemps la catholicité s'émut de cette bénédiction. Le scandale est plus grand encore si l'on observe qu'à l'inverse de ce que représentent les illustrateurs, rien ne dit que le conventionnel bénisse l'évêque. Ce « trou » de la représentation est un des moyens par lesquels *Les Misérables* déroutent la pensée et la conduisent à l'irreprésentable, « au bord de l'infini ».

P. 52   1. L'autocritique importe moins que l'autoportrait déjà associé, comme dans le livre *Waterloo* (II, 1, 1 ; p. 309), à l'évocation de l'empereur. Il s'amplifie au chapitre suivant : solitude de l'exilé.

P. 55   1. La formule vaut évidemment pour l'auteur qui esquisse ici un des thèmes majeurs de *William Shakespeare*.

P. 56   1. Le Christ pardonne ainsi Marie-Madeleine « parce qu'elle a beaucoup aimé ». Cette parole vaut à plus forte raison pour M. Madeleine — qui lui doit son nom — et pour Fantine.

P. 58   1. Hugo définit moins ici la prière que ce qu'il appelle la « contemplation » : démarche spirituelle — dont les aspects érotiques ne sont qu'une métaphore — où l'âme, détachée des intérêts et de la conscience même du « moi », tend à s'absorber dans l'infini, à participer, voire à s'identifier au « moi de l'infini » (Voir note p. 47). Description propédeutique aux moments où le narrateur lui-même cède la place au contemplateur, par exemple en IV, 3, 3 ; t. II, pp. 456 et suiv.

P. 59   1. Le livre s'achèverait ici s'il fallait répondre : « rien ». Il ne s'achèvera pas non plus sur la nuit de noces de Cosette dont la conclusion répond pourtant à cette même question (V, 6, 2 ; t. III, p. 447). La plénitude que Myriel incarne est ouverte par les rencontres de misérables, par le demi-malheur de Baptistine, par les « restrictions ». Le roman ne pourrait pas commencer par une image de la perfection si elle ne désignait pas une autre perfection : à faire avec la pensée et non plus la bonté seule, avec la misère qu'on subit et non celle qu'on répare.

P. 60 1. Des trois fonctions du génie : témoigner par son action, contempler, explorer et communiquer, Mgr Bienvenu n'assume — et encore, imparfaitement — que les deux premières. L'exercice de la troisième avorte aussitôt qu'entrepris : fragments et notes infrapaginales, mais point d'œuvres. Le roman se définit ici comme le progrès qu'il a à accomplir sur son premier personnage.

P. 61 1. Cette métaphore prendra sens au chapitre « Les Mines et les Mineurs » (III, 7 ; t. II, p. 275).

P. 62 1. Après la sainteté adamique de Mgr Bienvenu — son jardin est un Eden —, ce titre assimile le livre à une Bible et l'aventure de Jean Valjean à une Histoire sainte.

Vie cachée à Faverolles, tentation du séjour au désert du bagne, prédication — par l'exemple — et épreuves avec cet unique apôtre — Jean et Judas à la fois — qu'est Cosette, nuit des Oliviers et crucifixion : Jean Valjean est un Christ, corrigé car le Christ est un Dieu fait homme et le héros un homme devenant divin. Dans l'immédiat, l'accueil fait au héros démarque étroitement le récit de la Nativité. Non sans ironie parfois : le chien sera moins hospitalier à Valjean que le bœuf et l'âne au Christ.

Tissé avec ce motif, celui de Napoléon. En cet hiver 1815, Jean Valjean recommence, à l'envers, le vol de l'aigle : les hôtes empressés de l'empereur rejettent le bagnard et Myriel l'accueille (voir note 1, p. 309).

2. Voir note p. 28.

3. Le héros est donc né entre 1769 — naissance de Napoléon — et 1772 : naissance de la mère de Hugo. L'incertitude sera levée p. 81. Sur les valeurs et les sens de la chronologie de la fiction voir l'article d'Y. Gohin (Bibliographie).

P. 67 1. Intervention troublante de l'auteur, à la limite où l'effet de réel se retourne en aveu de la présence de l'écrivain victime d'un trou de mémoire. Le *je* se substitue brutalement au *nous* employé jusqu'ici.

P. 68 1. Jean Valjean ne cessera d'avoir ce regard de voyeur : perversion toute hugolienne dont la vérité personnelle — le sentiment d'exclusion — trouve ici sa pertinence morale et sociale.

P. 72 1. Ce n'est pas par hasard que le salut vient à Jean Valjean au coin d'une imprimerie. De même sa sœur trouve du travail, à Paris, dans une imprimerie (I, 2, 6; p. 90).

P. 73 1. Le cas de l'accueil à faire à Jean Valjean ne relève d'aucune des rubriques : c'est dire la caducité de cette morale des devoirs — inspirée à Hugo par un ouvrage reçu en 1832.

L'évêque ne terminera jamais son travail puisque ces devoirs — chacun propre à un « état » — n'ont d'autre unité entre eux que celle d'un ordre social disparu. L'entreprise de Myriel, convenable à une société d'ordres, et à une conception classique du sujet (voir note t. III, p. 205) est exactement inverse de celle de Hugo — ou de Kant.

P. 74 1. Pourquoi, par deux fois, cette date ? Sans doute parce que Mlle Baptistine fit refaire sa garde-robe pour la nomination de son frère comme évêque, cette année-là, et la laissa telle quelle ensuite, faute d'argent. Ces détails importent : le laconisme est un des moyens du réalisme hugolien — et un des plus sûrs : pourquoi s'attarder sur ce qui va de soi ? — quoique le changement des usages l'ait affaibli.

P. 75 1. Ce portrait pourrait être celui de Mme Hugo mère, bonté mise à part pour tout autre que ses fils.

2. Cette énigmatique intervention implique un rapport personnel, partout ailleurs démenti, entre l'auteur et ses personnages. Elle porte une émotion d'autant plus intense qu'elle semble échapper au narrateur. Elle appelle les souvenirs du lecteur : qui n'a connu une Mlle Baptistine ? qui n'y reconnaît, de quelque façon, sa mère ?

P. 77 1. Peu avant le coup d'Etat de 1851, une circulaire avait défini l'obéissance passive exigée de l'armée. Un poème des *Châtiments,* intitulé *A l'obéissance passive,* stigmatise la chose et le mot, entendu ici par antiphrase.

P. 81 1. Ce serait trop facile ! Ce que cet entraînement de bonté a de superficiel et d'éphémère chez Jean Valjean est une des choses les plus justes et les plus poignantes de cette scène célèbre.

P. 82 1. Le procédé de citation déjà employé pages 8 et 34 a sa valeur propre (voir note 3, t. III, p. 160) et participe à la variation du mode narratif (voir note t. III, p. 173). Comme d'autres techniques réalistes, il est particulièrement fréquent en ce début du roman qui fait palier entre la forme romanesque attendue du lecteur et la suite du livre.

En outre la lettre décharge ici l'auteur de la nécessité d'adopter devant cette scène édifiante un comportement qui ne pouvait être que critique ou complaisant. Mieux vaut que ce soit l'insoupçonnable et naïve Mlle Baptistine qui s'étonne que son frère n'ait pas pris « l'occasion » [...] de faire un peu de sermon ».

P. 83 1. Le socialiste Fourier avait donné les fromageries de Pontarlier comme modèle des associations ouvrières de l'avenir. Hugo en fait un exemple d'industrie « patriarcale » : il considérait depuis longtemps les propositions des socialistes utopiques comme régressives. Devenu M. Madeleine, Jean Valjean fera donc la carrière d'un capitaliste moderne — le paternalisme est alors la pointe du progrès — et le texte ne mentionne pas même son improbable passage à Pontarlier.

P. 87 1. La narration prend l'occasion du réveil et du retour à la conscience pour faire l'histoire de Jean Valjean. Mais sans la lui confier par un monologue intérieur ; indice de cette opacité faite d'absence à soi-même qui est la marque — non le « caractère » — du héros et le propre de toute misère comme de toute sainteté.

2. Cette hésitation reproduit celle de l'auteur lui-même et donne au héros un patronyme incertain. Son étymologie achève donc la négation de l'identité puisque, déjà commun au père et au fils, ce nom n'est qu'un prénom, le plus commun de tous et homonyme de l'indéfini : des « gens ».

Le sobriquet initial, *Voilà Jean*, désigne dans le héros un étrange double inverse du Baptiste — un précurseur qui n'aurait à annoncer que lui-même — ou bien aussi l'Evangéliste, l'apôtre de l'amour dont Hugo dit magnifiquement, dans *William Shakespeare* : « Jean est le vieillard vierge [...] On n'échappe pas à l'amour. [...] Jean, tout jeune, était doux et farouche. Il aima Jésus puis ne put rien aimer. Il y a un profond rapport entre le *Cantique des cantiques* et l'*Apocalypse;* l'un et l'autre sont des explosions de virginité amoncelée. » Sur tout ceci, voir B. Leuilliot (Bibliographie).

3. Tout le roman orchestre ce motif de la réification de l'humanité par la misère et, par exemple, très peu après : « C'était un triste groupe que la misère enveloppa... »

4. L'orphelinat est l'indice majeur de la misère, conformément à sa réalité sociologique, à sa logique — elle est l'en dehors de la société —, et à la vérité de nos fantasmes d'abandon. Voir aussi note 1, t. II, p. 298.

5. Métier symbolique de ce héros de la purification.

6. L'histoire de Jean Valjean est toute négative, ou défective. De même la « carrière » de Fantine. La « régénération » du héros, son ascension, ne sera que la répétition, acceptée sinon volontaire, de ce dénuement. Voir note t. III, p. 205.

P. 88 1. Ils anticipent sur Gavroche et surtout sur le héros lui-même, illustrant cette loi de la misère que la propriété — à tous les sens — n'y a pas cours parce que la seule chose dont les misérables soient propriétaires, leur corps, n'assure jamais sa propre subsistance (voir note t. III, p. 79).

2. Soit 1,2 F (24 à 36 F actuels) mais, surtout, un sou par heure. L'un des noms auxquels Hugo avait songé pour son héros était Jean Sou, et tout le texte obéit à un grand clivage entre l'argent bourgeois, qui s'évalue en francs, et l'argent des misérables qui se compte en sous (voir note 1, t. III, p. 88).

3. Voir le commentaire de ce texte par F. Vernier (Bibliographie).

P. 89 1. Ce paragraphe esquisse la grande image de *L'Onde et l'Ombre* (I, 2, 8) à travers laquelle il s'associe à d'autres épisodes, voir note p. 98.

2. Voir note 1, p. 309.

3. Voir notes 2, t. III, p. 138 et 3, t. III, p. 160. Inversement, à la page suivante, l'information du narrateur devient incertaine et défective. C'est qu'on passe d'un événement organisé dans et par l'appareil d'Etat à la non-histoire de la misère.

4. Ce nombre et ce geste (voir à nouveau en II, 6,7; t. II, p. 32) mettent devant Jean Valjean le fantôme du Petit Poucet. Souvent le texte se charge ainsi, mystérieusement — et parfois assez discrètement pour que le lecteur l'éprouve sans s'en rendre compte — de la vérité immémoriale et du pouvoir de fascination des contes.

Mme Hugo transcrit-elle le propos de son mari ou la comparaison est-elle de son fait, toujours est-il que l'histoire du

Petit Poucet lui sert à caractériser un autre abandon, celui des enfants Hugo par leur père, en Italie : « Un soir, comme le Petit Poucet entendant la détermination de ses parents de le perdre lui et ses frères, ils avaient entendu leur père, causant d'eux, exiger de leur mère qu'on mît Abel, son aîné, dans un lycée et les deux plus petits dans une école... » (*Victor Hugo raconté par Adèle Hugo*).

5. Et ce n'est donc pas une histoire, surtout pas une histoire dont on puisse faire un roman puisqu'elle est non seulement répétitive mais, surtout, irrepérable.

P. 90 1. La misère retirant aux hommes mémoire, sentiments, expression, il faut bien que les choses s'en chargent — quand elles le peuvent.

2. Conclusion d'un jeu savant sur le chiffre 7 : nombre de la plénitude. Aux 7 enfants s'ajoutait l'oncle; entre l'heure de travail de la mère — 6 h — et celle de l'école — 7 h — s'ouvre le trou de la misère qui a englouti les 6 frères de ce petit dernier de 7 ans, maintenant plongé dans la demi-mort d'un sommeil maléfique comme, plus tard, Cosette (I,5,8; p. 475).

3. Voir note 2, t. III, p. 138. Le texte souligne l'effet de déception du lecteur formé par le mélodrame et le feuilleton à l'attente de toutes les retrouvailles.

P. 91 1. Paradoxalement, l'âme n'est donnée au héros que lorsque tout lui est retiré : larmes, parole, sentiment, conscience ne lui viennent que lorsqu'il n'est « même plus Jean Valjean ». Le peu de « chose » qu'il était, était encore de trop.

C'est une des principales leçons du livre que la quantité d'âme en chacun — ce par quoi il communique avec toute l'humanité et avec Dieu — est inversement proportionnelle à la quantité de « moi ». De là que les misérables, dépossédés de tout et presque de leur qualité d'hommes, soient à la fois le plus loin — Thénardier — et le plus près — Jean Valjean — de l'accomplissement de l'humanité, dont les enfants, par nature, et les femmes, par état, sont proches.

Ainsi est justifié le passage du récit, tout extérieur, qu'on vient de lire au spectacle intérieur du chapitre qui vient.

P. 94 1. La forme judiciaire, retournée contre l'institution qui en use, aboutit aux mêmes conséquences. Aussi perfectionnée soit-elle — et Hugo ne renonce pas à l'améliorer — la justice demeure par elle-même mauvaise : la loi reste une dégradation du droit. Voir p. 95 (note 3) ce qui est dit du « travail fait par la loi sur l'âme humaine ».

2. Questions essentielles : elles explicitent le champ d'action moral et métaphysique du roman dont elles définissent aussi la nature. Posées avant même le début de l'intrigue, elles montrent en lui une solution expérimentale à une interrogation qui, sans lui, demeurerait métaphysique et insoluble.

Il s'éloigne en effet autant de la « méditation » — qu'il provoque et accueille dans cette petite digression mais à laquelle le héros ne participe pas — que du roman réaliste visé par le « physiologiste observateur » qui se serait détourné d'un tel sujet.

Les Misérables se donnent ici pour un théorème en action, un axiome vérifié par la fiction. Pour prouver la présence de l'« élément divin » en tout homme, il faut et il suffit que puisse être écrite, lue et éprouvée comme vraie l'histoire invraisemblable du salut d'une conscience soumise à la « pression » d'une « misère irrémédiable », qu'une apparente utopie — fiction qui tire sa vertu critique de son impossibilité même — soit reconnue comme une image exacte de la réalité présente — ou en germe.

En ce sens on qualifiera la démarche du roman par le mot d'irréalisme, entendu comme réalisme du réel possible, comme effectuation d'une vérité encore virtuelle, comme réalisation — fictive mais déjà réelle dans l'assentiment du lecteur — d'une vérité à venir.

P. 95 1. L'un ne va pas sans l'autre : la souffrance même éclaire les ténèbres qu'elle forme. Le roman multiplie cette ambivalence des mouvements : toute ascension y est une chute et toute chute un progrès (voir note 3, p. 163) parce qu'au regard de l'infini, humain et divin, une différence relative, négative ou positive, est nulle.

2. Objection capitale qui avoue l'impossibilité d'un roman de la misère — que savoir d'une conscience qui s'ignore elle-même ? — et la nécessité de la fiction et de l'écriture : du travail d'une autre conscience qui, reconnaissant en elle des ténèbres comparables — celles de la misère du cœur, l'amour, par exemple car on verra Marius plongé dans les mêmes abîmes —, parvient à les éclairer.

Tout le chapitre — et tout le roman — s'acharne à cet effort : entrer dans ce qui est « en dehors de tout », c'est-à-dire restaurer concrètement l'universalité de la conscience et l'unité de l'humanité (voir aussi notes 2, p. 94 et 1, t. II, p. 275).

3. Travail qui atteint aussi bien les victimes de la loi que ses représentants comme le prouve l'animalité de Javert. La force et la souplesse de Jean Valjean relèvent de cette bestialité de la misère. Opportunément l'ancien nom du cric — orgueil — vient rappeler que le plus grand crime de l'esprit est tout proche de cet avilissement dans la force.

P. 97 1. Voir note t. III, p. 353.

P. 98 1. Comme dans quelques autres chapitres, l'émotion de la narration s'ouvre en méditation lyrique et l'analyse sociale et « psychologique » s'étend aux dimensions du monde, nature et humanité, en empruntant son énergie au fantasme.

Relais nécessaire à l'intériorisation de la souffrance du héros auprès d'un public dont les capacités de sympathie envers les galériens étaient des plus minces, correction aussi puisque ce qui s'empare de Jean Valjean n'est plus l'institution sociale mais son inverse, l'inhumanité, ce chapitre présente une première grande métaphore de la société dans son lien complexe avec la misère (voir note 1, t. II, p. 275). Par son thème — le naufrage, et son objet — la misère, c'est un des lieux où se fonde l'unité du livre.

P. 101 1. Jean Valjean n'a pas tort : ou bien l'Etat lui verse un salaire — et il est dérisoire : 1/2 sou par jour, ou bien ce sont des gages, comme aux domestiques — et il n'y avait pas lieu de déduire les jours chômés. La conduite, analogue, de l'entrepreneur de Grasse — bien nommée — a en outre le mérite d'inverser visiblement la parabole évangélique des ouvriers de la dernière heure.

P. 103 1. C'est une des beautés des *Misérables* que ces détails insignifiants, absurdes — encore qu'on retrouvera les bretelles de Brevet p. 286 en I,7,11 — où se manifeste une attention toute nouvelle pour certains aspects obscurs de la vie de l'esprit, jusqu'à Hugo inexplorés.

2. A rapprocher de « je ne sais quel jour de soupirail... » (p. 97) où l'on n'est pas loin de lire « soupirailles ».

P. 104 1. Ce chandelier de mineur, en fer, sera converti en un chandelier d'argent qui retrouvera pourtant quelque chose de sa fonction première dans « Les Mines et les Mineurs ».

P. 106   1. Voir note en V,9,5; t. III, p. 531.

P. 107   1. Hugo indique lui-même quelle expression commune il vient de renouveler et de charger de sens. Sur le motif du regard sur une personne endormie, voir note t. III, p. 378.

2. Souvent, de la sorte, Hugo renonce, arrivé au seuil de l'inexprimable ou de l'inconnu. Procédé réaliste et figure superlative, c'est aussi un des moyens par lesquels le texte, s'arrêtant et laissant le lecteur poursuivre, produit en lui de l'infini.

3. Comme Mgr Bienvenu passant devant l'autel I,2,5; p. 86, Jean Valjean vient donc de faire une courte prière, moins devant Dieu que devant l'évêque qui le lui désigne. C'est un geste qu'il renouvellera, voir I,2,13; p. 111; II,8,9; t. II, p. 112; V,6,4; t. III, p. 453.

P. 111   1. Échange étrange. L'évêque invoque une promesse qui n'a pas été faite, mais elle pourrait l'être et ce n'est qu'une ellipse qui accélère la scène. Surtout, le texte souligne l'aspect faustien du marché. Ce satanisme signale la réalité du « travail » de l'évêque : produire en Jean Valjean l'âme, la capacité au bien, mais aussi au mal, également impossibles aux misérables (voir note 1, t. II, p. 298). Jean Valjean commencera par le mal, se conformera au programme de l'évêque en devenant un autre « juste » : M. Madeleine, M. Fauchelevent, M. Leblanc. C'est au-delà de ces identités ambiguës, lorsqu'il redevient misérable, que le héros accède à une perfection où il n'est plus capable du mal. Sur les implications et les modalités de cette « production de l'âme » en Jean Valjean, voir J. Delabroy (Bibliographie).

2. La force inoubliable de cet épisode tient à ce qu'il est le moment décisif de cette genèse d'une conscience que racontent *Les Misérables*. Conscience, c'est-à-dire tout à la fois conscience morale et conscience de soi, et cette unicité de la conscience est une des plus profondes et des plus originales vérités du roman.

C'est dire que la conscience ne peut surgir que de l'inconscience et du mal. La mise en scène de cette non-conscience (yeux troubles, surdité, fatigue, désordre, accablement et, surtout, paysages), soulignée en contraste par l'exactitude réaliste la plus minutieuse (gestes et paroles de Petit-Gervais, rencontre hagarde du prêtre apeuré), est d'une acuité aussi confondante que la rigueur logique par laquelle Hugo démontre la nécessité du passage par une action méchante — ce vol est son unique crime — et l'insuffisance de la charité.

A mi-chemin — pour ainsi dire, car, en réalité, il est ailleurs — de la psychanalyse et de la spiritualité chrétienne, Hugo découvre — exactement, invente, l'âme, concrétisant sa définition rousseauiste demeurée abstraite : instinct divin. Car on la touche ici du doigt. Peut-être parce qu'elle surgit, comme notre « moi », de la dénégation et de la reconnaissance de l'enfance. La brusque apparition de Petit-Gervais et sa disparition complète, aussi décevante pour le héros, et le lecteur, que celle du neveu de Jean Valjean, sa mystérieuse réincarnation en Gavroche, étoile filante lui aussi, donnent au personnage le statut fascinant d'un irréel objectif : impression de déjà vu, souvenir, on ne sait quelle annonciation par un archange enfantin à qui le soleil couchant met « des fils d'or dans les cheveux ».

Le retentissement de cette scène primitive tient aussi aux échos qu'elle trouve : dans les affrontements du héros avec Thénardier, Javert et Montparnasse, surtout dans les rencontres décisives avec Cosette et Gavroche.

P. 112 1. Voici donc Jean Valjean « au pied d'une montagne en une grande plaine », lieu qui, inexplicablement, semble être, pour Hugo et pour tout un chacun, celui même de la conscience.

P. 114 1. Voir note 1, p. 103. Le souvenir de « La Conscience » assimile inévitablement ce tesson bleu à un œil, dès avant que la pièce le remplace sous le regard aveugle de Jean Valjean à qui cet « œil ouvert fixé sur lui » rend la vue. En écho, le bouton de cuivre de la porte du tribunal d'Arras exercera sur le héros la même fascination (I,7,8; pp. 269 et 270).

P. 115 1. Voir I,2,1; p. 71 et II,5,7; et note 1, p. 473.

P. 116 1. Hugo dessine ici le schéma de toute l'intrigue. A ceci près que, dès ce chapitre précisément, l'alternative se résout en condition : ni ange ni bête, disait Pascal; ange ou bête, feint de dire le texte; ange parce que d'abord monstre, disent *Les Misérables*. Voir aussi note 1, p. 95.

P. 117 1. Voir effectivement pp. 71-72, p. 95 (et la note 2) et note p. 119.

2. Hugo offre lui-même l'explication de texte nécessaire. Elle vaut pour d'autres personnages et, modifiée ou inversée, pour le héros en d'autres épisodes : en se dénonçant à Arras, il accomplit une chose dont il n'est pas encore capable.

Que la conscience puisse être non pas juge, mais moteur et conséquence à la fois, des actions, c'est ce qui fonde non seulement la philosophie de Hugo quant à la « question du mal », mais aussi sa pratique poétique, ainsi que le dit, dans *Les Châtiments*, le poème « Ultima verba ».

Aussi éloignée du schéma classique (délibération, jugement, volonté, acte) que des théories freudiennes, la représentation déconcertante de la conscience que Hugo met ici en scène ne saurait sans doute être conceptualisée qu'en termes sartriens, faute de mieux. Elle engage et implique un nouveau statut du sujet. Voir note t. III, p. 205.

P. 118 1. L'image concrétise ce qu'illustre aussi l'aboutissement du livre : qu'il n'y a de purification et d'élévation du « sujet » que dans la destruction de l'individu, dans la dépossession et la viduité du « moi ». L'ascension généreuse exige une « chute » désastreuse. Dès le paragraphe suivant, cette dépossession de soi prend, pour le bagnard, la forme de la dépossession d'âge et de sexe qui marque l'accession au sublime pour Myriel, Éponine, Gavroche, Fantine, Cosette : tous les misérables.

2. Voir note 2, t. II, p. 117.

P. 119 1. L'ellipse met en valeur l'épisode qui précède et le point d'orgue qu'elle prépare. Cette radicale modification de la position narratrice (voir note t. III, p. 173) ménage autour du héros la zone d'ombre utile à sa profondeur, sans laquelle il ne serait qu'une allégorie et qui respecte l'opacité de la misère (voir note 2 p. 95). Sur la chute à genoux, voir note 1, t. III, p. 535).

C'est une des raisons pour lesquelles le narrateur adopte le plus souvent un point de vue extérieur à son héros et pénètre dans son « âme » mais non dans sa « psychologie ». Cela contribue à forger ce mode d'identité particulier à Jean Valjean et aux autres misérables : personnages opaques, blancs et comme vides, qui sont un *je* mais n'ont pas à proprement parler de « moi ». Du moins dans les débuts du livre : une progressive accommodation du regard — et aussi l'accès du héros à la « société » — atténuent cette étrangeté.

P. 120 1. L'exactitude des faits importe moins que leur sens. Il s'établit dans le rapport de ce chapitre avec ceux qui mettent en perspective toute l'histoire du siècle — voir note 1, p. 309 et t. II, p. 385 — et dans sa valeur autobiographique puisque c'est en 1817 que débute la carrière de Hugo. Sous ces deux aspects — erreur historique et faux départ d'une œuvre — l'époque reçoit une physionomie qui convient à l'épisode qui va suivre : celle d'une farce, version souriante de la trahison, d'un monde livré au contresens.

P. 121 1. Voir note en III,1,7; t. II, p. 126.

P. 122 1. Le poème composé par Hugo sur ce sujet fut le premier qu'il rendit public et la « mention d'encouragement » qu'il obtint marque son entrée dans la vie littéraire.

P. 123 1. Invité par Chateaubriand, Hugo lui rendit sa première visite en mars 1820. La présente description est conforme au souvenir fixé par Mme Hugo dans le *Victor Hugo raconté. La Monarchie selon la Charte* date bien, elle, de 1817. Hugo condense sur un seul moment des traits anecdotiques pertinents à toute une époque.

P. 124 1. C. Loyson reçut effectivement l'accessit au concours déjà mentionné. Il est à son concurrent Hugo ce que la Restauration est à la société après la Révolution et l'Empire — et la fête chez Bombarda à la misère de Fantine — : un faux-semblant.

2. Le mathématicien inventeur des « séries de Fourier » avait pourtant autant d'avenir réel que l'utopiste socialiste théoricien de la *Théorie des quatre mouvements*.

3. En 1821, souvenir recueilli par le *Victor Hugo raconté,* Hugo, introduit par le duc de Rohan, revint sur les lieux de son enfance pour y rencontrer Lammenais.

P. 125 1. Métaphore habituelle à Hugo qui, dans *Châtiments,* reproche à l'Empire de ne pas savoir « mettre à son Baroche une feuille de vigne » et s'étonne, dans *Choses vues* (9 décembre 1832) d'un « gouvernement dont les parties honteuses sont vraiment belles, développées, charnues, dodues et magnifiques, un ministère callipyge ».

P. 128 1. Le signe de la misère, dissolvant tout lien familial et social (voir V,7,1 ; t. III, p. 463), est l'anonymat. Anonymat qui rencontre l'effacement de l'individualité (voir note t. III, p. 205) : « Un nom est un moi », dira Jean Valjean. Celui de Fantine, redoublé de celui de son « parrain », souligné par ses surnoms et par la surcharge nominative affectée aux bourgeois (Félix Tholomyès de Toulouse), est d'autant plus sûrement significatif que Hugo avait d'abord nommé son personnage. Elle s'appelait Marguerite Louet — location ou louange — d'où dérivera le surnom de sa fille, L'Alouette.

L'effet de ces noms rejoint la logique de leur formation. Venus d'un imaginaire délivré des contraintes de la nomination — admirons, à l'inverse, la pertinence onomastique, sociale et géographique, des noms donnés aux bourgeois —, ils ouvrent au lecteur l'accès à une identification fantasmatique avec les personnages. Dépouillés des barrières de l'identité — et d'abord de l'état civil — comme les héros des contes, ils nous dépouillent des nôtres. On ne rêverait pas de Cosette si elle s'appelait tout de suite Mlle Euphrasie Fauchelevent.

Du coup, pas d'arbitraire du nom : Fantine, c'est « enfantine », décapité. Premier indice du manque, de la perte, sur lequel le personnage est construit.

2. Il y a là, et dans la suite : pp. 152, 182, 187, plus que ce qu'on appelle « préparation romanesque ». L'insistance, le nombre et la rigueur de l'anticipation impliquent entre les événements une relation de nécessité logique. Ce qui suit est comme déduit de ce qui est initialement posé. Le roman s'offre par là non comme représentation du réel mais comme construction d'un monde propre. A juste titre, puisque *Les Misérables* ne sont pas le reflet concurrentiel, comme chez Balzac, du réel, mais sa correction ou son dépassement. Ce « constructivisme » est donc un des moyens de ce qu'on a appelé « irréalisme », voir note 2, p. 94.

3. Dans quelle mesure ce portrait ressemble-t-il à Sainte-Beuve ? Vieux, édenté et chauve, Tholomyès est, en tout cas, juste le contraire de Fantine. L'étymologie grecque de son nom désignerait en lui un « initié — ou initiateur — à la merde ».

P. 130 1. Voir note t. II, p. 126.

P. 133 1. Le mouvement de ce portrait, tout de transparence et de fragilité, passe de la joie et du rire à la rêverie, puis à la gravité d'un recueillement mélancolique, et prépare ainsi sa dégradation dans ceux qui suivront (I,4,1; pp. 152-153; I,7,6; p. 257) jusqu'à un retour partiel à l'image initiale, au moment de la mort (I,8,1; p. 290).

P. 134 1. Ce tableau de la complicité de la nature avec l'amour s'apprécie par comparaison avec celui, plus grave, de *Foliis ac frondibus* (IV, 3,4; t. II, p. 456) et avec la description du jardin du Luxembourg au matin de l'émeute (V,1,16; t. III, pp. 275 et suiv.).

2. Voir note p. 67.

P. 135 1. « Je suis de Badajoz; l'amour m'appelle. Toute mon âme est dans mes yeux parce que tu montres tes jambes. » S'il y a ici quelque souvenir des séjours de 1819 à Issy chez les Foucher auprès d'Adèle et de la balançoire des Feuillantines, c'est aussi parce qu'Adèle n'aimait pas non plus ce jeu. On ignore si cette chanson est authentique ou l'œuvre de Hugo : incertitude qui est l'effet volontaire du texte. Voir note en III, p. 151.

P. 137 1. Rue parallèle à la rue Tiquetonne, nommée pour son héroïque résistance lors de l'insurrection de mai 1839 animée par Barbès et Blanqui.

2. Ce double portrait du peuple parisien — « canaille bonne » et peuple héroïque — est parallèle et inverse au diptyque de la fête galante : églogue et drame, et en promet la revanche. Il souligne l'amphibologie du nom Bombarda, sur lequel les variations de Listolier (p. 139) sont incomplètes.

P. 138 1. On croirait entendre Juliette.

P. 139 1. Voir note t. II, p. 218. Donnant la parole aux femmes ce chapitre contraste avec le suivant

2. La « sagesse » de Tholomyès ressemble à celle du sénateur (I,1,8; p. 31) et du bourgeois du jardin du Luxembourg t. III, p. 278). Hugo la partagerait si elle n'était l'alibi de la dureté et de l'égoïsme. Les *Chansons des rues et des bois,* savent en retenir le goût du bonheur sans en partager l'insensibilité à toute transcendance, celle de Dieu comme celle de l'amour. Sur ce type de discours voir note 4, t. II, p. 213.

P. 140 1. Traduction potache d'Horace : « Il faut de la mesure en toutes choses. »

2. Le mot « fin ». C'est ce qu'il va faire, rencontrant le

sénateur dont c'est aussi le mot (p. 33) mais pas le roman dont « le premier personnage est l'infini » (t. II, p. 43).

P. 141 1. Sylla renonça au pouvoir et Origène, qui se fit émasculer, à l'amour. Tholomyès imite Origène pour ne pas imiter Sylla.

2. Et, plus exactement, « prospère » : autre calembour.

3. « Et maintenant c'est toi, Bacchus (dieu du vin), que je vais chanter. »

4. Comme on le verra à la fin du chapitre et, surtout, comme le montrera l'histoire de Fantine, histoire d'une « erreur »

P. 142 1. Songerie et irréalisme : Fantine réunit les deux qualités propres au poète.

2. Le premier nom du personnage était Marguerite, cette fleur que l'amour déchire, pétale après pétale. En latin *margarita* signifie perle. Voir : *margaritas ante porcos :* donner des perles aux cochons. Tholomyès connaît sûrement ce proverbe.

P. 143 1. Fantine en mourra. Pas par excès de sucre !

P. 144 1. Extraordinaire invention qui dit tout du personnage et de son discours. Sur le motif de la trajectoire déviée, voir note t. II, p. 436.

2. Voir, dans *Les Contemplations,* « Mélancholia » (III,2) et l'épisode de la charrette Fauchelevent (I,5,6; p. 48). Par image et par solidarité réelle cette mort anticipe l'exécution de Fantine, seule à plaindre la jument mourante et plaisantée par Dahlia : « fichue bête ».

3. Hugo y avait pris part, adolescent, à des « dîners littéraires » organisés par son frère Abel et connus par le *Victor Hugo raconté.*

P. 145 1. « Rien de nouveau sous le soleil » (Bible, livre de l'Ecclésiaste) et plus loin, « L'amour est le même pour tous ».

P. 146 1. L'équarrisseur abattait les animaux impropres à la consommation de boucherie et en tirait ce qui pouvait être employé (os, peau, corne, graisse). Il est au boucher ce que la fosse commune est au cimetière.

2. Sa parodie fait entendre le texte de Malherbe, qui vaut pour Fantine :

Elle était de ce monde où les plus belles choses
  Ont le pire destin,

> Et, rose, elle a vécu ce que vivent les roses,
>   L'espace d'un matin.

Cette fleur tisse le destin de Fantine avec ceux de sa fille : *La rose s'aperçoit qu'elle est une machine de guerre* (IV,3,5; t. II, p. 464) et de la demi-sœur de Cosette, Eponine : *Une rose dans la misère* (III, 8,4; t. II, p. 296).

P. 149   1. Parents — les deux premières phrases sont affreusement exactes —, code civil, politesse : « civilité puérile et honnête », Evangile (« Tuez le veau gras », dit le père au retour de son fils dans la parabole de l'enfant prodigue), Eglise, société, devoir, ordre, patrie, Etat, argent enfin : cette lettre dit clairement ce que représentent les quatre jeunes gens et qu'ils choisissent contre l'amour, la beauté, le bonheur — et la paternité. Car Fantine n'est pas « enceinte » — comme dans les romans — mais mère, depuis près de deux ans.

P. 150   1. Minuscule élément d'une vaste mise en scène, réaliste et symbolique, du pain, qui commence avec le vol de Jean Valjean.

2. Comme les deux premiers livres, celui-ci débute par cette date à laquelle tout commence. La description de Montfermeil est réservée pour la venue de Jean Valjean (II,3,1; p. 382).

P. 151   1. L'adoption de Cosette par Jean Valjean donnera sens à cette notation; voir note 2, p. 128.

2. Voir note 2 p. 146. Cas typique de construction romanesque !

P. 152   1. Texte authentique, cette fois (voir p. 135), exactement cité, d'un auteur anonyme. Mais il convient si bien au départ de Fantine qu'on le croirait écrit par Hugo. Sur la présence de poèmes, voir note, t. III, p. 151.

P. 153   1. Amorce d'une série de notations qui s'achèveront à la mort de Fantine (pp. 154, 187, 198, 200-201). L'analphabétisme de Fantine « prépare » la correspondance avec Thénardier; il est surtout la matière d'une grande revendication sociale et morale : l'argot est à la communication orale ce que l'écrivain public est à l'écrit.

P. 154   1. M. Bamatabois prendra le relais de Tholomyès : voir I,5,12; p. 193 et I,7,9; p. 272.

P. 156   1. Il y a chez Hugo une sorte de théorie, très nouvelle, de l'enfance (voir note 2, t. II, p. 117) qui repose sur une observation sympathique et respectueuse, dénuée de toute mièvrerie. Cosette tirera une langue encore plus longue à l'instant le plus pathétique : II,3,8; p. 419.

2. L'instinct des mères et du peuple rejoint donc celui du poète. Une longue rêverie onomastique parcourt *Les Misérables* : le nom, porteur de l'identité, associe la misère comme dénuement à la misère comme condition des hommes; surtout, objet de langage, il est le lieu où le roman prend la plus grande emprise sur le réel. On suivra le cours de cette rêverie avec A. Ubersfeld (voir Bibliographie). Sur le nom de Cosette, voir note t. III, p. 211.

P. 158 1. Au lieu de généraliser la valeur particulière de l'intrigue, Hugo, le plus souvent, déduit la singularité du fait fictif d'une vérité générale. Par là le roman s'offre comme construction logique d'un monde véridique, voir note 2, p. 128.

P. 159 1. Les Thénardier sont donc antithétiques de Jean Valjean; la rencontre de Cosette aura sur eux l'effet inverse de celles de Myriel et de Petit-Gervais sur lui. Le couple Thénardier-Jean Valjean forme la figure complète de la misère en ses deux aspects, infernal et céleste.

2. Hugo avait lu tout cela dans son enfance, de là peut-être sa verve. Thénardier a les mêmes lectures que le sénateur (voir I,1,8, p. 31).

P. 160 1. Sur le nom d'Eponine, voir note t. III, p. 211.

2. Le texte invite à compléter : Arthur duc de Wellington (I,3,2; p. 126), Alfred de Vigny, Alphonse de Lamartine et à laisser Thomas, Pierre et Jacques dans l'anonymat. Voir aussi note 2, p. 156.

P. 161 1. A rapprocher de la situation de Hugo enfant : loin d'un père qui entretenait sa famille mais dont il a pu se croire oublié. Voir aussi note 1, t. II, p. 32.

P. 162 1. L'insupportable est dans l'involution de la croissance en une descente aux enfers comparable à celle de Fantine au livre suivant. En contraste, la dernière phrase de la seconde partie, t. II, p. 112.

2. Dans cette expression le mot ne perd pas tout à fait son sens propre.

3. Aboutissement d'une « préparation » : voir pp. 152 et 156.

4. Voir notes 1, p. 128 et 2, p. 156.

5. Hugo a le secret de l'emploi de ce mot, voir le dernier paragraphe du roman, t. III, p. 536.

P. 163   1. La « descente » est pire de ce qu'elle suit « la chute ». Descente aux enfers et descente de croix à rôles inversés : M. Madeleine en sainte femme et Fantine en Christ.

2. Il y a quelque chose de faux dans cette ville, comme dans la situation de M. Madeleine et dans l'éphémère prospérité du bourg. C'est une citadelle, et non un port, distante de plusieurs kilomètres du littoral. « Montreuil-sur-mer serait mieux nommée Montreuil-sur-plaine », écrit Hugo. Diamétralement opposée à Toulon, la ville est la limite de la fuite du héros et le lieu d'une ascension symétrique à la déchéance du bagne — et aussi « fausse » qu'elle.

3. La loi qui veut que l'ascension des uns s'équilibre par la descente des autres est un fantasme de culpabilité d'une réussite mais, surtout, la négation même du progrès. C'est la hantise de Hugo, devant la violence des révolutions, la misère des ouvriers de l'industrie naissante ou l'avilissement euphorique du Second Empire, que le progrès doive se payer d'un prix qui l'annule et que, vue de haut, la terre porte toujours la même quantité de souffrances. On a déjà rencontré (voir note 1, p. 95) et on retrouvera cette physique des forces de la misère.

4. Antiphrase, car Hugo règle en un chapitre une aventure dont tout romancier — le Balzac du *Médecin de campagne* et du *Curé de village* — aurait fait l'objet même du livre.

5. Il y a du mystère dans ces « articles noirs ». Ce sont des imitations, des faux, or le premier « misérable » rencontré était un faussaire (I,1,4; p. 16) et Jean Valjean exerce ici sous une fausse identité; leur couleur évoque le deuil et leur nom — verroterie — le trafic auquel se livrera Thénardier devenu négrier (V,9,4; t. III, p. 524); les objets cités — bracelets — sont la version bijoutière des fers du bagne. N'y a-t-il pas enfin quelque rapport entre ces « imitations » et ces objets, marqués de noir et voués, depuis Aristote, à l'imitation, que sont les livres ?

P. 164   1. Relais entre Petit-Gervais et Cosette; voir note 3, p. 381.

2. Voir note p. 56. Elle s'appelait Marie-Madeleine et Hugo, Victor-Marie; sa fête est le 22 juillet et la saint-Victor le 21.

P. 166 1. Frère dévot du sénateur athée en I,1,8; p. 31.

P. 168 1. Voici le père Madeleine maire de Montreuil-sur-mer : tous les jeux sont bons sur les mots de cette formule qui, tous faux et véridiques, désignent celui qui manque : mère.

2. Comme Hugo qui dépensait beaucoup en charités diverses à apprécier en sachant qu'aucun système de protection sociale n'existait alors.

3. Cas typique de variation du point de vue narratif, voir note t. III, p. 173. Les techniques de ce portrait sont les mêmes que celles employées pour Mgr Bienvenu.

P. 169 1. La question de la récupération, aussi appelée « réparation » (voir t. II, p. 109) est celle de l'irrémédiable, au centre de tout le livre. Voir I,2,7; p. 94 et note 2 et V,2, t. III, pp. 313-332.

P. 170 1. Voir V,7,1; t. III, p. 464 note 1.

P. 171 1. Milton dans *Cromwell* et surtout Dea dans *L'Homme qui rit* donnent sens à ce fantasme personnel à Hugo — voyeur autant que voyant il souffrait de troubles de la vue sans cause physiologique — dont la logique est simple : si aimer c'est voir, alors être aimé c'est ne pas voir. On rappellera aussi Œdipe et Lear. L'oxymore « paradis de ténèbres » qualifie exactement la misère.

P. 173 1. Le texte constate comme une réalité l'identité qu'il a produite. Ce juste apparaît utilement comme un juge avant le portrait de Javert, incarnation de la loi. On notera que l'ascension de M. Madeleine s'achève en 1821, l'année de la mort de Napoléon, voir note 1, p. 309.

2. L'animalité (voir note 3, p. 95) se concrétise dans le motif de l'homme-chien-loup-renard qui règle tout le portrait. M. J.-P. Richard (voir Bibliographie) a donné de ce texte un commentaire décisif.

P. 174 1. Ce nom résiste à l'interprétation; cependant l'initiale *Jav* inverse celle de Valjean dont Javert est l'ombre maléfique, l'ange gardien (voir note t. II, p. 329) en uniforme; et puis Jav-erre. Comme les Thénardier, il n'a pas de prénom.

P. 175 1. Poétique généalogie, immédiatement justifiée par une idée que Balzac avait développée dans *Splendeurs et Misè-res des courtisanes* mais qui prend une autre dimension dans le système pénalité-charité mis en place par *Les Misérables*, voir note t. II, p. 329.

P. 176 1. Fleuve — et frontière — des Enfers, gardé par un chien, Cerbère, dans la mythologie grecque.

2. Cette école voit dans la Révolution la punition providentielle de l'avilissement de la société du XVIIIe siècle, régénérée dans le sang. Elle propose une conception théocratique de l'Etat qui exalte la figure du bourreau, incarnation du droit de tuer exercé par le roi au nom de Dieu. Symbole de la guillotine, Javert est aussi, ici, le contraire — ou la même chose : un bandit, étrangement, mais logiquement, ressemblant avec les hommes de Patron-Minette (III,7,3; t. II, p. 279).

P. 178 1. Le roman donne plusieurs échos à la scène qui va suivre (voir pp. 146, 151, le chapitre « Une plume pèse à qui soulevait la charrette Fauchelevent » V,9,3; t. III, p. 505 et le métier de charron donné à Champmathieu); Elle entre dans un système symbolique, voir note t. II, p. 15. Sur le nom du personnage, voir note t. II, p. 67.

P. 180 1. Voir note 1, t. III, p. 535.

P. 181 1. Il en gardera une claudication (voir II,5,8, p. 474) qui inscrit dans sa chair une fraternité indéfectible envers Jean Valjean, marqué du même boitement par la chaîne du bagne.

2. Jean Valjean paiera exactement la moitié de cette somme le cabriolet et le cheval achetés à maître Scaufflaire (I,7,2; p. 223). Sur cette économie, voir note t. III, p. 79.

P. 182 1. Voir II,2,1; pp. 369-370.

2. La phrase retourne la formule : aimable comme une porte de prison.

3. Voir note 2, p. 128. De même, plus loin : « ... jalouse de ses cheveux blonds et de ses dents blanches ».

P. 183 1. Personne n'aurait songé, en 1860, à parler ainsi de ce que nous nommons le « travail de deuil ».

P. 184 1. Par quel caprice d'autocritique Hugo a-t-il donné un nom si proche du sien à cette vieille ! « Gorgone » comme Javert dont la face « pétrifiait » les *gens sans aveu* (p. 177), gardienne de la vertu comme lui du Styx social et veuve d'un moine comme il est fils d'un galérien, elle en est la version féminine. Cosette sera au destin de Fantine ce que Fauchelevent vient d'être à celui du héros; tous trois se retrouveront au couvent.

P. 185 1. Voir I,5,9 p. 94, note 1. La responsabilité de la surveillante est calculée de manière à disculper Madeleine mais à accuser son système pavé de bonnes intentions (voir p. 165).

2. Détail réaliste, et symbolique à la dernière phrase de la partie, p. 306.

P. 186 1. Après Jean Valjean prenant sur ses repas pour nourrir ses neveux et risquant sa liberté pour sauver Fauchelevent, cette vieille femme — antithèse majeure de Mme Victurnien — réalise une loi de l'économie morale, et de l'économie sociale, des *Misérables* : il n'y a de solidarité qu'entre les misérables, de don qu'offert par ceux qui n'ont rien de sorte que toujours le don se double d'un sacrifice. Venant de qui ne renonce qu'au superflu, la charité n'est, au mieux, qu'une juste redistribution — Jean Valjean achetant dix fois leur prix la charrette et le cheval de Fauchelevent ne fait que le dédommager d'un préjudice dont il est indirectement responsable —, au pire, qu'un achat déguisé — ainsi Myriel achetant l'âme du héros.

Exclus des rapports marchands, les misérables n'entretiennent que des rapports humains : destructeurs — assassinat et vol, atrophie de Cosette — ou créateurs : familiaux, mais toujours sacrificiels puisque la loi punira le vol au-delà de sa valeur et que l'obligé — Cosette — ne pourra rendre le bienfait reçu.

Marguerite — qui hérite du nom primitivement donné à Fantine — est l'héroïne d'un épisode analogue à celui de Gavroche recueillant ses frères (II, 6,2; II, p. 524) et qui pourrait s'intituler : comment de voisine on devient mère.

2. Voici Fantine comme assignée à résidence par un autre « passeport jaune ».

P. 187 1. Tous les détails de cet épisode justement célèbre — éloignement des Thénardier, sollicitude de Marguerite, acharnement des créanciers, innocence de ces bourreaux que sont coiffeur et dentiste, prédiction de la vieille ouvrière — concourrent à donner aux malheurs de Fantine cet aspect d'irrémédiable anonyme qui en fait un destin. Non fatalité venue d'en haut, mais force des choses — une jupe, des drogues, des lettres, un plafond bas, des étoffes usées — qui « chosifient » son être et l'atteignent de manière progressivement plus intime : Cosette, chair de sa chair déjà détachée d'elle, ses cheveux devenus perruque, ses dents faites « palettes » dans l'échange, son sexe, bientôt son corps entier déjà envahi par le cadavre qu'il sera.

Comme d'autres épisodes, mais plus clairement, celui-ci montre ce que la réalité de l'économie bourgeoise a de criminel et sa théorie de fallacieux en soulignant ce qu'il y a d'incommensurable entre la valeur des choses et celle que l'argent prétend mesurer, voir note en V,9,3; t. III, p. 79.

Au-delà du libéralisme économique, toute philosophie idéaliste est visée. Le vente et l'éparpillement du corps de Fantine achèvent une fragmentation bien antérieure. Traiter autrui en sujet juridique — comme bientôt Javert, économique — le coiffeur, le dentiste, « moral » et économique — comme M. Madeleine, prendre en Fantine la femme, comme Tholomyès, ou la mère — comme Thénardier, sont les premiers gestes de la prostitution. La dissocier, c'est la dilapider. Tout partage dans autrui initie sa sujétion ou sa destruction. A la fin du roman, Jean Valjean ne parviendra pas à le faire entendre à Marius (V,7,1; t. III, pp. 463 et suiv.)

2. Voir déjà I,2,10; p. 103 et note 2.

3. Variation sur deux métaphores passées dans la langue : *rester de glace* et *cœur de pierre :* autre forme de réification. Voir note 3, p. 87.

P. 192 1. *« Le Christ nous a libérés. »* L'antiphrase de ce titre tiré de saint Paul ne dit rien sur le Christ, mais beaucoup sur son Eglise. Sur la nature de ce texte, voir note p. 98.

2. Et elle appelle cela « loi de l'offre et de la demande ».

P. 193 1. Echo explicite de « L'Onde et l'Ombre » dont les interrogations reçoivent ici réponse. En une stratégie d'écriture qui est celle de tout le livre et qui sera localement répétée, le texte produit la présence divine comme réponse nécessaire à son propre désarroi et à sa pitié.

P. 194 1. Entre les trois coquets du roman, Tholomyès (voir p. 128), Bamatabois et Montparnasse (voir t. II, p. 280) s'établit une continuité morale que l'intrigue enregistre dans les rap-

ports des deux premiers avec Fantine et du dernier avec Eponine. Bourgeois parisien, bourgeois provincial, misérable :
l'homme est le même, la condition y change peu, voir note 5,
t. II, p. 63.

P. 195 1. Hugo prête à ses personnages une aventure dont
il fut, le 9 janvier 1841, le protagoniste puis le narrateur
auprès de sa femme, qui en rédigea le récit à tort recueilli dans
Choses vues. Origine d'un épisode essentiel de l'intrigue, son
souvenir dut contribuer à déterminer, en novembre 1845, le
début de la rédaction du roman. Demandons-nous en effet
quels durent être ses sentiments lorsqu'il vit, quatre ans plus
tard, Mme Léonie Biard, jetée à Saint-Lazare, avec les prosti-
tuées, suite au flagrant délit de son adultère avec lui, l'ancien
sauveur des femmes perdues : l'auteur de *Marion de Lorme*, le
rédempteur de Juliette, le pair de France qui, au mépris des
rires et ragots — « encore ! » —, avait témoigné en faveur
d'une fille publique. Il venait de retourner en mal ce qu'il avait
fait de meilleur, alors même que la mort de Léopoldine, survenue pendant que lui retrouvait en Espagne toutes les merveilles de son enfance, aurait dû l'avertir de l'illégitimité — du
danger — de tout bonheur. Jean Valjean à l'envers, il avait
commencé dans la pureté, le rayonnement, le succès, et finissait
dans la douleur mêlée d'abjection. Voir aussi note t. III, p. 397.

Peut-être une telle méditation conduisit-elle Hugo à imaginer ce retournement du mal en bien — et du bien en mal —
qui est la clef du destin de Jean Valjean, à concevoir cette
double nature de la misère — destruction en même temps
qu'accomplissement de ce qu'il y a d'humain — c'est-à-dire de
divin — dans l'homme —, qui donne sens et unité aux *Misérables*.

P. 196 1. Hugo, dont la sensualité est celle d'un voyeur et
qui a toujours éprouvé une répulsion devant l'acte de manger,
trouve dans l'un de ces fantasmes la culpabilité de l'autre.

2. L'ambiguïté de « créature » fait le scandale et la pertinence de cette définition de la misère.

P. 198 1. Tant dans ses romans — la Sachette de *Notre-
Dame de Paris* — que dans ses drames, Hugo excelle à ce type
de discours de supplication féminine.

2. Concrétisation anecdotique, mais explicite, de ce qu'on

vient de signaler, à la fin de la note p. 195. Voir, de même, Eponine : t. II, p. 442.

P. 200 1. Navrante intériorisation par les misérables du regard porté sur eux. De même Jean Valjean presque fier d'être « un homme très dangereux » (I,2,3, p. 78).

P. 201 1. Innocent et déplacé, érotique et pitoyable, le geste de Fantine renvoie à ses mauvaises pensées le lecteur déjà vertement interpellé dans *« Christus nos liberavit »* : « Elle passe, elle vous subit et elle vous ignore » (I,5,11, p. 192).

P. 204 1. La rédemption de Fantine recommence, presque dans les mêmes termes, celle de Jean Valjean (pp. 118-119); les injures à M. Madeleine y ont la même part que, pour lui, le vol chez Myriel et l'attentat sur Petit-Gervais.

2. Sur ce geste, qui répète la prosternation de Jean Valjean à la porte de Myriel (p. 119), voir note 1, t. III, p. 535.

P. 205 1. Même formule à la fin du roman où l'agonie de Jean Valjean répond à celle de Fantine (t. III, p. 531).

P. 206 1. Ce serait mièvre si ce n'était littéral : Fantine va mourir.

P. 207 1. Voir notes 1, t. III, p. 535 (sur l'ange) et 2, t. II, p. 117 (sur les enfants).

P. 208 1. La beauté de la phrase tient à la pertinence de l'image — le bloc nous est donné, à nous de le tailler —, au registre artistique de la métaphore, à l'homonyme populaire du mot « veine », enfin à l'écho que lui donne un autre moment crucial de la destinée du héros : « ... et l'amour proprement dit était dans sa tendresse énorme pour Cosette comme le filon d'or est dans la montagne, ténébreux et vierge. » (IV,15,1; t. III, p. 204).

2. Contre toute vraisemblance, M. Madeleine met beaucoup de temps à s'y décider. La mort de Fantine gagne en pathétique à l'absence de Cosette et le devoir de la reprendre doit entrer dans les raisons de la « Tempête sous un crâne ». Mais Hugo pouvait agencer autrement les événements. Le vrai motif est que Cosette doit être confiée au bagnard Jean Valjean et non au maire M. Madeleine. Non pour ménager les incidents pittoresques entre les Thénardier et « l'affreux pauvre », mais parce que la paternité est un sacrifice, que la rencontre du

héros et de Cosette devait être celle de deux misérables, parce que Jean Valjean ne pouvait trouver le sens de son existence et l'objet de son amour sans l'avoir en quelque sorte déjà perdu, ni son bonheur sans en être par avance exclu, parce qu'il fallait qu'il ne soit plus maire pour devenir père.

P. 212 1. Nouvelle et énergique définition de la misère par son inexistence. Plus loin, la formule « Ces gens-là, quand ce n'est pas de la boue, c'est de la poussière » est une variation sur les deux sens du mot « misérable » et résume les deux modes d'existence de la misère : évanescence et ombre — cadavre avant la mort — ou proie de la pénalité (voir note t. II, p. 329).

2. Discrète entrée en scène de l'argot presque immédiatement assimilé par le texte qui annote le premier mot, mais pas le second.

P. 214 1. L'identification de Jean Valjean dans Champmathieu illustre la logique kafkaïenne des erreurs judiciaires mais, surtout, le principe d'équilibre entre la société et la misère (voir note 3, p. 163). Jean Valjean ou un autre — qu'importe puisque le misérable n'a pas d'identité — le bagne aura son homme.

P. 216 1. Javert, sans qu'il s'en doute, accable M. Madeleine et lui dicte son devoir. On comprend qu'il en reste « rêveur ».

P. 217 1. Ces deux sœurs antithétiques forment, explicitement, la figure complète de la charité religieuse. Avec, en contraste, les contemplatives du Petit-Picpus, le tableau de la vie religieuse — réalité sociale importante au XIXe siècle — sera achevé.

Cousines de Mme Magloire et de Mlle Baptistine, elles entrent, avec Mme Victurnien, Mlle Gillenormand, la veuve Hucheloup, etc., dans le grand paradigme pittoresque de la vieille fille — ou veuve — si bien représenté qu'en comparaison la mère — Fantine, Mme Thénardier — et plus encore la femme — Cosette seule — semblent moins sous-estimées ou dévalorisées qu'évitées.

P. 218 1. La voix narrative a changé : l'énergique présence de l'auteur ouvertement virtuose succède à l'effacement du narrateur au chapitre précédent, presque tout en dialogues. Voir note t. III, p. 173.

2. Sur l'effacement de l'âge et du sexe caractéristique de la misère, voir notes 1, p. 118 et t. II, p. 298. La notation a aussi valeur de « construction » de l'intrigue (voir note 2, p. 128) pour I,8,5; pp. 304-305.

P. 220 1. Le nouveau mode narratif adopté — le point de vue est celui d'autres personnages — est cohérent avec le fait que Jean Valjean agit sans avoir encore décidé de son action.

P. 221 1. Ce cheval « plein de feu », « fille » et « vent » a quelque chose d'inexplicablement inquiétant; comme maître Scaufflaire lui-même.

P. 224 1. Son titre participe à juste titre à la célébrité de cet épisode : il implique — comme le début de « Buvard bavard » (IV,15,1; t. III, p. 199) — l'ampleur cosmique des événements de la conscience et, surtout, son extériorité à elle-même. Elle est spectatrice et victime des mouvements dont elle est le siège, et non formatrice des idées qu'elle arbitrerait.

Le texte bouleverse la conception classique du sujet d'autant plus sûrement qu'il semble respecter la forme du débat intérieur dans lequel elle s'inscrivait. Car, France Vernier (voir Bibliographie) l'a brillamment montré, au lieu d'aboutir, comme dans les stances cornéliennes, à la résolution des antinomies, la discussion et la réflexion restent vaines : Jean Valjean s'endort et se réveille sans avoir rien décidé. Toute une conception du « jugement » et de la maîtrise du sujet sur ses actes est ici concrètement récusée.

Au conflit des devoirs, à la contradiction des passions et de la raison, au libre arbitre et à l'enchaînement délibération-jugement-volonté-acte, Hugo oppose la réalité de la crise, non comme antinomie apparente soluble par dissipation des affects, mais comme épreuve. La conscience morale n'y est plus le rapport rationnel entre un principe et une situation, mais une force du « moi » — plus exactement, du non-moi : l'extériorité indéfinie — et, en cela, l'infini — incluse en chacun.

Cette expérience de « l'autre en soi » — qui est aussi celle de l'amour, de la prière, de la démocratie, de la poésie : de toute forme de sacrifice — Jean Valjean l'a déjà faite dans l'épisode de Petit-Gervais (I,2,13; p. 118) et la refera dans « Immortale jecur » (V,6,4; t. III, p. 449); sœur Simplice la connaîtra bientôt, Grantaire (t. III, p. 306) et Gillenormand

aussi, sur le mode mineur, et même Javert, lorsqu'on le verra
« déraillé » (V,4,1 ; t. III, p. 381).

2. Bien sûr ! Mais le roman, complice de son monde et non
d'une lecture romanesque, ne rend jamais son identité au héros
avant que lui-même, ou la société, ne le fasse.

P. 225 1. Seconde grande explication du texte par lui-
même (voir I,2,7 ; p. 94). Elle introduit, à l'intérieur même du
livre qu'elle commente, une altérité semblable à celle qu'on
voit s'emparer de Jean Valjean. Conscience du roman, ce passage suscite en lui la même présence immanente qu'en Jean
Valjean la conscience de soi : celle de Dieu, mais aussi celle de
cet être inférieur qu'est le bagnard pour l'intrigue et, pour le
roman, un auteur qui n'aurait pas — ou mal — écrit *Les
Misérables*. Victor Hugo figure ici sous les deux statuts dont la
conjonction définit l'homme : fini et infini, sous les traits de
Dieu et sous ceux de cet écrivain célèbre mais impuissant
devant la tâche illimitée qu'il s'est donnée.

2. Ce franchissement de la limite est l'acte même de l'écriture de la misère, acte impossible et nécessaire d'entrée en
Enfer et au Ciel, comme l'a déjà dit une première référence à
Dante (I,2,7 ; p. 120) et comme le redira le trajet d'entrée au
couvent, voir note 2, t. II, p. 9.

3. Ce détail n'est pas anecdotique et sentimental. Le salut
du héros commence au moment où — contre le conseil de
Myriel (I,2,12 ; p. 110) — il fait des flambeaux le symbole
d'une élévation morale et non le moyen d'une ascension
sociale. En monnayant les couverts, il obéit à leur nature d'ustensiles alimentaires ; en gardant les flambeaux, il refuse d'entrer dans le système de la déréalisation et de la désymbolisa-
tion des choses par l'argent dont Fantine est en train de mourir. Tout à l'heure la tentation bourgeoise sera de fondre les
flambeaux.

P. 226 1. Autre autodéfinition du roman qui équilibre l'ambition de la première par sa naïve humilité.

P. 227 1. Dans l'autre grande crise intérieure de Jean Valjean (V,6,4 ; t. III, p. 454 et note 2) le même mouvement de
retour du texte sur lui-même génère l'évidence de Dieu
comme ici celle de la conscience.

P. 228 1. Ce mot sert de pivot à la conversion du « tourment » en « tempête ».

P. 229 1. Le mot « innommable » rend bien compte de ce qu'a d'abject et de faux le choix offert aux misérables entre l'absence d'identité et une identité corrompue par la pénalité quand elle est vraie — Jean Valjean —, par la charité quand elle est fausse — M. Madeleine.

2. Voir note p. 214.

3. Voir note 4, t. II, p. 56.

P. 231 1. Ceci et, bien sûr, le titre du chapitre, l'associent à « L'Onde et l'Ombre » (I,2,8; p. 98).

2. Cette petite digression magistrale souligne ce qui sépare Hugo de Freud, ou de Lacan. La parole intérieure qui intéresse Hugo n'est ni celle de la pensée — du sujet — ni celle de l'inconscient — du non-sujet —, mais celle qui fait dialoguer la pensée et la conscience : le sujet et l'autre-sujet : le *je* et le *je*-comme-autre. La conscience n'est pas un autre *je* (un seul suffit) mais un *je*-autre. On peut le nommer Dieu à condition de ne pas perdre de vue qu'il n'existe que dans son rapport au *je*.

P. 233 1. Une telle « psychomachie », déjà rencontrée en I,2,13; p. 118 et I,5,13; p. 203, n'a pas valeur que symbolique et ne se substitue pas mais s'ajoute à la « psychologie » dans la nouvelle représentation du sujet individuel que Hugo forge (voir note t. III, p. 205).

P. 235 1. Voir à nouveau p. 241 ainsi que les notes 1, p. 103 et p. 243.

P. 236 1. Il y a une ironie souveraine, et géniale, à attribuer au personnage, en plein pathétique, les objections que la bassesse critique opposera au livre. Et de l'audace : la « dénudation du procédé » risque l'effondrement de la fiction pour obtenir un formidable accroissement de son effet de vérité.

P. 237 1. Dans l'Evangile, Pierre renie le Christ par cette phrase.

P. 240 1. Ce mot du regret navrant d'un passé heureux, Jean Valjean le retrouve au moment de mourir (V,9,5; t. III p. 529) et, déjà, pendant la « nuit blanche » (V,6,3; t. III, p. 449).

P. 242   1. Voir note 1, p. 62.

2. La technique de citation d'un document (voir note 3 t. III, p. 160) est pertinente : la réalité du rêve ne saurait être traitée que dans le « récit de rêve »; surtout, la situation à laquelle se rapporte le rêve — dire qui l'on est — et son contenu — le statut du mort-vivant — exigent que Jean Valjean parle au *je*. Son rêve (A. Ubersfeld — voir Bibliographie — en a donné un commentaire décisif) met en scène l'identité des deux issues de sa situation. L'existence de Champmathieu enterre de toute manière Jean Valjean. Le héros sera mort-vivant : enseveli soit au bagne, soit sous la fausse identité de M. Madeleine.

La présence de l'autre-en-soi est nécessairement mortelle pour le « moi » incapable de saturer le *je*; inversement, l'appropriation du *je* par le « moi » est, au choix, suicidaire — Madeleine tuerait Jean Valjean s'il envoyait Champmathieu au bagne — ou meurtrière : Javert, Bamatabois, Tholomyès sont tous plus ou moins assassins pour avoir refusé toute altérité intérieure. Si ce n'est pas soi que l'on tue en soi, on le tue en autrui.

P. 243   1. La question posée ne demande au lecteur que de partager la perplexité rêveuse du héros.

P. 245   1. La succession des empêchements et des solutions figure une nécessité qui se serait emparée du héros sans que sa liberté et sa responsabilité en soient diminuées. A l'inverse de l'attentat sur Petit-Gervais, il fait une chose dont il n'est *pas encore* capable.

La combinaison de l'exactitude réaliste et de touches fantastiques contribue à communiquer au lecteur un peu de l'angoisse du personnage dont il partage la crainte en même temps que l'espoir d'arriver à temps à Arras. La scène du tribunal, successivement comique, pathétique et sublime, exploite cette angoisse accumulée depuis le chapitre du rêve. Cette habileté très hugolienne — admirée depuis *Le Dernier Jour d'un condamné* — à jouer avec les nerfs du lecteur est employée à produire, à la fin, une exaltation morale que tous les lecteurs des *Misérables* ont éprouvée.

P. 247   1. Jean Valjean le redira, au tribunal (I,7,11; p. 287) : effet de « stéréophonie discursive » (voir note 3, t. II, p. 511).

P. 248   1. Voir note 2, t. III, p. 138.

P. 251 1. On ne peut s'empêcher de penser que ce garçon a quelque chose à voir avec Petit-Gervais. Jean Valjean ne lui prendra rien, mais lui refusera brutalement le pourboire demandé.

P. 254 1. La situation donne valeur littérale à ce « topos ».

P. 256 1. Hugo ayant rédigé la note, ajoutons la référence : I,2,1 ; p. 71.

2. Depuis le livre 5, l'histoire de Fantine et celle du héros sont tissées l'une à l'autre : en contraste d'abord — descente et élévation —, maintenant en parallèle : deux agonies. Au paragraphe suivant les « songes » et le délire de Fantine doublent « Tempête sous un crâne » et « Formes que prend la souffrance... »

P. 257 1. Voir note 1, t. II, p. 298. Une telle notation tend à rapprocher l'âge des deux « parents » de Cosette. En réalité, Fantine naît en 1796 : l'année où Jean Valjean entre au bagne de Toulon.

P. 259 1. Sur la présence de poèmes dans le roman, voir note t. III, p. 151. Ici, c'est la propriété de cette romance au sort de Fantine — assez bien calculée pour qu'elle ne s'y rapporte pas directement — qui fait pleurer, même la religieuse.

P. 261 1. Indication déjà donnée (p. 182). Ce nom légal ne sera pas employé avant que Cosette sorte de la misère, espérance entrevue ici.

P. 264 1. Evêché, préfecture, tribunal : l'historique du lieu n'est pas sans raison strictement inverse de celui du logis de Mgr Bienvenu (voir note p. 25).

P. 265 1. Hugo a toujours eu les procès en horreur. Sans doute par souvenir des procédures dégradantes du divorce de ses parents, mais aussi parce que les rapports juridiques sont l'abstraction et la mutilation des rapports humains.

2. Destin exactement contraire de celui de Fantine condamnée à mort. Voir aussi note 2, t. III, p. 138.

P. 266 1. La métaphore populaire rapproche le récidiviste de cette vieille bête qu'on a vu mourir sous les fenêtres de Bombarda (I,3,8 ; p. 146).

2. Comme Tholomyès (p. 128). Hugo a dit qu'il aimait la poésie et n'aimait pas les vers.

P. 269 1. Pourquoi cette date et ce document dont la présence au mur d'un bâtiment officiel sous la Restauration est bien improbable ? Peut-être parce que Pache fut l'auteur de la devise : « Liberté, égalité, fraternité, ou la mort »; sûrement pour provoquer chez le lecteur cette sorte de strabisme mental qui s'empare du personnage. Voir aussi note p. 114.

2. Voir la fin de V,3,7; t. III, p. 359.

P. 270 1. Ce corridor ressemble au village parcouru par Jean Valjean dans son rêve (p. 243) et la même panique le prend à la vue de la religieuse faisant la « réparation » (p. 473).

P. 271 1. Le Christ est désigné à ses juges par cette phrase : *Ecce homo*. Elle est aussi à prendre à la lettre : Champmathieu est une image de l'humanité dans sa misère.

P. 272 1. Les valeurs de cette « représentation » mettent en déroute concrètement la conception de l'individu comme sujet stable et plein (voir note t. III, p. 205) : la conscience de soi se dissout dans l'hallucination; la dépossession de soi s'opère pour Jean Valjean dans le transfert de sa propre vie sur autrui; la singularité même de l'expérience vécue s'efface. Bref Jean Valjean n'est plus ici sujet mais objet de son propre regard.

2. Il l'est encore et le restera tant que le dévouement de Jean Valjean n'aura pas suscité sa présence.

3. Voir I,4,1; p. 154 et note.

P. 273 1. Le mécanisme juridico-social producteur — ou reproducteur — de la misère est ici montré — et démonté — comme un fait de langage. De part et d'autre de la langue du narrateur, les performances linguistiques de l'appareil judiciaire et l'incompétence linguistique de Champmathieu manifestent comment et à quelles fins la société dénature — pour se l'approprier et en exclure les misérables — ce bien commun universel que devrait être la langue. Le roman indique indirectement par là quelle peut être son utilité. Sur cette stratégie d'écriture, voir aussi note t. II, p. 74.

Tout le récit de ce procès comble l'ellipse de celui de Jean Valjean alors absent de sa propre destinée.

2. Camus rendra à la société le service de faire d'un tel exil une affaire métaphysique.

P. 275 1. Hugo n'aime pas Racine, mais il a une conscience précise de l'utilité sociale de la littérature.

P. 276 1. Ce mot, où l'aveu de l'aliénation du peuple se double du soupçon de son ironie, prépare le foudroyant « Fameux ! » du chapitre suivant.

P. 277 1. Ces deux discours sont une merveille. D'imitation de la langue parlée et de trouvailles confondantes mais aussi de pertinence. Car Champmathieu s'efforce de dire ce qu'on lui demande mais la misère empêche moins l'expression qu'elle n'interdit l'objet de son discours. Il ne peut dire son identité que dans ce qui précisémenent la dissout : son travail — il n'en a plus, son âge — « on m'appelait Petit, maintenant on m'appelle Vieux », son exclusion de tout réseau social de notoriété. Bien plus, dans la misère le « moi » ne sature pas le *je* : on n'est misérable qu'au pluriel et Champmathieu ne peut dire qui il est qu'en parlant de sa fille : le *je* disparaît sous le *nous*. Sous le *on* plutôt, puisque sa fille est morte qui partageait le sort de beaucoup d'autres dont il n'y a rien à dire, et même sous le « ça » initial qui envahit tout le discours.

2. De même le paysan de Waterloo : « ... je vous expliquerai la chose de Waterloo. » (II,1,2; p. 317.)

3. Voir notes 1, p. 88 et p. 187.

4. Métier qui n'est pas sans rapport avec celui de Jean Valjean (voir note 5, p. 87).

P. 278 1. Singulier écho à la première nuit de Juliette et de Victor : où, invités au bal des Artistes du Mardi gras, ils n'y allèrent pas. Cosette et Marius aussi célèbrent leurs noces un soir de Mardi gras. Champmathieu et sa fille sont donc l'image de ce qu'auraient été Jean Valjean et Cosette — les personnages d'un roman impossible — si Juliette et Victor dans la réalité et, dans le texte, l'irréalisme (voir note 2, p. 94) ne s'en étaient mêlés.

2. De même les députés de la droite riaient au discours de Hugo sur la misère (9 juillet 1849), les dieux riaient devant le Satyre de *La Légende des siècles*, les lords devant Gwynplaine et la foule devant la grimace de Quasimodo qui n'est rien d'autre que son visage.

P. 279 1. Par une « coïncidence » qui provoque un « effet de réel », la masure Gorbeau est aussi située sur ce boulevard, haut lieu de la misère, voir note p. 441.

P. 280 1. Ces trois personnages, dont les noms ont valeur de sobriquet, forment la figure complète du bagne. Les hommes de Patron-Minette sont des variantes, les Thénardier un résumé.

P. 283 1. Plusieurs poèmes des *Châtiments* remâchent cette stupeur admirative devant le scandale de l'évidence bafouée et vaincue.

P. 284 1. Notation mélodramatique si elle n'associait Jean Valjean à Fantine (voir p. 257) et n'avait valeur symbolique de purification.

2. Magnifique détail, si invraisemblable et si incongru qu'il est vrai, si grotesque dans le pathétique et l'héroïque qu'il participe du sublime. Hugo a déjà mis en œuvre cette sorte d'effet, voir texte annoté 1 p. 269, la pile de cartons derrière laquelle le héros se dissimule et, bientôt, le « Y a-t-il un médecin dans la salle ? ».

P. 285 1. L'authentification (voir note 3, t. III, p. 160) solennise l'événement et relève du recul du narrateur devant son héros (voir note p. 119) dont il ne prend en charge que les mouvements profonds de l'âme.

Ce discours de Jean Valjean est le second. Comme le premier devant Myriel et ceux, très rares, qui viendront, c'est une parole d'autoqualification du sujet dont tout l'effort — vain — est de dire : je suis. Dans tous les cas l'effet de « stéréophonie discursive » (voir note 3, t. II, p. 511) donne poids de réalité au discours et confère au personnage — dont le lecteur sait tout ce qu'il dit — une sorte d'absence troublante parce qu'elle va de pair avec sa sur-présence.

2. Ceci fait du livre comme l'exécution de la volonté du héros, l'accomplissement de sa destinée. Intégré à la fiction, le roman — son auteur et son lecteur — est à Jean Valjean ce que lui-même est à Myriel : un progrès inspiré par le modèle d'un progrès antérieur.

3. M. Foucault n'aurait pas désavoué cette formule qui résume le chapitre I,2,7 (pp. 91 et suiv.). Le commentaire, « Recueillez... », en excuse et en souligne la facture littéraire dans une « dénudation du procédé » vertigineuse puisque tout

se passe comme si Jean Valjean signalait à Victor Hugo un mot d'auteur à retenir. (Voir de même déjà en I,7,3; p. 236 et note.)

P. 286 1. Voir I,2,10; p. 103 et note 1.

P. 287 1. La description indirecte des effets du texte contribue à les accroître. Procédé limite de « réalisation » (voir note 2 p. 94) de la fiction.

2. Hugo donne sens à un effet visuel qu'il invente et qui, usé par le cinéma, y deviendra souvent puéril.

3. Ni pitié ni envie : Jean Valjean se prive — et nous prive — de tout, même d'une facile admiration. Valeur morale du héros achevée par l'humilité de l'imperfection reconnue, réalisme (préparé, voir I,7,5; p. 247) du regret qu'on a des bonnes actions, lecteur laissé aussi heureux et interdit que Champmathieu, note tendrement comique pour finir : l'affaire Champmathieu s'achève en apothéose.

P. 289 1. Le détail intitule le chapitre et signale en Jean Valjean un mort-vivant (voir note 2, p. 242).

P. 290 1. Sur le motif de l'ange, voir note 1, t. III, p. 535, et sur celui du regard sur une personne endormie note t. III, p. 378.

P. 291 1. Voir note 3, t. III, p. 160.

P. 292 1. Voir la notation inverse p. 257. Misère du corps, la maladie le marque d'un âge incertain, voir notes 1, p. 118 et t. II, p. 298.

2. Or Fantine ignore le surnom donné à Cosette. Voir aussi III,1,1; t. II, p. 117.

P. 294 1. Voir texte et note p. 170.

P. 295 1. Sur ce système de vases communicants, voir note p. 214.

2. Voir note 3, t. II, p. 220.

P. 296 1. Au lieu de « s'est fait reconnaître » : la chose vue est restée inconcevable.

P. 298 1. Autre forme, après l'amphigouri judiciaire, de l'argot des « honnêtes gens ».

2. Voici Javert pieuvre après avoir été la méduse Gorgone

(p. 177). La wapentake de *L'Homme qui rit* donnera forme « historique » au fantasme.

P. 300 1. Le chapitre « L'Onde et l'Ombre » a fixé pour tout le roman la valeur de ce thème de la noyade, obsédant chez Hugo au moins depuis la mort de Léopoldine.

2. Cette mort se déduit de la formule de Javert : dans un pays où les galériens ne peuvent devenir magistrats, les filles publiques malades doivent mourir. L'intrigue est calculée de telle sorte (voir pp. 262-263) que la fatalité sociale laisse entière la responsabilité de Javert.

3. Hugo ne refuse pas au lecteur cette jubilation du spectacle de la force au service du bien.

P. 301 1. Ce dialogue d'ombres, où se manifeste à nouveau la qualité de mort-vivant du héros, est la plus fidèle image de la poésie telle que la pratique l'envoi des *Contemplations*. Il exige un témoin : la présence de Dieu est ainsi suscitée et le livre — qui rapportera ces paroles — confondu avec lui. Le roman donne ainsi sens et pertinence à un schéma romanesque banal, non sans souligner son principe de transformation des « illusions touchantes » en « réalité sublimes ».

P. 302 1. Même lorsqu'ils en ont un — retrouvé à quel prix ! — les misérables n'ont pas de nom.

2. Le plus beau est que ces bonnes gens n'ont pas tort — à leur insu. C'est une signification essentielle du roman qu'il n'y a pas de progrès, ni individuel ni historique, en ligne droite.

3. Voir note 3, t. II, p. 220.

P. 303 1. La narration se plie au point de vue policier dont Jean Valjean relève désormais dans la fiction. Ici, le document manque, voir note 3, t. III, p. 160.

P. 304 1. Voir la note 2, p. 218.

P. 305 1. Sur ce geste, voir note 1, t. III, p. 535.

P. 306 1. L'histoire du mensonge de sœur Simplice double exactement l'affaire Champmathieu. En mentant elle ne fait rien d'autre que Jean Valjean en disant la vérité. Il fallait éviter que la leçon de l'épisode se réduise à une condamnation du mensonge. Celui de sœur Simplice fait comprendre que le bien se trouve dans le démenti que le « moi » consent à s'infliger et que l'identité — femme pour la religieuse, misérable pour Jean Valjean — réside dans l'acceptation de l'altérité intérieure.

2. Rupture lyrique comparable à celle de I,2,2; p. 75 (note 2).

3. On est surpris d'une telle incertitude dans ce roman de la conscience dont tout le système des personnages repose sur le critère de leur valeur morale — souvent sévèrement évaluée. En réalité, les deux vont de pair. Contrairement aux romans « constatifs », qui laissent au lecteur une apparente liberté d'appréciation éthique mais n'accordent aux personnages aucune latitude morale, *Les Misérables* s'autorisent des jugements mais montrent des personnages en mesure d'exercer des choix réels. Ils relèvent donc d'un système moral constitué mais ouvert : où chacun — auteur, lecteur, personnage — figure comme moralement responsable, c'est-à-dire comme producteur d'une loi. Les « méchants » sont ceux qui n'ont que la leur — Thénardier — ou qui n'ont pas la leur — Javert. Nul relativisme pourtant — comme chez Stendhal —, l'éthique hugolienne est kantienne. De là la possibilité d'une hésitation, comme ici.

4. La belle violence de la formulation ne doit pas faire oublier sa rigueur. « Pertes d'hommes et d'âmes chemin faisant » (p. 100), filles perdues, pièces et peines perdues, la misère est une déperdition d'humanité. Pour Fantine, successivement, privation de nom, perte de la « vertu », séparation de sa fille, dissémination de son corps, trouvent leur achèvement dans l'absence de cette ultime marque d'appartenance à l'humanité qu'est, dans notre culture, le respect des cadavres, isolés de la terre et séparés.

DEUXIÈME PARTIE : *Cosette*

P. 309 1. Rédigé en dernier ce chapitre semble ajouté après coup; en réalité, la démarche créatrice a trouvé à son terme ce qui était son commencement logique : *Waterloo* est aux *Misérables* ce qu'est la Genèse à l'histoire du peuple élu.

Origine de l'un des fils de l'intrigue et point de départ chronologique pour tous les éléments de l'action, il tire l'intrigue hors du cadre privé et met en perspective tous les épisodes historiques qui font du roman une grande fresque de la première moitié du siècle (la Restauration : I,3,1 et III,3 et 4, la guerre d'Espagne de 1823 : II,2, la révolution de 1830 et celle de février 48 derrière les émeutes de : juin 1832 IV,1 et 10 et V,1,1, le Second Empire par la présence constante de l'auteur) en les plaçant sous le signe de la misère. Dans *Waterloo*, décrit comme une immense fosse commune — extension historique de celle de Fantine —, Hugo montre une misère de l'histoire et dans l'histoire une misère. Son progrès ne s'exerce pas en ligne droite mais — comme celui de Jean Valjean — à travers des catastrophes qui sont comme le précipité formé par la rencontre de l'idéal — terme du progrès — et du réel. Leçon valable pour 1830, pour les émeutes et pour le présent : Waterloo prophétise un quelconque futur Sedan qu'il faudra « trouver bon ».

Il ne faut donc pas voir de simples coïncidences dans la longue série des détails (voir note 1, p. 62, note 2, p. 89, note 1, p. 173) qui font de Jean Valjean un double antithétique de l'Empereur, un Napoléon de la misère. Hugo dit ainsi ce qui fonde sa conduite politique et littéraire depuis 1830 — et qui est un constat autant qu'un programme — : la substitution des questions sociales aux questions politiques. En 1815, la liberté fait, quoi qu'il semble, un pas décisif en avant; à quand le même recul de la misère? Indirectement et par différence avec l'intrigue et avec les émeutes, Waterloo montre quels seront les champs de bataille, autrement sanglants mais aussi grandioses, de l'avenir.

Dans ce chapitre, *Les Misérables* désignent leur ambition : être un Waterloo de la misère.

2. En même temps qu'il prend la parole, l'auteur s'efface, paradoxalement, derrière cette figure d'un éphémère témoin, éloigné de l'objet de son récit, nullement autorisé à y procéder. A ce simple spectateur la narration substituera progressivement l'archéologue, l'historien, le philosophe et gagnera le point de vue de Dieu même. (Voir aussi note 1, t. II, p. 283.)

3. Voir note t. III, p. 130 sur ce goût de Hugo pour les inscriptions.

P. 311 1. Entre Napoléon et Jean Valjean, la différence est celle du bûcheron à l'émondeur (voir note 5, p. 87).

2. Ce nom n'est pas donné en vain au premier nœud sous la hache de l'empereur : la fin du livre montrera dans Waterloo

l'acte qui transmet des soldats aux penseurs le pouvoir sur l'histoire. Voir aussi note 1, t. II, p. 283.

3. La poursuite de cette rêverie pascalienne va progressive-ment substituer l'idée d'un sens des événements à celle de leur fatalité. Il s'agit de montrer que les hommes font une histoire qui les dépasse — mais dont ils restent les sujets — exacte-ment comme il est arrivé à Jean Valjean — et à tout un chacun — de faire une chose dont nous n'étions pas capables.

P. 313 1. Le dernier épisode de la barricade s'achève sur un combat analogue (t. III, p. 305).

P. 314 1. Voir note 2, t. III, p. 138. La mort et l'oubli assi-milent rétrospectivement la vie de presque tous les hommes à celle des misérables. Mais eux connaissent de leur vivant cette annulation de leur destin.

P. 315 1. Dans tout le livre de tels contrastes imagent la « catastrophe » : rencontre de l'absolu et du relatif, de l'infini et du fini.

2. Voir note précédente et la scène des enfants dans *Quatre-vingt-Treize*.

3. Chiffre peut-être exact mais aussi à coup sûr symbolique pour Hugo qui perdit sa fille, Léopoldine, en 1843. Voir aussi II,2,1 ; p. 369 et IV,14,1 ; t. III, p. 178.

P. 317 1. De même Champmathieu en I,7,11 ; p. 277, ce qui signale l'unité de la misère pascalienne des grandeurs éva-nouies, de la misère historique qu'est Waterloo et de la misère proprement dite. Dès lors Hugo peut relayer le paysan pour nous dire la « chose de Waterloo », si nous aimons.

2. Quatre titres de chapitres sont formés par une date : L'Année 1817 (I,3,1), Le 18 juin 1815, Le 5 juin 1832 (IV,10), et Le 16 février 1833 (V,6,1) : elles résument l'histoire — la grande et la petite — du roman.

3. Soleil d'Austerlitz, pluie de Waterloo : avant la pluie le beau temps ; mais le roman ne fait pas sienne cette fatalité météorologique, voir note 3, p. 311.

P. 319 1. Condensation des diverses figures de l'auteur (voir note 2 p. 309) surtout si l'on n'oublie pas que, pour Hugo, la voix populaire est toujours une voix divine.

2. Providentielle configuration qui fait de la fin le commen-

cement. La topographie de la barricade sera aussi une énigmatique inscription, voir IV,12,1; t. III, pp. 127-128.

P. 323 1. Celui-ci était, avant la Révolution, directeur de l'artillerie; celui-là fut un peintre, lyrique et mouvementé, de l'école de Naples du XVIIe siècle.

2. « Quelque chose d'obscur, quelque chose de divin. »

3. Tout ce paragraphe à métaphores maritimes est une version militaire de « L'Onde et l'Ombre » (I,2,8; p. 98).

P. 326 1. Incommensurabilité entre la valeur des choses et celle que l'argent prétend mesurer ; voir note t. III, p. 79.

P. 327 1. De même déjà « Fin joyeuse de la joie » (I,3,9; p 147) et « Javert content » (I,8,3; p. 294). Il y a généralement chez Hugo une angoisse de la joie et du rire. César rit, Pompée pleurera, dit la citation latine dont la suite retourne le sens : César a tort de rire, Pompée rira le dernier.

P. 330 1. Virgile : « En labourant son champ, un paysan trouvera des armes rongées *d'une rouille rugueuse.* »

2. Juste l'âge de Jean Valjean à son entrée à Digne et de Napoléon à Waterloo, voir note 1, p. 309.

P. 331 1. C'est-à-dire fosse commune, voir la note initiale du livre.

2. Le chemin creux d'Ohain est au destin de Napoléon — échappé à l'attentat de la rue Saint-Nicaise — ce qu'est à celui de Jean Valjean — de Brie lui aussi et sa mère se nomme Jeanne Mathieu — le chemin creux de son rêve (p. 243).

P. 333 1. Mythologie : un froncement de sourcils de Jupiter déclenche le tonnerre et est fatal. Image reprise et transformée : « l'éclair de la victoire » dans les yeux de Napoléon répond au dieu « d'égal à égal ». De là le regard religieux de la garde dont le narrateur adopte le point de vue en voyant l'Empereur poser une question qu'il n'entend pas. La narration remplira vite le trou de la représentation (note 2, p. 48) creusé au moment décisif — comme pour les paroles de Jean Valjean à Fantine (p. 301).

P. 334 1. La progressive montée en puissance du récit débouche sur le grand ton épique. Nous sommes au troisième acte de ce « drame géant » dont Hugo désigne lui-même la « péripétie » (p. 342), le « dénouement » (p. 344) et la catastrophe (p. 345) dont le chapitre n'a pas involontairement reçu le chiffre 13. Cambronne dira l'épilogue.

P. 336 1. Voir note p. 333 et le portrait de Javert en archange, p. 297.

2. Sur le motif de l'ascension retournée en chute, voir note 1, p. 95.

P. 337 1. Hasard, fatalité, providence, loi historique intelligible : sur cette progression, voir note 3, p. 311.

P. 338 1. Et dont le poète des *Misérables* est l'écho sonore.

P. 342 1. On la connaît d'autant mieux que Hugo en a immortalisé la formule dans « L'Expiation » (*Châtiments,* V,13) :

> Soudain, joyeux, il dit : Grouchy ! — C'était Blücher.
> L'espoir changea de camp, le combat changea d'âme.

P. 343 1. Moins prophétique, il se fût appelé berger. On le reverra p. 359. Il est à Napoléon ce qu'est à Jean Valjean l'enfant de la carriole, en I,7,5, p. 252.

P. 347 1. « Tel était le destin. »

2. Cette image préparée p. 337 sera développée aux derniers chapitres. Elle justifie la présence du livre comme le premier volet d'un diptyque dont l'histoire — actuelle — de Jean Valjean occupe le second. Elle rend compte aussi de l'écriture du livre : références antiques et ton de l'épopée : « Ces récits semblent d'un autre âge » (p. 336).

3. La double hyperbole — l'écroulement renchérissant sur l'irréalité du rêve — s'applique aussi, en sens inverse, au héros : auteur, lui, d'un rêve qui le pousse en avant et devient réalité.

P. 349 1. « Démagogie grammaticale » selon Lamartine, les critiques trouvèrent tous les prétextes pour flétrir cette audace — et les historiens toutes les raisons pour contester la réalité historique de ce que l'on nomme, depuis Hugo, le « mot de Cambronne ». Réponse de Hugo : « ... il entrait de droit dans mon livre. C'est le misérable des mots. » Au reste, l'explication de texte qui suit suffit.

2. De même p. 352 et, à nouveau, p. 357 : Hugo n'aimait pas la statue de lion édifiée sur le champ de bataille de Waterloo.

P. 350 1. Waterloo lui-même est une fracture dans l'histoire; le romantisme en est une dans l'art, la langue et la pensée : passerelle entre *Waterloo* et *L'Argot*, le mot de Cambronne, général infime et tout populaire, vaut philosophie de l'histoire (la Révolution apparaîtra un peu plus loin) et art poétique.

P. 351 1. Cette voiture qui passe fait quitter le champ de bataille. Sur la figure de Joseph, qui en rappelle plusieurs autres, voir note p. 314 et texte p. 341. Symétrique à la plongée initiale vers le passé, le texte revient au présent, amorce du retour à la narration qui aura lieu lorsque l'auteur aura atteint le « point de vue culminant de la question » (p. 356) : celui du philosophe de l'histoire et de Dieu lui-même.

2. « Combien pèse le chef? » (Juvénal).

P. 352 1. Inutile de préciser qui a la France. Nouvelle touche dans le portrait de l'auteur en génie, voir note 1, t II, p. 203.

2. Paraphrase du précepte évangélique : rendons à César ce qui est à César et à Dieu ce qui est à Dieu. On en conclut qu'il n'y a dans Waterloo rien à rendre au César.

Le quine est la suite de cinq numéros gagnants à la loterie.

P. 353 1. Derrière la comparaison des deux chefs se lit la proclamation romantique de la souveraineté du génie et, surtout, la confrontation de l'ancien monde et du nouveau, que la Révolution et l'Empire ont ouvert sans y entrer eux-mêmes.

P. 356 1. Echo et reprise visionnaire des pages précédentes, ce paragraphe prépare, dans l'idée d'une permanence de la bataille, la thèse dialectique qui suit où Waterloo n'est la fin d'une époque que comme déplacement du « travail révolutionnaire » involontairement accompli par Napoléon comme par Louis XVIII.

2. Respectivement Murat et Bernadotte. Le général Foy, compagnon d'armes du général Hugo en Espagne, se battit et fut blessé à Waterloo. Elu député sous la Restauration, il devint un des plus grands orateurs de la gauche libérale — et virtuellement républicaine. Son enterrement en 1825 fut l'occasion d'une grande manifestation parisienne. Trois ans plus tard, le général Lamarque prenait le relais de son frère d'armes, voir IV, 10,3; t. III, p. 95.

P. 357 1. Le médecin de Louis XVIII.

P. 358 1. Ce numéro de chapitre non plus ne doit sans doute rien au hasard.

2. 20 mars 1815 : entrée aux Tuileries de Napoléon retour de l'île d'Elbe; 8 juillet : rentrée à Paris de Louis XVIII.

3. Comme chef de la Terreur blanche à Nîmes. La devise qui suit, celle de Louis XIV, signifie : supérieur à tous. Le chapitre soude le livre qui s'achève à « l'Année 1817 » et les deux à la jeunesse de Marius; sa fonction immédiate est de produire une sorte de malaise dans l'attente d'un sens et d'une suite.

P. 359 1. Equivalent, dans la Charte, de notre article 16.

P. 360 1. Du point de vue de Sirius adopté à la fin du chapitre précédent, le regard se focalise sur un point, puis s'en rapproche.

Le chapitre n'est pas qu'une transition — préparée p. 319. La Restauration, conceptuellement analysée plus haut, avait eu son album photographique dans « l'Année 1817 » et aura sa représentation individualisée au début de la troisième partie. De la même manière, l'envers misérable de la bataille héroïque, constamment signalé, est maintenant concrètement incarné. Thénardier volant et Pontmercy mourant forment ensemble le Fabrice du Waterloo hugolien.

Ce chapitre jette enfin un grand pont thématique entre Waterloo et la fin de la première partie : en détroussant les cadavres de la fosse commune d'Ohain, il achève symboliquement le meurtre de Fantine.

P. 361 1. « Spécial » a ici, et souvent au XIXᵉ siècle, le sens de notre « spécialisé ».

P. 362 1. Exemple remarquable de construction déductive, voir note 2, p. 128.

2. Conformément à son objet — un homme qui se cache et, au-delà, la misère, toujours mal visible —, en accord aussi avec le point de vue adopté, supérieur et lointain, le narrateur se donne ici pour moins informé que son personnage.

P. 363 1. Le contraste s'établit maintenant entre l'inconnu et tout le reste du champ de bataille où la nature participe à l'agonie des hommes.

P. 364 1. Voir note t. III, p. 353.

P. 366 1. Le détournement qui est le procédé de Thénardier (voir note 2, p. 386) se retourne ici contre lui, qui devient l'auteur d'une bonne action dont il a seulement anticipé la récompense. De tels retournements sont pour Hugo la marque même de l'impuissance des hommes, la liberté est ici assujettie sous l'infiniment petit du hasard.

2. Que l'exploiteur de la misère ait d'abord été charognard et chiffonnier des poubelles de l'histoire ne surprend pas. Le chapitre n'explique que l'enseigne de l'auberge de Montfermeil (p. 150) et laisse attendre une rencontre entre Thénardier et le colonel : il pose plus d'énigmes qu'il n'en résout.

A ce moment de l'action, trois fils la composent : la poursuite de Jean Valjean évadé par Javert, le sort de Cosette, les suites de ce vol secourable. La seconde partie développe les deux premières et les arrête dans l'asile du couvent; ce n'est qu'à la fin de la troisième que les trois fils sont noués et les personnages réunis dans la masure Gorbeau. Ce dernier chapitre laisse donc longtemps inexpliquée la raison de sa présence si bien que, paradoxalement, la digression est, dans l'immédiat, mieux intégrée au roman que l'épisode qui la rattache directement à l'action.

P. 367 1. Ces documents (voir note 3, t. III, p. 160) sont inexacts : cas particulier de « stéréophonie discursive », voir note 3, t. II, p. 511. On a déjà vu (note p. 296) l'ordre social travestir ainsi une vérité qui lui est inconcevable.

P. 368 1. Citation, exacte, du poème de Voltaire, *Le Pauvre Diable*.

P. 369 1. Nombre que l'on peut traduire par : septembre/1843/abîme. Voir aussi note 3, p. 315.

2. La théorie libérale du capitalisme-profit, concurrence, liberté d'entreprendre, est ici explicitement mise en accusation. Plus généralement, toute l'histoire des 600 000 F de M. Madeleine peut se lire comme une critique complète et précise du capitalisme au XIXe siècle. Né de la rencontre des restes du patrimoine de l'Eglise et de la noblesse avec une tradition industrielle renouvelée, le capital est aussi un produit de la misère : Jean Valjean, Fantine et les autres travailleurs. Son accroissement est limité par cette contradiction. En 1823 — à

peu près au début d'une crise économique qui dura jusqu'en 1850 — cette antinomie met fin à l'expérience : on revient à une économie précapitaliste : l'antique thésaurisation. Il faut que la misère soit physiquement détruite ou exportée — mort de Jean Valjean, barricade et trafic de nègres entrepris par Thénardier — pour qu'en 1830-1832, date symboliquement superposée dans le roman à 1848-1851, le capital soit remis en circulation par Marius.

3. Le terme joue ironiquement avec la formule « écrasé d'impôts » et assimile Jean Valjean à Fauchelevent et à Pontmercy. Voir aussi pp. 181-182.

P. 372 1. Comme le héros au bagne et à Grasse et comme Fantine (voir note 1, p. 187). Plus haut, les vers latins qui précèdent ont leur traduction dans la phrase précédente.

P. 373 1. Thénardier ne dit pas « ni qui y a été », ce qui donne une curieuse profondeur à son laxisme cynique. Le couple maître d'école-cafetier est une notation réaliste dont la discrétion frise la litote, voir note p. 74.

P. 375 1. Voir note 1, t. III, p. 88. L'évocation de la guerre d'Espagne entre dans la fresque historique, voir notes 1, p. 309 et t. II, p. 385. Mais cette guerre, œuvre de Chateaubriand, père spirituel de Hugo, se superpose aussi à celle que son père a faite, pour Joseph et Napoléon, et qu'il a vue.

P. 376 1. Voir note p. 77.

P. 378 1. A l'inverse de « L'Onde et l'Ombre », l'océan maintenant, image de l'infini et de la misère, manifeste sa supériorité sur la machine sociale défaite. Il sera, du coup, pour le misérable, occasion du sacrifice salvateur et libérateur.

P. 379 1. L'ingéniosité verbale imite l'ingéniosité industrieuse et le lecteur est devant le texte comme le badaud devant la chose.

2. Episode inspiré par un événement réel sur lequel Hugo avait été documenté par une note presque littéralement reproduite. Mais le forçat ne s'était pas évadé : n'avait pas mis sa liberté — pour le héros, son devoir — au prix du risque dont il venait de sauver autrui. Sur le schéma de la substitution dans la souffrance, voir note t. II, p. 15.

P. 380 1. Voir note t. II, p. 554.

2. Retournement (voir note 1, p. 95) d'un motif de l'imaginaire hugolien qui reçoit son plein développement dans *Notre-Dame de Paris* (VII,5).

P. 381 1. L'effet de ce spectacle est le même que celui de l'intervention du héros au tribunal d'Arras (p. 287) : la foule se forme en peuple dont la voix est celle de Dieu. Le texte oriente sa réception par la représentation de celle du référent fictif, mais aussi il convertit son effet en sens.

2. L'*Orion* et l'*Algésiras* sont les formes flottantes des écueils mythologiques Charybde et Sylla.

3. De cette noyade (voir note 1, p. 300) sortira le salut, selon un système de retournement (voir note 1, p. 95 et 2, t. II, p. 11) qui s'opère plusieurs fois dans la traversée mortelle d'un élément : feu de l'incendie à Montreuil-sur-mer (p. 164), air et terre pour l'entrée au couvent (II,8; t. II, pp. 61 et suiv.), eau et terre du fontis (V,3,6; t. III, p. 355). Ici l'eau assure la transition thématique avec le livre suivant.

4. La mort rend au héros son identité : l'intrigue concrétise le statut de mort-vivant propre aux misérables (voir notes, p. 242).

P. 382 1. Ce titre fait entendre les paroles dites à Fantine p. 301. Il est le seul élément du texte qui rende compte des motifs du dévouement de Jean Valjean à Cosette. Une note de Hugo prouve son intention d'indiquer « que J. Tréjean (premier nom du héros) se regarde comme la cause du malheur de Fantine et que tout ce qu'il fait pour Cosette est une réparation. » Il n'y a pas donné suite, laissant à son héros une opacité psychologique (voir note p. 119) où l'on ne devine d'autre raison à son sacrifice que le besoin d'aimer. Mais cette note fait se demander pourquoi il y a, aux yeux de Hugo, de la « réparation » dans la paternité : n'y échappent ni Pontmercy, ni Gillenormand, ni Fantine. (Voir aussi note t. II, p. 15).

2. La description est à nouveau évitée (voir note 2, p. 150), cette fois par un récit qui laisse au lieu l'aspect mystérieux, un peu irréel, d'un souvenir ou d'une lecture d'enfance (voir aussi note 1, p. 456).

P. 383 1. Un sou de moins que Fantine, quelque chose comme 10 F.

2. A cette date l'adoption de Cosette par le héros met dans les bras d'un drôle de père Noël un drôle d'enfant Jésus; à

moins que ce ne soit l'inverse. On a déjà vu un Jean Valjean
Christ plus mal accueilli à Digne que Marie et Joseph à Beth-
léem (voir note 1, p. 62).

P. 385   1. La brièveté de ces détails indique qu'ils serviront
tous.

2. Traduction approximative du début du psaume 129,
chanté à l'office des morts : *De profundis clamavi :* « Du fond
des ténèbres, je crie [vers toi, Seigneur]... » (Voir III,1,13; t. II,
p. 136).

P. 386   1. Signe de monstruosité dans l'œuvre de Hugo où
la hantise de la dent, de la digestion, de l'absorption — de
toute assimilation du « moi » au « non-moi » (voir note t. III,
p. 353) est constante. Par référence à la formule populaire,
cette dent unique connote aussi une haine universelle.

Sur la dentition des misérables, voir aussi note 1, t. II,
p. 280. Tout le chapitre fonctionne en « stéréophonie
discursive » avec le livre I,4; pp. 150 et suivantes.

2. A juste titre. La logique de ce système, exactement per-
vers, consiste à

— s'enrichir du vol non des riches, mais des pauvres;

— accaparer non pas un profit ou un capital mais une
bonne action ou un sacrifice : détourner un don et en priver
du même coup le bénéficiaire et le donateur;

— surenchérir : s'appuyer sur le succès de son crime pour
l'aggraver.

— ajouter au tout de la rancune envers les victimes.

La misère est donc l'outil de travail de Thénardier : contradiction qui est aussi celle du capitalisme. De fait, la gargote
sombre à peu près en même temps que la fabrique de Mon-
treuil. Ce parallélisme économique autorise un rapprochement
onomastique : Montre-œil, lieu de la conscience vigilante, est
le contraire de Mon-ferme-œil : lieu de la conscience aveugle.

P. 388   1. La phrase suivante signale un autre principe de la
construction des deux personnages : comme tout monstre, ils
sont composites — par opposition au pur et au composé — et
dénaturés — sexuellement en particulier (voir note 1, t. II,
p. 298). Mais elle cumule des excès contraires et lui des manques incompatibles. L'être de Thénardier est l'absence —
comme plus tard Babet et Claquesous (voir note t. II, p. 279)
— qui détermine sa polymorphie et le rend inassignable, qui

le définit par l'avidité, qui fait basculer dans leur négation toutes ses qualités virtuelles : lettré sans orthographe, ivrogne sans ivresse, homme de plaisir sans désir et d'argent sans goût de posséder.

P. 389 1. Sachant le prix des choses et même de celles qui n'en ont pas, Thénardier est l'homme de la valeur (voir note t. III, p. 79).

P. 390 1. Voir note 2, p. 380.

2. Sur l'intervention de l'auteur, voir note 1, p. 193, et sur la représentation de l'enfance, note 2, t. II, p. 117.

3. Voir note 1, t. II, p. 298.

4. Le système Thénardier est juste l'inverse de celui de Hugo : prouver le mal en le faisant.

P. 391 1. Belle inversion de la hiérarchie entre les hommes et les animaux après Cosette nourrie un peu mieux que le chien et un peu plus mal que le chat et le neveu de Jean Valjean blotti contre le chat pour se réchauffer (p. 90)

2. Les enfants ne savent pas bien parler : ni mentir, ni se défendre. Ce n'est donc pas sa virtuosité mais la facilité même de son exactitude, sa nudité, qui rend cette notation pathétique.

P. 392 1. La Thénardier redouble et explicite l'anonymat de la misère (note 1, p. 128). L'injure qui suit est aussi bien trouvée : depuis Perrault le crapaud est la forme misérable de la parole dont Cosette, innommable et muette, est privée de toutes les manières.

P. 393 1. Sans cette dernière phrase, naïvement symbolique, Flaubert n'eût pas renié le paragraphe. Voir aussi la mort de Jean Valjean (t. III, p. 535).

2. Sans doute ceux achetés à Fantine...

3. Descente, absorption, mort et froid sont les images constantes de la misère depuis I,2,6 et 8.

P. 394 1. Inversion analogue à celle du texte annoté 1, p. 391, mais plus douloureuse parce qu'il s'agit d'un être inanimé et que Cosette y procède elle-même, inconsciente de la monstruosité de cette idée. Ces chapitres construisent Cosette en personnage complet : emblématique et quotidien, pris dans une condition et capable des conduites de l'âme où l'homme touche à l'infini : l'extase et la peur panique.

2. Cette scène célèbre mobilise bien des fantasmes et des souvenirs, agencés dans une construction rigoureuse. Hugo ménage la progression de l'angoisse, passe de la sympathie tendre à la compassion, réserve la charge affective la plus forte pour le moment où le lecteur, désarmé, ne l'attend plus et croit Cosette, parvenue à la source, au bout de ses peines. L'hallucination est alors relayée par une sorte de digression lyrique telle que l'oubli de Cosette par le lecteur entraîné dans une sorte de vertige rejoint et accrédite la dépossession immonde qui l'envahit : « Elle croyait sentir qu'elle ne pourrait peut-être pas s'empêcher de revenir là à la même heure le lendemain. » La détente qui suit autorise une émotion altruiste, proprement pathétique.

P. 395　1. Oiseau de l'aube au plus profond de la nuit.

P. 396　1. La perte de cette pièce dans une source, pleine d'échos rêveurs aux contes, assimile la rencontre à celle de Petit-Gervais. Jean Valjean la répare avec une pièce de vingt sous en argent (p. 410) rendant ainsi à Cosette la moitié de ce qu'il avait pris à Petit-Gervais. C'est le prix d'un pain (voir note 1, p. 150) perdu cette fois et non volé par cette demi-sœur de Jean Valjean et de Gavroche (note t. II, p. 525).

P. 398　1. Voir note 1, p. 193.

P. 399　1. Le miracle n'aura rien de bien catholique : un homme prend la place de Dieu pour donner la poupée d'un marchand qui « lui faisait un peu l'effet d'être le Père éternel ».

Hugo impose pourtant au lecteur un acte de foi car il n'a pas plus peur que Cosette. Sachant qu'il y a de quoi être effrayé sans l'être, il n'imagine pas qu'après une telle misère il survienne à Cosette autre chose que du secours. Le lecteur le plus incrédule se trouve ainsi pris en flagrant délit de confiance en une providence. Stratégie constante des *Misérables* que de conduire le lecteur à une émotion telle qu'il ne puisse pas ne pas partager l'attitude spirituelle de l'auteur-narrateur.

2. Pourquoi ce geste est-il le plus beau du roman ? Peut-être parce qu'il inverse en soulagement la hantise de la rencontre dans le bois, peut-être aussi parce qu'avec délicatesse il ajoute au secours la main donnée des promenades enfantines et amoureuses. Sa valeur symbolique est claire, voir note t. II, p. 15. Le texte commente lui-même en II,4,3; p. 447.

P. 401 1. Rencontre pour le contraste des portraits et en référence à une ancienne coutume — en usage jusqu'à la fin de la monarchie — donnant sa grâce à un condamné à mort rencontré par le roi. De la sorte la grâce acquise (voir p. 369) est authentifiée, peut-être redoublée.

P. 402 1. Comme le premier aubergiste de Digne, p. 64.

2. Le mutisme de Jean Valjean est moins un trait de caractère que la marque de la misère — ainsi Champmathieu — et le moyen de donner tout leur poids aux rares paroles du héros.

P. 403 1. Pas d'étoiles p. 393, une seule et qui se couche p. 396, deux ou trois ici : ce n'est pas une inadvertance.

P. 404 1. Ce paragraphe inutile joue de la diversité des points de vue, efface rétrospectivement la terreur de la scène précédente et met en œuvre un effet de « stéréophonie discursive » (voir note 3, t. II, p. 511).

2. Le charme de la scène est fait de ses silences : de ce que la reconnaissance de Cosette par Jean Valjean ne perturbe pas le dialogue, d'une sous-conversation muette, de la discrétion litotique de la plainte de Cosette, de l'abandon presque amoureux entre elle et le héros.

P. 405 1. Voir note t. II, p. 22.

2. Ceci définit aussi l'effet du texte et l'attitude du lecteur après les angoisses de « La petite toute seule ». Hugo peut désormais jouer sur la confiance que le lecteur, comme Cosette, fait au héros redresseur de torts. L'enthousiasme, la jubilation et l'attendrissement vont récompenser le lecteur des épreuves subies depuis si longtemps, et le préparer à de nouvelles.

P. 408 1. Parfois le narrateur reprend de la sorte un mot d'un des personnages. Jeu retors sur la « stéréophonie discursive » (note 3, t. II, p. 511) et pratique de « réalisation » (voir note 2, p. 94) puisque le lecteur perd entièrement de vue que l'auteur ne cite que lui-même.

2. L'accueil de Digne se répète pour s'inverser.

3. Le portrait — déjà p. 162 — n'hésite pas à sacrifier l'héroïne et à la conduire — « idiote » ou « démon » — là où le bagne avait mené Jean Valjean : « bête féroce », « impie », plein d'un « vague et incessant et brutal désir de nuire, n'importe à qui, à un être vivant quelconque ». Voir aussi note 1, t. II, p. 298.

4. Tout à l'heure vieille femme (p. 390), maintenant rajeunie, l'essentiel est que Cosette n'ait pas *son* âge, ni même d'âge.

P. 411 1. Depuis le spectacle, raconté dans *Choses vues*, de la rencontre d'un voleur de pain entre deux gendarmes et d'une duchesse, lui la regardant, elle l'ignorant, le croisement de ces deux sentiments résume pour Hugo l'aspect catastrophique de la « question sociale ».

P. 412 1. Et non « comprendraient » : le texte institue une communauté enfantine, ou du moins faite d'amour et de compréhension pour l'enfance, entre le narrateur, Cosette, Jean Valjean, le lecteur et l'auteur.

P. 413 1. Jean Valjean ne paie pas le prix des bas, mais la valeur du travail de Cosette et transgresse leur illusoire identité que seule la misère établit. Il a manqué à Fantine qu'on pratiquât envers elle cette économie — voir note 1, p. 187.

2. Désignation populaire de la pièce de 5 F par analogie avec les roues des voitures, plus grandes à l'arrière, bien placée donc dans la bouche des rouliers. Il y a, dans *Les Misérables*, tant de pièces de 5 F, engagées dans des échanges en ligne si continue, que le roman pourrait s'intituler *Histoire d'une pièce de 5 francs*. De fait, la valeur de cette pièce — une semaine à un jour de salaire ouvrier — en fait l'unique point de contact entre l'argent bourgeois et l'argent des misérables (voir note 1, t. III, p. 88 et note 2, t. II, p. 428).

P. 414 1. Il y a peut-être une terrible ironie dans cette définition de la condition des femmes : « se figurer que quelque chose est quelqu'un ».

2. Apparente mièvrerie dont le détail fait rêver. Les deux poupées sont faites avec un chat et un sabre — ce qui n'est pas « n'importe quoi » comme le prouve la chanson obscène des buveurs, au même moment. Celle offerte à Cosette — la « dame » — ressemble à sa mère dont elle va chanter la mort en la berçant. La famille Hugo donnait volontiers à Léopoldine le surnom de « poupée » (Voir note 2, p. 419).

Un peu plus loin — p. 417 — les pleurs de Cosette diront les sens de la scène : il faut que Cosette s'identifie à sa mère, prenne sa place et perde elle aussi son enfant pour que Jean Valjean lui rende tout à la fois, dans la poupée, sa mère, elle-même — sa propre enfance —, et toute la féminité. Ainsi est déjà posée la concentration de tous les amours dans l'amour de Jean Valjean pour Cosette.

3. Pour une fois, elle ne tombe pas mal.

P. 417 1. Voir Fantine devant Javert, p. 198, et la fin de la note 2, p. 414, ci-dessus.

P. 418 1. Ou son envers : un donateur. Deux formes, économiques, du composite, voir notes 1, p. 186 et p. 388.

2. Voir note p. 389.

P. 419 1. C'est le geste de cette « reine de France », la première fois que le lecteur la rencontre, en I,4,1; p. 156. Une telle correction à l'attendrissement — de même plus haut la Thénardier en tonnerre — place narrateur et lecteur au point exact de sympathie où la vérité et l'existence du personnage se forment, sans que soit brisée l'identification, dans le refus d'un engluement émotif.

2. Catherine Thomas est la femme auprès de qui Léopold Hugo, dès 1803, se console de l'absence de sa femme, et qu'il épouse sitôt Sophie décédée, au scandale de ses fils. Le cinquième prénom de Léopoldine — que la famille Hugo appelait volontiers « poupée » — était Catherine. Ce don et ce nom anticipent, pour Jean Valjean, la reconnaissance désespérée de la femme en Cosette. Que Marius se soit d'abord appelé Thomas va dans le même sens : ce qu'il y a de Catherine en Cosette s'unira à ce qu'il y a de Thomas en Marius, en un lien dont Jean Valjean est à jamais exclu.

P. 420 1. C'est aussi le mot de Javert, voir note t. III, p. 248.

2. Mutisme, massivité et immobilité définissent ce personnage plus fait d'une substance — homogène — que d'un caractère. Cette simplicité correspond autant au statut symbolique du personnage qu'à son opacité (voir note p. 119).

P. 422 1. Les objets de la misère perdent leur nom et leur nature comme les misérables eux-mêmes.

P. 423 1. Voir texte et note 2, p. 385. Ce rappel souligne cet abandon.

P. 424 1. L'alouette est un oiseau si petit, qui monte si haut dans le ciel et chante si fort que, souvent, on l'entend sans la voir. Voir aussi texte annoté 1, p. 448.

P. 429 1. Toute la scène de l'auberge a pour fil conducteur une critique de la valeur (voir note t. III, p. 79) par antithèse entre les relations humaines et les relations d'argent : les sommes n'y sont pas indiquées par leur valeur mais représentées dans leur support matériel concret. L'indifférence ou la passion envers l'argent peuvent alors dissocier le signe — objet neutre sous le doigt de Jean Valjean — et la valeur — fétichisée dans la monnaie par Thénardier. La fascination de Cosette devant la pièce achève cette dévalorisation de l'argent en transmutant l'or en étoile — celle des Rois Mages ? — symbolique de la paternité : les valeurs morales et humaines ont éclipsé la valeur en cet objet même qui passe pour n'être que son signe.

P. 431 1. Départ comparable à celui de la sœur et des neveux de Jean Valjean, p. 89.

P. 432 1. On ne peut plus éviter de rapprocher la redingote jaune du passeport jaune de l'entrée à Digne.

P. 433 1. Voir note t. III, p. 524.

2. Effet de vue partielle (de même p. 416) qui appartient en propre au génie visuel de Hugo, bien avant que le cinéma et la photo l'aient banalisé, mais qui n'est pas de pur pittoresque (voir note 1, t. II, p. 11).

P. 434 1. On a déjà lu cette lettre (I,6,1 ; p. 208) mais sans la suscription du lieu ni de la date qui mérite attention : du 25 mars au 25 décembre, de l'Annonciation à Noël, s'opère la gestation symbolique de Cosette par Jean Valjean.

P. 435 1. Voir texte et note p. 392. Il fallait bien que le père reçût le nom de la fille.

P. 436 1. Toute cette fin, comme la comparaison avec le loup (p. 435) et avec le renard (p. 433), assimile Thénardier à Javert et esquisse le motif du livre 5. L'adoption de Cosette fait de Jean Valjean une proie prise en chasse de même que l'éveil avait été donné à Javert par le secours porté à Fauchelevent et à Fantine.

2. Le texte prend à contre-pied celui du « pré-roman » (voir note 3, t. III, p. 160) qu'il invoque : ignorant ce que la justice sait et réciproquement.

P. 437 1. Intériorisation d'un des motifs majeurs du texte (voir note 2, p. 242) thématisé dans l'intrigue depuis l'évasion. Le titre du chapitre, qui rend Jean Valjean à l'anonymat du bagne et en fait une chose, va dans le même sens : la misère de la paternité convoque toutes les autres. Et les convertit : cette mort est une résurrection et ce titre se lit aussi comme une humiliation de soi amoureuse et gaie.

2. L'impersonnel assimile cette journée à toutes les promenades enfantines ou paternelles que le lecteur a pu faire. Vu autrement, il attribue le récit, ou le souvenir, à l'un ou l'autre des deux personnages. Familiarité et intériorisation qui dorent la simplicité des dernières lignes.

P. 438 1. Ce promeneur est Hugo, déjà vu en « passant » (II,1,1 ; p. 309) et qu'on retrouvera en « rôdeur de barrières » (III,1,5 ; t. II, p. 122), mais aussi le lecteur guidé ici comme il l'est à l'entrée du couvent (II,6,1 ; t. II, p. 9) et enfin le héros. On l'a vu explorer ce quartier (II,3,6 ; p. 399) et le roman avait déjà pénétré, mais fugitivement (I,3,2 ; p. 125) dans Paris d'où il ne sortira plus. Entrée logiquement marquée par cette grande description sur laquelle reviendra le début du livre suivant.

2. Lieu mixte, limite et bord indéfinissable autrement que par la contradiction, ce quartier, comme plus loin la masure Gorbeau, est à l'espace urbain ce que Cosette chez les Thénardier est à l'enfance ou Eponine à la féminité, voir t. II, note 2, p. 298.

P. 439 1. Entre ces deux chiffres, qui rendent l'identité de cette demeure aussi incertaine que celle de Jean Valjean, se cache le millésime de la misère historique : 1851, l'année du coup d'Etat et, pour Hugo, de l'exil, en même temps que celle, inversée, de Waterloo, 1815.

P. 440 1. Voir note 2, p. 380.

P. 441 1. Cet historique et la localisation de la maison — boulevard de l'Hôpital, entre la Salpêtrière et Bicêtre, tout près du lieu des exécutions capitales — la font entrer dans le système pénalité-charité, voir note t. II, p. 329.

P. 442 1. Voir note t. II, p. 432.

P. 444 1. Sur ce motif du regard sur une personne endormie, voir note t. III, p. 378.

P. 446 1. Hugo sait que le lecteur a lui aussi oublié cette sœur et ces neveux du héros, déjà lointains : I,2,6; pp. 89-90.

2. Lorsque ces deux aubes s'obscurcissent réciproquement se lève la dernière : « Suprême ombre, suprême aurore ». Voir note t. III, p. 205.

P. 447 1. Beauté trouvée à Jean Valjean, appel à notre souvenir d'un « galetas bleu », vocabulaire et rythme de l'épanchement amoureux disent une chose, neuve alors et peut-être encore, que le texte avoue en clair bien plus tard (IV,15,1; t. III, p. 199) et sur laquelle il est tout entier construit : qu'il n'y a qu'un amour, le même quels que soient les qualificatifs dont l'affectent les situations, « paternel », « filial », « conjugal »...

2. Le double retournement de la formule « ... la veuve et l'orphelin » signale qu'ici, contrairement au roman feuilleton, le Veuf et l'Orpheline n'auront d'autre protecteur qu'eux-mêmes, mieux lotis en cela que la Veuve, Fantine, qui est morte, et l'Orphelin, Gavroche, abandonné.

P. 448 1. Voir note 2, t. II, p. 117.

2. C'est dire que la vie, « cette cloison qui nous sépare du mystère des choses » (p. 17), est un deuil; Cosette porte tout à la fois celui de sa mère, de l'enfance qu'elle quitte et du ciel de la misère.

3. Voir note 1, t. III, p. 535.

4. Détail utile à l'action mais qui, autant que sa paternité d'élection et son anonymat, souligne, juste après la prière de Cosette, le statut virtuellement divin de Jean Valjean. Sur la paternité, voir note 2, t. II, p. 137.

P. 449 1. Voir la même attitude en II,8,8 t. II, p. 104. Préparation de la commotion produite en Jean Valjean par la découverte de la beauté de Cosette en IV,3,5; t. II, pp. 464 et suiv.

2. Cette prudence vaut « effet de réel » mais est exigée par le propos qui fait, dans le destin du héros, la part du hasard et de la liberté. Une autre conclusion est ainsi ouverte à l'hypothèse initiale — voir note 2, p. 94 — que le roman ne prouve pas mais dont il fait éprouver la validité par la conscience du lecteur. Le bien ne se démontre pas, il se pratique.

3. Sur la ponctuation lyrique, voir note p. 193. Cette conclusion de l'épisode en dit clairement le sens : l'« autre en soi » qu'est la conscience doit être aimé; plus simplement : il n'y a

pas de vertu sans amour. L'idée qu'il n'y a d'appui à sa propre faiblesse que dans celle d'autrui parcourt le roman (voir note 1, p. 186) : il faut que l'unité et la propriété du « moi » soient cassées — il faut être misérable — pour que l'altérité d'autrui cesse de menacer l'accomplissement de soi comme sujet — voir note t. III, p. 205.

P. 450 1. Cet oxymore résume une loi de l'économie de la misère, voir note p. 186.

2. Double de Madame Victurnien (I,5,8; pp. 182 et suiv.).

3. Celle de Hugo peut être dure. Le texte rompt, selon une esthétique du contraste, avec l'attendrissement pour s'engager dans le roman d'aventures.

4. Nouvelle mise en scène, comique, après Cosette devant le louis d'or, de la dissociation entre l'argent et la valeur (voir note t. III, p. 79) et de la disproportion entre l'argent des misérables et celui des possédants, voir note 1, t. III, p. 88. A cette date le papier monnaie est rare et employé seulement pour des sommes très importantes.

P. 451 1. Détail confirmé au chapitre II,5,10, p. 479 qui donnera le mot de toutes ces énigmes; mais il a valeur symbolique dans le système pénalité-charité, voir note t. II, p. 329.

P. 454 1. Détail d'une faible utilité pour l'intrigue (II,5,10; p. 482) et surtout symbolique : deux choses dénoncent Jean Valjean, son argent et son enfant.

P. 455 1. Discret rappel de l'exil de l'auteur, lui-même traqué par la police, en 1851, avant de partir pour un exil comparable à celui de Jean Valjean au couvent.

P. 456 1. Cette description d'un Paris peut-être disparu situe historiquement le narrateur en même temps qu'elle éloigne l'auteur dans un ailleurs et un hors-temps où sa voix prend une résonance d'outre-tombe. Paris lui-même s'entoure d'un halo d'irréalité convenable à l'intrigue et au sens du livre.

2. La métaphore sera « filée », elle aussi. Elle est pertinente au déni d'humanité que la société oppose à la misère — résumé dans le mot « gibier de potence » — et qui la frappe elle-même en retour.

P. 457 1. Cette chaîne de la foi résume la théologie hugolienne et la stratégie religieuse du livre : la foi en Dieu exige qu'on devienne soi-même Dieu pour autrui.

2. La régression historique et la régression morale de la chasse à courre vont de pair.

P. 460 1. Topographie imaginaire exigée par « dépaysement » (voir note t. II, p. 7) du couvent. Mais le « y » a une valeur, placé qu'il est entre le symbole de l'inconnu et celui de l'achèvement. Tout commence au « A » de Waterloo (voir note 2, p. 319) et il s'en faut d'une lettre que tout s'achève au couvent.

P. 461 1. La superposition de la prison et du couvent (voir aussi note t. II, p. 7) entre dans le système pénalité-charité (voir note t. II, p. 329). Elle correspond aussi à la méditation de Jean Valjean (t. II, pp. 108 et suiv.).

P. 462 1. Il n'a même pas existé du tout. Sur l'irréalité de ce lieu, voir note t. II, p. 7.

2. Pour Hugo et pour le lecteur qui sait, ou soupçonne, que ce plan est aussi imaginaire que la topographie qu'il confirme, l'effet de réel se retourne, non sans humour, en effet d'irréalité.

P. 466 1. L'ironie signale que ces deux poches pourraient bien communiquer — ou être la même. L'entreprise de Jean Valjean n'est pas de dépouiller en lui le galérien — fausse route suivie par M. Madeleine — mais de l'élever au bien, ainsi que le concrétise l'ascension-assomption qui suit.

P. 467 1. Allusion à la célèbre formule du *Richard III* de Shakespeare : « Mon royaume pour un cheval ! » Comme les sœurs à la « réparation », qui ont la corde au cou (p. 472 et t. II, p. 15) Jean Valjean retourne en instrument de salut l'ustensile de la perdition — personnelle : ainsi le suicide par pendaison de G. de Nerval, — historique : « Les aristocrates à la lanterne ! », — sociale : le gibet des « gens de sac (voir la besace) et de corde ». La métaphore se poursuit p. 486 : Javert a lui-même tressé la corde de cette pendaison devenue évasion.

P. 469 1. Résolue formellement en II,8,1 ; t. II, p. 61 (en fait, dès la p. 15), l'énigme contribue à atténuer le caractère digressif des chapitres du couvent.

Sa description anticipée permet, tout en restant dans la tonalité « policière » du chapitre, d'employer l'effet de « stéréophonie discursive » (voir note 3, t. II, p. 511) à l'exploration de l'ambiguïté propre au couvent, lieu de torture et asile.

2. Comparer cette description à celle de II,6,8 ; t. II, p. 33.

Deuil, prison, stérilité, pourriture, torture : l'évocation, placée sous le signe de la dénaturation, s'inverse brutalement à la fin du chapitre en vision surnaturelle. Cette contradiction, dont le principe construit toute la description du couvent et qui est celle de la misère, est dite explicitement à la fin du chapitre suivant : « promettant d'ouvrir la porte radieuse du ciel et ouvrant la porte horrible du tombeau » (p. 473).

P. 471 1. Voir note 2, t. II, p. 117.

2. Ce geste est à nouveau lié au motif de l'ange (note 1, t. III, p. 535).

P. 472 1. Voir note 3, t. III, p. 160.

P. 473 1. Le fantasme à l'œuvre — dont l'histoire d'Orphée et celle de la femme de Loth sont des variantes — est celui de la punition du regard sur un objet interdit (voir aussi I,2,13; p. 115 et I,7,8; p. 270). Plus tard Jean Valjean s'agenouillera devant ce qu'il fuit maintenant (II,8,9; t. II, p. 112). Un échange bien plus mystérieux se fait entre l'épouvante devant l'animation du corps pétrifié et l'engourdissement mortel de Cosette endormie.

2. Voir note t. III, p. 378.

P. 474 1. Voir I,5,7 et note 1, p. 181.

P. 475 1. Ce geste rappelle à la réalité des rapports sociaux le lecteur trop ému. Il renouvelle, avec la même somme, celui du héros entrant chez Mgr Bienvenu, et il a la même issue. Que Jean Valjean surprenne ses interlocuteurs, ou que ce soit l'inverse, toujours la misère enraie les rapports marchands. Du coup le roman tourne à la comédie.

P. 476 1. Assez grosse — Hugo a rayé le mot « clochette » — pour ressembler à un boulet.

P. 477 1. Le souvenir revient aussi au lecteur, voir page 181.

P. 479 1. La formule évite l'attendrissement et n'est pas sans vérité morale : ne pas attendre la reconnaissance d'autrui pose envers lui la même supériorité qui peut aussi faire voir un dû dans un don et provoquer l'ingratitude. Elle rejoint le geste de Mgr Bienvenu ajoutant les chandeliers aux couverts; Fauchelevent dépasse l'annulation de la dette par la fraternité.

2. En revenant sur l'intrigue depuis la fin de la première

partie, ce chapitre ferme la seconde et contribue à isoler le livre suivant en un point d'orgue à la rencontre de Jean Valjean et de Cosette. Il pourrait s'intituler « vu du côté de la police » : sa rapidité souligne tout ce qui éloigne *Les Misérables* des romans du judiciaire et du policier — *Splendeurs et misères des courtisanes* ou *Les Mystères de Paris* — auxquels il s'apparente par son objet mais non par son point de vue. Le même traitement avait été réservé au roman de l'ascension individuelle et du réformisme social (voir note 4, p. 163) ainsi qu'à celui de la bienfaisance catholique (voir note 1, p. 111).

P. 480　1. Javert dit la vérité de toute pénalité comportant la mort : les autres peines n'en sont que la forme approchée.

P. 485　1. La réserve, et parfois le dégoût, de Hugo devant toutes les formes de la sensualité tient, lisiblement ici, à ce qu'il y perçoit de volupté de la destruction, d'instinct de mort. Sur l'araignée, voir note 2, p. 380.

P. 486　1. La comparaison est ironique et réduit les conquérants à leur exacte dimension. Surtout, *Les Misérables* sont fondés sur l'idée de la valeur infinie, absolue, de chaque individu qui égale aux grandes catastrophes historiques la moindre tragédie individuelle.

TABLE

PREMIÈRE PARTIE
FANTINE

LIVRE PREMIER
UN JUSTE

Table 555

LIVRE HUITIÈME
CONTRE-COUP

DEUXIÈME PARTIE
COSETTE

LIVRE PREMIER
WATERLOO

Table 557

LIVRE DEUXIÈME

LE VAISSEAU *L'ORION*

LIVRE TROISIÈME

ACCOMPLISSEMENT DE LA PROMESSE FAITE À LA MORTE